SELECT DOCUMENTS OF
ENGLISH CONSTITUTIONAL HISTORY
1307–1485

THE LAW AND WORKING OF THE CONSTITUTION

DOCUMENTS 1625–1660. I. A. Roots and D. H. Pennington. *In preparation*

DOCUMENTS 1660–1914. Two vols. W. C. Costin and J. Steven Watson

---

THE CONSTITUTIONAL HISTORY OF MEDIEVAL ENGLAND

J. E. A. Jolliffe

Third edition

THE CONSTITUTIONAL HISTORY OF MODERN BRITAIN

since 1485

Sir David Lindsay Keir

Sixth Edition

SELECT DOCUMENTS OF ENGLISH CONSTITUTIONAL HISTORY

1307 - 1485

EDITED BY

S. B. CHRIMES, M.A., PH.D., LITT.D.

PROFESSOR OF HISTORY, UNIVERSITY COLLEGE, CARDIFF

AND

A. L. BROWN, M.A., D.PHIL.

LECTURER IN HISTORY, UNIVERSITY OF GLASGOW

BARNES & NOBLE, INC. · New York

Publishers · Booksellers · Founded 1873

FIRST PUBLISHED 1961

A. AND C. BLACK LIMITED
4, 5 AND 6 SOHO SQUARE LONDON W.1

PRINTED IN GREAT BRITAIN
BY R. AND R. CLARK LTD., EDINBURGH

PREFACE

The aims of the editors in preparing this selection of constitutional documents have necessarily been restricted. The selection has been confined to documents of major constitutional importance, to the exclusion of those of purely political interest. Even within the constitutional field some topics in this collection are patently underdocumented; legal history and the relations between Church and State are two obvious examples of this deficiency. Our original intention was to illustrate topics such as these fairly fully in a number of specialized chapters, but it soon became clear that this ideal was impossible to achieve. The documents illustrating the best-known constitutional events—the depositions, the parliamentary 'crises', and the like, are so lengthy that they alone would more than fill the volume. The choice therefore lay between curtailing such documents by severe abridgement in order to make space for chapters on special topics, and printing these documents rather fully whilst illustrating topics such as the history of institutions only with a few of the better-known documents. We felt that for teaching purposes the second alternative would be the more useful. This is a choice with which not everyone will agree, but it was made deliberately. The Formulary section is intended to compensate in part for the consequential gaps by printing some examples of documents frequently used in the course of the king's government.

Another deliberate choice was to curtail editorial matter and notes to the bare minimum. This has been done because we felt that unless we could devote a considerable amount of space to these matters, they would be of little value and might quickly become outdated. More space for such a purpose could be found only by drastic exclusion of documents, and we therefore decided to restrict the editorial matter to brief guidance on the source of the texts we print, to the minimum background information, and to essential specialized bibliographical references where needed. When we print only part of a document we have tried to indicate in a paraphrase the general content of the parts omitted.

We should like to thank the several scholars who have assisted us in the preparation of the volume with their expert advice. In particular we should like to thank Professor I. M. Campbell, Professor Norman Davis, Miss Dominica Legge, and Dr. Kenneth Urwin, who gave us much valuable advice on linguistic matters; Mr. K. B. McFarlane, who has helped us in many ways since the volume was first planned; and Mr. A. B. Webster, who has read the proofs and saved us from a number of errors.

S. B. C.
A. L. B.

September 1960

ACKNOWLEDGEMENTS

We thank the copyright owners and publishers of the following volumes who have kindly given us permission to reproduce extracts: Pipewell Chronicle in *Medieval Representation and Consent*, edited by M. V. Clarke (Longmans, Green & Co. Ltd., 1936); *Rotuli Parliamentorum Anglie Hactenus Inediti*, edited by H. G. Richardson and G. O. Sayles (Camden Society, vol. LI, Royal Historical Society, 1935); *Historia de modo et forma Mirabilis Parliamenti*, edited by M. McKisack (Camden Society Miscellany XIV, Royal Historical Society, 1926); *The Anonimalle Chronicle*, edited by V. H. Galbraith (Manchester University Press, 1927); *Dieulacres Chronicle* in Bulletin of John Ryland's Library, vol. XIV, edited by M. V. Clarke and V. H. Galbraith (Manchester University Press, 1930); *The Great Chronicle of London*, edited by A. H. Thomas and I. D. Thornley (The Guildhall Library: Corporation of the City of London, 1938); *Usurpation of Richard III* (Mancini), by C. A. J. Armstrong (Clarendon Press, 1936); *The Pretensions of the Duke of Gloucester in 1422*, by S. B. Chrimes (English Historical Review, vol. XLV: Longmans, Green & Co. Ltd., 1930); Sir John Fortescue, *De Laudibus Legum Anglie*, edited by S. B. Chrimes (Cambridge University Press, 1942); *Six Town Chronicles*, edited by R. Flenley (Clarendon Press, 1911); *The Fane Fragment of the 1461 Lords' Journal*, edited by W. H. Dunham (Yale University Press: Oxford University Press, 1935); *Supplementary Stonor Letters*, edited by C. L. Kingsford (Camden Society, 3rd Series, vol. XXXIV, Royal Historical Society, 1924). *English Constitutional Ideas in the Fifteenth Century*, by S. B. Chrimes (Cambridge University Press, 1936); *The Coventry Leet Book*, edited by M. D. Harris (Early English Text Society, 1907–13); *Select Cases before the King's Council, 1243–1482*, edited by I. S. Leadam and J. F. Baldwin (Selden Society, vol. XXXV, 1918); *Proceedings before the Justices of the Peace in the 14th and 15th Centuries*, edited by B. H. Putnam (Harvard University Press for the Ames Foundation, 1938); *Lord Hastings' Indentured Retainers, 1461–1483*, by W. H. Dunham, Jr. (Transactions of The Connecticut Academy of Arts and Sciences: Yale University Press, 1955); *Registrum Thome Bourgchier Cantuariensis Archiepiscopi*, ed. F. R. H. Du Boulay (Canterbury and York Society, vol. LIV, 1957). Unpublished material in the Public Record Office is printed by permission of the Controller of H.M. Stationery Office.

EDITORS' NOTE

1. The text of the great majority of the documents printed below has been previously printed in a variety of works edited by many different editors at different times, following various conventions. It has not been practicable or necessary to collate all these previously printed texts with the original manuscripts, and the present editors have in general observed the following rules:

(*a*) In the case of Public Records, the previously printed version has been collated with the manuscript, except where it has been printed recently.

(*b*) In the case of chronicles and other literary sources which have been previously printed in standard editions, the present editors have normally reproduced the text of the previous edition in all respects.

2. All the texts which have been collated with the original manuscript are indicated by an asterisk inserted after the reference to its source shown at the head of each document. Texts which cannot be fully collated because of defects, total or partial, in the manuscript are indicated by a dagger instead of an asterisk. Wherever possible the present editors have endeavoured to provide an accurate reproduction of the original text, except that

(i) abbreviations have been expanded wherever possible, though in a few cases where the meaning of a suspension is doubtful the suspension itself has been retained in the form of an apostrophe.

(ii) the capitals, punctuation, and paragraphing are those of the editors.

(iii) modern usage as regards 'u' and 'v', and 'i' and 'j' has been followed.

(iv) words often end with a flourish or mark which seems to indicate no additional letter, and which was probably merely a scribal trait. This has been ignored.

3. In documents in Anglo-Norman

(i) certain uniform conventions have been followed for the expansion of suspensions, e.g. *-oñ* has been printed as *-oun*, *-añ* as *-aun*, and *q̄* as *qe*.

(ii) accents and apostrophes have not been added.

4. In documents in English

(i) the thorn (*þ*) has been printed as *th* and the yogh (*ȝ*) as *z*.

(ii) certain uniform conventions have been followed for the expansion of suspensions, e.g. *-oñ* has been printed as *-on* except in words of French origin ending in *-con* where it has been printed as *-cion* ; and in genitive and plural forms, e.g. *king*', the common 'loop' suspension has been printed as *kinges*.

5. Many words occur in two or more different spellings, and one form has been adopted as standard in expanding them when they are abbreviated in the manuscript, e.g. *seignur* not *seigneur*. But no word fully expanded in the original has been altered to conform with these conventions.

6. In the case of extracts from the *Rolls of Parliament*, and from certain other texts which exist in modern editions, the established numbering of paragraphs has normally been retained.

ABBREVIATIONS

Bull. Inst. Hist. Res.	Bulletin of the Institute of Historical Research.
Bull. J. Ryland's Library.	Bulletin of John Ryland's Library.
Cal. Pat. R.	Calendar of Patent Rolls.
Camden Soc.	Camden Society.
E.H.R.	English Historical Review.
Eng. Hist. Soc.	English Historical Society.
Hist. MSS. Com.	Historical Manuscripts Commission.
Kingsford, *E.H.L.*	C. L. Kingsford, *English Historical Literature in the Fifteenth Century* (1913).
L.Q.R.	Law Quarterly Review.
Parl. Writs.	*Parliamentary Writs*, ed. F. W. Palgrave, Record Commission (1827–1834).
Procs. and Ords.	*Proceedings and Ordinances of the Privy Council*, ed. H. Nicolas. Record Commission (1834–1837).
Rot. Parl.	*Rotuli Parliamentorum.* Record Commission (1767–1777).
R.S.	Rolls Series.
Rymer, *Foedera.*	*Foedera, Conventiones*, etc., ed. T. Rymer (O.E.) Old edition (1704–1735); (R.E.) Record edition (1816–1869).
Stat. R.	*Statutes of the Realm.* Record Commission (1810–1828).
Trans. R.H.S.	Transactions of the Royal Historical Society.

CONTENTS

REIGN OF EDWARD II
1307–1327

CORONATION OF EDWARD II, 1308

Edward I died on 7 July, 1307. Edward II received the homage and fealty of the English magnates present at Carlisle on 20 July; the proclamation of his peace announced that he was already king by descent of heritage, and his first regnal year was dated from 8 July. His coronation was held on 25 February, 1308, a week later than at first intended. During this ceremony he took a coronation oath in the French version. A great council of magnates was called for 3 March, 1308, but its actual opening was postponed for five weeks.

For discussion of this subject and the documents below see R. S. Hoyt, 'The Coronation Oath of 1308', in *E.H.R.*, LXXI (1956), 353-383, and the literature therein cited.

1. ACCORDING TO THE ANNALS OF ST. PAUL'S

[*Annales Paulini*, ed. W. Stubbs, in Chronicles of the reigns of Edward I and Edward II (R.S., 1882), I, 259-262.]

For the value of this chronicle see H. G. Richardson, 'Annales Paulini', in *Speculum*, XXIII (1948), 630-640. The chronicle is a continuation of the *Flores Historiarum* for the period 1306–1341 by at least four unknown writers. The portion for 1307–1308 was probably written by someone connected with Westminster rather than St. Paul's and written well after the events described.

Circa idem tempus rex festinavit coronationem suam apud Westmonasterium celebrari Dominica Quinquagesimae in festo Sancti Mathiae, anno bissextili, Februarii vicesimo quinto die; et quia Robertus Cantuariensis archiepiscopus absens erat et suspensus ab officio, proposuit papa misisse unum cardinalem qui regem in Anglia coronaret. Rex noluit ista pati, sed, missis nuntiis, postulavit ut ab Eboracensi archiepiscopo et Dunolmensi et Londoniensi consecraretur in regem. Et data est illis commissio et potestas regem solempniter coronare. Sub illis utique diebus invenit Cantuariensis archiepiscopus gratiam coram papa, et restituit eum in gradum pristinum, et ratificavit multa privilegia ecclesiae Christi Cantuariae, et alia multa quae ab eo confirmari postulaverat aut concedi. Tunc dominus Cantuariensis asseruit constanter coram papa, regum Angliae coronationem metropolitano Cantuariensi qui pro tempore fuerit, et non alii, pertinere. Inspectis igitur papa super hiis bullatis privilegiis, revocavit commissionem tribus episcopis praeconcessam. Ipse autem dominus Cantuariensis, qui invalitudine corporis detinebatur, nec potuit ad diem illum venire, quia brevis, tradidit commissionem suam tribus aliis episcopis super hac re, [Henrico] videlicet Wyntoniensi, Simoni Saresburiensi, et Johanni Cicestrensi. Venit ergo dies coronationis regiae. Et aderant de partibus transmarinis Karolus et Ludowicus comites patrui reginae, Johannes dux et Margareta ducissa Brabantiae soror regis Angliae; Amadeus comes Sabaudiae, multique alii viri spectabiles genere cum cunctis praelatis et magnatibus hujus regni. Illo die tractaverunt comites et barones de statu regni associatis sibi praenominatis Franciae majoribus, petieruntque a rege summopere amotionem Petri de Gavastone a regno. Rex noluit consentire. Iccirco comites proposuerunt coronationem illico impedire. Quod intelligens rex promisit bona fide se illis facturum in proximo parliamento quicquid peterent, tantum ne coronatio differatur. Itaque in hoc vaniloquio se comites ornaverunt pretiosis et sericis indumentis. Interim rex misit illo die post regale Sancti Edwardi extra ecclesiam monachorum. Erant enim ex proceribus qui vendicabant illud deferre de palatio ante regem, ex antiquo servitio per quod tenebant aliqui certas terras. Porro non deberent tangere illud, quia reliquiae sunt; sed regale proprium regis coronandi, in quo post missam est in palatium reversurus et ad prandium est sessurus, hoc de jure portare debebunt; tantum calicem Sancti Edwardi cum patena, cancellarius atque thesaurarius regni, si presbiteri fuerint, ante regem processive poterunt bajulare. Periculosum tamen dinoscitur propter turbam comprimentem, quia quod vidimus hoc testamur. Tradidit itaque rex voluntarie portiunculas regalis Sancti Edwardi diversis comitibus et baronibus, ut puta crucem, sceptrum, virgam, calcaria et gladios; sed coronam Sancti Edwardi tradidit Petro ad portandum manibus inquinatis. Ex quo non immerito indignati sunt populus atque clerus. Rex per posticium palatii, fixis tentoriis, ecclesiam est ingressus, ut evaderet populi compressionem. Nichillominus amplius premebatur maxima ibi pressura seu compressio gentium, adeo quod quidam murus, etsi luteus fortis, secus magnum altare et pulpitium regium solotenus corruit, et quidam miles Johannes de Bakwelle, adversarius illius ecclesiae existens, sine viatico inibi expiravit. Sed aut regi coronando aut episcopis ipsum coronaturis violentia populi non parcebat. Et ideo cum festinatione nimia, et quasi irreverenter, fuit illa solempnizatio consummata. Et quid dicemus de ministerio convivii? Scimus apparatum ciborum multis milibus superhabundasse, sed ministrationem neminem approbasse. Defecerat enim ibi specularis dispositio convivii regibus assueta; ubi legitur, "Nec erat qui cogeret non volentes." Illo die missa in ecclesia diu post nonam, et prandium in palatio de nocte, displicibilius sunt finita. Omnes comites et barones satagebant regem condigna honorificentia magnificare. Petrus vero, non regis sed gloriam propriam quaerens, et quasi Anglos contempnens, ubi ceteri in deauratis vestibus incedebant, ipse in purpura, margaritis intexta preciosis, inter convivas, quasi rege pretiosior equitabat. Quapropter indignatus comes unus voluit interimere eum palam. Cui alius sanior respondebat; "Non in die festo, ne forte fiat tumultus in populo et dedecus in convivio. Sed expectare vincere nobis erit." Karolus et Ludowicus patrui reginae, cernentes quod rex plus exerceret Petri triclinium quam reginae, cum indignatione ad Franciam remigarunt. In omnem igitur terram exiit rumor iste, quod rex plus amaret hominem magum et maleficum quam sponsam suam elegantissimam dominam et pulcherrimam mulierem.

2. ACCORDING TO WALTER OF HEMINGBURGH

[*Chronicon Domini Walteri de Hemingburgh*, ed. H. C. Hamilton (Eng. Hist. Soc., 1849), II, 270-271.]

Walter of Hemingburgh, *fl.* 1300, was a canon of St. Mary's Priory, Guisborough, Yorkshire. His Chronicle has a contemporary value for this period.

A new edition of this chronicle, under the title of *The Chronicle of Walter of Guisborough*, has been published by H. Rothwell (Camden Soc., 3rd ser., LXXXIX, 1957). The present extract is to be found therein, pp. 381-382.

[Edward II was married at Boulogne on 25 January, 1308.]

Reduxitque eam in Angliam, et coronatus est cum ea Londoniis post mensem, sexto scilicet kalendas Martii, quae erat Dominica, et festum Sancti Mathiae apostoli [25 February], laetantibus et exultantibus populis utriusque terrae. Factaque solemnitate, misit rex magnatibus suis ut convenirent apud Westmonasterium tractaturi et ordinaturi in tribus articulis, de statu scilicet ecclesiae, quae retroactis temporibus iverat in declivum; de statu coronae quam de novo sumpserat, quomodo secundum Deum et justitiam deberet gubernari; et de pace terrae, quomodo deberet in populo observari. Quibus auditis, respondit ille nobilis consiliator, comes Lincolniae, qui esse solebat capitalis consiliarius regis mortui, "Benedictus Deus optimus, qui post regem sapientissimum dedit nobis principium boni regis; et quis est qui in tali mandato non delectet? Certe in talibus gaudere debemus, et ad completionem istorum trium articulorum tota mentis intentione insistere vigilanter. Nunc autem si placuerit quod respondeam, rogo ut eleventur manus ad Deum ab hiis omnibus quibus mea responsio rationabilis videatur. Ecce carissimi mei, si laborare debemus et hic sumptuose morari, expedit ut labor noster sic fructuosus sit ut permaneat." Et dirigens vultum ad nuncios, ait: "Nunc autem petimus quod dominus noster rex scripto confirmet quod ex parte ipsius ore protulistis, se scilicet ratum habere et firmum quicquid in praemissis, inspirante Domino, duxerimus ordinandum." Placuitque ista responsio cunctis, et elevaverunt manus in coelum universi qui aderant, praeterquam duo nuncii missi, comes scilicet Lancastriae et dominus Hugo le Despenser. Et comes ad eos: "Cur cum caeteris manus non elevatis, nonne nobiscum pares estis et consortes in regno? Vivit Dominus, si nobiscum non consenseritis, eritis nobis extranei et quasi capitales inimici." At nuncii, "Parcatis nobis, domine, quia pro utilitate regni vobiscum semper erimus in fide stabiles; sed quoniam de voluntate regis nondum constat, revertemur ad eum, et certificabimus nos absque ulla mora." Abieruntque, et reversi sunt, dicentes ex parte regis quod noluit eos rex ulterius fatigare ad praesens, sed cum actionibus gratiarum reverterentur ad propria usque in quindenam Paschae [29 April]; et tunc Londoniis ad parliamentum suum venirent de praemissis tractaturi.

3. THE CORONATION OATH

(*a*) Latin version

[Rymer, *Foedera* (R.E.), II, i, 33, printed from the Coronation Roll.]*

Postea metropolitanus vel episcopus eundem mediocri distinctaque interroget voce, si leges et consuetudines ab antiquis, justis, et Deo devotis regibus plebi Anglorum concessas, cum sacramenti confirmacione eidem plebi concedere et servare voluerit; et presertim leges et consuetudines et libertates a glorioso Rege Edwardo clero populoque concessas? Si autem omnibus hiis assentire se velle promiserit exponat metropolitanus de quibus jurabit, ita dicendo:

Servabis ecclesie Dei cleroque et populo pacem ex integro et concordiam in Deo, secundum vires tuas?
Respondebit: Servabo.

Facies fieri in omnibus judiciis tuis equam et rectam justiciam et discrecionem in misericordia et veritate, secundum vires tuas?
Respondebit: Faciam.

Concedis justas leges et consuetudines esse tenendas, et promittis per te eas esse protegendas, et ad honorem Dei corroborandas, quas vulgus elegerit, secundum vires tuas?
Respondebit: Concedo et promitto.

(*b*) French version

[Rymer, *Foedera* (R.E.), II, i, 36, printed from a schedule attached to the Close Roll.]*

Sire, volez vous graunter e garder, et par vostre serment confermer au poeple Dengleterre les leys et les custumes a eux grauntees par les aunciens rois Dengleterre, voz predecessours, droiturus et devotz a Dieu; et nomement les lois, les custumes, et les fraunchises grantez au clerge et au poeple par le glorieus Roi Seint Edward, vostre predecessour?
Respons. Jeo les grante et promette.

Sire, garderez vous a Dieu et Seinte Eglise, et au clerge et au poeple, paes et acord en Dieu entierment, solonc vostre poer?
Respons. Jeo les garderai.

Sire, freez vous faire en touz voz jugementz ovele et droite justice et discrecion, en misericorde et verite, a vostre poer?
Respons. Jeo le frai.

Sire, graunte vous a tenir et garder les leys et les custumes droitureles

les quiels la communaute de vostre roiaume aura esleu, et les defendrez et afforcerez al honour de Dieu, a vostre poer ?
Respons. Jeo les graunte et promette.

---

4. THE DECLARATION OF 1308

[*Gesta Edwardi de Carnavan, auctore canonico Bridlingtoniensi*, ed. W. Stubbs in Chronicles of the reigns of Edward I and Edward II (R.S., 1883), II, 33-34.]

The *Gesta* were written contemporaneously by a canon of the Augustinian priory of Bridlington, Yorkshire.

Anno domini MCCCVIII, et regni regis Edwardi post conquaestum secundi primo, in parliamento in quindena Paschae [28 April] Londoniis edito, ipse rex ad pacem regni confirmandam consensit quod magnates Angliae consulerent et diffinirent super statu domini Petri de Gavastone supradicti ; unde omnes et singuli tam de consilio regis quam magnatum terrae, ratiocinantes et deliberationes, in hac forma finaliter proponebant ; "homagium et sacramentum ligiantiae potius sunt et vehementius ligant ratione coronae quam personae regis, quod inde liquet quia, antequam status coronae descendatur, nulla ligiancia respicit personam nec debetur ; unde, si rex aliquo casu erga statum coronae rationabiliter non se gerit, ligii sui per sacramentum factum coronae regem reducere et coronae statum emendare juste obligantur, alioquin sacramentum praestitum violatur. Praeterea quaerendum est quomodo in tali casu rex reducendus est, an per formam legis vel asperitatis ; per sectam legis dirigi non potest eo quod judices non habentur nisi per regem, in quo casu, si regia voluntas rationi dissonaret nihil aliud eveniret nisi error fortius confirmatus. Quocirca propter sacramentum observandum, quando rex errorem corrigere vel amovere non curat, quod coronae dampnosum et populo nocivum est, judicatum est quod error per asperitatem amoveatur, eo quod per sacramentum praestitum se [obligavit] regere populum, et ligii sui populum protegere secundum legem cum regis auxilio sunt astricti."

Item quantum ad personam domini Petri de Gavastone, in eodem parliamento fuit ostensum . . . quod dominus Petrus coronam exheredavit, et suo incitamento regem a concilio procerum regni sui amovit . . . ; propositum fuit insuper per commune consilium quod . . . comites praefatum Petrum . . . convictum et dampnatum pronuntiarent, domino nostro regi supplicando, desicut ipse leges observare, populum regere, per sacramentum coronationis suae astringitur, quod considerationem populi acceptet, et judicium quod inde competit dignetur similiter adimpleere . . . et dominus rex consensit et scripto roboravit, quod dictus Petrus . . . ab Anglia corporaliter recederet, nunquam ad eandem ex quavis causa, sub poena quae competit, reversurus. . . . [The archbishop of Canterbury pronounced sentence of excommunication on all who should aid and abet Gaveston in England henceforth.]

5. THE STAMFORD ARTICLES, 1309

[*Rot. Parl.*, I, 443-445, printed from the Close Roll.]*

These articles were substantially a repetition of the *Articuli super Cartas* of 1300 (see *Stat. R.*, I, 138 *et seq.*).

Writs were issued on 4 March, 1309, for a parliament to meet at Westminster on 27 April; its session lasted until 13 May.

Writs were issued on 11 June for a parliament to meet at Stamford on 27 July, to which it is uncertain whether the Commons were summoned.

Les articles souz escritz furent baillez a nostre seygneur le roi par la communalte de son roialme a son parlement quil tynt a Westmouster au mois de Pasches, lan de son regne second; au quel parlement le roi pria daver une ayde de sa terre, e les laies gentz granterent au roi le xxv denier, par tieu condicion, qil meist conseil e remedie en les articles avantditz. E le roi a son parlement a Staunford, commenceant le Dimeynge prochein apres la Seint Iak', [27 July] lan de son regne tiercz, ordena respons et remedie a meismes les articles. Les queux respons et remedie il fist notefier a son poeple a son dit parlement a Staunford, et les queux sont cy dessouz escritz, cest asaver apres chescun article le remedie qe y est ordene.

Les bones gentz du roialme qi sont cy venuz au parlement prient a nostre seygneur le roi qil voille, si lui plest, aver regard de son povre poeple, qe molt se sente greve, de ceo qil ne sont pas menez si come il deussent estre, nomeement des pointz de la Grant Chartre, e prie de ce, si lui plest, remedie. Estre ce, prient a leur seygnur le roi, si lui plest, qil voille oir les choses qe molt ont grevez son poeple, et uncore grevent de novel de jour en autre, par ceux qui se dient estre ses ministres, et mettre y amendement, si lui plest.

A de primes, des bledz, brees, chars, fresches et salees, et toute manere de polaill, peisson de meer et de eawe duce, pris par ceux qi se dient estre ministres le roi, qi rien ne paent, ne autre certeinete par taille ne en autre manere ne font au poeple le roi; par quoi son poeple est enpoveri.

A cest article est respondu, qil y avoit une ordenaunce faite de tieux prises en temps le Roi Edward, pere nostre seigneur le roi qui ore est, la quele ordenance hom entend qe soit covenable pur le roi et profitable pur son poeple. Et voet nostre seigneur le roi qe cele ordenance soit tenue et garde en toutz pointz.

Lautre qe le roi par ses ministres prent de chescun tonel de vin ii soldz; de chescun drap qe marchandz aliens font venir en sa terre ii soldz; et de chescune livre de aver de pois iii deners; au damage du poeple, qe par tieux prises achate le poeple au tierz denier plus qil ne soleit.

Nostre seigneur le roi, a la requeste de son poeple, grante qe cele petite custume de vyns, de draps, et daver de pois soit souztrete et oustee a la volente le roi, pur saver quel profit et quel avantage accrestera a li et a son poeple par cele suztrete, e puis en aura le roi consail selonc lavantage qil y verra. Sauves totes voies a nostre seignur le roi les auncienes prises et custumes auncienement dues et approvees.

[The third article deals with the value of the coinage.]

Le quart, qe comme le poeple se senti molt greve et travaille en temps le roi leur seignur son pere, a qui Dieu face mercy, de ce qe seneschaus et mareschaux plederent moltz de maners des pledz qi a eux nafferoient apleder ; et as pleintes de son poeple, qe par tieux pledz feust grevez et enpovery, fist remedie, et establi certeins pointz et articles, des queux et de quoi seneschaux et mareschaux doivent devant eux aver conissance apleder ; les seneschaux et les mareschaux qi ore sont, ceux pointz ne ceux articles ne fount, ne ne gardent, ainz enlargissent leur jurisdiccion e leur poair encontre lordenance et lestablissement son pere, qui Dieu face merci ; dont son poeple est molt greve e enpoveri, et de ceo prie remedie.

Le roi voet qe seneschaux et mareschaux ne teignent autre manere de pledz, ne en autre forme, qe nestoit ordenez par le roi son pere, qui Dieus assoille, et qil ne passent desoremes cele ordenance qest enroullee en Chauncellerie.

Le quint, qe les seneschaux et mareschaux ou il vount par pais, hors de la verge, ou leur poair nest pas, tenent pledz, amercient burghs et villes grevousement, sanz garant, et au gref damage et enpoverissement du poeple ; par quoi le poeple prie remedie.

Le roi voet qe les pledz de Mareschaucie ne soient tenuz forsqe deinz la verge, cest asaver deinz les xii lieues environ la ou le corps le roi serra, et selonc lordenaunce avantdite.

Le sisme, qe les chevaliers, gentz de citez e de burghs, e dautres villes, qi sont venuz a son parlement par son commandement, pur eux et pur le poeple, e ont peticions a liverer pur tortz et grevances faites a eux qe ne poent estre redrescees par la commune ley, ne en autre manere santz especial garant, il ne troevent hom qi leur peticions receive, si comme soleit estre au parlement en temps le roi lour seignur son pere, qe Dieu face merci ; et de ce prient sa grace et remedie.

Le roi voet qe en ses parlementz desoremes gentz soient assignees a receivre peticions, e qe elles soient delivres par son conseil, aussi come estre soleient en temps son pere.

[The seventh article deals with the abuse of prisage at Fairs.]

Le oytisme, qe par la ou il y ad suite faite selonc forme de lay en les Banks nostre seygnur le roi, sovent par proteccions, e par bref dessouz la targe, sont leur dreitures delaez a grant damage du poeple.

Le roi voet qe proteccions od les clauses daquitance de pledz ne soient grantez desoremes a nulles gentz, forsqe a ceux qi vont hors du roialme en le servise le roi pur grosses busoignes du roialme ; e le roi ad charge le chanceller qil ne les face en autre manere. Et quant as brefs de la targe, le roi voet qe lordenance soit gardee qe enfust faite en temps le roi son pere, la quele est en Chancellerie.

[The ninth article deals with the too liberal grant of charters of pardon of felonies.]

Le disme, qe par la ou les communs pledz du Bank le roi des contez doivent estre pledez en certein lieu, la veignent les ministres le roi de ses chasteaux, et treent en tieu manere les pledz devant les portes des chasteaux, contre la forme de la ley ; et de ce prie remedie.

Le roi voet qe les conestables des chasteaux ne destreignent gentz apleder devant eux nul play de forein conte, ne deinz conte autrement qe auncienement soleit estre fait.

[The eleventh article deals with a complaint against escheators.]

Et ordenez est et comandez par nostre seignur le roi qe a ceux qi se voudront pleinder a chauncellier qe nul hom soit venuz encontre aucun des ditz pointz, le chanceller, par bref du grant seal, en face tel remedie comme il verra qe face afere par reson. Et le roi ad aussint charge le dit chanceller et ses autres ministres qe chescun endrait li garde les pointz avantditz.

THE LORDS ORDAINERS, 1310–1311

A council of magnates was called for 8 February, 1310, to meet at Westminster, but did not assemble until 27 February. The king's assent to letters patent authorizing the election of the Ordainers was dated 16 March (see no. 8 below) and the Ordainers were elected and took the oath on 20 March.

6. ACCORDING TO THE MONK OF MALMESBURY

[*Monachi cujusdam Malmesberiensis vita Edwardi II*, ed. W. Stubbs in Chronicles of the reigns of Edward I and Edward II (R.S., 1883), II, 163.]

The attribution of this *Life* to a monk of Malmesbury is traditional, but the authorship and provenance are uncertain. It was probably written towards the end of the reign of Edward II.

For a modern edition, with translation, see N. Denholm-Young, *The Life of Edward the Second, by the so-called Monk of Malmesbury* (1957), and for a discussion of the probable authorship see N. Denholm-Young, 'The Authorship of the Vita Edwardi Secundi', in *E.H.R.*, LXXII (1956), 189-211.

Extunc convenerunt comites et barones, causamque vocationis audituri regem adierunt ; inter quos multa interlocutoria habita sunt, quae non in communem venere notitiam. Sed cum per multos dies protelatum esset consilium, hoc demum ex parte baronum audivi fuisse petitum, scilicet quod cum status regis et regni a tempore quo bonae memoriae Edwardus rex senior diem clausit extremum valde declinasset in devium, ac per hoc totum regnum laederetur non modicum, petebant quod ex consensu et assensu domini regis et suorum baronum eligerentur duodecim viri discreti, bonae opinionis et potentes, quorum arbitrio et decreto status reformaretur et consolidaretur; et si quid in regni gravamen redundaret, eorum ordinatio destrueret; si vel in aliquo casu regno esset prospectum, eorum discretione plenarie foret consultum.

Rex igitur, super hiis habita deliberatione, quia videbantur sibi in quibusdam suspecta, diutius differebat inexpedita; sed barones unanimes viriliter instabant multa allegantes, plurima minantes, ac demum quasi uno ore in hiis residebant, dicentes quod, nisi rex petita concederet, jam non ipsum pro rege haberent, nec fidelitatem juratam sibi servarent, maxime cum ipse jusjurandum in sua coronatione praestitum non servaret, cum in lege et naturali ratione caveatur, quod frangenti fidem fides frangatur eidem. Hiis et aliis allegatis rex, artiori habito consilio, cum videret rem jam in arto positam, nec sine discrimine vel scandalo necessitatem posse evitari, electiones, ordinationes et quicquid salvo honore regio pro communi utilitate regni crederent statuendum, expresse concessit, et scriptis sigillo suo roboratis confirmavit.

7. ACCORDING TO THE ANNALS OF LONDON

[*Annales Londonienses*, ed. W. Stubbs in *ibid.*, I, 167-169.]

These Annals were written contemporaneously, or nearly so, by an unknown citizen of London.

Eodem anno tenuit rex parliamentum suum apud Londoniam, ubi congregaverunt praedicti praelati, comites et barones tertio kalendas Martii; et sic traxerunt moram a tempore illo usque Pascha Floridum [27 February to 12 April], tractantes de ordinatione et statu totius terrae, et monstraverunt domino regi petitiones infra scriptas:—

Les articles des prelatz, contes et barons.

"A nostre seigneour le roi moustrent les grantz perils et damages, qe de jour en jour appierrent, sil ne soient hastivement redresse, et destruccions des fraunchises de seinte eglise, et desheritaunce et deshonour de vous et de vostre roial poer, et desheritaunce de vostre corone et damage de touz ceux de vostre roiaume, riches et poures; des queux perils et damages vous ne les bons gentz de vostre terre ne pount eschapir, si pluis hastive remedie par avisement des prelatz, contes et barons et des pluis sages de vostre roiaume ne soit ordene:—

A commencement, la ou vous estes governor de la terre et a ceo juree a meintenir pees en vostre terre, vous estes par noun covenable consail et malveis issint menee, qe vous estes mys et cheyn en grant esclaundre en totez terres; et si povere estes et voide de tote manere de tresour qe vous ne aveiz dont vous poetz vostre terre defendre ne vostre houstiel tenir, mes par extorcions qe vos ministres fount des biens de seinte eglise et de vostre povere poeple, saunz rien paier, contre la forme de la graunde chartre; la quele il priount qe soit tenue et meintigne en sa force.

Ensement, sire, la ou nostre seigneour le roi vostre piere, qe Dieu assoille, vous lessa totes vos terres entierement, Dengleterre, Dirlaunde et de tut le pluis Descoce, en bone pes, si aveitz vostre terre Descoce cum perdue et vostre coroune grevement desmembre en Engleterre, en Irlaunde, saunz assent de vostre barnage, e saunz encheson.

Ensement, sire, vous moustrent par la ou la comunaute de vostre roiaume vous donerent le xx^{ime} dener de lur biens en aide de vostre guerre Descoce, et le xxv^{ime} dener pur estre desporte des prises et des autres grevaunces ; les queux deners sont touz le pluis leves, et par noun covenable consail folement despenduz et degastiez, et vostre guerre nient avauncez, ne vostre poure poeple nient alleggetz des prises ne des autres grevaunces, mes pluis greves de jour en autre qe devant. Par quei, sire, vos ditz bons gentz vous priont homblement, pur sauvacion de vous et de eux et de la coroune, la quel il sont tenuz a meintenir pur lur ligeaunce, qe vous voilleez assentir a eux, qe ces perils et autres peussent estre houstietz et redressetz par ordinance de vostre baronage."

Super hiis, rex concessit aliquibus eorum quod ipsi possent tractare de commodo et statu regni. . . .

8. LETTERS PATENT, 16 MARCH

[Rymer, *Foedera* (R.E.), II, i, 105, printed from the Patent Roll.]*

Le roi a touz ceux qui cestes lettres verront ou orront, saluz. Come nous, al honur de Dieu, et por le bien de nous et de nostre roiaume, eoms grantez de nostre fraunche volunte as prelatz, contes, et barons de nostre dit roiaume quil puissent eslire certeines persones des prelatz, contes, et barons et des autres, les queux il lour semblera suffisauntz dapeller a eux duraunt le temps de lour poair, cest asaver jesqes a la feste de Seint Michel [29 September] precheine avenir, et de la dite feste en un an prechein suiant, pur ordener et establir lestat de nostre Hostel et de nostre roiaume solonc droit et reson. Nous grantoms par cestes noz lettres a ceux qui deyvent estre esluz, queux quil soient, par les ditz prelatz, contes, et barons, plein poair de ordener lestat de nostre Hostel et de nostre roiaume desusditz, en tieu manere qe lour ordenances soient faites al honur de Dieu et al honur et au profit de seinte eglise, et al honur de nous et a nostre profit, et au profit de nostre poeple, solonc droit et reson, et le serment qe nous feismes a nostre coronnement. Et voloms qe les esluz et toux ceux qi sont de nostre seignurie et de nostre ligeance, les ordenaunces que faites serront par les prelatz, contes, et barons qui a ce serront esluz, et autres par eux a ce appelez, teignent et gardent en touz leur pointz, et quil se puissent a ce asseurer, lier, et entrejurer sanz chalenge de nous ou de noz. Et si aventure aviegne qe partie de eux qui serront esluz pur les dites ordenaunces faire soient destorbez par mort, ou par maladie, ou resnable encheson, qe Dieu deffende, par quei il ne puissent les dites ordenances perfaire, qe adonqes bien lyt a eux, qui serront presentz pur meismes les ordenances faire, daler avant en les dites ordenances par eux, ou appeller autres a eux a celes ordenances faire selonc ce quil verront qe ce soit plus a honur de nous et au profit de nous et de nostre poeple. En tesmoignaunce de queu chose nous avoms fait faire cestes noz lettres overtes. Donne a Westmouster le xvi jour de Marz.

9. THE ORDINANCES OF 1311

[*Rot. Parl.*, I, 281-286.]†

Writs were issued on 16 June, 1311, for a parliament to meet at London on 8 August; its session lasted until 8 October. The complete Ordinances were published in London on 27 September and the king's assent to them was given three days later. On 5 October letters patent were dated requiring the sheriffs to publish the Ordinances in the counties.

A touz ceux as queux cestes lettres vendrount, saluz. Sachez qe come le seszisme jour de Marz, lan de nostre regne tierz, alhonour de Dieu, et pur le bien de nous et de nostre roiaume, eussoms graunte de nostre fraunche volunte par noz lettres overtes as prelatz, countes, et barons, et communes de dit roiaume, qil puissent eslire certeines persones des prelatz, countes, et barons, les queux il lour sembleroit suffisauntz appelier a eux, et eussoms auxint graunte par meismes les lettres a ceux qi deussent estre esluz, queux qil fuissent, par les ditz prelatz, countes, et barouns, plein poer de ordiner lestat de nostre Hostiel et de nostre roiaume desusditz, en tieu manere qe leur ordinaunces fussent faites al honur de Dieu, et al honur et profit de Seinte Eglise, et al honur de nous, et a nostre profit et au profit de nostre poeple, solonc droit et reson, et le serment qe nous feimes a nostre coronnement, sicome plus pleinement est contenuz en noz dites lettres; et come lonurable piere en Dieu Robert par la grace de Dieu ercevesqe de Cauntirbirs, primat de tote Engleterre, evesqes, countes, et barouns, a ceo esluz par la vertu de noz dites lettres, eient ordeine sur les dites choses en la fourme qe se ensuit:

Porceo qe par mauveis consail et deceivaunt nostre seignur le roi et touz les soens sont en totes terres deshonurez et estre de la coronnement des pointz abeissee et demembree, et ses terres de Gascoigne, Dirlaunde, et Descoce en point destre perduz, si Dieu ny . . . ment, et son roiaume Dengleterre en point de reveler pur oppresions, prises, et destruccions. Les queux choses sewes, . . . nostre seignur le roi de sa fraunche volunte graunta as prelatz, countes, et barons, et as autres bones gentz de son roiaume, qe certeines gentz fussent esluz de ordiner et establir lestat de son Houstiel et de son roiaume, sicome plus pleinement piert par la commission de nostre seignur le roi de ce faite. Dount nous Robert, par la grace de Dieu ercevesqe de Cauntirbirs, primate de tote Engleterre, evesqes, countes, et barons, esluz par la vertu de la dite commission, ordinoms al honur de Dieu et de Seinte Esglise, et lonur du roi et de son roiaume, en la manere qe se ensuit:

1. En primes nous ordenoms qe les ordenaunces avaunt faites par nous et moustreez au roi soient tenuz et gardees, les queux sont prescheinement souzescrites. En primes ordeine est qe Seinte Esglise eit totes ses fraunchises si avaunt come ele deit avoir.

2. Derechief ordeine est qe la pees le roi soit fermement gardee par tout le roiaume, issint qe chescun puisse sauvement aler, venir, et demorer solonc la lei et lusage du roiaume.

3. Derechief ordeine est pur les dettes le roi acquitier, et son estat relever, et le plus honurablement maintenier, qe nul doun de terre, ne de rente, ne de fraunchise, ne deschete, ne de garde, ne mariage, ne baillie se face a nul des ditz ordeinours duraunt leur poer del dit ordeinement, ne a nul autre saunz consail et assent des ditz ordeinours, ou de la greinoure partie de eux, ou vi de eux au meins, mes totes les choses des queux profit poet surdre soient enprueez al profit le roi, jusqes son estat soit avenaument releve, et autre chose soit sur ce ordeine al honur et profit du roi.

4. Derechief ordeine est qe les coustumes du roiaume soient gardees et receuz par gentz du roiaume meismes et nounpas par aliens, et qe les issuz et les profitz de meismes les coustumes, ensemblement ove totes autres issues et profitz issauntz du roiaume, des queux choses qe ces soient, entierment viegnent al Escheqier le roi, et par le tresorer et les chaumberleins soient livereez pur Loustiel le roi maintenier, et aillours a son profit, issint qe le roi puisse vivre de soen, saunz prises faire autres qe auncienes dues et acoustumeez, et totes autres ceissent.

5. [Alien merchants who have received customs or other things belonging to the king since the death of Edward I are to be arrested with their goods until they have accounted for what they have received before the treasurer and barons of the Exchequer and others added to them by the Ordainers.]

6. Derechief ordeine est qe la Graunde Chartre soit gardee en touz ses pointz, en tieu manere qe sil yeit en la dite chartre nul point oscur ou dotif soit desclaree par les ditz ordeinours, et autres qe il vorrount a eux a ce appeller, quant il verront temps et eure duraunt leur poer.

7. Et puis derechief, purce qe la corone est taunt abeissee et demembree par diverses douns, nous ordeinoms qe touz les douns qe sont donez au damage du roi et destresse de la corone puis la commission a nous faite, des chasteux, villes, terres et tenementz, et baillies, gardes, et mariages, eschetes, et reles, quecunqes qeles soient, ausibien en Gascoigne, Irlaunde, Gales, et Escoce, come en Engleterre, soient repellees, et nous les repellons de tout, saunz estre redonez a meismes ceux saunz comun assent en parlement. Et qe si tieu manere des douns ou reles soient desoremes donez encountre la fourme avauntdite, saunz assent de son barnage, et ce en parlement, taunt qe ses dettes soient acquitees et son estat avenauntment relevez, soient tenuz pur nuls, et soit le prenour puny en parlement par agarde del baronage.

8. Porceo qe autrefoiz fut ordeinee qe les coustumes du roiaume fuissent receuz et gardees par gentz du roiaume et nounpas par aliens,

et qe les issues et les profitz de meismes les coustumes, ensemblement ove totes les autres issues et profitz issauntz du roiaume, queux qe eux feussent, entierment venissent al Escheqier le roi, et par le tresorer et les chaumberleins feussent receuz et livereez pur Loustiel le roi maintenir, et aillours a son profit, issint qe le roi puisse vivre du soen, saunz prises faire autres qe auncienes dues et droitureles, les queux choses ne sont my tenues ; dount nous ordeinoms qe les dites coustumes, ensemblement ove totes les issues du roiaume, come avant est dit, soient receuz et gardez par gentz du roiaume, et liverez al Escheqier en la fourme susdite.

9. Purceo qe le roi ne doit emprendre fait de guerre countre nuly, ne alier hors de son roiaume, saunz commun assent de son barnage, pur moultz des perils qe purrount avenir a lui et a son roiaume, nous ordeinoms qe le roi desoremes ne aile hors de son roiaume, nenprenge countre nuly fait de guerre, saunz commun assent de son barnage, et ceo en parlement. Et si autrement le face, et si sur cele emprise face somoundre son servise, soit la somonse pur nule, et sil aviegne qe le roi empreigne fait de guerre countre nuly, ou aille hors de terre, par assent de son dit barnage, et bosoigne qil mette gardein en son roiaume, dunt le mette par commun assent de son barnage, et ceo en parlement.

10. Et purceo qil fait a dotier qe le poeple de la terre se leve pur prises et diverses oppressions faites einz ces heures, nomement purceo qe autrefoiz estoit ordeinc qe nostre seignur le roi vesquist de soen, saunz prises faire autres qe les auncienes dues et acoustumcez, et totes autres se ceissassent, et nounpas purceo prises sont faites de jour en jour countre cel ordeinement, come avaunt, nous ordeinoms qe totes prises ceissent desoremes, sauves les prises ancienes, droitureles, et dues au roi et as autres as queux eles sont dues de droit. Et si nules prises se facent encountre lordeinement susdit, [per qui] qe ce soit, ou de quele condicion qil soit, cest asavoir si nul par colour de purveaunce faire al oeps nostre seignur le roi ou a autri prenge blez, merz, marchaundises, ou autre manere des biens, contre la volunte de ceux a qui il sont, et ne rende maintenaunt les deniers a la verroie value, sil ne puisse de ceo avoir respit de la bone volunte le vendour, solunc ce qe est compris en la Graunde Chartre des prises faites par conestables des chasteux et leur baillifs, et estre la forsprise des prises dues susdites, nient contre estante commission qe il eit, soit levee sur li la menee par hu et crie, et menez a la prescheine gaole le roi, et de lui soit faite commune lei come de robeour ou de laron, si de ce soit atteynt.

11. Ensement noveles coustumes sont levees, et auncienes enhancees, come sur leynes, draps, vins, avoir de pois, et autres choses, par quei les marchauntz viegnent plus rielement, et meins de bien meignent en la terre, et les marchauntz estranges demorent plus longs qil ne soleint faire, par la quele demore les choses sont le plus encheries qil ne soleint estre, au damage du roi et de son poeple ; nous ordeinoms

qe totes maneres des coustumes et maltoutes leveez puis le coronement le Roi Edward, fiz le Roi Henri, soient entierment ousteez, et de tot esteintz pur touzjours, nient contre esteaunte la chartre qe le dit Roi Edward fist as marchauntz aliens, purceo qe ele fut faite contre la Graunde Chartre, et encontre la fraunchise de la citee de Loundres, et saunz assent del barnage. . . .

12. [In cases where prohibitions have been purchased maliciously against Ordinaries in spiritual cases, damages shall be awarded to them.]

13. Et purceo qe le roi ad este malguiee et consaillez par mauveis counseilliers, come este susdit, nous ordeinoms qe touz les mauveis conseilliers soient oustez et remuez de tout, issint qe eux ne autres tieux ne soient mes pres de luy, ne en office le roi retenuz, et qe autres gentz covenables soient mis en lur lieux. Et en meisme la manere soit fait des menengs et des gentz de office qi sont en Loustiel le roi qui ne sont pas covenables.

14. Et purceo qe moultz des maus sont avenuz par tieux conseillers et tieux ministres, nous ordeinoms qe le roi face chauncellier, chief justice de lun Baunk et de lautre, tresorer, chauncellier, et chief baron del Escheqiere, seneschal de son Houstiel, gardeyn de la Garderobe, et countrerollour, et un clerk covenable pur garder son prive seal, un chief gardein de ses forestes decea Trente, et un autre dela Trente, et ausi un eschetour decea Trente, et un autre dela, chief clerk le roi en le Commun Baunk, par le conseil et lassent de son barnage, et ceo en parlement. Et sil aviegne par ascune aventure qe il covient mettre ascun des ditz ministres avant ceo qe parlement soit, dunqe le roi y-mette par le bon conseil qe il avera pres de li, desqes au parlement. Et issint soit fait desoremes des tieux ministres quaunt mestier serra.

15. Ensement nous ordeinoms qe touz les chiefs gardeins des portz et des chasteux sur la mer soient mis et faitz en la fourme susdite, et qe ceux gardeins soient de la terre meismes.

16. Et purce qe les terres de Gascoigne, Dirlaunde, et Descoce sont en peril destre perdues par defaute des bons ministres, nous ordeinoms qe bons et suffisantz ministres soient mis a la garde faire en les dites terres, en la fourme contenue en le secund article prechein paramount.

17. Estre ceo nous ordeinoms qe viscountes soient desormes mis par le chauncellier et tresorer, et les autres du conseil qui serront presentz : et si chauncellier ne soit present, soient mis par le tresorer et barons del Escheqier, et par les justices du Baunk, et qe tieux soient mis et faitz qi soient covenables et suffissantz, et qi eient terres et tenementz dount il puissent respoundre au roi et au poeple de lour faitz, et qe nuls autres qe tieux ne soient mis, et qe eux eient commission desouz le graunt seal.

18. [The offices of all wardens, bailiffs, and officers of the Forest are to be taken into the king's hands and justices are to be assigned to hear complaints against them. The plaints are to be settled by next Easter and officers found guilty are then to be removed.]

19. [A further clause concerned with misgovernment by officials of the Forest.]

20. Purceo qe conue chose est, et par lexaminement de prelatz, countes et barouns, chivalers, et autres bones gentz du roiaume trovez, qe Pieres de Gavaston ad malmenez et malconseillez nostre seignur le roi, et lad enticee a mal faire en diverses maneres et deceivaunces, enacoillaunt a lui tout le tresor le roi, et lad esloigne hors du roiaume, enattreaunt a lui roial poer et roiale dignitee, come en alliaunce faire de gentz par sermentz de vivre et morir ovesqe li encountre toutes gentz, et ceo par le tresor qe il purchace de jour en jour, enseignuraunt sur lestat le roi et de la corone, en destruccion du roi et du poeple . . . [further offences are recited] nous ordeinoms, par vertu de la commission nostre seignur le roi a nous grauntce, qe Piers de Gavaston, come apert enemy le roi et de son poeple, soit de tout exilez, auxibien hors du roiaume Dengleterre, Descoce, Dirlaunde, et de Gales, come de tote la seignurie nostre seignur le roi auxbien dela la mere come de cea, a touz jours saunz james retourner . . .

21. [Emery and others of the company of the Frescobaldi are to render account by a certain date and in the meantime their lands and goods arc to be seized.]

22. [Henry de Beaumont is to be removed from the king's council and is not to approach the king except in parliament or in wartime, or with the assent of the magnates in full parliament. His lands are to be seized until the king has recovered the valuc of the lands Beaumont has received contrary to the ordinances.]

23. [Lady de Vescy, who is found to have procured grants from the king for others, is removed from the court.]

24. Et purceo qe le poeple se sent molt grevez par diverses dettes qe leur sont demaundez al oeps le roi par somonse del Escheqier, les queux dettes sont paez, dont les gentz ount diverses acquitaunces, les unes par tailes et par brefs, et les unes par diverses fraunchises qe leur sont grauntez par faitz des rois qe sont allouables, nous ordeinoms qe desoremes sur lacounte de chescun viscounte et dautres ministres le roi qi acounte devient rendre al Escheqier, soient tieux maneres des tailles, brefs, et fraunchises allouez qe allouables sount sur lacountc, si les dites acquitaunces soient moustreez a la court; issint qe mes ne courgent en demaunde par defaute de allouaunce: et si le tresorer et les barons de Lescheqier ne le facent en la fourme avantdite, eient les pleintifs leur recoverier par peticions en parlement.

25. Purceo qe comunes marchauntz et autres plusours du poeple sont receuz de pleder a Lescheqier plez de dette et de trespas par la reson qil sont avouez par les ministres de la dite place plus avaunt qe estre ne deveroient, dount les acountes et les autres choses tochauntes le roi sont le plus delaiez, et ovesqe ceo moltes gentz du poeple grevez, nous ordeinoms qe desormes ne soient tenuz plez en la dite place del Escheqier, forsqe les plez tochauntz le roi et ses ministres qi sont

responables en Lescheqier par la reson de leur offices, et les ministres de meisme la place et leur mesnengs et lour servauntz qi tout le plus sont demorauntz ovesqes eux en les lieux ou Lescheqier demoert. Et si nul soit receu par avouerie de la dite place de pledier en le dit Eschеqier encountre la fourme susdite, eient les empledez leur recoverier en parlement.

26. Ensement, purceo qe le poeple se sent moult grevez qe seneschaux et mareschaux tiegnent moltz des plez qe a leur office ne appendent, et auxi de ceo qe eux ne voillent receivre attournez auxibien pur les defendauntz come pur les pleintifs, nous ordeinoms qe desormes reteinent attournez auxibien pur les defendantz come pur les pleintifs, et qe il ne tiegnent plez de fraunc tenement, ne de dette, ne de covenaunt, ne de contract, ne nul commun plai des gentz du poeple, fors tauntsoulement de trespas del Houstiel, et autres trespas faitz dedeinz la verge, et de contractes et covenauntz qe ascun del Houstiel le roi avera fait as autres de meisme Loustiel, et en meisme Loustiel, et ne my aillours. [The jurisdiction of the Marshalsea is further defined and a remedy provided for those aggrieved by it.]

27. [The coroner of the county or the franchise where a homicide is committed is to be associated with the coroner of the verge to ensure that felonies do not go unpunished.]

28. [The king's right to issue pardons is restricted.]

29. Purceo qe moultes gentz sont delaiez en la court le roi de leur demaunde, par taunt qe la partie allegge qe les demaundauntz ne devient estre respounduz saunz le roi, et auxint moltz de gentz grevez par les ministres le roi encountre droiture, des queles grevaunces homme ne purra avoir recoverier sanz commune parlement, nous ordeinoms qe le roi tiegne parlement une foiz par an, ou deux foiz si mestier soit, et ceo en lieu covenable. Et qe en meismes les parlementz soient les pledz qe sont en la dite fourme deslaiez, et les pledz la ou les justices sont en diverses opinions, recordez et terminez. Et en meisme la manere soient les billes terminez qe liverez serront en parlement, si avant come lei et reson le demaunde.

30. [Changes in the coinage, when necessary, are to be made with the advice of the baronage in parliament.]

31. [Statutes made by the king's ancestors are to be maintained if they are not contrary to Magna Carta, the Charter of the Forest, or the Ordinances.]

32. Porceo qe la lei de la terre et commune droit ount este sovent delaiez par lettres issuz desouz le prive seal le roi, a graunt grevaunce du poeple, nous ordeinoms qe desoremes la lei de la terre ne commune droit ne soient deslaiez ne desturbez par lettres du dit seal. Et si rien soit fait en nule des places de la court nostre seignur le roi, ou aillours, par tieles lettres issues desouz le prive seal, encountre droiture ou lei de terre, rien ne vaille et pur nient soit tenuz.

33. [Concerning the Statute of Merchants and the sealing of recognizances.]

34. [Persons of good fame, appealed by those who ought to have little voice, and who can find good mainprize, are not to be imprisoned.]

35. [Concerning persons outlawed in counties where they possess no lands.]

36. [Concerning appeals of felonies.]

37. [Provision against the misuse of protections in law suits by those who claim to be on the royal service.]

38. Ensement nous ordeinoms qe la Graunt Chartre de Fraunchises, et la Chartre de la Foreste qe le Roi Henri, fiz le Roi Johan, fist, soient tenues en touz leur pointz, et qe les pointz qe sont dotifs en les dites chartres des fraunchises soient esclareziz en le prechein parlement apres cesti par lavisement de le barnage et des justices et des autres sages gentz de la lei. Et ceste chose soit faite, purceo qe nous ne avioms my en poer de faire le duraunt nostre temps.

39. Ensement nous ordeinoms qe chauncellier, tresorer, chiefs justices de lun Baunk et de lautre, chauncellier de Lescheqier, tresorer de la Garderobe, seneschal de Loustiel le roi, toutes justices, viscountes, eschetours, conestables, enquerours a queu chose qe ceo soit, et touz autres baillifs et ministres le roi, soient jureez a toutes les foiz qil receivent leur baillies et offices, de garder et tenier toutes les ordenaunces faites par les prelatz, countes, et barons a ceo esleuz et assignez, et chescune deles, saunz venir countre nul point deles.

40. Ensement nous ordeinoms qe en chescun parlement soient assignez un evesqe, deux countes, et deux barons de oier et terminer totes les pleintes de ceux qi pleindre se vodrount des ministres le roi, queux qil soient, qi serrount countrevenuz les ordenaunces susdites. Et si les ditz evesqe, countes, et barons ne puissent touz entendre, ou soient desturbez de oier et terminer les dites pleintes, adunqe le facent trois ou deux de eux, et ceux qi serront trovez countrevenuz encountre les dites ordenaunces soient puniz devers le roi et devers les pleintifs par la descrecion des ditz assignez.

41. Ensement nous ordenoms qe les ordenances susdites soient maintenues et gardees en touz leur pointz, et qe nostre seignur le roi les face mettre desouz son graunt seal et envoier en chescun counte Dengleterre a publier, tenir, et fermement garder, ausibien deinz fraunchises come dehors. Et en meisme la manere soit maunde au gardein de Cink Portz qil parmie tote sa baillie les face publier, tenier, et garder en la fourme avauntdite.

Nous meismes celes ordeinaunces a nous moustrees, et le Lundy prechein devant la feste de Seint Michel drein passe [27 September] publiez, agreoms, acceptoms, et affermoms, et voloms et grauntoms, pur nous, et pur noz heires, qe toutes les dites ordenaunces, et chescune deles, faites solunc la fourme de noz lettres avantdites, soient publiez par tout nostre roiaume, et desoremes fermement gardez et tenuz. En tesmoignaunce de queux choses nous avoms fait faire cestes noz lettres patentes, donez a Loundres le quint jour de Octobre, lan de nostre regne quint.

10. THE SECOND SET OF 'ORDINANCES', 1311

[*Annales Londonienses*, ed. W. Stubbs in Chronicles of the reigns of Edward I and Edward II (R.S., 1882), I, 198-202.]

The commission issued to the Lords Ordainers (see no. 8 above) expired at Michaelmas, 1311, and this second set of 'ordinances' issued between 25 and 30 November, 1311, had no validity, and no official text of them has survived and probably none was ever made.

Postquam autem supradictae ordinationes per dominum regem pupplicatae et ratificatae fuerunt per totam Angliam, ordinatores tractaverunt de familia et servis regis, et supplicaverunt domino regi forma quae sequitur ut eos ab officio removeret :—

"Soit moustre a nostre seigneur le roi, qil face garder et tenir lordeinement en droit des douns, qil ad done, sauve les quatre qe furent donez par acord ; cest asavoir, a monsieur Roberd de Clifford, et monsieur Guyfre, a monsieur Edmon de Maulee, et a monsieur Willaume de Sullee.

Item endroit de la receite qe ele soit entre a lescheqere solom lordeynement.

Endroit des marchauntz aliens, qe neont pas aconte en due manere solom lordeynement ; soit fourni cele poynt, e lur teres seises, et levesqe de Norwich et monsieur Huwe de Courteney soient auditours des accontes des aliens oue ces del Escheker.

E qe nule prises se facent desoremes contre lordeynement.

Item qe tout le linage Pieres Gavastone soit entierement ouste du roi. . . .

Item pur ceo qe le roi retient gentz de office qe furent oue le dit Pieres de Gavastone auxi bien en seon hostiel come en loustiel la reigne, soient de touz ceux houstiez, qe ne sont mie convenables par la descrecion de seneschall et le gardeyn de la garderobe. . . .

Item qe les viscountes soient oustiez et autres soient mys solom lordeynement, et la manere qe fust ordine devant le chanceler e le tresorer.

Sire, prelatz, contes e barons vous prient qe vous voilliez mettre un gardeyn covenable a leschange, qar celui qest ore nest mie covenable. . . .

E pur ceo qe les justices ne les autres ministres de la foreste, de cea Trente et de la, ne ont mye aconte, soient destreintz qe il veignent a la aconte lendemayn [14 January] de la Seinte Hillare devaunt le barouns del escheker. . . .

Item le seneschal ne le mareschal ne tiegnent pletz fors solom le ordeynement, et les pletz qe ount este tenuz contre les ordinaunces, peus qe les ordinaunces se firent, soient tenuz pur nules.

Item qe les ministres le roi, qe ne ont point jorrez peus les ordinaunces jurent solom lordeynement. . . .

Item qe notre seigneour le roi mette chaunceler, chief justice del un banke et del autre, tresorer, chaunceler et chief baroun del escheqer, seneschal du seon oustiel, gardeyn de la garderobe, countreroullour, clerk covenable pur gardir seon privee seal, un chief gardeyn de ses forestz de cea Trente et un autre de la, un chief clerk en le commun banke, un eschetour de ceo Trente e un autre de la, un chief gardeyn des portz et des chasteaux sur la meer, bons et suffisaunces ministres en Gascoigne, Irlaunde et Escoce solom le ordeinement."

---

11. ARTICULI CLERI, 1316

[*Stat. R.*, I, 171-174.]*

A number of questions relating to the limits of clerical and temporal jurisdictions were put forward by the clerics in the parliament at Lincoln in January. The answers given to these questions were subsequently reviewed by the king and Council, and as amended were enrolled as a statute on 24 November at York.

Rex omnibus ad quos etc., salutem. Sciatis quod cum dudum temporibus progenitorum nostrorum quondam regum Anglie in diversis parliamentis suis, et similiter postquam regni nostri gubernacula suscepimus in parliamentis nostris, per prelatos et clerum regni nostri, plures articuli continentes gravamina aliqua ecclesie Anglicane et ipsis prelatis et clero illata, ut in eidem asserebatur, porrecti fuissent, et cum instancia supplicatum ut inde apponeretur remedium oportunum. Ac nuper in parliamento nostro apud Lincolniam anno regni nostri nono articulos subscriptos, et quasdam responsiones ad aliquos eorum prius factas, coram Consilio nostro recitari, ac quasdam responsiones corrigi, et ceteris articulis subscriptis per nos et dictum Consilium nostrum fecerimus responderi; quorum quidem articulorum et responsionum tenores subsequuntur in hunc modum.

In primis, laici impetrant prohibiciones in genere super decimis, obvencionibus, oblacionibus, mortuariis, redempcionibus penitenciarum, violenta manuum injeccione in clericum vel conversum, et in causis diffamacionis, in quibus agitur ad penam canonicam imponendam; rex ad istum articulum respondet quod in decimis, oblacionibus, obvencionibus, mortuariis, quando super istis nominibus proponuntur, prohibicioni regie non est locus, eciam si propter detencionem istorum diuturnam ad estimacionem earundem pecuniariam veniatur. Set si clericus vel religiosus decimas suas in orreo suo congregatas, vel alibi existentes, vendiderit alicui pro pecunia, si petatur pecunia coram judice ecclesiastico, locum habet prohibicio, quia per vendicacionem res spirituales fiunt temporales, et transeunt decime in catalla.

Item, si sit contencio de jure decimarum originem habens ex jure patronatus, et earundem decimarum quantitas ascendat ad quàrtam partem bonorum ecclesie, locum habet regia prohibicio, si hec causa coram eccliastico judice ventiletur. Item, si prelatus imponat penam pecuniariam alicui pro peccato, et repetat illam, regia prohibicio locum habet; verumptamen si prelati imponant penitencias corporales, et sic puniti velint hujusmodi penitencias per pecuniam sponte redimere, non habet locum regia prohibicio, si coram prelatis pecunia ab eis exigatur.

Insuper, si aliquis violentas manus injecerit in clericum, pro violata pace debet emenda fieri coram rege, pro excommunicacione vero coram prelato ut imponatur penitencia corporalis ; quam si reus velit sponte per pecuniam redimere dandam prelato vel leso, potest repeti coram prelato, nec in talibus regia prohibicio locum habet.

In diffamacionibus eciam corrigant prelati supradicto modo, regia prohibicione non obstante.

Item, si aliquis in fundo suo molendinum erexerit de novo, et postea a rectore loci exigatur decima de eodem, exhibetur prohibicio regia sub hac forma, 'Quia de molendino tali hactenus decime non fuerunt solute, prohibemus, etc., et sentenciam excommunicacionis, si quam hac occasione promulgaveritis, revocetis omnino'. Responsio : In tali casu nunquam exivit prohibicio de principis voluntate, qui et decernit talem perpetuo non exire.

Item, si aliqua causa vel negocium, cujus cognicio spectat ad forum ecclesiasticum, et coram ecclesiastico judice fuerit sentencialiter terminata, et transierit in rem judicatam, nec per appellacionem fuerit suspensa ; et postmodum coram judice seculari super eadem re inter easdem personas questio moveatur, et probetur per testes vel instrumenta, talis excepcio in foro seculari non admittetur. Responsio : Quando eadem causa, diversis racionibus, coram judicibus ecclesiasticis et secularibus ventilatur, ut supra patet de injeccione violenta manuum in clericum, dicunt quod non obstante ecclesiastico judicio, curia regis ipsum tractat negocium ut sibi expedire videtur, ecclesiastico judicio non obstante.

Item, littera regia ordinariis dirigitur, qui aliquos suos subditos excommunicacionis vinculo innodarunt, quod eos absolvant infra certum diem, alioquin quod compareant responsuri quare eos excommunicaverunt. Responsio : Rex decernit quod talis littera numquam exire imposterum permittatur, nisi in casu in quo posset inveniri ledi per excommunicacionem regiam libertatem.

Item, barones de Scaccario domini regis vendicantes sibi ex privilegio quod non debent extra illum locum conquerenti cuiquam respondere, extendunt illud privilegium ad clericos commorantes ibidem, vocatos ad ordines seu ad residenciam, et diocesanis inhibent ne aliquo modo aliquave ex causa, dum sunt in Scaccario et in servicio domini regis, trahant ad judicium quoquo modo. Responsio : Placet domino regi ut clerici suis obsequiis intendentes, si delinquant, per ordinarios ut ceteri corrigantur ; set tempore quo occupantur circa Scaccarium ad residenciam in suis faciendam ecclesiis non tenentur. Hic additur sic de novo per Consilium domini regis : Rex et antecessores sui a tempore cujus contrarii memoria non existit, usi sunt quod clerici suis immorantes obsequiis, dum obsequiis illis intenderint ad residenciam in suis beneficiis faciendam minime compellantur ; nec debet dici tendere in prejudicium ecclesiastice libertatis quod pro rege et re publica necessarium invenitur.

Item, ministri domini regis, ut vicecomites et alii, ingrediuntur feodum ecclesie ad districciones faciendas, et aliquando capiunt animalia rectorum in via regia quando non habent nisi terram pertinentem ad ecclesiam. Responsio : Placet domino regi ne decetero districciones fiant hujusmodi nec in via regia nec in feodis quibus olim ecclesie sunt dotate ; vult tamen districciones fieri in possessionibus de novo a personis ecclesiasticis adquisitis.

Item, quandoque aliqui confugientes ad ecclesiam abjurant terram secundum regni consuetudinem, et prosequntur laici eos vel inimici eorum, et a publica strata abstrahuntur et suspenduntur, vel statim decapitantur ; et dum sunt in ecclesia custodiuntur per armatos infra cimiterium, et quandoque infra ecclesiam, ita arte quod non possunt exire locum sacrum causa superflui ponderis deponendi, nec permittitur eis necessaria victui ministrari. Responsio : Qui terram abjurarunt dum sunt in strata publica sunt in pace regis, nec debent ab aliquo molestari ; et dum sunt in ecclesia custodes eorum non debent morari infra cimiterium nisi necessitas vel evasionis periculum hoc requirat. Nec arcentur confugi dum sunt in ecclesia, quin possint habere vite necessaria, et exire libere pro obceno pondere deponendo. Placet eciam domino regi ut latrones appellatores, quandocumque voluerint, possint sacerdotibus sua facinora confiteri ; set caveant confessores ne erronee hujusmodi appellatores informent.

Item, petitur quod dominus rex et regni magnates non onerent domos religiosas vel ecclesiasticas personas pro corrodiis, pensionibus, vel perhendinacionibus faciendis in domibus religiosis et aliis locis ecclesiasticis, carectis equis sibi mittendis, cum per hoc predicte domus depauperentur, cultusque divinus in hac parte diminuatur, et propter hujusmodi onera compelluntur sepissime presbiteri et alii ministri ecclesiastici, divinis officiis deputati, a locis recedere supradictis. Responsio : Placet domino regi quod super contentis in peticione decetero indebite non onerentur. Et si per magnates aut alios contra fiat, habeant inde remedium juxta formam statutorum tempore domini Edwardi regis, patris regis nunc, editorum. Et fiat consimile remedium de corrodiis et pensionibus per cohercionem exactis de quibus non sit mencio in statutis.

Item, si aliqui de tenura domini regis, vocati coram ordinariis extra parochiam in qua degunt, si propter suam manifestam contumaciam excommunicentur, ac post quadraginta dies pro eorum capcione scribatur, pretendunt se privilegiatos, quod extra villam seu parochiam suam non debent vocari, et sic denegatur breve regium pro capcione eorumdem. Responsio : Nunquam fuit negatum nec negabitur in futurum.

Item, petitur quod persone ecclesiastice quas dominus rex ad beneficia presentat ecclesiastica, si episcopus eas non admittat, utpute propter defectum sciencie vel aliam causam racionabilem, non subeant examinacionem laicarum personarum in casibus antedictis, prout hiis temporibus attemptatur de facto contra canonicas sancciones ;

set adeant judicem ecclesiasticum ad quem de jure pertinet pro remedio prout justum fuerit consequendo. Responsio : De idoneitate persone presentate ad beneficium ecclesiasticum pertinet examinacio ad judicem ecclesiasticum ; et ita est hactenus usitatum et fiet in futurum.

Item, si vacet aliqua dignitas ubi eleccio est facienda, petitur quod electores libere possint eligere absque incussione timoris a quacunque potestate seculari, et quod cessent preces et oppressiones in hac parte. Responsio : Fiant libere juxta formam statutorum et ordinacionum.

Item, licet clericus coram seculari judice judicari non debeat, nec aliquid contra ipsum fieri per quod ad periculum mortis vel mutilacionem menbri valeat perveniri, seculares tamen judices clericos ad ecclesiam confugientes, et reatus suos forte confitentes, faciunt abjurare regnum, et eorum abjuraciones admittunt ex illa causa, quamque eorum judices super hiis non existant, sicque datur laicis indirecte potestas hujusmodi clericos trucidandi, si ipsos post hujusmodi abjuracionem in regno contigerit inveniri ; super quo petunt prelati et clerus tale remedium adhiberi ut immunitas ecclesie et ecclesiasticarum personarum conservetur illesa. Responsio : Clericus pro felonia fugiens ad ecclesiam pro immunitate ecclesiastica optinendo, si asserit se esse clericum, regnum non compellatur abjurare, set legi regni se reddens, gaudebit ecclesiastica libertate juxta laudabilem consuetudinem regni hactenus usitatam.

Item, quamquam confessio coram illo qui non est judex confitentis, non teneat nec sufficiat ad faciendum processum vel sentenciam proferendam, quidam tamen seculares judices, clericos, qui de foro suo in hac parte non existunt, reatus proprios et enormes, ut puta furta, roberias, et homicidia coram eis confitentes, admittunt ad accusacionem aliorum quam ipsi communiter vocant appellum, ipsosque sic confitentes, accusantes, seu appellum facientes, non liberant prelatis eorum post premissa, quamquam super hiis fuerint sufficienter requisiti, licet coram eis eciam per confessionem propriam judicari vel condempnari nequeant absque violacione ecclesiastice libertatis. Responsio : Appellatori, in forma debita tanquam clerico per ordinarium petito, libertatis ecclesiastice beneficium non negatur.

Nos, desiderantes statui ecclesie Anglicane et tranquillitati et quieti prelatorum et cleri predictorum, quatenus de jure poterimus providere, ad honorem Dei, et emendacionem status dicte ecclesie, et prelatorum et cleri predictorum, omnes et singulas responsiones predictas, ac omnia et singula in eisdem responsionibus contenta, ratificantes et approbantes, ea pro nobis et heredibus nostris concedimus, et precipimus imperpetuum inviolabiliter observari ; volentes et concedentes, pro nobis et heredibus nostris, quod predicti prelati et clerus, et eorum successores, imperpetuum in premissis jurisdiccionem ecclesiasticam excerceant, juxta tenorem responsionum predictarum ; absque occasione, inquietacione, vel impedimento nostri vel heredum nostrorum, seu ministrorum nostrorum quorumcumque. In cujus etc. Teste Rege apud Eboracum xxiiii die Novembris, anno regni Regis Edwardi, filii Regis Edwardi, decimo.

Per ipsum regem et Consilium.

12. APPOINTMENT OF THOMAS OF LANCASTER AS CHIEF OF THE COUNCIL, 1316

[*Rot. Parl.*, I, 351.]*

Thomas, earl of Lancaster, Derby, Lincoln, Leicester, and Salisbury (?1277–1322), was the son of Edmund, earl of Lancaster, brother of Edward I. He was beheaded on 22 March after the battle of Boroughbridge, 16 March, 1322.

Come nostre seignur le roi, Edward par la grace de Dieu roi Dengleterre, eit ovesqes prelatz, countes, e barons de sa terre en son plein parlement requis a son cher cosin monsire Thomas, counte de Lancastre, qil veille estre chief de son Conseil en totes les busoignes grosses ou chargauntes tochauntes li e son roiaume, ensemblement ovesqes autres prelatz, countes, et barons qentre le dit nostre seignur le roi e lui veient qe soit au profit de lui e de son roiaume ; le dit monsire Thomas, counte de Lancastre, pur le grant amour qil ad devers son dit seignur le roi, e pur le commun profit du roialme, e des ordenaunces, qil ad, sue merci enterement grante atenir e les leis dreitureles en touz pointz maintenir et en espeir de mettre amendement de plusours choses nient covenables tochauntes son Hostiel e lestat de son roiaume, ad grante destre du Conseil nostre seignur le roi ovesqes les prelatz, countes, e barons avanditz. Ensint qe quel heure qe nostre seignur le roi ne veille apres lui e les autres de son Conseil overer en les busoignes tochauntes son Hostiel e son roiaume ; qe le dit counte de Lancastre apres ceo qe les choses a li seient mostrees, e il par le conseil de lui e des autres ne veille adrescer, se puisse sanz mal gre chalange ou malevoillance de son Conseil deschargier. Et les busoignes tochauntes li e son roiaume ne seient faites ne perfurnies sanz assent de li e des autres prelatz, countes, e barons qi de li conseiller serront ordenetz. Et si nul des prelatz, countes, e barons enconseillant le dit nostre seignur le roi, ou autre chose fessant qe ne seit al profit de li ou de son roiaume, qe au prochein parlement, solonc lavisement nostre seignur le roi e le seon, seient remuetz. Et issint de parlement en parlement, de eus e de chescun de eus, solom les defautes trovees en eus. En tesmoigne de queu chose, ceste bille tesmoigne la demoere le dit counte de Lancastre seit entre en roulle de parlement.

13. LETTER FROM THOMAS OF LANCASTER TO EDWARD II, 1317

[*Gesta Edwardi de Carnavan, auctore canonico Bridlingtoniensi*, ed. W. Stubbs in Chronicles of the reigns of Edward I and Edward II (R.S., 1883), II, 50-52.]

This letter is unique to the *Gesta*, on which see no. 4 above.

An assembly of Thomas of Lancaster's magnate supporters met in

London before July, 1317, and drafted proposals for reform of the Household and the realm, which were sent to the king, who subsequently remonstrated with Lancaster over such private gatherings.

The earl's reply in French is given in a Latin version in the present document.

Anno Domini M°CCC°XVII°, rex Angliae circa festum beatae Mariae Magdalenae [22 July], per suas litteras comiti Lancastriae directas, propter convocationes privatas magnatum et populi indebite factas, ac etiam retentiones armatorum stipendiis insolitis et excessivis, unde metu non modico populus est concussus, ipsum comitem arguebat, et propter alia quae per ipsius responsiones proxime subsequentes poterunt apparere; de litteris namque responsoriis comitis Gallice scriptis propter illarum prolixitatem rationes collegimus subsequentes: praemissisque verbis salutatoriis ita dicit; "scire velit dominatio vestra reverenda, quod nullas fecimus convocationes propter quas moveri debeat populus aut terreri, neque gentes aliquas propter regni perturbationem aut pacis impedimentum retinemus, sed propter quietem populi et pacis stabilimentum, ac etiam coronae vestrae commodum et honorem specialiter et integre reservandum; et non sine causa nec modicum admiramur quod de retinentia nos arguitis in praesenti; cum nuper scripsistis nobis quod cum nostro servitio, necnon meliori ac fortiori modo quo poterimus, ad vos apud Novum Castrum in crastino Sancti Laurentii [11 August] personaliter accedere deberemus; propter quod in quantum possumus cum armatis quocunque volueritis parati erimus vobiscum procedere, vita comite et Domino disponente; et quoad alias litteras vestras per quas nobis insinuastis ad vos accedere xxi° die Julii apud Nothingham, ad tractandum vobiscum et aliis de consilio vestro ibidem reperiendis, super adventu hostium vestrorum Scotiae, qui regnum Angliae sunt ingressi hostiliter invadendo; ad quem diem nostram habere velitis absentiam excusatam eo quod non vigemus nec valemus aliqualiter laborare; ad hoc, domine reverende, recolere debetis quod in parliamento ultimo tento Lincolniae, eo quod regnum vestrum per insufficientes et minus ydoneas personas regi videbatur, libere concessistis quod dominus Cantuariensis cum aliis episcopis et comitibus una nobiscum et domino Bartholomaeo de Badelesmere, deberet, per providam et circumspectam discretionem aliorum procerum de vestro consilio juratorum, dirigere et melius ordinare regimen regni vestri, ita quod improbi et incompositi ministri, legum praevaricatores, non salubria sed placentia praedicantes, de vestro sint latere separati, nunquam in aliquibus officiis vobis ulterius servituri; et quod ista ordinatio vestra semper stabilis sit et firma; et super hoc Londonias adivimus sapientiores et magis providos vestri consilii, cum quibus super hospitio vestro et regimine regni vestri ordinavimus praecise quod necessarium videbatur, et in scriptis per dominos Bartholomaeum de Badelesmere et Willelmum Inge vestrae reverentiae mittebamus, quae quidem adhuc nullatenus observantur. Praeterea, domine reverende, in ordinationibus bonae memoriae domini

Roberti Cantuariensis archiepiscopi factis, compertum fuit quod plures personae in vestris secretariis et aliis obsequiis privatis et publicis commorantes fuerunt, personarum et munerum acceptores, veritatis et justitiae corruptores, ac etiam insufficientes et minus ydoneae in regis officiis ministrare; ordinatum fuit quod deberetis omnes tales a vobis et vestris obsequiis totaliter amovere, quod quidem facere renuistis, sed eo ipso cariores habuistis, et alios ejusdem conditionis, pejores illis, familiarius attraxistis, non obstante quod praefatas ordinationes vestris patentibus confirmastis, et etiam praelatos, comites et barones et alios ministros regios ad illas in omnibus suis articulis observandas per juramenti vinculum astrinxistis, prout per litteras vestras inde confectas penes nos et alios regni proceres residentes oportuerit apparere, cum tamen in opere nil effectualiter adimpletur. Et super eo quod praefixo die ad vos non accedimus, nolite quaesumus admirari, quia negotia super quibus nostrum consilium requiritis et assensum, juxta litterarum vestrarum tenorem, in parliamento paribus terrae praesentibus deberent ostendi veraciter et tractari; ad hoc quidem servandum omnes juravimus, ipsi scitis, nec deberetis extra parliamentum velle statuere vel tractare, quod in parliamento debeat diffiniri. Ad haec; super eo quod in litteris vestris nobis ultimo directis significastis, quod inimici vestri Scotiae regnum Angliae de novo sunt ingressi hostiliter invadendo, super quo assensum nostrum et consilium postulastis; credimus consilium vestrum captum et diffinitum ulterius ex quo nobis et ceteris regni proceribus per brevia praecepistis, quod ad certum diem quilibet nostrum cum servitio suo vobiscum sit apud Novum Castrum et ulterius, si necesse fuerit, valeat proficisci, ad quem diem, si vos ipsi scitis, congregationi vestrae per Dei gratiam volumus interesse."

14. THE TREATY OF LEAKE, 9 AUGUST, 1318

[*Rot. Parl.*, 1, 453-454, printed from the Close Roll.]*

The Treaty was agreed on 9 August. Writs were issued on 25 August for a parliament to meet at York on 20 October; its session lasted until 9 December.

Fait a remembrer, qe come nad gaires certeins prelatz, countes, et barouns, de la volunte nostre seignur le roy, et assent des plusours grantz du roialme et autres du conseil le roi lors esteauntz a Norhamptoun, fuissent alez devers le counte de Lancastre de parler et treter ovesqes lui sur le profit et lonur nostre seignur le roi et de son roialme, et en la parlaunce et tretiz entre les ditz prelatz, countes, et barouns, et le dit counte de Lancastre, parle et trete fust qe evesqes, countes, et barouns fuissent demorauntz devers nostre seignur le roi por lui conseiller es bosoignes qe li touchereient tauntqe en son prochein parlement, et de ceo et dautres choses endenture faite en la forme qe sensuit.

Ceste endenture tesmoigne coment les honurable pieres lercevesqe de Dyvelyn, et les evesqes de Norwicz, Ely, et Cicestre, et les countes de Pembroch, et Arundel, monsire Roger de Mortimer, monsire Johan Somery, sire Bartholmeu de Badlesmere, monsire Rauf Basset, et monsire Johan Botetourt, de la volunte et lassent nostre dit seignur le roi, unnt parle od le counte de Lancastre sur les choses touchauntes le profit nostre seignur le roi et du roialme en la forme qe sensuit. Cest asaver, qe les evesqes de Norwicz, Cicestre, Ely, Salesbury, Seint David, Kardoil, Hereford, et Wircestre, les countes de Pembrok, Richemund, Hereford, et Arundel, sire Hugh de Courteny, sire Roger de Mortimer, sire Johan de Segrave, sire Johan de Grey, et un des banretz le counte de Lancastre qil vodra nomer, por un quartier demoergent pres de nostre seignur le roi tauntqe a prochein parlement, issint qe deux des evesqes, un des countes, un des barouns, et un des banretz le dit counte de Lancastre au meins demoergent pres du roi adesseement; et qe tutes choses qe acharger facent, qe se porrount et deverount faire sanz parlement, se facent par lour assent; et si autrement soient fait, soit tenuz por nient, et adresce en parlement par agard des piers, et totes choses covenables soient redresseez par eux. Et au parlement soient esluz de eux et des autres qi devient demorer pres de nostre seignur le roi par quarters solonc ce qil serrount esluz et assigne en parlement, afaire et conseiller nostre seignur le roi en la fourme avauntditz. Et les susditz prelatz, countes, et barouns, de la volente et lassent nostre seignur le roi, unt enpris qe le roi fra au dit counte de Lancastre, et a ses gentz et ses meignees, reles et acquitaunces de totes maneres de felonies et trespas faitz countre sa pees tauntqe au jour de Seint Jak' [25 July] cest an, et qe les chartres de reles et acquitaunces soient simples et sanz condicion. Et si meillur seurte pust estre trove por eux au dit prochein parlement, soit fait a eux, et illuqes afferme devant nostre seignur le roi et son barnage. Et le avauntdit counte de Lancastre ad grante qil fra relees et acquitaunces a touz ceaux qi devers nostre seignur le roi sount qi demaunder le vodrount de ce qe a lui apent de trespas fait a sa persone, et ce si tost come cestes choses avant dites soient afermees, et ne fra seute de felonie vers nul deux del houre qil aurount ses lettres, sauve au counte de Lancastre totes les quereles, accions, et sutes qil ad vers le counte de Garrenne, et a touz yceux qi furent assentauntz et aidauntz as felónies et trespas qe le dit counte de Garenne lui ad fait countre la pees nostre seignur le roi. Et qe les ordinaunces soient tenuz et gardees solonc ce qe eles sount contenues souz le grant seal nostre seignur le roy, et qe cestes choses sutzdites se frount et tendront en toutz pointz come avant est dit [two archbishops, eight bishops and twenty lay magnates agree to this]. En tesmoignaunce de queu chose les prelatz, countes, et barouns avantdiz unt mys lour seals al une partie de ceste endenture, et le dit counte de Lancastre al autre partie ad mis son seal. Escritz a Leek, le ix jour Daugst, lan du regne du dit Roi Edward duzisme.

[In the next parliament, in October, 1318, at York, this indenture was read before the magnates who asked the king] . . . qe pur les grosses busoignes qe lui touchent et avenent de jour en autre, lui pleise dassenter qe deux evesqes, un counte, un baroun, et a ceux un baroun ou banret du mesnage le dit counte de Lancastre, por mesme le counte en noun de lui, par les quartiers soient adessement pres du roi entendantz a deliverer et conseiller en due manere sur totes busoignes chargeauntz qe le roi avera afaire, et qe se purrount ou deverount deliverer sanz parlement, tantqe autrefoitz en parlement soit autrement ordeine, issint qe riens de ceux choses ne soit delivers saunz le conseil et lassent des prelatz, countes, et autres qi ensi demorreynt pres du roi, solonc la fourme de la dite endenture. [The king agreed to this] issint totes foitz qe ses ministres ja le meins facent lur offices solonc ce qe faire deverount solonc la lei et les usages du roialme. [The king also accepted the other articles of the indenture.]

15. THE ASSEMBLIES AT PONTEFRACT AND SHERBURN, 1321

[*Gesta Edwardi de Carnavan, auctore canonico Bridlingtoniensi*, ed. W. Stubbs, *op. cit.*, II, 61-65.] See no. 4 above.

Item, die Dominica proxima post festum Sancti Dunstani episcopi [24 May], anno regni regis Edwardi xiiii^{to}, in capitulo prioratus de Pontefracto ad mandatum comitis Lancastriae omnes domini subscripti in praesentia dicti comitis convenerunt; videlicet ipse comes primo cum suis, Thomas de Multone, Thomas de Fournivalle, Edmundus Deyncourt, Henricus filius Hugonis, Radulfus de Graystoke, Gilbertus de Atone, Marmadukus de Thwynge, Nicholaus de Menille, Henricus de Percy, Johannes de Marmillone, Philippus Darcy, Willelmus filius Willelmi, Johannes de Fauconberge, Johannes Deyncourt, et dominus Robertus Conestable de Flaynbourgh, barones et banoretti; qui omnes et singuli de unanimi consensu et voluntate pro se et suis amicis et alligatis, quos ad suam concordiam possunt attrahere, concesserunt quod ex quo multae motiones in diversis terrae partibus jam sunt motae, per quas pax terrae poterit perturbari in regis et regni dedecus ac etiam populi dampnum non modicum et gravamen, volunt omnes et singuli, ac quilibet per se promisit fideliter et concessit, quod unius erunt assensus et concordiae ad defendendum terras suas et patrias, ita quod, si quis insurrexit contra dictum comitem, aut aliquem illorum, qualiscunque fuerit, quovismodo in dampnum et dedecus illorum aut alicujus eorundem, omnes erunt parati in subsidium et defensionem contra omnes malitiose volentes eos aliqualiter infestare, et ad hoc viriliter faciendum, ut quilibet se praeparet meliori et fortiori modo quo poterit, ita quod terrae pax universalis melius foveatur, necnon quies et commodum populi multo tutius conservetur; istam itaque conventionem, quin verius confederationem, in verbis consimilibus Gallice scriptis, per sigillorum suorum appositionem quilibet supradictus dominus confirmavit; et, quia videbatur praedictis dominis quod praedictum negotium requirebat consilium majorum et praecipue praelatorum, scripsit comes Lancastriae archiepisocpo et omnibus aliis praelatis provinciae et diocesis Eboracensis, ut, die Dominica proxima post festum Nativitatis Sancti Johannis Baptistae [28 June], apud Shirbourne in Elmet omnes pariter convenirent ad tractandum cum eisdem super negotiis tangentibus populi commodum et quietem; ad quem diem archiepiscopus, episcopi Dunelmensis et Carliolensis, comites Lancastriae et Hereforde, abbates et priores, necnon plurimi barones, baneretti et milites, australes et boriales, in ecclesia parochiali de Shirbourne convenerunt; in quorum praesentia Johannes de Bek, miles, ex praecepto comitis, legit quosdam articulos, ut praetendebat, correctionibus indigentes; quos hic non insero de verbo ad verbum sicut Gallice legebantur, sed illorum sententiam breviter demonstrabo quia blandis sermonibus velabantur.

"Primus igitur articulus post recitationem praemissorum inter cetera continebat, quod si scirent aut cognoscerent aliquas considerationes aut injuriosa gravamina ad dampnum vel dedecus populi vel coronae per malos consiliarios aut minus ydoneos regis ministros qualitercunque suscitari, quod ipsi vellent hujusmodi gravamina demonstrare et coram ipso comite lucide declarare, ita quod per assensum unanimem et commune consilium super hujusmodi gravaminibus opportunum remedium valeat provideri. Item videtur, domini reverendi, quod illi qui officia receperunt per quae regnum debeat gubernari, videlicet cancellarius, thesaurarius, camerarius, justiciarius, custos sigilli secreti, escaetores, et alii qui per electionem constitui debuissent, receperuntque officia praedicta contra ordinationes saepefatas, sunt causae novitatum malorum et oppressionum quibus populus nimium aggravatur; expedit igitur ut celere remedium apponatur. Item ad ordinandum remedium super hujusmodi novitatibus per tales ministros contra terrae proceres suscitatas, videlicet quod illi qui terras et tenementa perquirunt, quae de rege tenentur in capite per servitia consueta, repelluntur, eis forisfacturam suorum omnium imponendo, et de aliis qui contra leges terrae per potestatem regis exheredati et exjudicati sunt assensu parium terrae minime requisito. Item de justitiariis qui per commissiones regias et malorum consiliatorum instigationem de diversis transgressionibus inquirunt, magnatesque terrae faciunt indictare, ut per conspirationes ipsos valeant exheredare contra leges usitatas in oppressionem populi causis variis exquisitis. Item quod praefati mali consiliarii constituerunt justitiarios itinerantes Londoniis, faciuntque regem super habitatores ejusdem porrigere breve *Quo warranto*, ad respondendum qualiter ipsi tenent redditus et libertates quas ipsi et antecessores sui habuerunt, et quibus usi sunt a conquaestu et deinceps; ac per tales oppressiones nituntur dicti mali consiliarii populum exheredare et affligere supra modum. Item ad tractandum de gravaminibus factis mercatoribus extraneis atque notis, qui per hujusmodi malos ministros post mercimoniorum emptionem consuetudine soluta coguntur adire limina Sancti Omeri; ut ubi, contra suum gratum et libertates per cartas regias antiquitus sibi concessas, vendant ad magnum populi dispendium et gravamen. Item ad tractandum qualiter comes possit confoederationes et alligationes jam inceptas cum extraneis annullare, quae si perfectae fuerint cedent in destructionem vestri et nostri et totius populi Anglicani. Item ad tractandum qualiter dominus rex horum consiliatorum instigatione omnes legum terrae retinet defensores et peritos, quod, si magnates vel mediocres per regem fuerint implacitati, consilium non habebunt, cum sui progenitores nisi duos tantum serjantos pro suis placitis tenuerunt."

Lectis articulis, supplicavit comes omnibus praelatis quod vellent ad horam secedere, et ad propositum juxta sua beneplacita respondere; quibus articulorum copia tradita, mansum rectoris ecclesiae petierunt, et tractantes responsum quod sequitur continuo comiti remiserunt: "Domine reverende, praelati et clerus istius diocesis et provinciae, qui vestri rogaminis interventu hic uniformiter convenerunt, vobis regratiantur humiliter et ex corde quod regni et istius patriae tantum amoris insidet cordi vestro; et, quia formidant omnes invasionem Scotorum, ad consumendum patrias, velut ante haec tempora destruxerunt, et si intrent, quod absit, ad malefaciendum sicut prius, omnes juxta possibilitatem suam consentiunt subvenire una vobiscum et aliis magnis ac communitate convocata, ut hostium malitia reprimatur, statu cleri et ecclesiae semper salvo. Item, quoad aliquas motiones in regno noviter suscitatas, dominationi vestrae reverendae aliisque quibuslibet hic vobiscum adunatis supplicant humiliter et devote, quatenus propter Dei et ecclesiae sanctae reverentiam et honorem, regni salvationem, populique quietem, fiat dictarum tollerantia motionum, et quod in proximo parliamento inter dominum nostrum regem et ligios suos amicabilis concordia et unitas ordinetur per tractatus pacificos in Christo quod melius videbitur expedire; quo facto credunt omnes quod super aliis articulis hic ostensis in dicto parliamento ordinatum erit favente Domino remedium opportunum." Ista responsione in scriptis coram comite recitata, praelatis et clero reddidit gratias speciales, et sic licentiati singuli recesserunt.

16. CHARGES AGAINST THE DESPENSERS, 1321

[*Stat. R.*, I, 181-184, printed from the Close Roll.]*

Hugh Despenser (1262–1326), earl of Winchester (cr. 1322), and his son Hugh (12?–1326), chamberlain of the Household from 1318, received many favours and grants from Edward II. Both were banished in consequence of the present proceedings. They returned in 1322, and both were executed by the Isabella-Mortimer faction in 1326.

Writs were issued on 15 May for a parliament to meet at Westminster on 15 July; its session lasted until 22 August.

Al honur de Dieu et de Seinte Eglise et de nostre seignur le roi, et au profit de lui et de son roialme, et a pees et quiete meyntenir en son poeple, et pur meyntenement del estat de la corone, ly mustrent prelatz, countes, barons, et les autres piers de la terre, et commune du roialme, countre Sire Hugh le Despenser le fitz et Sire Hugh le Despenser le piere ; qe come le dit Sire Hugh le fitz, au parlement a Everwik, fust nome et assentu destre en loffice de chaumberlein nostre seignur le roi, de servir en cel office comme affereit ; a quieu parlement fust auxint assentu qe certeyns prelatz, et autres grantz du roialme, demorreient pres du roi par sesons del an pur mieux conseiller nostre seignur le roi, saunz quieux nule grosse busoigne ne se deveroit faire, le dit Sire Hugh le fitz, attret a ly Sire Hugh son piere, qi ne fust nient assentu ne acorde en parlement a demorer ensi pres du roi, et entre eux deux accrochant a eux roial poer sour le roi, ses ministres, et le guyement de son roialme, a deshonur du roi, enblemissement de la corone et destruccion du roialme, des grantz et du poeple, et fesoient les malveistes suthescrites, encompassant de esloigner le quoer nostre seignur le roi des piers de la terre pur avoir entre eux deux soul governement du roialme.

En primes qe Sire Hugh le Despenser le fitz fust corouce devers le roi, et sur ceo corouce fist une bille, sur la quele bille il voleit avoir en alliaunce de Sire Johan Giffard de Brymmefeld et Sire Richard de Gray et dautres, daver mene le roi par asprete afaire sa volunte, issi qe en ly ne remist mie qil ne le eust fait. La tenour de la bille sensuist southescrit. Homage et serment de ligeaunce est plus par reson de la corone qe par reson de la persone le roi, et plus se lye a la Corone qe a la persone ; et ceo piert qe avant qe lestat de la Corone soit descendu, nule ligeaunce est a la persone regardaunte ; dount si le roi par cas ne se meigne par reson, endroit de la corone, les liges sount liez par serment fait a la corone de remenir le roi et lestat de la corone par reson, et autrement ne serroit point le serment tenuz. Ore fait a demaunder coment lem doit mener le roi, ou par sute de ley, ou par asprete ; par sute de ley ne ly poet homme pas redrescer, qar il naveroit pas juges, si ceo ne soit de par le roi, en quieu cas si la volunte le roi ne soit acordaunte a reson, si naveroit il forqe errour meyntenu et conferme ; dount il covient pur le serment sauver, qe qant le roi ne veul chose redrescer, ne ouster qest pur le commun poeple malvoise et damagouse et pour la coronne, ajuger est qe la chose soit ouste par asprete, qil est lye par son serment de governer le poeple et ses liges, et ses liges sont lyes de governer en aide de ly et endefaute de ly.

[The Despensers intruded themselves between the King and his magnates and people, allowing him to do only as they pleased. They caused good and sufficient ministers to be removed and put others false and evil in their place ; and they caused justices who did not know the law to be appointed. They caused wrong to be done in various specified cases.]

Auxint par lour malveise coveitise, et par poer real a eux acroche, ne suffrerent mie nostre seignur le roi doier ne droit faire as grantz de la terre, sur la demustraunce qil fesoient alui, pur lui et pur eux, de la desheritance de la corone, et de eux tochaunt les terres qe furent as Templers ; et issint, par poer real a eux accroche, ont il mene nostre seignur le roi, son Conseil et ses places, qe des choses tochantes eux ou lour aliez, ont empris et embrace par eux qe droit ne poeit estre fait forqe a lour volentie, et a damage et a deshonure de nostre seignur le roi, et peril de son serment e desheritance et destruccion de plusurs grantz du poeple de son roialme. Et auxint les eslitz as evesches, abbeyes, priouries, qi devient estre de droit resceu de nostre seignur le roi, la ou il sont en due fourme eslutz, ne poeient approcher a nostre seignur le roi, ne ove lui parler de quere sa grace, tanqils avoient fait fin et fret a Sire Hugh le fitz a sa volentie ; ne nul qi eust grace a quere de nostre seignur le roi, ne poeit a nule grace atteindre avant qil avoit fait fin a lui . . . Par quei nous pieers de la terre, countes et barons, en la presence nostre seignur le roi, agardoms qe Sire Hugh le Despenser le fiz et Sire Hugh le piere soient desheritez a touz jours, come desheritours de la corone, et enemis du roi et de son poeple ; et qil soient del tut exiles hors du roialme Dengleterre, santz retourner en nul temps, si ceo ne soit del assent nostre seignur le roi, et del assent des prelatz, countes et barouns, et ceo en parlement duement somons. Et les donoms port a Dovre et nulepart aillours a voider et passer hors du roialme Dengleterre, entre ci et la feste de la decollacion de Scint Johan le Baptistre prechein avenir [29 August], ceu jour acounte. Et si les ditz Sire Hugh et Sire Hugh demorgent en le roialme Dengleterre, outre le dit jour qe done lour est de voider et de passer comme desus est dit, ou qe apres le dit jour retournent, adonqes soit fait de eux come des enemis du roi et du roialme.

17. STATUTE OF YORK, 1322

[*Stat. R.*, I, 189.]*

For discussion see G. T. Lapsley, in *Crown, Community, and Parliament in the later Middle Ages* (1951), 153-230, and references therein cited.

Writs were issued on 14 March for a parliament to meet at York on 2 May ; its session lasted until 19 May.

Come nostre seignur le Roi Edward, fitz au Roi Edward, le sezime jour de Marz, lan de son reigne tiercz, al honur de Dieu et pur le bien de lui et de son roialme, eust grantez as prelatz, countes, et barons de son roialme qeux peussent eslire certeines persones des prelatz, countes, et barons, et des autres loiaux queux lour semblereient suffissantz de appeller a eux, pur ordener et establir lestat del Hostel nostre dit seignur le roi et de son roialme, solonc droit et reson, et en tiele manere qe lour ordenances feussent faites al honur de Dieu, et al honur et profit de Seint Eglise, et al honur du dit roi, et a son profit, et au profit de son poeple, solonc droit et reson, et le serement qe nostre dit seignur le roi fist a son coronnement. Et lercevesqe de Caunterbirs, primat de tot Engleterre, evesqes, countes, et barons a ceo eslutz eussent fait ascunes ordenaunces qe comencent issint, 'Edward par la grace de

Dieu roi Dengleterre, seignur Dirlaunde, et ducs Daquitaigne, as touz ceux as queux cestes lettres vendrount, salutz. Sachez qe come le xvime jour de Marz, lan de nostre reigne tiercz, al honur de Dieu' etc. et finissent issint, 'Donne a Loundres le quint jour Doctobre, lan de nostre regne quint'.

Les queles ordenances le dit nostre seignur le roi a son parlement a Everwyk a treis semeignes de Pask, lan de son regne quinzisme, par prelatz, countes, et barons, entre queux furent touz le plus des ditz ordenours qi adoncs furent en vie, et par le commun du roialme iloeqes par son maundement assemblez, fist rehercer et examiner. Et pur ceo qe par cel examinement trove feust en dit parlement qe par les choses issint ordenees le poair real nostre dit seignur le roi feust restreynt en plusors choses, countre devoir, enblemissement de sa seignurie reale, et encountre lestat de la coronne ; et auxi pur ce qe en temps passe par tieles ordenances et purveaunces faites par les suggetz sur le poair real des auncestres nostre seignur le roi, troubles et guerres sount avenuz en roialme, par quoi la terre ad este en peril ; acorde est et establi au dit parlement par nostre seignur le roi et par les ditz prelatz, countes, et barons, et tote la commune du roialme a cel parlement assemblez, qe totes les choses par les ditz ordenours ordenees et contenues en les dites ordenaunces, desoremes pur le temps avenir cessent et perdent noun, force, vertu, et effect a touz jours ; les estatutz et establissementz faitz duement par nostre seignur le roi et ses auncestres avaunt les dites ordenances demorauntz en lour force ; et qe desore james en nul temps nule manere des ordenaunces ne purveaunces faites par les suggetz nostre seignur le roi ou de ses heirs, par quele poair ou commission qe ceo soit, sur le poair real de nostre seignur le roi ou de ses heirs, ou countre lestat nostre dit seignur le roi ou de ses heirs, ou countre lestat de la coronne, soient nulles et de nule manere de value ne de force ; mes les choses qe serrount a establir pur lestat de nostre seignur le roi et de ses heirs, et pur lestat du roialme et du poeple, soient tretes, accordees, establies, en parlementz par nostre seignur le roi et par lassent des prelatz, countes, et barouns, et la communalte du roialme, auxint come ad este acustume cea enarere.

DEPOSITION OF EDWARD II, 1326–1327

Queen Isabella returned to England on 24 September, 1326. Edward II retired to South Wales, and his son Edward was proclaimed *custos* on 26 October. Edward II was captured on 16 November. Writs were issued in Edward II's name on 28 October for a parliament to meet at Westminster on 14 December ; writs of *supersedeas* were issued on 3 December postponing the assembly until 7 January, 1327.

Edward III was deemed to have acceded on 25 January and was crowned on 1 February. The parliament was reckoned as the first of Edward III and was opened in his name on 3 February.

For discussion generally see M. V. Clarke, 'Committees of Estates and the Deposition of Edward II' in *Essays in Honour of James Tait* (1933), 27-43, and parts of the same author's *Medieval Representation and Consent* (1936).

18. APPOINTMENT OF EDWARD, DUKE OF ACQUITAINE, AS CUSTOS, 26 OCTOBER, 1326

[Rymer, *Foedera* (R.E.), II, i, 646, printed from the Close Roll.]*

Memorandum quod xxvi die Octobris, anno regni Regis Edwardi, filii Regis Edwardi, xx^{mo}, ipso rege a regno suo Anglie cum Hugone le Despenser juniore et magistro Roberto de Baldok, inimicis Isabelle regine Anglie, consortis ipsius domini regis, et Edwardi filii ejusdem domini regis primogeniti et ducis Aquitanie, et aliis eorumdem domine regine et ducis ac regni Anglie notorie inimicis recedente, eodem regno suo sine regimine dimisso, venerabiles patres, A. Dubliniensis archiepiscopus, J. Wyntoniensis, J. Eliensis, H. Lincolniensis, A. Herefordensis, et W. Norwycensis, episcopi, ac alii prelati et domini, Thomas Norffolcie, et Edmundus Kancie, comites, fratres ipsius domini regis, et Henricus, comes Lancastrie et Leycestrie, Thomas Wake, Henricus de Bello Monte, Willelmus la Zouche de Assheby, Robertus de Monte Alto, Robertus de Morle, Robertus de Watevill, et alii barones et milites tunc apud Bristolliam existentes in presencia dicte domine regine et dicti ducis, de assensu tocius communitatis dicti regni ibidem existentis, eundem ducem in custodem dicti regni unanimiter elegerunt; sic quod idem dux et custos, nomine et jure ipsius domini regis, patris sui, ipso rege sic absente, dictum regnum regeret et gubernaret.

[Prince Edward at once began to govern, using his privy seal, the only seal he had for the purpose. In November the king was captured and the authority of the prince therefore ended. A messenger was then sent to the king at Monmouth.]

Et idem dominus rex, auditis sic sibi expositis, habita inde aliquali deliberacione penes se, respondebat quod placuit sibi mittere dictum magnum sigillum suum prefatis consorti sue et filio; et quod iidem consors et filius dictum sigillum, sub privato sigillo suo tunc clausum, aperiri facerent et non solum ea que pro jure et pace essent facienda, set eciam que gracie forent sub dicto magno sigillo fieri facerent; et idem dominus rex dictum magnum sigillum liberari fecit domino Willelmo le Blount militi deferendum in comitiva dicti domini Herefordensis episcopi ad predictos reginam et ducem eis in forma predicta liberandum.

19. ACCORDING TO GEOFFREY LE BAKER

[*Chronicon Galfridi le Baker de Swynebroke*, ed. Sir E. M. Thompson, 1889, 26-28.]

Geoffrey le Baker, of Swinbrook, Oxfordshire, *fl. c.* 1350, followed

Adam of Murimuth extensively in the compilation of this chronicle, but added valuable material of his own, for some of which he was indebted to Sir Thomas de la More. Sir Thomas, probably of Northmoor, Oxfordshire, was a knight of the shire for that county several times between 1340 and 1351.

Ubi, cito post Epiphaniam [6 January], in parliamento per ipsos, quibus nullus ausus est resistere, convocato, fuit ordinatum et constitutum quod ex parte tocius regni tres episcopi, duo comites, duo abbates, quatuor barones, et de quolibet comitatu Anglie duo milites, item de qualibet civitate et villa capitanea cuiusilibet comitatus, et similiter de portubus, duo burgenses mitterentur ad regem apud Kenelworthe custoditum, facturi infrascripta. Iohannes de Stratford episcopus Wyntoniensis, Adam de Torletone episcopus Herefordensis, et Henricus episcopus Lincolniensis, college principales negocii tractandi, fuerunt missi, quorum comitivam, aderens predicto episcopo Wintoniensi, tu, generose miles, qui hec vidisti et in Gallico scripsisti, cuius ego sum talis qualis interpres, te dico, domine Thoma de la More, tua sapienti et inclita presencia decorasti. Precesserunt ceteros itinerando episcopi Wintoniensis et Lincolniensis, secrecius alloquentes regem una cum custode suo, comite Leicestrie, ipsum inducturi ut suo primogenito resignaret coronam. Astute satis isti tres circumvenerunt regem, promittentes sibi non parciorem honorem post honeris deposicionem quam antea solebat ab omnibus habere regia celsitudo. Adiciebant quoque adulterantes verbum veritatis, in quantum foret meriti apud Deum, pro subditorum pace, quam ea sola via spondebant affuturam, regnum respuere temporale ; in hoc non indubitanter cum Cayfa pontifice pontifices prophetantes. Ex alia parte sibi comminabantur quod, nisi resignaret, populus, sibi abdicato redditis homagio et fidelitate, filiis quoque suis repudiatis, alium in regem exaltarent quam de sanguine regali. Istis et aliis importunis promissis atque minis inflexum piissimum cor regale, non sine singultibus, lacrimis et suspiriis, monitis episcoporum condescendit, paracior pro Christo vitam finire, quam suorum filiorum exheredacionem aut regni diuturnam perturbacionem oculis viventis corporis videre, sciens quod bonus pastor animam suam ponit pro ovibus suis. Finaliter ad castrum regis inclusivum nuncios ceteros adduxit ille infandus imbassiator, Adam Torletone Herefordensis, quos in regis camera secundum suas dignitates ordinice collocavit, a multis temporibus affectata, ex omnium permissione, sibi ipsi reservans. Tandem regia magestas, togam nigram induta, de secreciori camera progrediens, suis servis se representans, concius negocii pro quo venerant, pre dolore subito sui impos effectus, corruit expansus. Cui accurrentes comes Leicestrie et episcopus Wyntoniensis, vix regem semivivum erexerunt ; quem ad mentem et vires pristinas utcumque revocatum alloquebatur Adam Herefordensis, exponens causam adventus nunciorum, mira impudencia non confusus regis animum attrectare, cui se putavit pre ceteris mortalibus exosum fuisse. Adiecit suis dictis ille Herefordensis quod oporteret regem regni diadema suo primogenito resignare, aut post sui repudium invite pati quod eligerent in regem quemcumque visum ipsis apciorem pro regni tutela. Hiis auditis, rex cum fletu et eiulatu respondit quod multum doluit pro eo quod populus sui regni taliter exasperatus foret contra ipsum, quod suam dominacionem fastidiret; finaliter quoque subiunxit suo beneplacito valde convenisse, quod scilicet filius suus populo sic fuit acceptatus, ut ipsum in regem affectarent habere. In crastino iidem nuncii homagia et ligiamenta domino Edwardo de Karnarvan nuper regi, per manus Willelmi Trossel militis, ex parte tocius regni refuderunt, et Thomas de Blount miles, regalis ospicii senescallus, fraccione virge, suum officium designantis, regiam familiam nunciavit esse licenciatam. Post hec ad parliamentum Londoniis reversi, responsionem regis plene, immo plenius quam facta fuit, retulerunt.

20. ACCORDING TO A FRENCH CHRONICLE OF LONDON

[*Croniques de London*, ed. G. J. Aungier (Camden Soc., XXVIII, 1844), 57-58.]

The *Croniques*, which end at the 17th year of Edward III, were probably nearly contemporary and written by an unknown author whose close connection with the City of London is manifest.

Issint qe le marzdy le jour de seint Hillare [13 January] l'erchevesqe de Caunterbury pronuncia à Weimouster devant tot le barnage de la tere plusours articles encountre le roy. Par quey tot le poeple graunta et cria q'il ne devereit plus regner, mès qe l'en freit roy son fitz le duk de Gyene. Par quoy eveskes, abbés, priours, countes, barounes, chivalers, et burgeis furent maundez à luy al chastel de Kylingworthe, de oyer sa volunté, s'il voleit assenter à le corounement de son fitz et sey demettre del regne, et si noun les messagers rendirent sus lour homage pur tot la tere. Dount tanke les messagers furent au roy, le dimaigne devant le feste Fabian et Sebastian [18 January], il fut crié en Chepe qe touz qe devoyent servise à le corounement le roy, ou q'il cleyment service avoir, q'ils fussent al corounement le novele roy sir Edward duk de Gyene le dimainche la veille de la chaundelure [1 February]. En mesme le temps, le marsdy en la feste seint Fabian et Sebastian [20 January], sire Wauter Reinaud, erchevesqe de Caunterbury, precha à le Gildhalle de Loundres, et vij. evesqes vindrent ove luy, et là fist il le serment ove les autres evesqes, come les graunt avoyent jurrez devant. Et pur çeo qe le comune de Loundres avoyent l'erchevesqe countre queor pur multz enchesounes, le dit erchevesqe graunta à le comune de doner à eux l. toneux de vin, et outre çeo de faire gré à chescun l'endemeyn qe se voudra pleindre par bille resounablement sure luy. Et lors fut sire Edward de Carnarvon maundé au chastel de Berklée hors del chastel de Kelingworthe, pur doute q'il dust aver esté ravy par abettement et le procurement de un frere prechour qe out à noun frere Thomas Dunheved, et plusours autres de l'ordre asentaunt à luy, et puisse fust il pris et plusours autres ove luy, et mys en dure prisoun a Everwik. Et adonkes avoit sire Edward de Carnarvan ceux gardeinz, sire Thomas de Berklé et sire Johan Mautravers, pur luy savement aver garde en perpetuel prisoun. Et par abetement de ascunes sertein persones et l'assent de ses faus gardeinz, treiterousment nutaundre estoit vilement murdriz, come faus et desseaux perjours. Le dit Edward regna icy xix. aunz et di. et gist a Gloucestre.

21. ACCORDING TO THE PIPEWELL CHRONICLE

[B.M. Cotton MS. Julius A 1, ff. 56-56 v., printed by M. V. Clarke in *Medieval Representation and Consent* (1936), 194-195.]

This Chronicle, of which the concluding passages are given here, was written in the 14th century in the Cistercian Abbey of Pipewell, Northamptonshire, by someone who had access to official records.

Et sur la fest de seint Hilleir [13 January], lan de nostre seignur mille CCCXXVI, vindrent en la grant salle de Weymustre les ercevesqes, evesqes, countez, et barons, abbeez, et prieurs et touz altres auxi bien des citeez comme des burghes ensemblement oue toute la communaltee de la terre. Illoqes par commun assent de touz pronuncie fu par lercevesqe de Cantuarbires coment le bon roy Edward a son decees avoit lesse a son filz en bone pees les terres dEngleterre, Irland, Gales, Gascoigne et Escoce, et coment les terres de Gascoigne et dEscoce sount sicom perdu de ly par malveis conseile et mauveis garde, et ensement coment par malveis conseille il ad fait destur grand partie del bon saunk de la terre, a deshonur et damage de ly et son reialme et de tute le pople, et multz des altres mervelles fait. Parqei assente fust par trestouz les avaundiz qe meis ne devereit regner, mesqe son filz eyne, duke de Guyenne, deveroit regner et coroune porter pur ly. Car sicom levesqe de Herford et levesqe de Loundres qe furent a ly message de par la communalte de la terre a Kenylworth de prieser le [?] au parlement testmonerent qil fust demorant en mesmes la cruealtee et malevoluntee qe devant, sus ceo ordine fu et assentu qe triorys granz com de evesqes, abbes, priores, countes, barouns, chevaleres, justices et altres irrerent a ly, et ly renderent en grande [?] lour homage, et pur tut la terre et ensi fu fait. Derechef ordine fu pur graunt travaux et anguisses qe nostre dame la reine aveit suffert auxi bien de sa la meer come de la, quelle demorge reyne toute sa vie. Et qe nostre seignur le rey qor est prenge le feille le count de Hanaud en feme.

En la feste de seinz Fabian et Sebastian [20 January] lan avantdit solom la manere de le esglise dEngleterre D lettre dominical, vindrent a Kenilworth les seuz [*sic*] diz, fait asaveir, les eveuqes de Loundres, Wyncestre et Herfordh, les abbeez de Glastenbires et Dovere, les countz Warenne et de Lancastre, les barones monsieur Hugh de Courteney, monsieur Richard de Grey, les justices monsieur Geffrey Lescrope et Johan de Boursier [?] deux barouns des Portez, quatre burges de Loundres et quatre chivalers pur la communalte de la terre.

Et disaient a nostre seignur le Roy les defautes susdites si come il furent chargeez et il devant eaux touz granta de sa pure voluntee qe il avoit malement governe eaux et la terre et de ceo lermant et seant a genulz les cria il merci et pria qeaux le voleient pardoner et qil priassent en pleyn parlement, qeaux ly pardonassent ceo qil avoit trespasse contre eaux. Et auxi granta il et ordina qe monsieur Edward son filz eyne fust roy en son lieu et portast coroune le dymange cest a savoir la veille de la Purificacion [1 February], et qe toutes maners des homage et services fuse nent faitz a ly . . . furent a ly. Et sus seo vint monsieur William Trousell de Petlyng et sassist a genulz devant nostre seignur le roy et le cria merci en priant qili voleit pardoner ceo qili avoit trespasse et ili pardona devant trestouz et ly dona signe de pees.

22. CHARGES AGAINST EDWARD II

[Rymer, *Foedera*, (R.E.), II, i, 650.]

This document is not an official record but was probably drawn up by William of Mees, secretary to John Stratford, bishop of Winchester, acting treasurer from 14 November, 1326.

Accorde est qe sire Edward fiz aisne du roy, ait le governement del roialme, et soit rois coronne, par les causes qe sensiwent :

1. Primerement, Pur ceo qe la persone ly Roy n'est pas suffisaunt de governer. Car en touz son temps ad il este mene et governe par autres, qi ly ount mavoisement consaillez, a deshoneur de ly et destruction de seint eglise, et de tout son poeple, saunz ceo qe il le vousist veer ou conustre le quel il fust bon ou mavoys ; ou remedie mettre ou faire le vousist, quant il fuist requis par les grauntz et sages de son roialme, ou suffrir qe amende fuist faite.

2. Item, Par tout son temps, il ne se voloit doner a bon counsail, ne le croire, ne a bon governement de son roialme ; meys se ad done toux jours as ouraignes et occupations nient covenables, entrelessaunt lesploit des bosoignes de son roialme.

3. Item, Par defaute de bon governement, ad il perdu le roialme d'Escoce, et autres terres et seignuries en Gascoygne et Hyrland, les queux ly Roy son pere li lessa en pees et amiste du Roy de Fraunce, et des moults des autres grauntz.

4. Item, Par sa fierte et qualte et par mavoys consail ad il destruit seint eglise, et les personnes de seint eglise tenuz en prisoun, les uns, et les altres en destresce ; et auxint plusours graunts et nobles de sa terre mys a hountouse mort, enprisones, exuletz et desheritez.

5. Item, La ou il est tenuz par son serement a faire droit a toux, il ne lad pas volu faire pur son propre profyt, et covetyse de ly, et de ces mavoys counsailires qi ount este pres de ly ; ne ad garde les autres pointz del serement q'il fist a son corounement, si com il feust tenuz.

6. Item, Il deguerpist son roialme, et fist taunt come en ly fust que son roialme et son poeple fust perduz ; et que pys est, par la cruelte de ly et defaute de sa personne, il est trove incorrigible sauntz

esperaunce de amendement. Les queux choses sount si notoires, qu'ils ne poount estre desditz.

23. RENUNCIATION OF HOMAGE

[*Rotuli Parliamentorum Anglie Hactenus Inediti*, ed. H. G. Richardson and G. O. Sayles (Camden Soc., 3rd ser. LI, 1935), 101.]

This text, which is both earlier and better than versions appearing in several Chronicles, is contained in a roll of petitions (B.M. Harl. MS. E 16) which is not strictly an official record.

Coment William Trussel rendist les homages a Edward piere nostre seigneur le roy qore est.

Jeo, William Trussel, procuratour des prelatz, contes et barons et autres gentz nomez en ma procuracie, eiant a ceo plein et suffisant pouer, les homages et les fealtes a vous Edward roy Dengleterre come au roy auant ces houres, de par les dites persons en ma dite procuracie nomez, en noun de eux et chescun de eux par certaines causes en la dite procuracie contenuz, renk et rebaile suis a vous Edward, deliure et face quites les persons auantditz en la meiloure maniere qe ley et custume donne, et face protestacioun en noun de eux touz et de chescun de eux, qeux ne voilent desore estre en vostre fealte ne en vostre ligeance, ne cleyment de vous come de roy riens tenir, einz vous tiegnent desore priuee persone sanz nule maniere de real dignete.

24. ANNOUNCEMENT OF EDWARD II'S ABDICATION AND PROCLAMATION OF EDWARD III

[Rymer, *Foedera*, (R.E.), II, ii, 683, printed from the Close Roll.]*

Memorandum quod dictus dominus Edwardus vicesimo quarto die Januarii, videlicet die Sabati proximo ante festum Conversionis Sancti Pauli, anno Domini millesimo trescentesimo vicesimo sexto, fecit pacem suam in civitate Londonie proclamari et publicari per verba que sequntur.

Pur ceo qe sire Edward nadgairs roi Dengleterre de sa bone volunte et de commun conseil et assent des prelatz, countes, et barons, et autres nobles, et tote la communalte du roialme, sen est ouste del governement du roialme et ad grante et veut qe le governement du dit roialme deveigne a sire Edward, son fiutz eyne et heir, et qil governe, regne, et soit roi corone, par qai touz les grantz ount fait homage, nous crioms et publioms la pees nostre dit seignur sire Edward le fiutz, et comandoms et defendoms depar lui fermement a touz et a chescun, sur peigne et peril de desheritance et de parte de vie et de membre, qe nul nenfreigne la pees nostre dit seignur le roi, kar il est et serra prest a touz et a chescun del dit roialme en totes choses et countre touz, auxi bien as petitz come grantz, a faire dreiture. Et sil nul eit rien a demandre vers autre le demande par voi de accion sanz force mettre ou autre violence.

REIGN OF EDWARD III
1327–1377

PROCEEDINGS IN THE PARLIAMENT OF 1327

The last parliament summoned in the name of Edward II became the first parliament of Edward III (see above *sub tit. Deposition of Edward II*). Its session lasted from 3 February to late in that month or early March 1327.

25. COMPLAINTS BY THE COMMONS ABOUT MILITARY SERVICE

[*Rot. Parl.*, II, 8-12.]†

9. Item, prie la commune qe nul deshoremes soient destreinz de aler en gwere en countre lour gre en les terres ou ils ne sount mye tenuz, en contre la manere de lour tenaunce, ne, en les terres ou ils sount tenuz afaire service, en autre manere qe ne devient faire solon la fourme de lour tenaunce ; ne gentz de commune ne soient destreintz a sei armer a lour custages de meygne en countre la fourme de lestatut de Wyncestre, ne nule part aler hors lour ditz countez, et si noun a les custages le roy.

10. . . . Ensement, pur ceo qe commissiouns ount estẹ maundez as certeinz persones del ditz countes de araier gentz darmes, et a paier de eux mener en Escoce et en Gascoyne as custages de la commune et des araieurs et menours, sauntz rien prendre de roy ; dount la commune et les araiours et menours ount est greve grantment ; dount ils prient remedie, issint qe qant le roy envoit ses commissiouns pur choses qe luy touchent, qe le execucion ceo face a custages le roy, et qe nul ne soit destreint de aler en Escoce ne en Gascoyne, nule part hors de realme, ne de autre service faire qe a ses tenementz ne devient de droit afaire.

36. Item, prie la commune qe pur ce qe mout de gentz unt este chace par faus counsail le roi de eux lier par escritz de venir au roi a force et armes en chescun tens qil furent maunde, sur peyne de vie et de membre, et de quant qil puisent forfere ; par force de quex escritz plusurs de la terre unt diversement destrutz ; qe desore ne soit nul homme chace de fere tiels escritz. Et ceux qi sunt faitz soient de tut voides et livere a les parties qi les fesoient a force, ou a lour heirs, pur peril qe purra seuir apres.

Responses

9. Quant a la peticion tochante le alir en guerre, il plest a nostre seignur le roi et a son Conseil qils ne soient autrement chargez de soi

armer qils ne soleient en temps de ses auncestres, ne alir hors de leur conteez, si noun par cause de necessite de sodeine venue destranges enemis en roialme. Et adonqes soit fait come ad este fait avant ces hures pur defens du roialme.

10. . . . Quant al point tochante la commission des arraiours et des menours des gentz, il semble au Conseil qe mes ne soit fait.

36. Quant a la peticion tochante escritz faitz au roi, acorde est qe mes ne soit fait, et qe ceux qi sont faitz par la veue de chaunceller et tresorer soient mostrez au roi, et le roi face dampner ces qi sont fait contre droit et reson.

26. STATUTE RELATING TO MILITARY SERVICE (1 Edward III, st. 2, c. 5)

[*Stat. R.*, I, 255.]*

See also references in no. 68 below.

Item, le roi voet qe desormes nul soit charge de soi armer autrement qil ne soleit entemps de ses auncestres roys Dengleterre. Et qe nuls soient destreintz daler hors de lour countez, si noun par cause de necessite de sodeyne venue des estraunges enemys en roialme; et adonqes soit fait come ad este fait avant ces houres pur defens du roialme.

27. STATUTE AGAINST MAINTENANCE (1 Edward III, st. 2, c. 14)

[*Stat. R.*, I, 256.]*

Item, pur ceo qe le roi desire qe commun droit soit fait as toutz, auxibien a povres come a riches, il comaund et defend qe nul de ses conseillers, ne nul de son Hostel, ne de ses autres ministres, ne nul grant de la terre, par lui ne par autre, par maundement des lettres, nen autre manere, ne nul autre du roialme, petit ne graunt, nenpernent de meyntener querels ne parties en pays, en desturbaunt la commune lei.

28. STATUTE FOR KEEPERS OF THE PEACE (1 Edward III, st. 2, c. 16)

[*Stat. R.*, I, 257.]*

For discussion see Sir William Holdsworth, *History of English Law*, vol. I (7th revised ed. 1956), 24*-29*, and references contained therein; and also B. H. Putnam, *Proceedings before the Justices of the Peace in the Fourteenth and Fifteenth Centuries* (1938).

Item, pur la pees meultz garder et meyntener, le roi voet qen chescun countee qe bones gentz et loialx, queux ne sont mye meyntenours de malveis baretz en pays, soient assignez a la garde de la pees.

PROCEEDINGS IN THE SECOND PARLIAMENT OF 1328

Writs were issued on 5 March, 1328, for a parliament to meet at Northampton on 24 April; its session lasted until 14 May.

29. STATUTE FOR SPECIAL COMMISSIONS OF OYER AND TERMINER (2 Edward III, c. 7)

[*Stat. R.*, I, 259.]*

Et quant au punissement de felonies, roberies, homicides, trespas, et oppressions du poeple faitz en temps passe, acorde est qe nostre seignur le roi assigne justice en divers lieux de sa terre, ove le Baunk le roi par aillours, come estoit faite en temps de son dit ael, des grantz de la terre qi sont de grant poair, ovesqes ascuns des justices de lun Baunk ou de lautre, ou autres sages de la lei, denquere, auxibien a seute de partie come a la seute le roi, et doier et terminer totes maneres des felonies, roberies, homicides, larcins, oppressions, conspiracies, et grevances faitz au poeple countre la lei, les estatuz, et la custume de la terre, auxibien par ministres le roi come par autres, qi qils soient, et ce auxibien de deinz fraunchises come de hors. Et auxint denquere des viscontes, coroners, southeschetours, hundreders, baillifs, conestables, et touz autres ministres, deinz franchise et de hors, et lour southministres, et doier et terminer a la seute le roi et de partie. Et nostre seignur le roi et touz les grantz du roialme en plein parlement ont empris de meintenir la pees, garder et sauver les justices le roi par la ou ils veignent, et deider par eux et les leurs, qe les juggementz et les execucions ne soient pas arestuz, mes executz, et qe le meffesours ne serront par eux covertz ne meintenuz en prive nen apert; mes nest pas lentencion du roi ne de son Conseil qe par ceste acord prejudice aveigne a les grantz de la terre eantz franchises, ne a la citee de Loundres, ne as autres citees ne burghs, ne a les Cynkportz en droit de lour fraunchises.

30. STATUTE AGAINST DISTURBANCE OF COMMON RIGHT BY GREAT OR PRIVY SEALS (2 Edward III, c. 8)

[*Stat. R.*, I, 259.]*

Ensement acorde est et establi qe mande ne soit par le grant seal ne par le petit seal a destourber ou delayer commune droit; et mesqe tielx mandementz veignent, qe par tant les justices ne sursessent pas de faire droit en nul point.

31. A PROCLAMATION, 20 OCTOBER, 1330

[Rymer, *Foedera*, (R.E.) II, ii, 799-800, printed from the Close Roll.]*

Le roi a visconte Deverwyk, saluz. Pur ceo qe noz bosoignes et les bosoignes de nostre roialme ont este mesnez tanqe a ore a damage et deshonur de nous et de nostre roialme et en poverissement de nostre poeple, sicome nous sumus bien aperceu et les faitz le provent, par que, de nostre conscience et volunte demeigne, avoms fait arester ascunes persones, cest assaver le counte de la Marche, sire Oliver de

Ingham, et sire Simon de Bereford, qi ont este principals moveours des dites bosoignes, et voloms qe totes gentz sachent qe desore enavant nous voloms governir nostre poeple solonc droiture et reson, sicome appent a nostre roiale dignite, et qe les bosoignes qe nous touchent et lestat de nostre roialme soient mesnez par commun conseil des grantz de nostre roialme et nemie en autre manere. Et pur ceo vous mandeoms, fermement enjoignantz, qe ceste nostre entencion facez publier par mie vostre baillie, dedeinz fraunchises et dehors, issint qe tut le poeple le puisse pleinement entendre. Et voloms aussint qe vous facez defendre par tote vostre baillie qe nul, de quele condicion qil soit, soit si hardi, sur peine de forfaiture de vie et de membre, de coure sur altre pur occuper terres, biens, ou chateux, ne autre chose faire en blemissement de nostre pees ou en affrai de nostre people. Et si nul soit si hardi de le faire, de quele condicion qil soit, nous voloms qe due punissement ent soit faite solonc les leis et les usages de nostre roialme saunz desport faire a nuli. Et si vous troessez nul qi face au contraire adonqes lui facez arester saunz deslai, pris a ceo poair du counte si mestir soit, et sauvement garder en nostre prison tanqe vous eiez altre mandement de nous. Et des nouns des ceux qe vous averez issint arestuz nous certifiez de temps en temps distinctement desouz vostre seal. Donne souz nostre grant seal a Notingham le vintisme jour Doctobre.

Per ipsum regem.

En mesme la manere est mande as touz les viscontes Dengleterre.

PROCEEDINGS IN THE PARLIAMENT OF 1330

Writs were issued on 23 October, 1330, for a parliament to meet at Westminster on 26 November; its session lasted until 9 December.

32. CHARGES AGAINST ROGER MORTIMER, EARL OF MARCH, AND HIS CONDEMNATION, NOVEMBER

[*Rot. Parl.*, II, 52-53.]†

Roger Mortimer of Wigmore, first earl of March (1287?–1330), in association with Queen Isabella, was the leader of the successful *coup d'état* which resulted in the deposition and murder of Edward II in 1327. By 1330 Edward III and his friends were strong enough to overthrow the Isabella-Mortimer régime and to procure the arrest of Mortimer and his trial in parliament. Mortimer was sentenced to be hanged, drawn, and quartered.

Ces sont les tresons, felines, et malveistes faites a nostre seignur le roi et a son poeple par Roger de Mortymer et autres de sa covyne.

Primerement, par la ou ordine feust al parlement nostre seignur le roi procheynement tenuz apres son coronement a Westmouster, qe quatre evesqes, quatre countes, et sis barouns demurreient pres du roi pur lui conseiller, issint totefoiz qe quatre y feussent, cest assaver un evesqe, un counte, et deus barons au meyns, et que nul grosse busoigne soit fait sanz lur assent, et qe chescun respondesist de ses faitz pur son temps. Apres queu parlement le dit Roger de Mortymer, nient eiant regard au dit assent, achrocha a lui roial poer et le governement du roialme sur lestat le roi, et ousta et fist outer et mettre ministres en Lostel le roi et aillurs parmy le roialme a sa volunte de tieux qi feurent de son acord, et mist Johan Wyard et autres entour le roi despier ses faitz et ses ditz ; issint qe nostre dit seignur le roi feust en tiele manere environ de ses enemys tieux qil ne poet rien faire de sa volunte, forsqe come un home qi demora en garde.

Item, par la ou le piere nostre seignur le roy feust a Kenilworth par ordinaunce et assent des peres de la terre, a demorer illoeqes a ses eses pur estre servi come afferroit a un tiel seignur, le dit Roger, par le roial poer a lui acchroche, ne lessa tant qil le eust par devers lui a sa volunte, et ordina qil feust mande au chastell de Berkle, ou par lui et les soens feust treterousement, felonessement, et falsement murdre et tue.

[Various other charges are then made against Mortimer. The lords were then asked to render judgment upon him.]

Les queux countes, barouns, et peres, les articles par eux examinez, reviendrent devant le roi en mesme le parlement, et disoient trestouz par un des peres, qe totes les choses contenues es ditz articles feurent notoires et conues a eux et au poeple ; et nomement larticle tochant la mort sire Edward, piere nostre seignur le roi qore est. Pur quoi les ditz countes, barouns, et pieres, come juges du parlement, par assent du roi en mesme le parlement, agarderent et ajugerent qe le dit Roger, come treitur et enemy du roi et du roialme, feust treyne et pendu. Et sur ce estoit comande au Counte Mareschal afaire lexecucion du dit jugement ; et au maire, aldermannes, et viscountes de Loundres, conestable de la Tour, et auxint a ceux qi avoient la garde de lui, destre aidantz au dit Counte Mareschal a la dite execucion faire. La quele execucion estoit fait et perfourny le Joedi prechein apres le primer jour du parlement, qestoit le xxix jour de Novembre.

33. STATUTE AGAINST MAINTENANCE (4 Edward III, c. 11)

[*Stat. R.*, I, 264.]*

Item, pur ceo qe avant ces houres plusours gentz du roialme, auxibien grantz come autres, ount fait alliaunces, confederacies, et conspiracies a meyntenir parties, pleez, et quereles, parount plusours gentz ount este atort desheritez ; et ascuns reintz et destruz ; et ascuns, pur doute destre mahemez et batuz, noserent pas seuyr lour droit, ne pleindre, ne les jurours des enquestes lour verditz dire, a grant damage du poeple, et arerissement de la lei, et de commune droit ; si est acorde qe les justices del un Baunk et del autre, et les justices as assises prendre assignez, a totes les foitz qil vendront a faire lour sessions, ou a prendre enquestes sur nisi prius, enqueregent, oient, et terminent, auxibien a la seute le roi come a la seute de partie, sur tieux meyntenours, empernours, et conspiratours, et auxint de chaumpartours, et des totes autres choses contenuz en dit article, auxiavant come justices de eyre ferroient sils fuissent en mesme le countee ; et ceo qe ne poet estre termine devant les justices del un Baunk ou de lautre sur le nisi prius pur brefte de lour demoer en pais, seit ajournee en les places dont ils sont justices, et illoeqes terminee selonc droit et reson.

34. STATUTE FOR THE HOLDING OF ANNUAL PARLIAMENTS (4 Edward III, c. 14)

[*Stat. R.*, I, 265.]*

A similar provision was made in 36 Edward III, c. 10 (1362).

Ensement est acorde qe parlement soit tenu chescun an une foitz, ou plus si mestier soit.

PROCEEDINGS IN THE FIRST PARLIAMENT OF 1332

Writs were issued on 27 January, 1332, for a parliament to meet at Westminster on 16 March ; it session lasted until 21 March.

35. A PLAN FOR KEEPING THE PEACE

[*Rot. Parl.*, II, 64-65.]*

5. [The spiritual and lay magnates were asked on the king's behalf by Geoffrey Scrope to advise him on how the peace might be kept] . . . Et pur ce qe avis feust a les ditz prelatz qil ne atteneit pas proprement a eux de conseiler du garde de la pees, ne de chastiement des tielx malveis, si alerent mesmes les prelatz et les procuratours de la clergie par eux mesmes a conseiler des choses susdites, et les ditz countes, barouns, et autres grantz par eux mesmes. Les queux countes, barouns, et autres grantz puis revindrent et respondirent touz au roi par la bouche monsire Henry de Beaumont, qe totes autres choses lessez, homme ordinast adeprimes de la garde de la pees, et qe lempeschement des ditz malveis feust ouste par lei, par force, et par totes les autres bones voies qe avis serroit a nostre seignur le roi, et a son bon Conseil. Et ordinerent les ditz countes, barouns, et autres grantz en ceste manere ; qen chescun counte Dengleterre soient des plus grantz de mesme le counte assignez gardeins de mesme le counte par commission le roi, et qe les gardeins de la pees einz ces houres assignez, viscountes, et touz les gentz des countez ou ils enserrount assignez, soient entendauntz a les ditz grantz pur la dite pees garder, auxi avant come au corps nostre seignur le roi mesmes sil y feust. Et qe les ditz grantz facent venir devant eux quatre hommes et le provost de chescune ville, et facent arraier les gentz de mesmes les villes, issint qe si gentz

armez, ou autres de qi homme eit suspecioun de mal, passent par mesmes les villes en compaignies, ou autrement, qe les ditz gentz des villes facent lever hu et crie, et les pursuent de ville en ville, de hundred en hundred, et de counte en counte, et les arestetent, preignent, et sauvement gardent. Et de lur fait ent certifient les ditz grantz. Et sil aveigne qe les gentz des dites villes ne puissent arester tielx passantz, qe adonqes meyntenant certifient les ditz grantz ou ils serront trovez ; et mesmes les grantz, od tot le poer du counte, les pursuent du counte en counte, tantqils soient pris. Et eient les ditz grantz poer doier et terminer auxibien felonies faites par ceux qi sont issint a arester et prendre, come par ceux qi serront enditez devant eux. Et auxint de punir ceux qils troveront desobeisantz a eux, ou favorauntz, aidantz, ou receitantz tielx malveys, auxi avant come le roi mesmes sil y feust. Et qe nostre seignur le roi chivauche en sa terre du counte en counte, et doigne estout coment les ditz grantz et autres se portent entour le chastiement des tielx mesfesours, et face punir ceux qil en trovera coupables ou desobeisantz. Et sil busoigne qe les ditz grantz nulle part soient afforcez, qe nostre seignur le roi mande des soens dont il saffie de les afforcer, ou autrement ordeyne, issint totefoiz qe les ditz malveys soient chastiez. Les queles choses issint ordinez par les ditz countes, barouns, et autres grantz, luez devant nostre seignur le roi et les prelatz, chivalers des countez, et les gentz du commun, furent pleisantz a eux touz, et par nostre seignur le roi, prelatz, countes, barouns, et autres grantz, et auxint par les chivalers des countez, et gentz du commun furent pleynement assentuz et acordez. [The prelates and clergy also issued a sentence condemning all such malefactors.]

36. ANOTHER PARLIAMENT TO CLEAR PETITIONS

[*Rot. Parl.*, II, 65.]*

11. Fait auxint a remembrer, qe le Samedi prechein apres le primer jour du parlement avoient les chivalers des countes, citeins, et burgeys au dit parlement somons, et auxint la clergie, conge daler vers lur pays, issint qe les prelatz, countes, barouns, et gentz du Conseil le roi y demorassent. Et mesme le jour feust pronuncie, pur ce qe parlement feust somons par les causes susdites, et peticions du poeple ne feurent pas receux ne respondues a mesme le parlement, qe nostre seignur le roi voleit aver autre parlement par temps.

---

37. THE ORDINANCES OF WALTON, 12 JULY, 1338

[Printed from P.R.O., Chancery Warrants 248/11238 B by T. F. Tout, *Chapters in the Administrative History of Mediaeval England*, III,

(1928), 143-150, where the footnotes show a number of variants from another version among the chancery warrants. For discussion see *ibid.*, 69-79.]

1. La Forme de Faire Garantz.

Desore nulles dettes, auxibien de temps passe come de temps auenir, obligacions, assignementz, paiementz, douns, ou regardz quecumqes ne soient faitz, assignez ne paiez en nulle manere, si noun primes par suffisantz garantz du priue seal faitz par assent du roi, et de vn homme sage suffisant, par li a ceo assigne, si ceo ne soit les fiedz qi sont touz iours en certein, issint toute foitz qe mesmes les garantz facent expresse mencion de la cause pur quei celles dettes, obligacions, assignementz, paiementz, douns, ou regardz sont faitz. Et qe mesmes les garantz en nulle manere ne facent pas mencion desore qe le roi eit rien pris vers lui mesmes pur ses secres busoignes, ou qe tiel ou tielx eient paietz certeines sommes pur secres busoignes, auxibien par dela, come par decea, des queles sommes il voet qe nul ne soit charge. Et tous les garantz auantditz soient enroulles par vn certein clerk a ce assigne et jure en breues paroles, cest assauoir tiel iour, lieu et an, est issu vn tiel garant, pur tiele busoigne, purportant tiele somme. Et soient les auantditz garantz contreroullez par lauisement de vn hom, sage suffisant et conisant, qi le roi voudra a ceo assigner, par vn certein clerk de la chambre nostre dit seignur a ceo assigne et iure, dont celuy qi serra issint assigne par le roi, come desus est dit, eit les contresommes. Et au bout de chescun an, les chamberleins del escheqier, en presence du tresorier, accompteront deuant vn euesqe, vn baneret et vn clerk, sages et conisantz, deuant queux celui qe le roi auera issint assigne, come desus est dit, oue le clerk qe porte le priue seal, et le clerk de la chambre le roi qi auera contreroullez les dit garantz, ferront venir vn contreroulle souz lour seals demeisne, et souz le priue seal, des auantditz garantz, par tesmoignance de quel roulle et lacordance des garantz auantditz, les ditz chaumberleins prendront allouance et autrement nient. Et en cas qe le roi face nul voiage ou alee nulle part deinz son roialme ou dehors et ameyne oue lui son priue seal, et en le men temps il busoigne de tenir vn conseil, ou deux ou plus ou meyns, en diuerses places, et les busoignes tretees en mesmes les conselx demandent paiement ou execucions de diuerses busoignes le roi, ou autres choses necessaries demandantz garantz, adonqes celi ou ceux, qi serra ou serront gouernours et chiefs des ditz conseilx, ferra ou ferront billes souz lour sealx propre en noun de roi en lieu de garantz a ceux as queux il appartient dauer garantz, issint totefoitz qe les busoignes le roi par cause dabsence de li et de son priue seal ne soient defaitz, et qe les dites billes facent expresse mencion en la fourme susescrite. Et les ditz chiefs gouernors des auantditz conselx a lor primere venue au roi apporteront a li transescritz des dites billes qil aueront issint fait en absence du roi, queux transescriptz serront veu et diligeaument examine et puis monstre au roi par celi qi le roi auera assigne come desus est dit, et par le clerk du priue seal et du clerk de la chambre le roi a ce assigne, et puis soient enroullez et contreroullez come desus est dit, et sur ceo soit faite lettre du priue seal a ceux qi aueront receu les dites billes en lieu des garantz, reherceant mesmes les billes, quelles par les dites lettres du priue seal soient duement allouez. Et les ditz acomptes issint oi, soit le roi et son conseil auise en la plus breue manere come homme poet, comebien les issues de sa terre, come de profitz de chescune place, custumes, gardes, mariages, forfaitures, aides come de x[es] et xv[es] et autres tieux aides et profitz semblables li aueront rendu. Et sur ceo soit monstre au roi et son consail lestat de sa tresorie distinctement par leuesqz, baneret et clerk susditz en la plus breue manere come hom poet.

2. Coment Viscontes et autres Foreins Ministres acomptables serront faitz. . . .

3. Repel de Coustumes. . . .

4. Des Estallementz des dettes et des billes de la Garderobe. . . .

5. Des Fyns pur dettes des Progeniturs le Roi. . . .

6. De Charge des Escheturs. . . .

7. Des Douns et Grantz qe le Roi fera.

Item en cas qe certeines gentz qecumqes demandent du roi baillies ou offices sanz meins rendre qils ne soleient en temps de ses auncestres annueltez, terres, rentes, gardes, mariages, eschetes, forfaitures ou autres possessions quecumqes, ou deners ou pardoun des dettes, soit auise ceo qe le roi lour ad fait deuant soit ce pur bon seruice, ou de sa bone grace et volente, et sils eient plus deserui, adonqes soient plus regardez couenablement, et sil semble au roi qe le primer regard' lour doit suffir' encore, adonqes soit respoundu qe le roi en couenable temps les regardera bonement. Et des choses qe li serront issint demandez puet le roi regarder autres qi laueront deserui qe nul tiel regard' nen ont en ou del retenir' a son oeps demesne, tutefoitz si le roi donne baillie, ou face regard' des tieles choses susdites, qil sace primes la veroie value, dont soit leschetour par mont chargeant serment et peril charge qe nulle feinte enqueste et procurement soit fait, sicome desus est dit, et qe auant qe le roi face son grant, qil soit enfourme de la value des dites choses par estente, ou par bone certificacion de son chanceller et tresorier ou autre ministre a qi il appartient, et voie qe ceux as queux il voet faire tiele grante le vaillent ou leient deserui issint tutes voiez, qe nul grant regard' ne soit iammes fait, sanz grant et bon consail et auis et especialment par bon suffisant et expres garant souz le priue seal enroulle et contreroulle en cele place en la forme susdite, issint tutes foitz qe rien ne passe hors de la chauncelerie sanz especial et expres garant du priue seal, salue chose qe touche la ley et loffice de chaunceller tantsoulement, mes de chose qe touche especialle grace, ou chose qe soit contre les ordinances susescriptes, nient. Et sur ceo soient les roulles de la chauncellerie les garantz, et les contreroulles des garantz, veuz et examinez par vn euesqe, vn baneret, et vn clerk, en presence de celuy qe le roi auera issint assigne come desus est dit, et du clerk du priue seal et [du clerk] de la chaumbre de quarter en quarter, etc.

8. La forme des paiementz de guerre et des solempnes messages enuoiez outre Meir. . . .

9. De sauoir en quel estat le roi est des dettes qil doit et du tresor qil ad.

Item regarde le grant tresorier combien le roi doit as diuers grantz marchantz seueralment a chescun, et des autres grantz dettes, et combien le roi ad desore prest a leuer de soi acquit' et meintenir son estat, par estimacion, et certefie au roi.

10. Del Houstel le Roi. . . .

PROCEEDINGS IN THE PARLIAMENTS OF 1339

Writs were issued on 15 November, 1338, for a parliament to meet at Westminster on 14 January, 1339; writs of *supersedeas* were issued on 26 December postponing the parliament until 3 February; its session lasted until 17 February.

Writs were issued on 25 August for a parliament to meet at Westminster on 13 October; its session lasted until 28 October.

38. PETITION FOR RESPONSE TO PETITIONS BEFORE DISSOLUTION OF THE PARLIAMENT, FEBRUARY.

[*Rotuli Parliamentorum Anglie Hactenus Inediti*, ed. H. G. Richardson and G. O. Sayles (Camden Soc., 3rd ser., LI, 1935), 270, 272.]

Item prie la commune qe com plusours peticions ont este mys auant en parlement le queux ne ont mie estee respounduz pleinement, pleise a nostre seignour le roi qe totes les peticions mis auant en parlement [par la commune] soient totes respounduz auant le lever du parlement.

Quant au point tochant qe les peticions de commune seient respondues, totes les peticions einz ces heures mises par la commune en parlement ount este respoundues pleinement deuant le departir des ditz parlementz, et quant as singuleres peticions ore baillez a yce parlement, nostre seigneur le roi voet qe les auditeurs ore assignez pur les trier les trient et terminent auant leur departir de mesme le parlement.

39. REQUEST FOR A GRANT OF TAXATION, OCTOBER

[*Rot. Parl.*, II, 103-105.]*

4. [The great needs of the king, who was in France, were explained to parliament. It was agreed that aid should be given, and the method of doing so was considered] . . . Et entre autres voies fu touchee

par ascuns du Counseil une voie en la manere qest souz escrite ; cest assaver, qe chescun homme du roialme, de quel estat ou condicion qil estoit, durroit a nostre seignur le roi disme des garbes, leynes, et aigneux, en la manere quele il les donent a Seinte Eglise, par deux aunz. Et fu avys a ceux du Counseil qi mieutz savoient lestat nostre seignur le roi et de ses busoignes par dela et par decea, qe de ceo purra le roi mout estre aidez, et ses dites busoignes par tut avancees et amendees ; sur queu choses il treterent longement. Et apres cele tretee, les grauntz donerent lour respons en une cedule en la fourme qe sensuyt. Mes eintz qe il le dona, furent moustrez ascunes lettres patentes par les queles monsire lercevesqe avoit poair de grantier ascunes graces as grantz et as petitz de la commune.

5. [The magnates grant the tenth sheaf, fleece, and lamb, to be paid in two years] . . . Et les ditz grauntz volent qe la male tolt qore de novel est leve des leynes soit outreement abatue, et soit tenue la veille custume, et qils eient par poynt de chartre et enroulement de parlement, qe mes ne soit leve tiele custume, ne qe ce graunt qils ount graunte ore a nostre seignur le roi, ne autre graunt qils ount fait en temps passe, ne lour chece autre foith en charge ne en custume.

8. Et ceux de la commune donerent lour respons en une autre cedule contenante la fourme souuzescrite.

Seignurs, les gentz qi sount cy a ce parlement pur la commune ount bien entendu lestat nostre seignur le roi, et la graunt necessite qil ad destre aide de son poeple [and they are as willing as ever to help him] . . . Mes pur ceo qil covient qe laide soit graunt en ce cas, ils nosoront assentir tant qils eussent conseillez et avysez les communes de lour pais. Par qoi prient les ditz gentz qi cy sount pur les communes a mon seignur le duc et as autres seignurs qi cy sount, qil lui pleise somondre un autre parlement au certein jour covenable, et en le meen temps chescun se trerra vers son pais, et promettent loiaument en la ligeance qils deyvent a nostre seignur le roi, qils mettront tut la peine qils purront, chescun devers son pais, pur aver aide bon et covenable pur nostre seignur le roi, et quident, od laide de Dieu, bien exploiter. Et prient outre, qe brief soit mande a chescun viscount Dengleterre qe deux de mielz vanez chivalers des contez soient esluz et envoiez al preschein parlement pur la commune, si qe nul de eux ne soit viscount ne autre ministre. Et mistrent auxi ceux de la Commune deux billes, une contenante lour respons des choses dount ils estoient charger de treter, cest assaver sur la pees de la terre, la garde de la Marche Descoce, et de la mere ; et un autre des graces queles il demanderent du roi.

13. [Among the requests of the Commons] . . . Et la Commune prie qe la male toute des leyns et de plom soit prise auxi come ele soleit estre prise en auncien temps, desicome ele est enhancee saunz assent de la commune ou des graundz, sicome nous entendoms. Et si ele soit autrement demande, qe chescun de la commune le puisse arester saunz estre chalangee. . . .

PROCEEDINGS IN THE PARLIAMENTS OF 1340

Writs were issued on 16 November, 1339, for a parliament to meet at Westminster on 20 January, 1340; its session lasted until 19 February.

Writs were issued on 21 February for a parliament to meet at Westminster on 29 March; its session lasted until 10 May.

Writs were issued on 30 May for a parliament to meet at Westminster on 12 July; its session lasted until 26 July.

The parliament of October, 1339, had requested another parliament at an early date to consider further the king's request for money (no. 39 above). An offer of a grant in this present parliament of January, 1340, was made conditional upon the acceptance of a number of articles of complaint. The importance of these articles was such that they were deemed to require the king's personal consideration. Edward III returned to England and was present at the second parliament of the year. A grant was made (no. 41) and he referred the articles of complaint to a committee of judges, magnates, and commons, who drafted four statutes to remedy some of the grievances, and relegated others to the king and council to deal with. Extracts from three of these statutes are given below in nos. 42-48.

40. REQUEST FOR A GRANT OF TAXATION, 29 JANUARY

[*Rot. Parl.*, II, 107-108.]*

6. [On 23 January the Commons were reminded of their promise in the last parliament to grant an aid] . . . Sur quele demonstraunce il respoundrent qil voleint parler ensemble et treter sur cest bosoigne, et qe, od leide de Dieu, ils durroient tieu respons qe ce serroit a la pleisance de lour lige seignur, et de tut son Conseil. Sur quel busoigne ceux de la Commune demorerent de lour respons doner tanqe a Samady, le xix jour de Feverer.

7. A queu jour ils offrerent daidir a nostre seignur le roi en ceste necessite de xxx mille saks de leyne souz certeynes condicions comprises es endentures sur ceo faites et enseales souz les seax des prelatz et autres grauntz; qe en cas qe les condiciounes ne feussent accompliez ils ne serront pas tenuz de faire laide. Et pur ceo qe les choses contenuz en cestes endentures toucherent si pres lestat de nostre seignur le roi, si fu il avis au dit Counseil qil covendroit qe nostre seignur le roi en son secrez Counseil pres de lui ent feusent avises. Par qoi acordez fust et assentuz denvoier a nostre seignur le roi les dites endentures od lavis de son Counseil par decea, au fyn qil ent purroit comander sa volente. Et fait aremembrer, qe a meisme le jour les countes et barouns esteantz en dit parlement granterent, pur eux et pur lour piers de la terre qi tiegnent par baronie, la disme garbe, la disme tuzon, le disme aignel, de totes lour demeignes terres.

8-9. [The Commons were told that an immediate grant for defence must be made; after long discussion they granted 2,500 sacks of wool, as part of the larger grant, or, if it failed, as a gift.]

41. GRANT OF TAXATION ON CONDITIONS, 3 APRIL

[*Rot. Parl.*, II, 112-113.]*

[Parliament was asked to grant an aid.]

6. A quele requeste les ditz prelatz, countes, et barons, pur eux et pur touz lour tenantz, et les chivalers de conteez, pur eux et pur les communes de la terre, eant regard as meschiefs et perils dune parte en cas qe laide fausiste, qe Dieux defende, et al honur, profit, et quiete dautre parte qe purront avenir, od leid de Dieu, au dit nostre seignur le roi, et a tote la nacion Dengleterre, si il soit eidez, meismes cestui Lundy [3 April] graunteront au nostre seignur le roi, par les causes susditz, leide souzescrit, cestassavoir, la neofisme garbe, la neofisme toison, et la neofisme aignel de totes lour garbes, toisons, et aigneux aprendre des adonqes par deux aunz proscheinement suantz. Et les citeyns et burgeis du roialme la verrai neofisme de touz lour biens ; et marchaundz qi demorent poynt en citees nen burghs, et autres gentz qi demorent en forestes et gasteyns, et qi ne vivent poynt de lour gaignerie ou de lour estore de berbitz, la quinzisme de touz lour biens solonc la verroi value. Souz la condicion qe nostre seignur le roi de sa bone grace eant a graunt charge et subsides dont ils ont este chargez einz ces heures, et a ce graunt qil ount fait a ore qe lour semble mout chargeant, lour ottrei les peticions queles ils mistront devant lui et devant son Counsail, et les queles sont continuez desouz et comencent ceste fourme, 'Cestes sont les peticions etc.'.

7. Sur queles requestes et condicions, par comandement de nostre seignur le roi, et assent des prelatz, countes, barouns, et Communes esteantz en dit parlement, feurent assignez les souzescritz de seer de jour en autre tanqe ils eussent exploitez, et de le mettre en estatut . . . [fourteen names follow ; with twelve knights of the counties whom the Commons wish to choose ; and six citizens and burgesses]. Les queux ercevesqe, evesqes, et les autres ensi assignez, oies et tries les dites requestes, par commune assent et acord de touz, firent mettre en estatut les pointz et les articles qi sont perpetuels. Le quel estatut nostre seignur le roi, par assent des touz en dit parlement esteantz, comanda de engrosser et ensealer et ferment garder par tut le roialme Dengleterre. Et le quel estatut comence, 'Al honur de Dieu etc.'.

8. Et sur les poinz et articles qi ne sont mye perpetuels, einz pur un temps, si ad nostre seignur le roi, par assent des grantz et Communes, fait faire et ensealer ses lettres patentes qi comencent en ceste manere, 'Edward etc. Sachetz qe come prelatz, countes, etc.'.

42. STATUTE FOR THE ABOLITION OF PRESENTMENT OF ENGLISHRY (14 Edward III, st. 1, c. 4)

[*Stat. R.*, I, 282.]†

Item, pur ce qe moultz des meschefs sont avenuz en divers pays Dengleterre qils navoient mye conisance de presentement Denglescherie, par quoi les communes des countees estoient sovent devant les justices errantz amerciez, a grant meschief du poeple ; si est assentuz qe desore en avant nul justice errant ne mette en article, nen opposicion, presentement Denglescherie devers les communes des countees, ne devers nul de eux ; mes de tut soit Lenglescherie et le presentement dycel pur touz jours ouste, si qe nul par celle cause soit desore empesche.

43. STATUTE TO REMEDY DELAYS AT COMMON LAW (14 Edward III, st. 1, c. 5)

[*Stat. R.*, I, 282-283.]†

Item, pur ce qe moultz des meschiefs sont avenuz de ceo qe en diverses places, aussibien en la Chauncellerie, en le Bank le roi, le Commune Bank, et Lescheqer, les justices assignez, et autres justices a oyer et terminer deputez, les jugementz si ount este delaiez, a la foitz par difficulte, et ascune foitz par divers oppinions des jugges, et a la foitz par autre cause ; si est assentuz, establiz, et acordez qe desore en avant a chescun parlement soient esluz un prelat, deux contees, et deux barons, qi eient commission et poair du roi doier par peticion a eux liveree, les pleintes de touz ceux qi pleindre se vorront de tieux delaies ou grevances faites a eux ; et eient poair a faire venir devant eux a Westmouster ou aillours ou les places serront ou ascun des places serra, les tenours des recordz et proces de tieux jugementz ensi delaiez, et facent venir devant eux meismes les justices, qi serront adonqes presentz, pur oyer lour cause et lour resons des tieux delaies ; queux cause et reson ensi oiez, par bon avis de eux meismes, des chancellier, tresorer, justices del un Bank et del autre, et autres de Counseil le roi, taunz et tieux come ils verront qe busoignables serront, aillent avant aprendre bon acord et bon juggement faire. Et selonc meisme lacord ensi pris, soit remande as justices devant queux le plee pent la tenur du dit record, ensemblement ove tieu juggement qe serra acorde, et qe eux aillent hastivement a juggement rendre selonc meisme lacord. Et en cas qe lour semble qe la difficulte soit si grande qele ne poet pas bonement estre termine sanz assent du parlement, soit la dit tenour ou tenours portez par les ditz prelat, contes, et barons a proschein parlement, et illoeqes soit pris final acord queu juggement se devera faire en tieu cas ; et solonc cel acord soit mande as justices devant quieux le plee pent qils aillent a juggement rendre sanz delay. Et pur comencier a faire remedie sur cest establissement, si est assentuz qe commission et poair soit fait a lercevesqe de Canterbirs, les contes Darundell et de Huntendon, le seignur Wake, et monsire Rauf Basset, adurer tanqe au prochein parlement. Et coment qe les ministres eient fait serement avant ces hures, ne pur quant pur eux rementiner de mesme le serement, si est assentuz qe aussibien chancellier, tresorer, gardein du privee seal, justices del un Bank et del autre, chancellier et barons del Escheqer, come justices assignez, et touz ceux qe se medlent es dites places desoutz eux, selonc lavisement des ditz ercevesqe, contes, et barons, facent serment de bien et loialment servir au roi et au poeple ; et par avisement des avantditz prelat, contes, et barons, soit ordene dencrestre le nombre des ministres par la ou il ja busoigne, et de le amenuser en mesme la manere ; et issint de temps en temps quant officers serront novelement mys en les ditz offices, soient en la manere avantdite serementez.

44. STATUTE FOR THE ANNUAL APPOINTMENT OF SHERIFFS AT THE EXCHEQUER (14 Edward III, st. 1, c. 7)

[*Stat. R.*, I, 283.]†

Item, pur ce qe ascuns viscountes ont lour baillies a terme des ans du grant le roi, et ascuns se fient tant de lour long demoere en lour baillie par procurement qils sont esbaudiz de faire moultz des oppressions au poeple, et de mal servir au roi et a son poeple ; si est assentuz et establi qe nul viscount demoerge en sa baillie outre un an, et adonqes soit autre covenable ordene en son lieu qad terre suffisante en sa baillie, par les chauncellier, tresorer, et chief baron de Lescheqer, pris a eux les chiefs justices del un Bank et del autre sils soient presentz ; et ce soit fait chescun an lendemein des Almes a Lescheqer.

45. STATUTE FOR THE APPOINTMENT OF ESCHEATORS (14 Edward III, st. 1, c. 8)

[*Stat. R.*, I, 283.]†

Et come en ascuns temps avant ces heures il navoit forsqe deux eschetours en Engleterre, cest assavoir, un eschetour de cea Trente, et un autre de dela, pur quoi le roi et le poeple furent meins bien serviz qe avant ces houres nestoient, quant il y aveit plus des eschetours et de meindre estat ; si est assentuz et acorde qe desore en avant soient tauntz des eschetours assignez come estoient en le temps quant le roi qore est prist le governement de son roialme Dengleterre ; et qe mesmes les eschetours soient esluz par les chauncellier, tresorer, et chief baron de Lescheqer, pris a eux les chiefs justices del un Bank et del autre sils soient presentz, en manere come est susdit des viscountes. Et qe nul eschetour demoerge en son office outre un an. Et qe nul coroner soit esluz sil neit terre en fee suffisauntment en mesme le contee dont il purra respondre a tote manere des gentz.

46. STATUTE TO RESTRICT LEVY OF CUSUOMS (14 Edward III, st. 1, c. 21)

[*Stat. R.*, I, 289.]*

[The Commons prayed the king that he would take only the old custom ; nevertheless the magnates and Commons granted a subsidy.] . . . Et pur cel grant, le roi, par assent des prelatz, contes, barons, et touz autres assemblez a son parlement, si ad grante qe de la feste de Pentecost qi vient en un an, lui ne ses heirs nene demanderont, ne asserront, ne prendront, nene soeffrent estre pris, plus de custume de un sak de leine de null engleys, forsqe un demy marc de custume tantsoulement, et sur pealx et quirs launcien custume. . . .

Et a cest establissement lealment tenir et garder, si ad le roi promys en la presence des prelatz, contes, barons, et autres en son plein parlement, sanz plus de charge mettre ou asseer sur la coustume forsqe en manere come est susdit. Et en mesme la manere les prelatz, contes, barons, ont lealment premys tant come en eux est, qils procureront le roi, tant come ils pount, a le tenir ; et qe en nulle manere ils ne assenteront au contraire, si ce ne soit par assent des prelatz, contes, barons, et communes de son roialme, et ce en plein parlement. Et pur plus grande seurte, et a doner cause a toux de eschuire a conseiller au contraire de ce point destablissement, si ount les prelatz premys a doner sentence sur touz ceux qi viegnent al encountre en nul poynt.

47. STATUTE FOR RESTRICTIONS UPON DIRECT TAXATION (14 Edward III, st. 2, c. 1).

[*Stat. R.*, I, 289-290.]*

Edward par la grace de Dieu roi Dengleterre et de France, et seignur Dirlaunde, a touz ceux as queux cestes lettres vendront, salutz. Sachiez que come prelatz, contes, barons, et communes de nostre roialme Dengleterre, en nostre present parlement somons a Westmoustier, le Meskerdy preschein apres le Dymeigne en demy quaresme [29 March], lan de nostre regne Dengleterre qatorzisme, et de France primer, nous aient grantez de lour bone gree et de bone volentee, en eide del exploit de noz grosses busoignes queles nous avons a faire auxibien de cea la meer come par dela, la noefisme garbe, le noefisme tuyson, et le noefisme aignel a prendre par deux aunz prescheins avenir apres la feisance de cestes, et les citeyns des citeez, et burgeys de burghs, la verroi noefisme de toutz lour biens, et les marchantz foreyns et autres qi ne vivent poynt de gaynerie ne destore des berbiz, le quinzisme de lour biens loialment a la value ; nous voillantz purvoier al indempnite des ditz prelatz, countes, barons, et autres de la dite communalte, et auxint des citeyns, burgeys et marchantz susditz, voilloms et grantoms, pur nous et pur noz heirs, as mesmes les prelatz, countes, barouns, et communes, citeyns, burgeys, et marchantz, qe ce grant qe est si chargeant ne soit autre foitz trette en ensaumple, ne ne chete a eux en prejudice en temps avenir ; ne qe eux soient desore chargiez ne grevez de commune eide faire ou charge sustenir, si ne ce soit par commune assent des prelatz, countes, barouns, et autres grantz et communes de nostre dit roialme Dengleterre, et ce en parlement ; et qe touz les profitz sourdantz du dit eide, et des gardes, mariages, custumes, eschetes, et autres profitz surdantz du roialme Dengleterre, soient mys et despenduz sur la meintenance de la sauve garde de nostre dit roialme Dengleterre, et de noz guerres Descoce, France, et Gascoigne, et nulle partz aillours durantz les dites guerres.

48. STATUTE TO SAFEGUARD THE RIGHTS OF THE SUBJECTS OF THE KING OF ENGLAND (14 Edward III, st. 3)

[*Stat. R.*, I, 292.]*

In January, 1340, Edward III assumed the title of king of France, and his 14th year as king of England (25 January, 1340–24 January, 1341) was reckoned his first as king of France.

Le roi a toutz ceux as queux cestes presentes lettres vendront, saluz. Sachietz qe come ascuns gentz entendont qe par resoun qe le roialme de France est devolut a nous come droit heriter dycell, et par tant qe nous sumes roi de France, nostre roialme Dengleterre serroit mys en subjeccion du roi et du roialme de France en temps avenir; nous eiantz regard a lestat de nostre dit roialme Dengleterre, et meement a ce qele estoit unqes ne deveroit estre en subjeccion, nen obeissance des roys de France qi pur temps ont este, ne du roialme de France, et voillantz purveer a la seurte et immunite du dit roialme Dengleterre, et de noz liges gentz dycell; voloms et grantoms et establissoms, pur nous et pur noz heirs et successours, par assent des prelatz, countes, barouns, et Communes de nostre dit roialme Dengleterre en cest nostre present parlement somons a Westmouster le Meskerdy preschein apres le Dymeigne en my Quaresme [29 March], lan de nostre regne Dengleterre quatorzisme, et de France primer, qe par cause ou colour de ceo qe nous soioms roi de France, et qe le dit roialme nous appartient come desus est dit, ou qe nous nous fesoms nomer roi de France en nostre estile, ou qe nous avoms change noz sealx, ou noz armes, ne pur mandementz qe nous avoms fait ou ferroms desore en avant come roi de France, nostre dit roialme Dengleterre, ne les gentz dycell, de quel estat ou condicion qils soient, ne soient en nul temps avenir mys en la subjeccion, ne obeissance de nous, noz heirs, ne successours come roys de France; ne a nous, noz heirs, ne successours come roys de France, come desus est dit, soient suggitz ne obeisantz, einz soient fraunches et quites de totes maners de subjeccion et obeissance desus dites come ils soleient estre en temps de noz progenitours roys Dengleterre a toutz jours. En tesmoignance de quele chose a cestes presentes lettres avoms mys nostre seal. Donne a Westmouster le xvi jour Daverill, les aunz de nostre regne Dengleterre et de France susdit.

THE CRISIS OF 1341

Edward III continued to experience difficulty in procuring a sufficient flow of money for his war-purposes, and returned to London suddenly on 30 November, 1340. He dismissed the chancellor and treasurer and arrested many of the justices. His quarrel with Archbishop Stratford followed and came to a head in the parliament of April, 1341. Writs were issued on 3 March, 1341, for a parliament to meet at Westminster on 23 April; its session lasted until 18 May.

For discussion see G. T. Lapsley, 'Archbishop Stratford and the Parliamentary Crisis of 1341', in *Crown, Community, and Parliament in the later Middle Ages* (1951), 231-272.

49. ACCORDING TO ADAM MURIMUTH

[*Adae Murimuth Continuatio Chronicarum*, ed. Sir. E. M. Thompson (R.S., 1889), 116-120.]

Adam Murimuth (1275–1347) was prebendary of St. Paul's, precentor of Exeter, and from 1337 rector of Wraysbury, Buckinghamshire, from which date his Chronicle becomes full and generally well-informed.

Anno Domini millesimo CCC^{mo}XL°, Benedicti pape XII anno vj^{o}, regni regis Edwardi tertii a conquestu xiiij^{o}, etatis vero scribentis lxvij, in festo sancti Michaelis [29 September] fuit idem dominus Rex in Gandavo cum suis, exspectans confirmationem dicte treuge et etiam pecuniam de Anglia que non venit. Postea vero, cum omnes Anglici qui cum Rege in Gandavo fuerunt crederent ipsum Regem Anglie festa Natalis Domini celebraturum ibidem, idem dominus Rex cum paucis, scilicet viij de suis, fingens se velle spatiari, equitavit secrete, nullis quasi familiaribus premunitis, venit ad Selondiam, ubi posuit se in mare, in quo iij diebus et noctibus navigavit, et in nocte sancti Andree [30 November], circa gallicantum, turrim Londoniarum per aquam intravit; et cum eo comes Northamptonie, dominus Walterus de Mauny, dominus Johannes Darsy filius, Johannes de Beuchamp, dominus Egidius de Beuchamp, milites, dominus Willelmus de Killesby, dominus Philippus de Weston, clerici, et alii valde pauci. Et statim in gallicantu misit pro cancellario, thesaurario, et aliis justiciariis tunc presentibus Londoniis. Et statim episcopum Cicestrensem ab officio cancellarie amovit, et episcopum Coventriensem ab officio thesaurarie; quos voluit misisse in Flandriam et eos impignorasse ibidem, vel, si hoc nollent, in turri Londoniarum retinuisse invitos. Sed episcopus Cicestrensis exposuit sibi periculum canonis quod imminet incarcerantibus episcopos, et sic ipsos turrim exire permisit. Justiciarios vero majores, videlicet dominum Johannem de Stonore, dominum Ricardum de Wylugby, dominum Willelmum de Schareshull, et precipue dominum Nicholaum de la Beche, qui prius fuit custos filii sui et turris Londoniarum; item, mercatores, dominum Johannem de Pulteneye, Willelmum de la Pole, et clericos cancellarie majores, scilicet dominos Johannem de Sancto Paulo, Michaelem de Wathe, Henricum de Streteforde, Robertum de Chikewelle; et de scaccario dominum Johannem de Thorpe et quamplures alios, fecit diversis carceribus mancipari. Sed, quia illud voluntarie et ex capite quodam colore iracundie factum fuerat, postmodum liberati fuerunt.

Item, in isto adventu Regis fuit Johannes archiepiscopus per

Willelmum Killesby verbotenus apud Gildehalle Londoniarum, et postea per literas Regis, de ingratitudine et aliis publice diffamatus; de quibus in parliamento proxime tunc sequente se optulit excusare paratum, sicut inferius apparebit.

Et cito post hujusmodi adventum suum amovit Rex omnes vicecomites et alios ministros in suis publicis officiis constitutos, et alios etiam invitos subrogavit eisdem; et fecit quendam militem cancellarium Anglie, videlicet dominum Robertum de Bourser, et alium thesaurarium, scilicet primo dominum Robertum le Sadyngtone et postea dominum Robertum de Pervenke; et consilio juvenum utebatur, spreto consilio seniorum. Et ordinavit quod in quolibet comitatu sederent justiciarii et inquirerent super collectoribus decime, quindecime, et lanarum, et ministris aliis quibuscumque. Et in quolibet comitatu ordinavit unum magnum justiciarium, scilicet comitem vel magnum baronem, quibus alios mediocres associavit. Qui justiciarii tam rigide et voluntarie processerunt quod nullus impunitus evasit, sive bene gesserit Regis negotia sive male, ita quod sine delectu omnes, etiam non indictati nec accusati, excessive se redemerunt, qui voluerunt carcerem evitare; nec permiserunt quod aliquis se purgaret. Et, quia Londonienses noluerunt permittere quod justiciarii super hujusmodi inquisitionibus in civitate sederent, contra libertates eorum, ordinavit Rex justiciarios itineris in turri Londoniarum sedere et super factis Londoniensium inquirere; et, quia Londonienses noluerunt ibi respondere quousque libertates eorum allocarentur, nec super hujusmodi allocatione facienda potuerunt brevia regia de cancellaria Regis habere, factus fuit magnus tumultus in turri per personas communitatis ignotas, adeo quod justiciarii sedere ibidem se fixerunt usque ad Pascha. Et interim Rex fuit propterea satis offensus, et nitebatur scire nomina et personas que fecerant dictum tumultum; quorum nomina cum scire non posset, nisi quod vulgus esset mediocrium personarum vendicantium suas libertates, idem dominus Rex, anima sedatus, communitati Londoniensi remisit offensam. Et postea dicti justiciarii itineris non sederunt in turri Londoniarum, nec alibi, illo anno.

[*Rex tenuit parliamentum suum Londoniis. De quibusdam statutis ibidem factis. Episcopus Lincolniensis et dominus Galfridus de Scrop obierunt.*]

Et in quindena Pasche [23 April], mutato anno Domini atque regis, scilicet anno Domini M°CCC^{mo}XLI°, Regis vero decimo quinto, tenuit Rex parliamentum Londiniis, in quo prelati, comites, et majores, scilicet pares et communitas regni, concorditer multas bonas petitiones pro communitate regni fecerunt, et maxime quod magna carta et carta de foresta et alie libertates ecclesie servarentur ad unguem; et quod venientes contra, etiam si essent officiarii Regis, punirentur; et quod majores officiarii Regis eligerentur per pares regni in parliamento: et quibus Rex, juxta privatum consilium suum, diutius contradixit. Et sic duravit parliamentum usque ad vigiliam Pentecostes [26 May]. Sed finaliter Rex concessit majorem partem dictarum petitionum; sed de prefectione et electione officiariorum suorum non concessit. Voluit tamen finaliter quod officiarii jurarent in parliamento quod in suis officiis omnibus justitiam exhiberent; et, si non facerent in quolibet parliamento, tertio die post principium parliamenti, sua officia resignarent et singulis de eisdem querelantibus responderent et judicio parium culpabiles punirentur. Super quibus et aliis factum fuerat statutum, sigillo regio consignatum. Et ex tunc praelatis et aliis data fuit licentia recedendi; sed assignati fuerunt episcopi Dunelmensis et Sarisburiensis, comites Sarisburie, Warewikie, et Northamptonie, ad audiendum excusationes archiepiscopi super sibi impositis et ad referendum Regi in proximo parliamento. Et cum archiepiscopus offerret se paratum statim se immunem ostendere et docere, dicti episcopi et comites asseruerunt sibi tunc vacare non posse; sicque remansit illud negotium in suspenso.

50. LETTER FROM JOHN STRATFORD, ARCHBISHOP OF CANTERBURY, TO EDWARD III, 1 JANUARY

[Robertus de Avesbury, *De Gestis Mirabilibus Regis Edwardi Tertii*, ed. E. M. Thompson (R.S., 1889), 324-327.]

Robert of Avesbury (*fl.* 1350) describes himself as keeper of the registry of the court of Canterbury.

Tresdouce seignur, vous please assavoir qe la plus soveraigne chose qe tiengt lez rois et lez princes en due et en covenable estat si est bon et sage counsail. Et purceo dit li sages: 'En ses motz de counsails, ceo est assavoir bons, il y aad sauvete.' Et purceo est escript el livre de Rois qe Salomon, qe feust li plus sage roy qe unqes feust, prist devers lui lez plus aunciens gentz et plus sagez de la terre, par qi avisement et son sen il tiengt toutz voies la terre de Israel en quiete et pees, et oultre ceo toutz lez rois qe fusrent entour lui le pluis a sa volunte. Et apres sa mort regna son filtz Roboam, et entrelessa le bon counsail soun piere et des aunciens et sages qavoient este od soun piere, et fist apres le consail de jeuene gentz qe luy voleient pleare et poi en savoient, par qei il perdi toute la terre de Israel, sauve la xij^{me} partie. En mesme la manere plusours rois de Israel et dez aultres terres ount este mys a meschief par malveis counsail. Et, sire, qil ne vous desplease, vous le poetz remembrer de vostre temps: qar par la malveis counsail qe nostre sire voz pieeres, qe Dieux assoile, avoit, il fist prendre, countre la ley de sa terre et le graunt chartre, lez peres et aultres gentz de la terre, et mist ascuns a vilain mort, dascuns fist prendre lour biens et ceo qils en avoient, et ascuns mist a raunzon; et qest avenutz de lui par cele cause vous, sire, le savetz. Et puis, sire, en vostre temps avetz ascuns consaillers par lez qeux vous avetz a poi perduz les coers de vostre people; des qeux Dieux vous delivera, sicome luy pluist. Et puis, tauncqe en cea, par bone avisement des prelatz, piers, grauntz et sages du counsail de la terre, voz busoignez ount este mesneez en tieu manere qe vous avetz entierment lez coers de voz gentz qi vous ount eydez, auxi qe averetz, auxi bien clers comes aultres, si avaunt od pluis, come unqes fuist roy Dengleterre ; issint qe, parmi vostre bon consail, laide de voz gentz, et la grace qe Dieux vous aad done, vous avetz eu la victorie devers voz enemis Descoce et de Fraunce et de toutz parties ; issint qe a jour huy, honurez soit Dieux, vous estez tenuz le plus noble prince de Crestiens. Et ore, par malveis consail, abettiz dascuns gentz de ceste terre qe ne sount pas si sages come mestier feust, et par consail daultres qe plus desirrent lour profit qe vostre honur od salvacion de la terre, vous comences de prendre devers clers, peeres, et aultres gentz de la terre, et faire proces nient covenable, countre la ley de la terre, a le quele garder et maintenir vous estez tenuz par serement fait a vostre coronement, et encontre la graunt chartre, dount toutz sount excomengez par toutz lez prelatz Dengleterre qe vienent al encountre et la sentence conferme par bulle de pape, la quele nous avomps devers nous : lez queles choses sount faitz en graunt peril de vostre alme et amenusement de vostre honur. Et, sire, coment mesmes ceaux qe ore se fount governours et conseillers, pluis avaunt qe lour estat lour done, en vous donant entendre qe ceo qe vous ore faitez est et serra plesaunt a vostre comune people, sachetz sire, de certein, et ceo troveretz vous, qe nient en la manere ore comencce. Et certeinement, sire, nous dotoms mult, si Dieu ne y met remedie, qe, si vous pursuez la dite manere comence, vous purretz perdre lez coers de voz gentz et vostre bone et droiturele emprise, et vous branler en tieu manere par de cea, qe vous ne averez poair de perfourner vostre emprise, et enforceretz voz enemis pour vous destruire et vous faire perdre bone fame et vostre terre, qe Dieux defende. Par qoi, sire, pur la salvacion de vostre honur et de vostre tierre et pur vostre enprise maintenir, voilletz prendre a vous les grauntz et lez sages de vostre terre et overir en voz busoignes par eaux et lour consails, si come einz ces heures aad este usez, sauntz eaide et counsail dez qeux vous ne poetz vostre enprise maintenir ne vostre terre bien governer. Et purceo qe ascuns qe sount pres de vous nous sourmetient faucement tresoun et faucine, par quoi ils sount excomengetz, et pur tieux lez tenoms et, come vostre espirituel, vous prioms qe vous lez voilletz pur tieux tenir ; et auxi dient dascuns aultres qils vous ount malement et faucement servi, par quei vous avetz perdue la ville de Tourneye et plusors aultrez honurs qe vous puissetz avoir eu illeosqes ; voilletz, sire, si vous plest, faire venir lez prelatz, grauntz, et peeres de la tierre en lieu covenable, od nous et aultres gentz purrons seurement venir, et faites, si vous plest, veer et enquere en qi mains, puis le comencement de vostre guerre, laynes, deniers, et aultres, choses, qelles qe soient, qe vous ount este grauntez en eaide de vostre guerre tancqe a jour de huy, sount devenuz et vient despenduz, et par qi defalte vous depertistes issint de Tournaye ; et ceaux qe serrount trovez coupables en ascun point devers vous, come bon seignur, lez faitez bien chastier solonc la ley. Et en quant qe a nous appent, nous esterroms en toutz pointz a juggement de noz peres, sauve toutes voies lestat de seint esglise, de nous et de nostre ordre, sicom nous avomps escript einz ces heures. Et pur Dieu, sire, ne voilletz crere de nous ne de voz bones gentz si bien noun, avaunt qe vous sachetz la verite ; car, si gentz serrount puniz saunz respounse, tout serra un juggement dez bones et dez malveis. Et, sire, voilletz bien penser de vostre graunt emprise, et de fort annemy qe vous avetz par cele cause, et de voz enemis Descoce, de graunt peril de vostre terre ; car, si voz prelatz, grauntz, et toutz les sages de vostre terre fuissent entre jour et nuyt dune volente, saunz division, dordeigner ceo qe serroit meltz affaire en si grosses busoignez, il y averoit assetz a penser, pur maintenir vostre emprise, lonur de vous, et la salvacion de vostre terre. Et, sire, ne voilletz prendre a mal qe nous vous envoioms si grossement la verite ; qar la graund affeccion qe nous avons et tutz jours averoms devers vous, la salvacion de vostre honur et de vostre terre, et ausi purceo qil apertent a nous, purceo qe nous sumes, tout seioms indigne, primat de tout Engleterre et vostre piere espirituel, nous excite a vous dire et maunder ceo qe peot estre en peril de vostre alme et empovrisment de vostre terre et de vostre estat. Le Seint Espirit vous sauve, corps et alme, et vous doignt grace davoir et de crere bon counsail, et victorie de voz enemys. Escript a Cauntirbirs, le primer jour de Janever, par le vostre chapelain, lercevesqe de Cauntirbirs.

51. ACCORDING TO THE ROLLS OF PARLIAMENT

[*Rot. Parl.*, II, 127-131.]*

6. Item, fait aremembrer qe pur declarer ascuns debatz mutz sur ascuns articles queux les grantz et communes de la terre demanderont de nostre seignur le roi, le parlement fu continuez del dit Joedy [26 April] de jour en jour tanqe au Joedy prescheynement suant [3 May]. A queu Joedy fu mys une bille en parlement par les grantz de la terre contenant ascuns requestes queles nostre seignur le roi ottreia bonement come plus pleynement est contenuz desouz.

Et pur ce qe entre autres choses contenues en la prier des grantz est fait mencion qe les piers de la terre, officers ne autres, ne serront tenuz de respondre de trespas qe lour est surmys par le roi forsqe en parlement ; queu choses fust avys au roi qe ce serroit inconvenient et contre son estat. Si prierent les ditz grantz au roi qil voloit assentir qe quatre evesqes, quatre countes, et quatre barons, ensemblement ove ascuns sages de la leye, fussent esluz de trier en queu cas les ditz piers serroient tenuz de respondre en parlement et nulle parte aillours, et en quel cas nemy, et de reporter lour avys a lui. Et furent esluz a ceste chose faire, les evesqes de Excestre, Cicestre, Baa, Loundres ; les countes Darundel, Sarum, Huntyngdon, et Suffolk ; les seignurs de Wake, Percy ; monsire Rauf de Nevill, et monsire Rauf Basset de Drayton. Les queux douze reporterent lour avys en pleyn parlement le Lundy preschein suant [7 May] en une cedule dont la copie sensuit en ceste forme :

7. Honurable seignur, a la reverence de vous semble dun assent as prelatz, countes, et barouns qe les piers de la terre ne deivent estre aresnez ne menez en juggement, sinoun en Parlement, et par lour piers. Et sur ce ad este de novel ascun debat si ascun des piers, soit ou eit este chaunceller, tresorer, ou autre officer quecunqe, deive ennoier celle franchise, auxibien par cause de lour office come en autre manere. Est avis as piers de la terre qe touz les piers de la terre, officer ou autre, par cause de lour office, des choses touchantes lour office, ne par nul autre cause, ne deivent estre menez en jugement, ne perdre lour temporaltez, terres, tenementz, biens, ne chatelx, nestre arestuz, ne emprisonez, outlagez, ne forsjuggez, ne ne deivent respoundre, nestre juggez, forsqe en pleyn parlement, et devant les piers ou le roi se fait partie. Salvees a nostre seignur le roi les leies dreiturelement usees par du processe, et salve la suite de partie.

Et si par cas nul des pieres voille de sa volente aillours respoundre et estre juggez, ce ne devera tourner en prejudice des autres pieres, ne a lui meismes en autre cas. Forspris si nul des pieres soit viscont, ou fermer de fee, soit ou eit este officer, ou eit resceu deniers ou autres chastelx de roi, par qoi qil est tenuz de rendre acompte, si est lentencion des ditz pieres qe meisme celui veigne acompter par lui meismes ou par son attourne es lieux acustumez, issint qe les pardons einz ces heures faites en parlement se tiegnent en leur force. Par qoi prient les ditz pieres qe les choses susdites soient desore fermement tenuz, et qe la fraunchise de Seinte Esglise, la Grande Chartre, et la Chartre de la Foreste soient tenuz en touz pointz. Et si rien soit fait a lencontre, soit declarez a cel parlement, et par les pieres de la terre duement redresceez. Et si nul, de quele condicion qil soit, viegne ou riens face a lencontre, estoise au juggement des pieres de la terre en parlement, auxibien des fraunchises usees come dicelles qe serront ore grantees. Et qe les fraunchises et autres fraunches coustumes grauntees par nostre seignur le roi ou ses progenitours as piers de la terre, a la citee de Loundres, et autres citees et burghs, et as ceux des Cynk Portz, et a la commune de la terre, soient tenuz en touz pointz sanz rien faire a lencontre. Et qe briefs demandez davoir allouance des dites fraunchises, chartres, et coustumes soient grauntez sanz nule destourbance, et qe sur les pointz avanditz soit fait estatut en cel parlement.

8. Et meisme cesti jour vient nostre seignur le roi en la Chaumbre de Peynte, et illoeqes vient lercevesqe de Cantirburs, et les autres prelatz, et grantz, et communes ; et le dit ercevesqe se humilia a nostre seignur le roi, enquerant sa bone seignurie et sa bien voilliance ; et nostre seignur le roi lui resceut a sa bone seignurie, dont les prelatz et autres grantz lui mercierent tant come ils savoient ou purroient. Et puis pria lercevesqe au roi qil pleust a sa seignurie qe desicome il est diffamez notoirement par tut le roialme et aillours, qil puisse estre aresnez en pleyn parlement devant les pieres, et illoeqes respoundre, issint qil soit overtement tenuz pur tiel come il est. Queu chose le roi ottreia. Mes il dit qil voleit qe les busoignes touchantes lestat du

roialme et commune profit fussent primes mys en exploit, et puis il ferroit exploiter les autres.

Et si mistrent ils avant meisme cestui Lundy ascunes peticions touchantes touz les grantz et la commune du roialme, dont la copie sensuyt en ceste fourme.

9. [The Commons, after reciting their grievances, ask] . . . qe il pleise a sa treshaute seignurie, pur relevance de son poeple qe tant est empoveriz, et pur droit meyntenir sicome il est tenuz, comander qe la dite Grante Chartre, ensemblement od les autres ordinances estatutz faitz par grant deliberacion, soient tenuz, meyntenuz, et executz en touz pointz en lour force ; et qe les avanditz attachez et emprisonez, et autres, come desus est dit, oustez, soient frankement delivres et restitutz a lour benefitz, terres, tenementz, possessions, biens, et chatelx ; issint qe chescun estoise a la lei selonc sa condicion, sanz desoremes user tiel fait, contre la lei et la tenour de la Grande Chartre, et touz autres ordinances et estatutz.

10. Item, qe chaunceller, tresorer, barons, et chaunceller de Lescheqier, justices dune place et de lautre, et touz autres justices quecunqes qils soient, seneschal, chaumberleyn del Houstel le roi, gardein du prive seal, et tresorer de la Garderobe, soient jurez totes les foitz qils serront mys en office de meyntenir et garder les leies de la terre, et les pointz de la Grande Chartre, et les autres estatutz faitz par assent des pieres de la terre sanz estre enfreinz. . . .

12. Item, prient les grantz et la commune de la terre, et pur commune profit de lui et de eux, qe soient certeynes gentz deputez par commission doier les acompts des touz ceux qont resceu les leynes nostre dit seignur ou autres eides a lui grantez ; et auxint de ceux qont resceuz et despenduz ses deniers auxibien par dela la meer come par de cea puis le comencement de sa guerre tanqe a ore ; et qe roulles et autres remembrances, obligacions, et autres choses faites par dela soient liverez en la Chauncellerie destre enroullez et mys en remembrance, sicome homme soleit faire einz ces heures. . . .

15. Item, pur ce qe moltz des malx sont avenuz par malveis conseillers et ministres, prient les grantz et la commune qil pleise ordeigner, par avis des prelatz, countes, et barouns, qe le roi face chaunceller, chief justice del un Baunk et del autre, tresorer, chaunceller, et chief baron del Escheqer, seneschal de son Houstel, gardeyn de la Garderobe et contreroullour, et un clerk covenable pur garder son prive seal, chief clerk le roi en le Commune Baunk, et ce en parlement. Et issint soit fait desoremes de tieux ministres quant miester serra, les queux soient jurez devant les pieres en parlement de garder les leies, come desus est dit, et ce selonc les ordenances devant ces heures sur ce faites. . . .

17. Et prieront au roi qil les vousist otreir bonement. Et nostre seignur le roi, eue deliberacion sur les choses contenues en meismes les peticions, fist doner ascunes respons as meismes les peticions. Les queux respons, ensemblement ove les peticions susdites, reportees en

pleyn parlement devant le roi et devant les grantz et communes le Meskerdy preschein suant [9 May], fust avis as ditz grantz et communes qe les dites respons ne feurent pas si pleynes et si suffisantes come il covendroit. Par qoi ils prieront au roi qil lui pleust faire y mettre amendement. Et nostre seignur le roi, ottreiant a lour priere, assentist ovesqe eux qe quatre prelatz, quatre countes, et quatre barons, et autres sages de la lei, soient assignez de surveer les dites peticions et respons, et de reporter lour avys au roi. . . . [The names of those assigned then follow]. . . .

36. Item, endroit de la peticion des communes fu respondu [12 May] en la manere qe sensuit.

Respons as communes

37. Quant au primer article, la volente nostre seignur le roi est qe la Grande Chartre, et autres estatutz faitz, soient tenuz en touz pointz; et voet et grant pur lui et pur ses heirs qe si nulle persone en temps avenir face chose qe soit contre la Grande Chartre, estatutz, ou leies droitureles, respoigne en parlement, ou aillours ou il devera respondre, a la commune lei, come desus est dit, auxi avant par la ou il le fait par commission ou par commandement du roi, come sil le fist de sa autorite de meigne. Et quant as serementz des ministres, il plest au roi qe ses ministres soient jurez selonc la forme de la peticion. Et quant al article qe chescun eit chartre, brief general et especial as tresorer et barouns, et as quecunqes justices, dallouer totes les choses contenues dedeinz le temps de pardoun selonc leffect de lestatut de pardoun, le roi le voet; et qe les dettes et demandes en Lescheqer du temps limitez en le dit estatut soient fait quitz.

38. Item, quaunt al seconde article, cest assavoir dacomptes oier de ceux qont resceu les leynes le roi et autres eides etc. Il plest au roi qe la chose se face par bones gentz a ce a deputer, issint qe le tresorer et le chief baron y soient ajointz. Et soit fait de ce come autrefoitz fust ordeigne; et soient esluz les seignurs en ce parlement. Et auxint qe touz roules, remembrances, et obligacions faitz dela le meer soient liverez a la Chauncellerie. . . .

41. Il plest au roi qe si nul grant officer le roi nomez en la peticion par mort ou par autre encheson soit oustez de son office, qil prendra a lui lacorde des graundz qi serront trovez plus pres en pays, ensemblement ov le bon conseil qil avera entour lui, et mettra autre covenable en le dit office. Et soient jurez solonc la peticion au prochein parlement. Et a chescun parlement soient lour offices pris en la main le roi, et eux a respondre a ceux qi pleindre vorront. Et si pleint soit faite de quecumqe ministre de nulle mesprision, et de ce soit atteint en parlement, soit oustez et punis par juggement des pieres et autre covenable y mys. Et sur ce le roi ferra pronuncier et faire execucion sanz delai solonc juggement des pieres en parlement.

42. Et fait a remembrer qe sur les respons susdites, auxibien a les requestes des grantz come de ceux de la commune et de la clergie, feurent faitz les estatutz souzescritz par les ditz grauntz et communes

et moustrez a nostre seignur le roi ensemblement od ascunes condicions qe les grantz et la commune demanderent du roi pur le grant qils ferroient a lui de xxx mille saks de leyne en recompensacion de la noefisme garbe, aignel, et toison del an second. Les queux estatutz et condicions puis furent lieues devant le roi. Et le chaunceller, tresorer, et acuns justices de lun Baunk et de lautre, et le seneschal del Houstiel le roi, et le chaumberleyn, et ascuns autres feurent jurez sur la croice de Cantirbirs de les tenir et garder si avant come a eux attient. Mes les ditz chaunceller, tresorer, et ascuns des justices firent lour protestacion qils ne assentirent a la fesance ne a la forme des ditz estatutz, ne qe eux ne les purroient garder en cas qe meismes les estatutz fussent contraires a les leies et usages du roialme les queux il feurent serementez de garder. Et puis feurent meismes les estatutz et condicions ensealez du grant seal le roi et liverez as grantz et as chivalers du countee.

52. THE STATUTE OF 1341 (15 Edward III, st. 1, cc. 1-4)

[*Stat. R.*, I, 295-296.]*

Nostre seygnur le roy Edward tierz apres le conquest a son parlement tenutz a Weistmoustier a la quinseyne de Pasche [23 April], lan de son regne quinsisme, desirant qe la pees de la terre et les leis et les estatutz avant ses houres ordeines soient gardes et meintenus en toutz pointz, al honour de Dieux et de Seint Esglise, et al comun profit du poeple, par assent des prelatz, countes et barouns, et autres grantz, et de tote la commune du roialme Dengleterre al dit parlement somonz, ordeina et establist en mesme le parlement les articles southescriptes, les queux il voet et grante pur luy et pur ses heires qils soient fermementz gardez et tenutz a toutz jours.

En primes est acorde et assentu qe la fraunchise de Seint Esglise et la Grant Chartre et la Chartre de la Forest, et les autres estatutz faites par nostre dit seignur le roi et ses progenitours, piers, et la commune de la terre, pur comun profit du poeple, soient fermementz gardez et maingtenuz en toutz pointz. Et si rienz desore soit fait countre la Grant Chartre et la Charter de la Forest soit desclare en proschein parlement, et par les piers de la tere duementz redressez. Et si nul, de quele condicion qil soit, rienz face al encountre, estoise al jugement des pieres en proschein parlement, et issint de parlement en parlement, auxibien des fraunchises usees come de icelles qe serront ore grantez. Et qe les fraunchises grantes par nostre seygnur le roy ou ses progenitoures, a Seinte Esglise, as pieres de la terre, a la citee de Loundres, et as autres citees et borghs, et a ceux de Cink Portz, et a la commune de la terre, et toutz lour fraunchises et fraunches custumes soient maintenuz en toutz pointz, sauntz rien faire al encontre. Et qe briefs demaundez daver allowaunce des chartres, fraunchises, et custumes, et chartres des pardouns de dettes, et de toutes autres choses, grantez par le roi et par ses progenitours avant ses houres, soient fraunchementz grantez, santz desturbaunce devant quecumqes justices ou autres ministres ou il busoigne davoire allowaunce, et soient faites quites en le Escheker et aillours.

Item, pur ceo qe avant ses houres piers de la terre ount este arestutz et emprisonnez, et lour temperaltes, terres et tenementz, biens et chateux, seisis en mains des rois, et ascunes mys a la mort, santz jugement de lour piers, acorde est et assentuz qe nul peres de la terre, officer ne autre, par cause de son office ne des choses touchauntz soun office, ne par autre cause, soit menez en jugement, a perte de lour temperaltez, terres, tenementz, biens, et chateux, ne estre arestutz, nemprisones, utlagez, exulez, ne forsjugez, ne respoundre, ne estre jugez sinoun par agarde des dites peres en parlement. Sauvez totefoitz a nostre seignur le roi et a ses heires en autres cas les leis dreiturelment usees et par due proces, et sauvee auxint seute des parties. Et si par cas nul peres de soun gree voille aillours respoundre ou estre jugez forsqen parlement, qe cella ne tourne en prejudise des autres peres, ne a lui mesmes en autre cas ; forpris si nul des piers soit viscount ou fermer de fee, ou ad este officer, ou eit resceu deners ou autres chateux le roi, par cause de quele office ou reseite il est tenutz dacompter, qe mesme celuy acompte par luy ou soun atturne es lieus acustomes ; issint qe les pardouns eins ses houres faites en parlement se tiegnent en lour force.

Item, pur ce qe les pointes de la Grant Chartre sount blesmys en moutz maneres, et meinz bien tenuz qestre ne deussent, a grant perile et esclaundre du roi et damage de son poeple ; especialment en taunt qe clers, piers de la terre, et autres frans hommes sount arestutz et emprisones, et de lour biens et chateux houstez, queux ne furent appellez nenditez, ne seute de partie devers eux affermez ; acordez est et assentutz qe desore tieles choses ne soient faites. Et si nul les face, ministre le roi ou autre persone, de quele condicion qil soit, ou viegne contre nul point de la Grant Chartre, autres estatuz, ou les leis de la terre, respoigne en parlement, auxibien a la seute le roi come a seute de partie, la ou remedie ne punisement ne fuit ordeine avant ses heures, tant avant ou il le fait par commission ou comandement du roi, come de sa autorite demeisne ; nient contresteante lordenaunce avant ses houres fait a Norhampton, la quele par assent du roi, prelatz, countes, et barons, et la commune de la terre cy en ce parlement est repelle et de tut anienty. Et qe le chaunceller, tresorer, barouns et chaunceller de Escheker, justices del un banc et del autre, justices assignez es pays, seneschal et chamberlein del Hostiel le roi, gardein del privee seal, tresorer de la Garderobe, countreroulour, et ceux qe sount chiefs deputez a demorer pres du fuitz le roi duk de Cornewaille, soient ore jureez en ce parlement, et issint desore a toutes les foiths qils serront mys en office, de garder et myntenir les privileges et les fraunchises de Seint Esglise, les points de la Grant Chartre, Chartre de la Forest, et toutz les autres estatutz sauncz nul point enfreindre.

Item, assentu est qe si nul des officers avantditz, ou countreroulour, ou chief clerc en commune banc ou en baunc le roi, par mort ou par autre cause soit houste de son office, qe nostre seygnur le roi, par accord des grantz qi serront trovez plus pres en pais, les queux il prendra devers luy, et par le bon conseil qil avera entour luy, mettera autre covenable en le dit office qi serra juree solonc la forme avantdite. Et qe a chescun parlement, al tiercz jour de mesme le parlement, le roi prendra en sa main les offices de toutz les ministres avantditz, et issint demoergent quatre ou cink joures, forspris les offices des justices del un place et del autre, justices assignez, et barouns del Escheker ; issint totesfoiths qe ceux et toutz autres ministres soient mys a respoundre a chescuny pleinte ; et si defaute soit trove en ascunes des dites ministres, par pleint ou en autre manere, et de ce soit atteint en parlement soit puny par jugement des peres, et houstes, et autre covenable mys en son lieu. Et sur ce nostre dit seygnur le roi ferra pronuncier et faire execucion saunz delay, solonc le jugement des ditz peres en parlement. . . .

53. REVOCATION OF THE STATUTE OF 1341 (15 Edward III, st. 2)

[*Stat. R.*, I, 297.]*

The revocation was subsequently noted on the record of the parliament of 1343, and explained 'come cel qest prejudiciel et contraire a leys et usages du roialme et as droits et prerogatives nostre seignur le roi' [*Rot. Parl.*, II, 139].

Rex vicecomiti Lincolnie, salutem. Cum in parliamento nostro apud Westmonasterium in quindena Pasche proximo preterita [23 April] convocato, quidam articuli, legibus et consuetudinibus regni nostri Anglie ac juribus et prerogativis nostris regiis expresse contrarii, pretendantur per modum statuti per nos fuisse concessi ; nos considerantes qualiter ad observacionem et defensionem legum, consuetudinum, jurium, et prerogativarum hujusmodi astricti sumus vinculo juramenti, et proinde volentes ea que sic fiunt improvide ad statum debitum revocare, super hoc cum comitibus et baronibus, ac peritis aliis dicti regni nostri consilium habuimus et tractatum ; et quia edicioni dicti statuti pretensi numquam consenserimus, set premissis protestacionibus de revocando dictum statutum, si de facto procederet, ad evitandum pericula que ex ipsius denegacione tunc timebantur pervenire, cum dictum parliamentum alias fuisset sine expedicione aliqua in discordia dissolutum, et sic ardua nostra negocia fuissent quod absit verisimiliter in ruina, dissimilavimus sicut oportuit, et dictum pretensum statutum sigillari permisimus illa vice, videbatur dictis comitibus, baronibus, et peritis quod ex quo dictum statutum de voluntate nostra gratuita non processit, nullum erat, et quod nomen vel vim statuti habere non deberet. Et ideo dictum statutum de ipsorum consilio et assensu, decrevimus esse nullum, et illud quatenus de facto processit, duximus adnullandum ; volentes tamen quod articuli in dicto statuto pretenso contenti, qui per alia statuta nostra vel progenitorum nostrorum regum Anglie sunt prius approbati, juxta formam dictorum statutorum in omnibus prout convenit observentur et hoc solum ad conservacionem et redintegracionem jurium corone nostre facimus, ut tenemur, non autem ut subditos nostros, quos in mansuetudine regere cupimus, opprimamus aliqualiter vel gravemus. Et ideo tibi precipimus quod hec omnia in locis infra ballivam tuam ubi expedire videris publice facere proclamari. Teste rege apud Westmonasterium primo die Octobris anno quintodecimo.

Per ipsum regem et consilium.

---

54. PROTEST OF THE COMMONS AT THE MALTOTE, 1343

[*Rot. Parl.*, II, 140.]*

Writs were issued on 24 February, 1343, for a parliament to meet at Westminster on 28 April; its session lasted until 20 May.

The maltote complained of on this occasion was a grant probably made by the merchants alone when on 8 July, 1342, a number of them met the Council in London.

28. Item, qe la maletoute des leynes se tiegne a demy mark come en temps de ses progenitours ad este usez, et par estatut puis en vostre temps grantee. Et coment qe les marchandz eient grantez par eux, sanz assent des Communes, un subside de xl s. de chescun sac de leyne outre la droiturele maletoute de demy mark, voillez, sil vous plest, aver regard qe tut est en charge et a meschief de voz Communes. Par qoi cel meschief, si vous plest, ne voillez soeffrir, mes soit amendez a cest parlement; qar ce est encontre reson qe la commune de lour biens soient par marchandz chargez.

Responsio. Lentente de nostre seignur le roi nest pas de charger les communes par le subside qe les marchandz lui ont grantez, nen poet estre entenduz en charge des communes, moement desicome les Communes ont mys un certein pris sur les leynes par my les counteez; le quel pris le roi voet qe estoise, et qe dedeinz cel pris nulles leynes soient achatees sur forfaiture de meismes les leynes en les mayns des marchandz qi les issint achatent.

PROCEEDINGS IN THE PARLIAMENT OF 1344

55. REQUEST BY THE COMMONS FOR A COMMITTEE TO CLEAR PETITIONS

[*Rot. Parl.*, II, 149.]*

Writs were issued on 20 April, 1344, for a parliament to meet at Westminster on 7 June; its session lasted until 20 June.

12. Item, prie la Commune qe les peticions qe sont ore mys avant pur diverses grevances faites en diverses contees soient examinez, et par bon conseil ordeigner remedie devant la fyn du parlement pur salvetee du poeple; et qe ce soit veu et examinez par grantz et autres sages a ce assignez; et qe les ordinances et grantes faites a son poeple

par sa chartre soient tenuz ; et qe vous pleise ordeyner par assent des prelatz et grantz certeynes gentz qi voillent demorer tanqe les peticions mys avant en parlement soient terminez avant lour departir, issint qe la Commune ne soit saunz remedie.[1]

56. STATUTE FOR KEEPERS OF THE PEACE (18 Edward III, st. 2, cc. 1-2)

[*Stat. R.*, I, 300-301.]*
For references see no. 28 above.

[The king has granted] . . . qe les commissions des novelles enquerrez cessent, et de tout soient anientiz, et sur ceo briefs soient faitz a les ditz justices de surseer, sauvez qe les enditementz des felonies et trespas faites contre la pees, des leines mesnez hors du roialme sanz paier custume ou subside, et dautres biens le roi ou deniers resceuz ou detenuz par ceux qont eu commissions souz le seal le roi, et aussint de fause monoie porte dedeinz le roialme, inchoatz devant mesmes les justices nomez es dites commissions, soient terminez en Bank le roi, ou devant autres justices a ceo assigner ; et qe les exigendes, issues, et utlagaries pronuncies par autre cause qe par les causes sauvez, cessent, et soient anientiz de tout ; et sur ce soient faitz briefs tantz et tieux come il busoignera.

Et aussint qe deux ou trois des mieultz vauetz des countees soient assignez gardeins de la pees par commissions le roi ; et quele heure qe mestier serra, mesmes ceux, ovesqes autres sages et apris de la leye, soient assignez par commission le roi doier et terminer felonies et trespas faites contre la pees en mesmes les countees, et punissement faire resonablement solonc la manere du fait.

57. STATUTE RELATING TO MILITARY SERVICE (18 Edward III, st. 2, c. 7)

[*Stat. R.*, I, 30.]* See also no. 68 below.

. . . et qe gentz darmes, hobelers, et archers esluz pur aler en le service le roi hors Dengleterre, soient as gages le roi du jour qils departiront hors des countees ou ils serront eslutz.

PROCEEDINGS IN THE PARLIAMENT OF 1346

Writs were issued on 30 July for a parliament to meet at Westminster on 11 September ; its session lasted until 20 September.

58. COMPLAINT BY THE COMMONS ABOUT COMMISSIONS OF ARRAY

[*Rot. Parl.*, II, 160.]*

12. A nostre seignur le roi et a son Conseil prient les gentz de ses Communes, pur commune profit, qe les ordenances, promesses, et grantes faitz en parlement a les dites Communes soient desore enavant tenuz et gardez, en esement de la commune, contre les grandes charges

[1] The response was in general and vague terms.

et duretees qils ount meynt jour soeffertz et sentuz. Issint qe commissions a lencontre ne issent desormes hors de la Chancellerie, come de charger le poeple darrai des gentz darmes, hobeleries, archeries, vitailles, ou en autre manere chargeant la commune, saunz assent et grante du parlement. Et si par cas commissions a lencontre soient mandez, qe le people ne soit tenuz a celes obeier ne par celles chargez.

Responsio. Quant au primer point de cest article, il plest qeles soient tenuz et gardez en la manere qils prient. Quant a second article de meisme le point, notoire chose est qe es plusours parlementz einz ces heures les grantz et Communes de la terre ount promis a nostre seignur le roi, en eide de sa querele de France, et pur defens et sauvetee de la terre Dengleterre, de eider en corps et avoir, en quant qils poaint. Par qoi les ditz grantz, veantz la necessite qe nostre seignur le roi avoit de eide des gentz darmes, hobelours, et archers, avant son passage pur recoverir ses droitures par dela, et pur defens de la dite terre Dengleterre, ordeinerent qe ceux qavoient cent souldez de terre et outre decea Trente deveroient trover hommes darmes, hobelours, et archers, selonc lafferant de lour tenure, daler ove le roi a les gages le roi. Et puis ascuns qi ne voloient mie aler en propre persone, ne trover autres en lour lieux, soffriront de gree de doner au roi de lour, si qe le roi se purroit chevir dautres en lour lieux. Et issint est la chose faite, et nemie en autre manere. Et le roi voet qe desore ce qe feust issint fait en celle necessite ne soit trait en consequent nen saumple, come piert par patentes et briefs ent faitz.

59. PETITION BY THE COMMONS FOR THE LEVY OF A SUBSIDY AND CUSTOMS AS HITHERTO

[*Rot. Parl.*, II, 161.]*

18. Item, prie la Commune qe la grande subside de qarant souldz al sak de leyne soit ouste et launciene custume paie come autre foitz feust assentuz et grante.

Responsio. Quant a cest point, les prelatz et autres veantz la necessite qe le roi avoit destre eidez avant son passage par dela pur y recoverir ses droitures et pur defendre son roialme Dengleterre, assenterent, par acorde des marchantz, qe nostre dit seignur le roi avereit en eide de sa dite guerre, et pur defens de sa dite terre, xl s. de subside de chescun sak de leine qi passera as parties de outre meer pur deux aunz proscheinz avenir. Et sur meisme le grant ount divers marchantz faitz plusours chevances a nostre dit seignur le roi en eide de sa dite guerre ; par qoi cel subside ne poet estre repellez saunz assent du roi et de ses ditz grantz.

PROCEEDINGS IN THE PARLIAMENTS OF 1348

Writs were issued on 13 November, 1347, for a parliament to meet at Westminster on 14 January, 1348 ; its session lasted until 12 February.

Writs were issued on 14 February, 1348, for a parliament to meet at Westminster on 31 March; its session lasted until 13 April.

60. THE COMMONS ASK TO BE EXCUSED FROM ADVISING ON THE FRENCH WAR, JANUARY

[*Rot. Parl.*, II, 164-165.]*

4. [Because the 'grantz' and others had not all come, the parliament was three times postponed until 17 January.]

. . . A queu jour furent les causes du parlement purposez par monsire William de Thorp en la presence nostre seignur le roi et des prelatz, contes, barons, et Communes du roialme illoeqes assemblez. Et furent deux causes touchantes especialment nostre seignur le roi et tout le roialme Dengleterre, cest assaver, lune cause, de la guerre quele nostre seignur le roi ad empris contre son adversair de France par commune assent de touz les grantz et Communes de sa terre susdite en diverses parlementz qi ont estez cea en arere, come sovent foitz ad este rehercez, coment ent serra fait au temps de la trewe qore est serra finie. Lautre cause, de la pees Dengleterre, coment et en quele manere ele se purra meutz garder. Et sur ce fut comandez as chivalers des countees et autres des Communes qils se deveroient trere ensemble, et ce qils ent sentiroient le deveroient moustrer au roi et as grantz de son Conseil. Les queux chivalers et autres des Communes eu ent avisement par quatre jours, au drein respoundirent al article touchant la guerre en la manere qi sensuyt.

5. Tresredotez seignur, quant a vostre guerre et larrai dicelle, nous sumes si mesconissantz et simples qe nous ne savons ne poons ent conseiller; de quei nous prions a vostre graciouse seignurie nous avoir del ordenance pur escusez, et qe vous pleise, par avis des grantz et sages de vostre Conseil, ordener sur cel point ceo qe moutz vous semblera pur honour et profit de vous et de vostre roialme. Et ceo qe serra ensi ordenez par assent et acorde de vous et des grantz susditz, nous nous assentons bien et le tendrons ferme et estable . . . [The Commons then presented their petitions.]

61. COMPLAINT BY THE COMMONS ABOUT TUNNAGE AND POUNDAGE, JANUARY

[*Rot. Parl.*, II, 166.]*

11. Item, moustre la Commune, qe come au Conseil tenuz par vostre cher fitz Leonel de Andwers, adonqes gardein de la terre, lan de vostre regne vintisme primer, estoit assiz, sanz assent de vostre Commune, sur chescun sac de leine passant la meer ii s., sur chescun tonel de vin ii s., sur chescune livre des avoirs reporteez en la terre vi d., pur gages des niefs de guerre salvant la dite terre pur enemys et conduaunt les ditez marchandises; la quele charge durroit tanqe le Seint Michel prochein ensuant, la quele charge des leines unqore

court en demande des grantz et communes de la terre. Qe pleise a vostre seignurie la dite charge ouster, et comander voz lettres as coillours de la dite charge de la demande cesser.

Responsio. Totes les charges supposez par cest article sont oustez, sauve les deux soldz du sak qest adurer tanqe a la Pasche prochein avenir. Et pur ce qe cestes charges furent ordeinez pur sauvement conduire les marchandises apportez en roialme, et de illoeqes menees as parties de outre meer, sur quele conduire grantz mises sont faites par le roi qi avant le terme de Seint Michiel ne purroient estre levez tot au plein, il semble qe pur si petit temps avenir la dite levee ne deveroit este tenue trop chargeant ne trop grevouse; car le passage des leines, par cause des queles leide fut grante adurer tanqe le Seint Michel, fust par certeine cause en pluis grande partie delaiez, si qe poi en eide des custages avantmises fut leve; et purce feut le terme purloignez.

62. GRANT OF TAXATION ON CONDITIONS, APRIL

[*Rot. Parl.*, II, 200-201.]*

4. [The Commons complain about the charges laid upon them, and about the extortions that follow the taxes on wool] . . . Nient meyns, par issint qe leide ore a granter par sa dite commune ne soit en nulle manere tournez en leines, ne daprest nen value, nen autre manere soit levez, ne plus hastiement qen la fourme qe ele serra grantez, et qe eyres des justices en le meen temps, sibien des foreste come des Communes Pleez, et generals enquerrez par tote la terre cessent; si la qe leide serra levez, et qe le subside grantez de xl s. de chescun sac de leine apres les trois aunz finez, qe serra ore a la Seint Michel proschein avenir, cesse, et qe desore en avant nulle tiele graunte se face par les marchantz, desicome ce est soulement en grevance et charge de la commune et nounpas des marchantz qi achatent de tant les leines au meyns. Et auxint qe desore nulle imposicioun, taillage, ne charge daprest, nen autre quecumqe manere, soit mys par le prive Conseil nostre seignur le roi saunz lour grante et assent en parlement. Et auxint qe deux prelatz, deux seignurs, deux justices en cest present parlement soient assignez doier et esploiter totes les peticions autrefoitz au darrein parlement mys avant par la Commune, qi ne furent pas adonqes responduz; et ovesqe les peticions ore a mettre, en la presence de quatre ou sys de la Commune par eux eslutz a ce faire et pursuire, issint qe les dites peticions soient responduz en resoun a ce present parlement, et ceux qi furent adonqes responduz au plein, estoisent les respons en lour force saunz estre chaungez. [Further conditions about the punishment of deceitful merchants, false money, Scottish prisoners, the suspension of some taxation, and the Marshalsea follow] . . . Et auxi par issint qe les dites condicions soient entrez en roule du parlement come chose de record, par quoi ils purront avoir remeide si rien soit attemptez au contraire en temps avenir. [A

grant of three-fifteenths was then made, to be spent only on the war, etc.] . . . Et puis fu dit as dites Communes qe touz les singulers persones qi vourroient liverer peticions en ce parlement les ferroient liverer au chanceller. Et qe les peticions touchantes les Communes ferroient liverer au clerc du parlement.

PROCEEDINGS IN THE PARLIAMENT OF 1351

Writs were issued on 25 November, 1350, for a parliament to meet at Westminster on 9 February, 1351; its session lasted until 1 March.

63. COMPLAINT BY THE COMMONS ABOUT A GRANT BY THE MERCHANTS

[*Rot. Parl.*, II, 229.]*

22. Item, suppliont la dite Commune, qe come les marchauntz eont grantez a nostre seignur le roi xl s. de sac de leyne, la quele chose chiet en charge du poeple et nemy des marchauntz, qil plese a nostre dit seignur le roi, pur relevement de son poeple, qe les ditz xl s. ne seont mes demaundez ne levees desorenavant. Et qe commissions ne soent faites sur tieles grantes singulers, sil ne soit en plein parlement. Et si nul tiel grant soit fait hors du parlement, soit tenuz pur nul; qar par cause des ditz xl s. les marchauntz achatent les leynes par taunt le meyns, et les vendont a chier. [And that all merchants have free passage] . . . Et en cas qe il plese a nostre dit seignur le roi, en ceste sa grante necessite, la subside de xl s. avantdit un demi an ou un an avoir, lui plese a les piers et commune de la terre sa volunte moustrer, en confort de eaux.

Responsio. Porce qe le subside fut grante a nostre seignur le roi pur grante necessite, la quele uncore dure, et se moustre plus grant de jour en autre; quele chose moustre a les grantz et Communes a ceo parlement assemblez depar nostre seignur le roi, les ditz seignurs et Communes, de commune assent, ont grante a mesme nostre seignur le dit subside a prendre de la feste de Seint Michel preschein avenir tanqe a la fin de deux aunz prescheins suantz.

64. THE FIRST STATUTE OF PROVISORS (25 Edward III, st. 4)

[*Stat. R.*, I, 316-318.]*

Come jadis en le parlement de bone memoire sire Edward roi Dengleterre, ael nostre seignur le roi qore est, lan de son regne trentisme quint [1307] a Kardoil tenuz, oie la peticion mise devant la dit ael et son Conseil en le dit parlement par la communalte de son roialme, contenant qe come Seinte Eglise Dengleterre estoit founde en estat de prelacie deins le roialme Dengleterre par le dit ael et ses progenitours, et countes, barons, et nobles de son roialme, et lour ancestres, pur eux et le poeple enfourmer de la lei Dieu, et pur faire hospitalites, aumoignes, et autres oevrees de charite es lieux ou les eglises feurent foundes, pur les almes de foundours et de lour heirs, et de touz Cristiens ; et certeins possessions, tant en feez, terres, et rentes, come en avowesons, qe se extendent a grande value, par les ditz foundours feurent assignez as prelatz et autres gentz de Seinte Eglise du dit roialme pur cele charge sustenir, et nomement des possessions qe feurent assignes as ercevesqes, evesqes, abbes, priours, religious, et autres gentz de Seinte Eglise par les rois du dit roialme, countes, barons, et autres nobles de son roialme ; meismes les rois, countes, barons, et nobles, come seignurs et avowes, eussent et aver deussent la garde de tieles voidances et les presentementz et collacions des benefices esteantz des tieles prelacies ; et les ditz rois en temps passe soloient aver la greinure partie de lour conseils pur la salvacion du roialme, quant ils eneurent mester, de tiels prelatz et clercs issint avances ; le pape de Rome, acrochant a lui la seignurie de tieles possessions et benefices, meismes les benefices dona et graunta as aliens qi unqes ne demurerent el roialme Dengleterre, et as cardinalx qi y demurer ne purroient, et as autres, tant aliens come denzeins, autresi come il eust este patron ou avowe des dites dignites et benefices, come il ne feust de droit selonc la loi Dengleterre ; par les queux, sils feussent soeffertz, a peine demurroit ascun benefice en poi de temps el dit roialme qil ne serroit es meins daliens et denzeins par vertue de tieles provisions, contre la bone volunte et disposicion des foundours de meismes les benefices ; et issint les eleccions des ercevesqes, evesches, et autres religious faudroient, et les almoignes, hospitalites, et autres oevrees de charite qe serroient faitz as ditz lieux serroient sustretes, le dit ael et autres lais patrons en temps de tieles voidances perderoient lour presentementz, le dit Conseil periroit, et biens sanz nombre serroient emportes hors du roialme, en adnullacion del estat de Seinte Eglise Dengleterre, et desheriteson du dit ael, et des countes, barons, et nobles, et en offens et destruccion des lois et droitures de son roialme, et grant damage de son poeple, et subversion del estat de tut son roialme susdit, et contre la bone disposicion et volunte des primers foundours ; del assent des countes, barons, nobles, et tute la dite communalte, a lour instante requeste, consideres les damages et grevances susdites, en le dit plener parlement feust purveu, ordine, et establi qe les dites grevances, oppressions, et damages en meisme le roialme des adonqes mes ne serroient soeffertz en ascun manere. Et ja moustre soit a nostre seignur le roi en cest parlement tenuz a Westmouster a les oetaves de la Purificacion de nostre Dame [9 February], lan de son regne Dengleterre vintisme quint, et de France duszisme, par la greveuse pleinte de toute la commune de son roialme, qe les grevances et meschiefs susditz sabondent de temps en temps, a plus grant damage et destruccion de tut le roialme, plus qe unqes ne firent, cest assaver qore de novel nostre seint piere le pape, par procurement des clercs et autrement, ad reservee et reserve de jour en autre a sa collacion, generalment et especialment, sibien erceveschees, eveschees, abbeies, et priories, come totes dignetes et autres benefices Dengleterre qe sont del avowerie de gentz de Seinte Eglise, et les donne auxibien as aliens come as denzeins, et prent de touz tiels benefices les primeres fruitz et autres profitz plusours, et grande partie du tresor del roialme si est emporte et despendu hors du roialme par les purchaceours de tieles graces ; et auxint par tieles reservacions prives plusours clercs avances en ceste roialme par lour verroies patrons, qi ont tenuz lour avancementz par long temps pesiblement, sont sodeinement ostes ; sur quoi la dite commune ad prie a nostre seignur le roi qe desicome le droit de la corone Dengleterre et la loi du dit roialme sont tieles, qe sur meschiefs et damages qe si aviegnont a son roialme, il doit, et est tenuz par son serement, del acord de son poeple en son parlement, faire ent remede et lei en ostant les meschiefs et damages qensi avignont, qe lui pleise de ce ordiner remede. Nostre seignur le roi, veiant les meschiefs et damages susnomes, et eant regard al dit estatut fait en temps son dit ael, et a les causes contenues en ycele, le quel estatut tient touz jours sa force, et ne feust unqes defait ne anulli en nul point, et partant est il tenuz par son serement del faire garder come la loi de son roialme, coment qe par soeffrance et negligence ad este puis attempte a contraire, et auxint eant regard a les grevouses pleintes a lui faites par son poeple en ses divers parlementz cea enarere tenuz, voillantz les tresgrantz damages et meschiefs qe sont avenuz et veignont de jour en autre a la eglise Dengleterre par la dite cause remede ent ordiner, par assent de touz les grantz et la communalte de son dit roialme, al honur de Dieu, et profit de la dite eglise Dengleterre, et de tut son roialme, ad ordine et establi qe les franches eleccions des erceveschees, eveschees, et tutes autres dignites et benefices electifs en Engleterre, se tiegnent desore en manere come eles feurent grantes par les progenitours nostre dit seignur le roi, et par les auncestres dautres seignurs foundes. Et qe touz prelatz et autres gentz de Seinte Eglise qi ont avowesons de quecomqes benefices des douns nostre seignur le roi et de ses progenitours, ou dautres seignurs et donours, pur faire divines services et autres charges ent ordines, eient lour collacions et presentementz franchement en manere come ils estoient feffes par lour donours. Et en cas qe dascune erceveschee, eveschee, dignite, ou autre quecumqe benefice, soit reservacion, collacion, ou provision faite par la court de Rome en desturbance des eleccions, collacions, ou presentacions susnomes, qe a meisme les temps des voidances, qe tieles reservacions, collacions, et provisions deusent prendre effect qe a meisme la voidance, nostre seignur le roi et ses heirs eient et enjoicent pur cele foitz les collacions as erceveschees, eveschees, et autres dignites electives qe sont de savowerie autieles come ses progenitours avoient avant qe franche eleccion feust graunte, desicome les eleccions feurent primes grantez par les progenitours le roi sur certeines fourme et condicion, come a demander du roi conge de eslir, et puis apres la eleccion daver son assent roial, et ne mye en autre manere ; les queles condicions nyent gardez, la chose doit par reson resortir a sa primere nature. Et qe si dascune meson de religion del avowerie le roi, soit tiele reservacion, collacion, ou provision faite, en destourbance de franche eleccion, eit nostre seignur le roi et ses heirs a cele foitz la collacion a doner cele dignite a persone covenable. Et en cas qe reservacion, collacion, ou provision soit faite a la court de Rome de nule esglise, provende, ou autre benefice qe sont del avowerie des genz de Seinte Esglise, dont le roi est avowe paramount inmediat, qe a mesme le temps de voidance, a quel temps la reservacion, collacion, ou provision deusent prendre effect come desus est dit, qe le roi et ses heirs de ce eient le presentement ou collacion a cele foitz, et issint de temps en temps a totes les foitz qe tieles gentz de Seinte Eglise serront desturbes de lour presentementz ou collacions par tieles reservacions, collacions, ou provisions, come desus est dit; sauvee a eux le droit de lour avowesons et presentementz quant nule collacion ou provision de la court de Rome ent ne soit faite, ou qe les dites gentz de Seinte Eglise osent et vuillent a meismes les benefices presenter ou collacion faire; et lour presentees puissent leffect de lour collacions et presentementz enjoier. Et en meisme la manere eit chescun autre seignur, de quel condicion qil soit, les presentementz ou collacions a les mesons de religion qe sont de sa avowerie, et as benefices de Seinte Eglise qe sont apurtenantz a meismes les mesons; et si tiels avowes ne presentent point a tieles benefices deinz le demy an apres tieles voidances, ne levesque de lieu ne la donne par laps de temps deinz un mois apres le demy an, qe adonqes le roi eit ent les presentementz et collacions, come il ad dautres de savowerie demeisne; et en cas qe les presentes le roi, ou les presentes dautres patrons de Seinte Eglise, ou de lour avowes, ou ceux as queux le roi ou tielx patrons ou avowes susditz averont done benefices apurtenantz a lour presentmentz ou collacions, seient desturbez par tiels provisours, issint qils ne puissent avoir possession de tieles benefices par vertue des presentementz et collacions issint a eux faitz, ou qe ceux qi sont en possessions des tiels benefices soient empesches sur lour dites possessions par tielx provisours, adonqes soient les ditz provisours et lour procuratours, executours, et notaires attaches par lour corps et menes en response; et sils soient convictz, demoergent en prisone sanz estre lesse a meinprise, en baille, ou autrement delivres tanqils averont fait fin et redempcion au roi a sa volente, et gree a la partie qi se sentera greve; et nient meins avant qils soient delivres, facent pleine renunciacion, et troevent sufficeante seurete qils nattempteront tiele chose en temps avenir, ne nul proces sueront par eux, ne par autre, devers nuly en la dite court de Rome, ne nule part aillours, pur nules tieles emprisonementz ou renunciacions, ne nule autre chose dependant de eux. Et en cas qe tielx provisours, procuratours, executures, et notaires ne soient trovez, qe lexigende courge devers eux par due proces; et qe briefs issent de prendre lour corps quel part qils soient trovez, auxibien a la suite le roi come de partie, et qen le mesne temps le roi eit les profitz de tielx benefices issint ocupez par tielx provisours, forspris abbeies, priories, et autres mesons qont college ou covent ; et en tieles mesons eient les covent et colleges les profitz ; sauvant totefoitz a nostre seignur le roi et as autres seignurs lour aunciene droit. Et eit cest estatut lieu autresibien de reservacions, collacions, et provisions faites et grantes en temps passe devers touz ceaux qi ne sont unqore adept corporele possession des benefices a eux grauntes par meismes les reservacions, collacions, et provisions, come devers toux autres en temps avenir ; et doit cest estatut tenir lieu commenceant a les oetaves susditz.

PROCEEDINGS IN THE PARLIAMENT OF 1352

Writs were issued on 15 November, 1351, for a parliament to meet at Westminster on 13 January, 1352 ; its session lasted until 11 February.

65. GRANT OF TAXATION

[*Rot. Parl.*, II, 237-238.]*

9. Et puis apres longe trete et deliberacion eues par les Communes ove la communalte, et lavis dascuns des grantz a eux envoiez, sibien pur un eide qi covendreit a nostre seignur le roi de contreesteer la malice son dit adversair, come sur la fesance des peticions touchantes le commune poeple de la terre, si vindrent les dites Communes devant nostre seignur le roi et touz les grantz en parlement, et moustrerent [how much the common people were impoverished ; nevertheless, considering the necessity . . .] baillerent a nostre seignur le roi en plein parlement une roule contenante sibien leide qils avoient ordeine et uniement dun acord grante a nostre seignur le roi en tante necessite, come les peticions touchantes la commune de la terre ; des quelles peticions ils prieront a nostre seignur le roi bon et hastif respons. [The king conceded their request and thanked them. The roll follows, in which the grant is the first item, followed by petitions.]

66. STATUTE OF TREASONS (25 Edward III, st. 5, c. 2)

[*Stat. R.*, I, 319-320.]*

For discussion see S. Reznec, 'The Early History of the Parliamentary Declaration of Treason', in *E.H.R.*, XLII (1927), 497-513 : and M. V. Clarke, *Fourteenth Century Studies*, ed. L. S. Sutherland and M. McKisack (1937), 115-145.

Auxint purceo qe diverses opinions ount este einz ces heures qeu cas, quant il avient, doit estre dit treson, et en quel cas noun, le roi, a la requeste des seignurs et de la commune, ad fait declarissement qi ensuit, cest assavoir ; quant homme fait compasser ou ymaginer la mort nostre seignur le roi, ma dame, sa compaigne, ou de lour fitz primer et heir ; ou si homme violast la compaigne le roi, ou leisnece fille le roi nient marie, ou la compaigne leisne fitz et heir du roi ; et si homme leve de guerre contre nostre dit seignur le roi en son roialme, ou soit aherdant as enemys nostre seignur le roi en le roialme, donant a eux eid ou confort en son roialme ou par aillours, et de ceo provablement soit atteint de overt faite par gentz de lour condicion ; et si homme contreface les grant ou prive sealx le roi, ou sa monoie, et si homme apport faus monoie en ceste roialme contrefaite a la monoie Dengleterre, sicome la monoie appelle Lucynburgh ou autre semblable a la dite monoie Dengleterre, sachant la monoie estre faus, pur marchander, ou paiement faire en deceit nostre dit seignur le roi et son poeple ; et si homme tuast chanceller, tresorer, ou justice nostre seignur le roi del un Baunk ou del autre, justice en eir et des assises, et toutes autres justices assignez a oier et terminer esteiantz en lours places en fesantz lours offices. Et fait a entendre qen les cases suisnomez doit estre ajugge treson qi sestent a nostre seignur le roi et a sa roial majeste ; et de tiele manere de treson la forfaiture des eschetes appartient a nostre seignur le roi, si bien des terres et tenementz tenuz des autres, come de lui meismes. Et ovesqe ceo il yad autre manere de treson, cest assavoir quant un servant tue son meistre, une femme qi tue son baron, quant homme seculer ou de religion tue son prelat, a qi il doit foi et obedience ; et tiele manere de treson donn forfaiture des eschetes a chescun seignur de son fee propre. Et pur ceo qe plusurs autres cases de semblable treson purront escheer en temps a venir, queux homme ne purra penser ne declarer en present, assentu est qe si autre cas supposee treson qi nest especifie par amount aviegne de novel devant ascunes justices, demoerge la justice saunz aler au juggement de treson, tanqe par devant nostre seignur le roi en son parlement soit le cas moustree et desclarre le quel ceo doit estre ajugge treson ou autre felonie. Et si par cas ascun homme de cest roialme chivache arme, descovert ou secrement, od gentz armees contre ascun autre, pur lui tuer ou derober, ou pur lui prendre et retenir tanqil face fyn ou raunceon pur sa deliverance avoir, nest pas lentent du roi et de son Conseil qe en tiel cas soit ajugge treson, einz soit ajugge felonie ou trespas solonc la lei de la terre auncienement usee, et solonc ceo qe le cas demande. Et si en tieu cas, ou autre semblable devant ces heures, ascune justice eit ajugge treson, et par celle cause les terres et tenementz soient devenuz en la main nostre seignur le roi come forfaitz, eient les chiefs seignurs de fee lours eschetes des tenementz de eux tenuz, le quel qe les tenementz soient en la main nostre seignur le roi, ou en la main des autres, par doun ou en autre manere ; sauvant totefoitz a nostre seignur le roi lan et le wast, et autres forfaitures des chateux qi a lui attenent en les cases suisnomez ; et qe briefs de scire facias vers les terres tenantz soient grantez en tieu cas, saunz autre originale et saunz allower la proteccion nostre seignur le roi en la dite seute ; et qe de les terres qi sont en la main le roi, soit grante brief as viscontes des countees la ou les terres serront de ostier la main le roi saunz outre delaie.

67. STATUTE FOR DUE PROCESS OF LAW (25 Edward III, st. 5, c. 4)

[*Stat. R.*, I, 321.]*

Similar provisions were made later in 28 Edward III, c. 3, and 17 Richard II, c. 6.

Estre ceo, come contenu soit en la grant chartre des franchises Dengleterre qe nul soit pris ne emprisone, ne ouste de son franktenement, ne de ses franchises, ne de ses franches custumes, sil ne soit par lei de la terre, acorde est, assentu, et establi qe nul desore soit pris par petician ou suggestion faite a nostre seignur le roi ou a son Conseill, sil ne soit par enditement ou presentement des bones et loialx du visnee ou tiele fait se face, et en due manere, ou proces fait sur brief original a la commune lei; ne qe nul soit ouste de ses franchises ne de son franktenement sil ne soit mesne duement en respons, et forjugge dyceles par voie de lei; et si rien soit fait al encontre, soit redresse et tenue pur nul.

68. STATUTE RELATING TO MILITARY SERVICE (25 Edward III, st. 5, c. 8)

[*Stat. R.*, I, 321.]*

This statute, and also 1 Edward III, st. 2, c. 5 (above, no. 26), and 18 Edward III, st. 2, c. 7 (above, no. 57), were confirmed by 4 Henry IV, c. 13, which also added the provision that those who hold of the king to do any service in war must do it.

Auxint acorde est et assentu qe nul homme soit arte de trover gentz darmes, hobellers, narchers, autres qe ceux qi tiegnent par tiele service, sil ne soit de commune assent et grant fait en parlement.

69. STATUTE RELATING TO CRIMINOUS CLERKS (25 Edward III, st. 6, c. 4)

[*Stat. R.*, I, 325.]*

For discussion see L. C. Gabel, *Benefit of Clergy in the later Middle Ages* (1929).

Item, come les ditz prelatz eient grevousement pleint, enpriant ent remedie, de ce qe clercs seculers, auxi bien chapelleins come autres, moignes, et autres gentz de religion eient este treinez et penduz par agard des justices seculers, en prejudice des franchises, et depression de jurisdiccion de Seinte Eglise; si est acorde et grante par le roi en son dit parlement qe touz maneres des clercs, auxibien seculers come religiouses, qi serront desore convictz devant les justices seculers pur qecomqes felonies ou tresons touchantes autres persones qe le roi meismes ou sa roiale majeste, eient et enjoient franchement desore privilege de Seinte Eglise, et soient saunz nule empeschement ou delai liverez a les ordinaries eux demandantz. Et pur ce grant le dit ercevesqe [of Canterbury] promist au roi qe sur le punissement et sauve gard de tielx clercs meffesours qi serront ency as ordenares liverez, il enferroit ordenance covenable par la quelle tieux clercs enserreient salvement gardez et duement puniz, ensi qe nul clerc emprendreit mes baudure de ensi meffaire pur defaute de chastiement.

Item, coment qe clercs aresnez de felonie devant justices seculers qi chalengeient leur clergie et feurent demandez par le ordinarie del lieu, eient este sovent avant ces heures remandez a la gaole par les ditz justices, surmettant a eux qe homme ad autre chose a dire devers eux ; nientmeins, pur ce qe commune lei est qe clerc en tieu cas ne doit estre remande a la gaole, mes doit meintenant estre arenee de tout, ou autrement delivres al ordenairie ; acorde est qe cest point soit garde par toutes maneres des justices et jugges seculers par toute nostre roialme.

---

70. A GREAT COUNCIL, 1353

[*Rot. Parl.*, II, 246-253.]*

1. Rotulus ordinacionum apud Westmonasterium in Magno Consilio ibidem sumonito die Lune proximo post festum Sancti Mathei apostoli [23 September] factarum, anno regni Regis Edwardi tercii, videlicet, Anglie vicesimo-septimo, et Francie quintodecimo.

2. Au Lundy proschein apres la feste de Seint Matheu lapostle, lan du regne nostre seignur le Roi Edward le tiercz, cest assavoir, Dengleterre vint septisme, et de Fraunce quaenzisme, si feust un Grant Conseil somons a Westmouster. A queu jour feust crie en la sale de Westmouster qe touz ceux qi y furent venuz au dit Conseil par comandement du roi se deveroient eiser tantqe le Meskerdy preschein suant, et puis de ceo Meskerdy tantqe a Vendredy preschein ensuant, par cause qe plusours des grantz illoeqes somons nestoient pas venuz mes furent en venant. Au queu Vendredy, assemblez en la Chaumbre Blaunche nostre seignur le roi, prelatz, ducs, countes, barons, et les Communes, feust moustre par monsire William de Shareshull, chief justice le roi, la cause de somons du dit Conseil . . . [that the king, with the assent of the prelates and magnates, had made an ordinance concerning the Staple, and wished to have their assent]. Et aussint qe sils veissent riens a adjouster ou damenuser, qils le deussent moustrer en escript. Et sur ceo les Communes demanderent copie des ditz pointz ; quele copie lour feust baillie ; cest assavoir, une as chivalers des countees, et une autre as citezeins et burgeis. Et ils, apres grande deliberacion eue entre eux, moustrerent au Conseil leur avis en escrit ; quele escrit lue et debatue par les grantz, si furent les ordinances de Lestaple faites en la forme qe sensuit.

32. Et le septisme jour Doctobre, seantz nostre seignur le roi, prelatz, et grantz en la Chaumbre Blaunche, furent les Communes appellez, et y fust moustre par monsire Bartholomeu de Burgherssh, chaumberleyn le roi . . . [the need to prepare for war, and they were asked for a grant of the subsidy which had ceased at Michaelmas]. Sur queu priere, eue deliberacion entre les ditz prelatz, graauntz, et Communes, sassenteront unement et granterent au roi le subside des

leines, quirs, et peaux lanuz, a receivre en manere come fust pris devant ces heures . . . [from Michaelmas for one year, and, if war began, for two further years, to be spent only on the war]. De queu grante nostre seignur le roi enmercia les seignurs et Communes. Et adonqes le dites Communes prieront au roi qe lour peticions quelles ils avoient faites touchantes ascunes grevances et aussint profitz de ses Communes, feussent respondues. Queles peticions nostre seignur le roi fist lire et respondre par les prelatz, grantz, et autres de son Conseil illoeqes assemblez, en la manere qensuit.

42. Item, pur ceo qe plusours articles tochantz lestat le roi et commune profit de son roialme sont acordez et assentuz par lui, les prelatz, grantz, et Communes de sa terre a ce Conseil ore tenu, prie la dite Commune qe les articles susditz soient a preschein parlement recitez et entrez en roule de mesme ce parlement ; a tiel entent qe les ordinances et acortes faites en Conseils ne soient de recorde come sils fuissent faitz par commune parlement.

Quant al disme article, il plest au roi qe totes les ordinances faites de Lestaple soient publiez et criez en chescun countee Dengleterre, et en chescun lieu ou les Estaples sont, au fyn qils soient fermement tenues. Et a preschein parlement, pur greindre fermete, eles serront rehercez et mys en roule du parlement.

71. FIRST STATUTE OF PRAEMUNIRE (27 Edward III, st. 1, c. 1), 1353

[*Stat. R.*, I, 329.]*

For discussion see E. G. Graves, 'The Legal Significance of the Statute of Praemunire of 1353', in *Annniversary Essays by Students of C. H. Haskins* (1929), 57-80. Cf. W. T. Waugh, 'The Great Statute of Praemunire', in *E.H.R.*, XXXVII (1922), 173-205, and in *History*, o.s. VIII (1924), 289-292.

Nostre seignur le roi, de lassent et a la priere des grauntz et de la commune de son roialme Dengleterre a son Grant Conseil tenuz a Westmouster le Lundy preschein apres la fest de Seint Matheu Lapostle [23 September], lan de son regne, cest assavoir Dengleterre vintse-ptisme et de France quatorzisme, en amendement de son dit roialme, et pur les leis et usages de son dit roialme meintenir, si ad ordene et establi les choses souzescriptes.

Primerement, purce qe moustree est a nostre dit seignur le roi par grevous et clamous pleintes des grantz et communes avanditz, coment pluseurs gentz sont et ount este traites hors du roialme a respondre des choses dount la conissance appartient a la court nostre seignur le roi ; et aussint qe les juggementz renduz en meisme la court sont empeschez en autri court, en prejudice et desheritson nostre seignur le roi et de sa corone, et de tout le poeple de son dit roialme, et en defesance et anientissement de la commune lei de meisme le roialme usee de tout temps. Sur quoi, eue bone deliberacion od les grantz et autres du dit Conseil, assentu est et acorde par nostre dit seignur le roi et les grantz et communes susditz, qe totes gentz de la ligeance le roi, de quele condicion qils soient, qi trehent nulli hors du roialme en plee dount la conissance appartient a la court le roi, ou des choses dount juggementz sont renduz en la court le roi, ou qi suent en autri court a deffaire ou empescher les juggementz renduz en la court le roi, eient jour contenant lespace de deux mois par garnissement affaire a eux en le lieu ou les possessions sont qi sont en debat, ou aillours ou ils averont terres ou autres possessions, par le viscont ou autre ministre du roi, destre devant le roi et son Conseil, ou en sa Chancellerie, ou devant les justices le roi en ses places del un Baunk ou del autre, ou devant autres justices le roi qi serront a ce deputez, a respondre en lour propre persones au roi du contempt fait en celle partie . . . [and if they do not come they shall be outlawed, forfeit their lands and goods, and be imprisoned].

72. CONFIRMATION OF THE ORDINANCES OF A GREAT COUNCIL, 1354

[*Rot. Parl.*, II, 254 and 257.]

Writs were issued on 15 March, 1354, for a parliament to meet at Westminster on 28 April; its session lasted until 20 May.

1. [On 30 April, it was explained that laws and ordinances for the government of the Staple had been agreed in a Great Council in September, 1353] . . . Et puis ele fuist crie par touz les roialme et terres de le tenir en touz pointz, solonc leffect de les ordinances avant dites. Et pur ceo qe nostre seignur le roi et les autres, si bien grantz come communes qi lors estoient au dit Conseil, verroient qe la dite Estaple se tendroit et durroit perpetuelment es roialme et terres avant ditz, si ad mesme nostre seignur fait somondre son parlement a ce jour de Lunedy aufyn qe les ordinances de la dite Estaple soient recites en meisme le parlement, et si rien soit a adjouster qil soit ajouste, et soit a durer perpetuelment come estatut en parlement. . . .

16. Et si prierent les dites Communes en cest parlement qe les ordinances de Lestaple et totes les autres ordinances faites au darrein Conseil tenuz a Westmouster le Lundy apres la feste de Seint Matheu Lapostle darrein passez [23 September], queles ils avoient veu ove bone deliberation et avisement, et queles lour semblerent bones et profitables pur nostre seignur le roi et tut son poeple, soient affermez en cest parlement, et tenuz pur estatut a durer pur touz jours. A quele priere le roi et touz les grantz sacordent unement, issint totes foitz qe si rien soit ajouster, soit ajouste, ou qe rien soit a ouster, soit ouste en parlement, quele heure qe mestier en serra, et nemye en autre manere.

73. JUDICIAL OPINION ON THE REPEAL AND CHANGING OF A STATUTE, 1355

[*P.R.O., Chancery, Parliament and Council Proceedings*, 67/5; printed by H. G. Richardson and G. O. Sayles in *L.Q.R.*, L (1934), 555.]

For discussion of the circumstances out of which this question arose, and for a further document, see B. Wilkinson, 'A Letter of Edward III to his Chancellor and Treasurer', in *E.H.R.*, XLII (1927), 248-251.

Auys est a touz les iustices nostre seignur le roi del vn baunk et del autre et a touz les barouns del eschekere et a touz les sergeauntz nostre seignur le roi qe les temporaltez le euesqe Dely ne sount pas a seiser a ore en la mayn nostre seignur le roi, pur ceo qe il y aueit vn estatut fait en temps nostre seignur le roi qore est, cest a sauoir a soun parlement tenuz a Westmouster lan de soun regne quatoszisme [*sic*], en quel estatut expressement est contenuz qe nostre seignur le roi ne fra seiser les temporaltez de erceuesqes, euesqes, abbes, priours ne de autres quecumqes, saunz verrez et iouste cause solonc ley de la terre et iugement sur cele done, et deuers le dit evesqe Dely nul iugement fuyst rendu en parlement de ceo qil countredit les paroles queux nostre seignur le roi ly surmyt en le dit parlement, par qi a seisir ses temporaltees en ceo cas serroit expressement encountre le dit estatut, lequel estatut ne peust estre defait ne chaunge sanz parlement. [Endorsement] : Lauis de iustices tochant leuesqe Dely.

74. STATUTE FOR A COURT TO HEAR ERRORS IN THE EXCHEQUER (31 Edward III, st. 1, c. 12), 1357

[*Stat. R.*, I, 351-352.]*

For some discussion see M. Hemmant, *Select Cases in the Exchequer Chamber before all the Justices of England*, Selden Soc., LI (1933), vol. I, xii.

Item, acorde est et establi qe en touz cas touchauntz le roi ou autres persones ou homme se pleinte derrour fait en proces en Lescheqier, les chaunceller et tresorer facent venir devant eux en ascune chambre du Conseil joust Lescheqier le record du proces hors de Lescheqier, et prises a eux justices et autres sages, tieux come lour semblera qe sont aprendre ; et facent auxint appeller devant eux les barons de Lescheqier pur oier lour informacions et les causes de lour juggement, et sur ceo facent duement examiner la busoigne ; et si ascun errour ysoit trove, le facent corriger, et amendre les roules, et puis reenvoier les en Lescheqier pur faire ent execucion sicome appartient.

75. STATUTE FOR JUSTICES OF THE PEACE (34 Edward III, c. 1), 1361

[*Stat. R.*, I, 364-365.]*

For references see no. 28 above. See also C. G. Crump and C. Johnson, 'The Powers of the Justices of the Peace', in *E.H.R.*, XXVII (1912), pp. 226-238.

Primerement, qe en chescun countee Dengleterre soient assignez pur la garde de la pees, un seignur, et ovesqe lui trois ou quatre des meultz vauez du countee, ensemblement ove ascuns sages de la ley, et eient poer de restreindre les mesfesours, riotours, et touz autres barettours, et de les pursuir, arester, prendre, chastier, selonc leur trespas ou mesprision ; et de faire emprisoner, et duement punir selonc la ley et custumes du roialme, et selonc ce qils verront mieltz affaire par lour discrescions et bon avisement ; et auxint de eux enformer et denquere de touz ceux qi ont este pilours et robeours es parties de dela, et sont ore revenuz et vont vagantz, et ne voillent travailler come ils soleient avant ces hours ; et de prendre et arester touz ceux qils purront trover par enditement, ou par suspecion, et les mettre en prisone ; et de prendre de touz ceux qi sont de bone fame, ou ils serront trovez, souffisant seurete et meinprise de lour bon port devers le roi et son poeple, et les autres duement punir ; au fin qe le people ne soit par tieux riotours troble, nendamage, ne la pees enblemy, ne marchantz nautres passantz par les hautes chemyns du roialme destourbez ne abaiez du peril qe purra avenir de tieux meffesours ; et auxint doier et terminer a la suite le roi tote manere de felonies et trespas faites en meisme le countee selonc les leys et custumes avantdites ; et qe briefs doier et terminer soient grantes selonc les estatutz ent faites, mes qe les justices qi enserront assignez soient nomez par la court, et nemie par la partie. Et le roi voet qe totes generales enquerres avant ces heures grantez deinz seignuries queconqes, pur les meschiefs et oppressions qe ont este faites au poeple par tieles enquerres, cessent outriement et soient repellez ; et qe fins qe sont affaire devant justices pur trespas fait par ascune persone soient resonables et justes, eant regard au quantite du trespas et les causes pur queles eles sont faites.

PROCEEDINGS IN THE PARLIAMENT OF 1362

Writs were issued on 14 August, 1362, for a parliament to meet at Westminster on 13 October ; its session lasted until 17 November.

76. GRANT OF A SUBSIDY AFTER RESPONSE TO PETITIONS, 13 NOVEMBER

[*Rot. Parl.*, II, 273.]*

35. Et issint le parlement continue de jour en autre sur tretee de diverses choses tanqe Dismaigne, le xiiime jour de Novembre. Au quel jour, esteantz nostre seignur le roi, prelatz, contes, barons, et les Communes en la Chambre Blanche, les peticions qe la Commune avoit bailliez a nostre seignur le roi lues, et les respons donez, les ditz grantz et Communes granteront dun assent a nostre dit seignur le roi un subside de leines, quirs, et pealx lanutz, qi serront menez hors du roialme . . . [for three years at specified rates].

77. STATUTE REGULATING PURVEYANCE (36 Edward III, st. I, c. 2)

[*Stat. R.*, I, 371-372.]*

Item, pur la grevouse pleinte qad este fait des purveours des vitailles del Hostel le roi, la roigne, et lour eisne filz, et des autres seignurs et dames du realme, le roi, de sa propre volente, sanz mocion des grauntz ou communes, ad graunte et ordene en ease du son poeple, qe desore nul homme du dit realme eit prise fors soulement lui mesmes et la roigne, sa compaigne ; et outre, del assent avandit, est ordeigne et establi qe sur tieux purveances desore affaire pur les Hosteulx le roi et la roigne soit prest paiement fait en poigne, cestassavoir, le pris pur quel autiels vittailles sont venduz communement en marchees environ ; et qe le heignous noun de purveour soit chaunge et nome achatour ; et si le chatour ne purra bonement acorder ove le vendour de ce qe il enbusoignera, adonqes les prises qe se ferront pur les ditz deux Hostelx soient faites par veue et tesmoignance et appreciacion des seignurs, ou lour baillfs, conestables, et quatre prodeshommes de chescune ville, et ce par endenture affaire entre les achatours et les ditz seignurs, ou baillifs, conestables, et quatre hommes, contenante la quantite de la prise et le pris, et des queux persones ; et qe les prises soient faites en covenable et ease manere, sanz duresce, reddour, manaces, ou autre vilenie ; et qe les prises et achatz soient faitz es lieux et places ou greindre plentee yad, et ce en temps covenable ; et qe plus ne soit pris qe ne busoigne en sa sesone pur les ditz deux Hosteulx ; et qe le noumbre des achatours soit amenuse en taunt come homme purra bonement ; et qe tieux soient achatours qi soient sufficiantz de respondre au roi et au poeple, et qe nul de eux eit depute ; et qe les commissions soient ensealees du grant seal, et chescun demy an restitutz en la Chancellerie et autres de novel faites ; et qe en les dites commissions soit comprise toute la matere et manere de lour prise et achatz, et qe mesmes les commissions soient faites sur la fin du dit parlement, et adonqes toutes les autres commissions des purveours devant faites de tout repellez . . . [further provisions for carriage, etc. follow] et si nul achatour apres les novelles commissions faites, face ascunes prises ou achatz ou pernour de cariage en autre manere qe nest compris en lour dites commissions, eit punissement de vie et de membre come en autres estatutz est ordene des purveours.

[Further clauses provide punishments for purveyors who take bribes, and for local commissions to enquire into the work of purveyors, etc.]

78. STATUTE REQUIRING THE ASSENT OF PARLIAMENT FOR A SUBSIDY ON WOOL (36 Edward III, st. 1, c. 11)

[*Stat. R.*, I, 374.]*

Item, le roi del assent avandit, eant regard al grant subside qe les Communes lui ont grantez ore en cest parlement des leines, quirs, et peaulx lanuz, a prendre par trois auns, voet et grante qapres le dit terme passe rien ne soit pris ne demande des ditz Communes, fors soulement launciene custume de demy marc ; ne qe cest grante ore faite, ou qad este faite devant ces heures, ne soit tret en ensaumple ne charge du dite Commune en temps avener ; et qe les marchantz deinzeins puissent passer ove lour leines siavant come les foreins, sanz estre restreintz ; et qe nul subside nautre charge soit mis ne grante sur les leines par les marchantz ne par nul autre desore enavant sanz assent de parlement.

79. STATUTE FOR PLEADINGS TO BE MADE IN ENGLISH (36 Edward III, st. 1, c. 15)

[*Stat. R.*, 1, 375-376.]*

Item, pur ce qe moustre est soventfoitz au roi par prelatz, ducs, counts, barons, et tout la commune, les grantz meschiefs qe sont advenuz as plusours du realme de ce qe les leyes, custumes, et estatutz du dit realme ne sont pas conuz communement en mesme le realme par cause qils sont pledez, moustrez, et juggez en la lange Franceis, quest trop desconue en dit realme ; issint qe les gentz qi pledent ou sont empledez en les courtz le roi, et les courtz dautres, nont entendement ne conissance de ce qest dit pur eulx ne contre eulx par lour sergeantz et autres pledours. Et qe resonablement les dites leyes et custumes serront le plus tost apris et conuz et mieultz entenduz en la lange usee en dit realme, et par tant chescun du dit realme se purroit mieultz governer sanz faire offense a la leye, et le mieultz garder, sauver, et defender ses heritages et possessions. Et en diverses regions et paiis ou le roi, les nobles, et autres du dit realme ont este, est bon governement et plein droit fait a chescun par cause qe lour leyes et custumes sont apris et usez en la lange du paiis. Le roi, desirant le bon governement et tranqillite de son poeple, et de ouster et eschure les maulx et meschiefs qe sont advenuz et purront avener en ceste partie, ad par les causes susdites ordeigne et establi del assent avantdit qe toutes plees qe serront a pleder en ses courtz queconqes, devant ses justices queconqes, ou en ses autres places, ou devant ses autres ministres qeconqes, ou en les courtz et places des autres seignurs queconqes deinz le realme, soient pledez, moustretz, defenduz, responduz, debatuz, et juggez en la lange Engleise. Et qils soient entreez et enroullez en Latin ; et qe les leyes et custumes du dit realme, termes, et processes soient tenuz et gardez come ils sont et ont este avant ces heures ; et qe par les aunciens termes et formes de counter nul homme soit perdant, issint qe la matire del accion soit pleinement moustre en la demonstrance et en le brief ; et est acorde del assent avantdit qe cestes ordeignances et estatutz de pleder comenceent et tiegnent lieu al quinzeine Seint Hiller prochein avenir.

---

80. FINANCIAL ESTIMATES, 1362–1363

(*a*) A National Balance Sheet.

[*P.R.O.*, Exchequer Accounts, E 101/394/17, m. 1, printed by T. F. Tout and Dorothy M. Broome in 'A National Balance Sheet for 1362–

1363, with documents subsidiary thereto', in *E.H.R.*, XXXIX (1924), 412-413.]

Les reuenues et despens nostre seignour
le roi en lan xxxvij[me]

Viscountez, fermes et aultres reuenuez Dengleterre, par lescheqer amountent par an	9687. marz. 5s. 5d.
dount assignez en gages et fees	5552. marz. 8s. 4d.
Et remeignent au roi de cler	3984. marz. 10s. 5d.[1]
Item les custumes et subsides de leynes en touz les portz Dengleterre amontent par an	57,310. marz.
dount sont assignez	10,400. marz.
Et remeignent au roi de cler	46,910. marz.
Le hanaper en la chauncellerie amont par an	3400. marz.
dount assignez au Chaunceller et aultres	1000. marz.
Et remeynt au roi de cler	2400. marz.
La somme totale qe remeynt	53,294. marz. 10s. 5d.[1]
Les despensez del an passe amountent	136,190. marz. 12s. 2d.[1]
dount pur la chaumbre	10,000. marz.
pur lostiell' et garderobe	40,000. marz.
pur les ouereignez et plomb	25,000. marz.
pur Gascoigne et Irland'	22,500. marz.
feoz grantez par patentz	9675. marz.
pur Caleys et aultres chastel'	6035. marz.
pur gages de gerre, vitaillez, gagez de peez et robes par billes	8365. marz.
Et issint amounte la summe des paiementz outre la summe receu	82,896. marz. 1s. 9d.[1]

Et fait remembrer leschaunge de la tour nest forsqe de petit value cest an par cause de Caleys.

(*b*) Estimates of Expenditure

[*P.R.O.*, Exchequer, K.R.—Accounts Various, E.101/394/17, m.2, printed *ibid.*, 413-415. The text printed here is from membrane 2, but there are three other texts with slight variations, all of which are noted in the footnotes *loc. cit.*]

La remembrance de les despens nostre seignour le roi, del fest de seint Michel, lan xxxvij[e], tanqe a mesme le fest prochein ensuant, par vn an entier.

[1] For discussion of the apparently arithmetical errors in these amounts see T. F. Tout and Dorothy M. Broome, *loc. cit.*

	cestassauoire.		
A nostre seignour le roi pur sa chaumbre	10,000. marz.		
A ma dame la roigne de ceo qele prent a lescheqer	£1,756.	19s.	2d.
Pur despens del hostiel le roi	£11,994.	0.	7d.
Pur la graunde garderobe	£8,000., dount pur la liuere £2,000.		
Pur loffice de la botillarie £6,700, dont { 10. pipes de vyn douce. 800. tonelx de vyn de Gascoigne. 12. pipes de vyn de Ryne.			
Pur les oureigne le roi et acat de plomb	£14,312.	19s.	
Pur le prince et le conte de Warr' vers Gascoigne pur lour longe demure en Engleterre	£2,662.	6.	8d.
Pur gages de guerre vers Irland'	£7,504.	12.	10d.
Pur gages des mariners et seriantz darmes pur le viage le prince et vers Irland'	£4,091.	2.	4d.
Pur Caleys, Douorre, Berewyk', Rokesburgh' et autres chasteux le roi	£4,023.	6.	8d.
Pur feez et gages grauntez par patentes as diuerses gentz as termes de lour vies	£6,450.	5.	5½d.
Pur feez des justices, barons et autres ministres	£1,761.	5s.	
Pur messageries vers la court, et aillours pardela et vers Caleys pur les houstages	£1,751.	6.	7d.
Pur gages de guerre, vitailles, gages et robes par billes, Buk', Walton', Farle, Feriby et Neubiry	£5,594.	10.	3d.
Pur freres et autre aumoignerye	£497.	7.	8d.
Pur le countc de Cantebr', le conte de Pembr' et la duchesse de Bretaigne	£316.	6.	8d.
Pur douns as estraunges et denzeins	£866.	17.	4d.
Pur vessel dargent, terres et ioialz achatez	£4,068.	13.	11d.
Pur prisoners nadgaires achatez al oeps le roi	£600.		
Pur destrers et autres chiuaux achatez	£690.		
Pur dettes la roigne Descoce	£280.	13.	4d.
Comme messagerie, acat de parchemyn, et autres menuz paiementz	£204.	12.	½d.
Item sont assignez par patentz apprendre annuclment des issues des custumes et subsides	£6,300.		
Item, sont paiez pur deniers appromtez deuant le temps susdit	£1,835.	12s.	
La summe totale	£98,929.	10.	10d.
Et fait aremembrer qe les custumes Dengleterre amontont par lan susdit entour	£38,000.		
Item, viscounteez, fermes, le haniper, les eschaunges et touz autres reuenues Dengleterre en lescheqer amontont en mesme lan par eyme, outre les assignementz faitz par patentes de la chauncellerie de les ditz reuenues, et gages des venours et fauconers	£4,254.	13.	4d.
La somme	£42,254.	13.	4d.

Et issint les despens passont la receite en lan susdit par £56,674. 17. 6d.

qe sont receuz et paiez de les raunceons de Fraunce et de Burgoyne et les reuenues de Pountyf' et Caleys.

Item les gages des venours, fauconers, puture des faucons et chiens assignez sur mesmes les countees

Item des fermes, wardes, et mariages assignez a ma dame la roigne, ma dame Isabelle et autres seignours et chiualers

PROCEEDINGS IN THE PARLIAMENT OF 1363

Writs were issued on 1 June, 1363, for a parliament to meet at Westminster on 6 October; its session lasted until 30 October, and, with prorogations, until 13 November.

81. ENACTMENT BY ORDINANCE OR STATUTE

[*Rot. Parl.*, II, 280.]*

38. Et issint le parlement continue sur tretee de divers choses touchantz sibien les peticions bailliez par les Communes et autres singulers persons come les busoignes du roi et son roialme, tanqe a Venderdi, le tiercz jour de Novembre; au quel jour le roi, prelatz, ducs, countes, barons, et Communes esteantz en la Chambre Blanche, et les peticions des Communes et les respons sur elles faitz luees, le chanceller, du commandement le roi, moustra a les grantz et Communes qe la volunte le roi est de tenir et garder lordinance fait dapparaill. Et par tant charga les ditz grantz et Communes illoeqes esteantz, qils, et chescun de eux, tiegnent et facent tenir et garder mesme lordinance dapparaill, saunz attempter ou faire au contraire en nul point. Et qe les Communes a lour venue en paiis ils se facent moustrer et publier au poeple, au fin qe chescun se guye et face sa menee et servantz user en apparaill solonc la fourme de mesme lordinance. Et ovesqe ce, dit as ditz grantz et Communes coment les choses acordez en ce parlement sont novels et nounpas veues avant ces heures.

39. Et par tant demanda de eux sils voleient avoir les choses issint acordez mys par voie de ordinance ou destatuyt? Qi disoient qe bon est mettre les choses par voie dordinance et nemye par estatut, au fin qe si rien soit de amender puisse estre amende a preschein parlement, et issint est fait.

82. STATUTE FOR DUE PROCESS OF LAW (37 Edward III, c. 18)

[*Stat. R.*, I, 382.]*

Item, coment qen la Grande Chartre soit contenuz qe null homme soit pris ou emprisonez, ne oustez de son franctenement, sanz processe de ley ; nientmeyns plusours gentz font faux suggestions au roi mesmes, sibien par malice come en autre manere, dont le roi est sovent trop grevez, et plusours du roialme mys en grant daunger et pert, contre la forme de mesme la Chartre. Par qoi est ordeigne qe touz ceux qi font tiels suggestions soient mandez ove les ditz suggestions devant le chaunceller, tresorer, et son Grant Conseil ; et qe illeoqes ils troevent seurte a pursuire lour suggestions, et dencourer mesme la peyne qe lautre avereit sil fut atteint, encas qe sa suggestion soit trove malveys ; et qe adonqes proces de ley soit fait devers eux sanz estre pris ou emprisonez contre la fourme de la dite Chartre et autres estatuz.

---

83. ABOLITION OF PAPAL TRIBUTE, 1366

[*Rot. Parl.*, II, 290.]†

Writs were issued on 20 January, 1366, for a parliament to meet at Westminster on 4 May ; its session lasted until 11 May.

8. En ce present parlement tenuz a Westmouster, Lundy preschein apres la Invencion de la Seint Croice [4 May] ; lan du regne le Roi Edward quarantisme, tant sur lestat de Seint Esglise, quant des droits de son roialme et de sa corone meinteinir, entre autres choses estoient moustrez coment ad este parlee et dit qe le pape, par force dune fait quele il dit qe le Roi Johan, jadys roi Dengleterre, fesoit au pape au perpetuite de lui faire homage pur le roialme Dengleterre et la terre de Irlande, et par cause du dite homage de lui rendre un annuel cens, ad este en volunte de faire proces devers le roi pur les ditz services et cens recoverir ; la quele chose moustree as prelatz, ducs, countes, barons, et la Commune, pur ent avoir lour avys et bon conseil, et demandee de eux ce qe le roi enferra en cas qe le pape vorroit proceder ou rien attempter devers lui ou son roialme par celle cause. Queux prelatz, ducs, countes, barons, et Communes, eu sur ce plein deliberacion, responderent et disoient dune accorde qe le dit Roi Johan ne nul autre purra mettre lui ne son roialme ne son poeple en tiele subjeccion saunz assent de eux, et come piert par plusours evidences qe si ce feust fait, ce feust fait saunz lour assent et encontre son serement en sa coronacion.

Et outre ce, les ducs, countes, barons, grantz, et Communes accorderent et granterent qe en cas qe le pape se afforceroit ou rien attempteroit, par proces ou en autre manere de fait de constreindre le roi ou ses subgitz de perfaire ce qest dit qil voet clamer celle partie, qils resistront et contreesterront ove toute leur peussance.

PROCEEDINGS IN THE PARLIAMENT OF 1368

Writs were issued on 24 February, 1368, for a parliament to meet at Westminster on 1 May ; its session lasted until 21 May.

84. STATUTE FOR DUE PROCESS OF LAW (42 Edward III, c. 3)

[*Stat. R.*, I, 388.]*

Item, a la requeste de la Commune par leur peticion mis avant en ce parlement, pur ouster meschiefs et damages faitz as pluseurs de sa dite commune par faux accusours, qi sovent ont fait leur accusementz plus pur vengeance et singulere profit qe pur profit du roi ou de son poeple, queux accusez ont este aucuns pris, et autres faitz venir devant le Conseil le roi par brief et autrement, sur greve peine, et encontre la leye, est assentu et accorde pur le bone governement de la commune, qe nul homme soit mis arespondre sanz presentement devant justices, ou chose de record, ou par due processe et brief original, solonc launcien leye de la terre ; et si rien desore enavant soit fait alencontre, soit voide en leye et tenuz pur errour.

85. STATUTE FOR JUSTICES OF THE PEACE (42 Edward III, c. 6)

[*Stat. R.*, I, 388.]*
For references see no. 28 above.

Item, est accorde et assentu qe lestatut et ordenance faitz de laborers et artificers soient tenuz et gardez, et duement executz ; et sur ycels soient commissions faites as justices de la pees en chescun contee doier et terminer les pointz du dit estatut, et de agarder damages al suite de partie solonc la quantite de trespas.

PROCEEDINGS IN THE PARLIAMENT OF 1371

Writs were issued on 8 January, 1371, for a parliament to meet at Westminster on 24 February ; its session lasted until 29 March.

86. GRANT OF A PARISH TAX

[*Rot. Parl.*, II, 303-304.]*

6. Et puis sur les causes a devant proposes, et plusours voies de eide touchez, tretez, parlez, et debatuz parentre les grantz et Communes, eu consideracion as grantz custages et despens qe le roi covient faire et mettre par les causes susdites, mesmes les grantz et Communes, le xxviii jour de Marcz, granteront au roi un subside de cynquant mille livres a prendre et levir en la fourme qensuyt, cestassavoir, de chescun paroche parmy la terre, un plus autre meyns, xxii s. iii d., issint qe chescune paroche de greindre value soit eidant ratement a une autre paroche de meindre value ; et qe endentures soient touz jours faites sur la coillet parentre les coillours et les parochiens de chescune paroche continant la summe coille.

10. Et puis au Grant Conseil somons et tenuz a Wyncestre as oettaves de la Trinite [8 June] prochein ensuant, fust moustre par le

chaunceller as grantz et Communes illeoqes assemblez coment le grant de xxii s. iii d. qils avoient fait a roi de chescune paroche Dengleterre ne se poait extendre ne suffire de paier la summe de cynquant mille livres grantez au roi par eux en parlement, pur tant qil ny ad tantz des paroches en la terre come ils supposeient, et ce poent ils veer et conustre par les certificacions des touz les ercevesqes, evesqes, et viscontz de toute la terre Dengleterre, faites et retournez en Chauncellerie par garant et comandement du roi.

11. [After examining these certificates, and after lengthy discussion, the grant was increased to 116s. from each parish, with certain exceptions].

13. Et puis les peticions qe nestoient responduz en dit parlement, illeoqes responduz et luez devant le roi, grantz, et Communes, le roi dona conge as ditz grantz et Communes a departir. Et issint finy cel Conseil.

87. PETITION FOR THE APPOINTMENT OF LAY OFFICERS

[*Rot. Parl.*, II, 304.]*

15. Et purce qe en cest present parlement fu moustre a nostre seignur le roi par touz les contes, barons, et communes Dengleterre qe la gouvernement du roialme ad longement este faite par gentz de Seinte Esglise queux ne sont mye justiciables en touz cas, parount grantz meschiefs et damages sont ent avenuz en temps passe et plus purront escheir en temps avenir, en deseritesoun de la coroune, et grant prejudice du dit roialme, par diverses causes qe len purroit declarer, qe plese a nostre dit seignur le roi qe lays gentz de mesme le roialme sufficeauns et ables de estat a ce esluz et nulles autres persones soient desore enavant faitz chanceller, tresorier, clerk du prive seal, barouns del Escheqer, chamberleyns del Escheqer, countrerolour, et touz autres grantz officers et governours du dit roialme; et qe cest chose soit ore en tiel manere establi en la fourme suisdite qe par nulle voie ore soit defait, ne riens faite au contrarie en nul temps avener, sauvant toutdys al roi nostre seignur le eleccion et le remuer de tieux officers, mais qe toutes voies ils soient gentz lays tieux come desus est dit.

Responsio. Le roi ordeinera surceo point sicome lui semblera meltz par avis de son bon conseil.

88. STATUTE REQUIRING THE ASSENT OF PARLIAMENT FOR THE GRANT OF A SUBSIDY ON WOOL (45 Edward III, c. 4)

[*Stat. R.*, I, 393.]*

Item, est accorde et establi qe nul imposicion ou charge soit mys sur les leines, pealz lanuz, ou quirs, autre qe la custume et subside grantez au roi, nulle part saunz assent du parlement; et si nul soit mys, soit repelle et tenuz pur nul.

PROCEEDINGS IN THE PARLIAMENT OF 1372

Writs were issued on 1 September, 1372, for a parliament to meet at Westminster on 13 October; writs of *supersedeas* were issued on 6 October postponing the meeting until 3 November; its session lasted until 24 November.

89. ORDINANCE FORBIDDING THE ELECTION OF SHERIFFS AND CERTAIN LAWYERS AS KNIGHTS OF THE SHIRES

[*Rot. Parl.*, II, 310.]*

13. Les peticions queles les Communes avoient mis en parlement et les respons sur eles donez furont luez, et auxi une ordenance faite en mesme le parlement en manere qensuyt. Purce qe gentz de ley qi pursuent diverses busoignes en les courts le roi pur singulers persones ove queux ils sont procurent, et font mettre plusours peticions en parlementz en noun des Communes qe rien lour touche, mes soulement les singulers persones ove queux ils sont demorez; auxint viscontz qi sont communes ministres au poeple et deivent demurer sur lour office pur droit faire a chescuny, sont nomez et ont este devant ces heures et retournez en parlamentz chivalers des countees par mesmes les viscontz; est acorde et assentu en cest parlement qe desormes null homme de ley pursuant busoignes en la court le roi, ne viscont pur le temps qil est viscont, soient retournez ne acceptez chivalers des countees, ne qe ces qi sont gentz de ley et viscontz ore retournez en parlement eient gages. Mes voet le roi qe chivalers et serjantz des meulz vanes du paies soient retournez desore chivalers en parlementz, et qils soient esluz en plein countee.

90. GRANT OF A SUBSIDY BY THE CITIZENS AND BURGESSES IN PARLIAMENT

[*Rot. Parl.*, II, 310.]*

14. Et apres ce, conge done as chivalers des countees a departir et de suer lour briefs pur lour despenses. Et issint departirent ils.

15. Mes comande feust as citezeins et burgois qestoient venuz au dit parlement qils demurassent par ascuns causes; queux citezeins et burgois mesme le jour [23 November], apres assemblez devant le prince et autres prelatz et grantz en une chambre pres la Blanche Chambre, feust moustre a eux, coment lan passe estoit grante par un certein terme pur le sauf et seure conduement des niefs et merchandises venantz en ceste terre par meer, et passant dycelle, un subside, cestassavoir, de chescun tonell de vyn venant en ceste terre deus soldz, et de chescun livre de qeconqe merchandie qe ce feust venant ou passant vi d., quel terme est ja passe. Qe ils voloient avoir consideracion as perils et meschiefs qi poent avenir a lour niefs et merchandises par les enemys sur la meer, granter un au tiel subside a durer par un an pur

les causes suisdites. Quel subside ils granteront au roi a prendre et lever en manere come estoit pris et leve lan darein passe. Et issint departiront.

---

91. THE COMMONS CONSULT THE LORDS, 1373

[*Rot. Parl.*, II, 316.]*

Writs were issued on 4 October, 1373, for a parliament to meet at Westminster on 21 November; its session lasted until 10 December.

5. Au quel jour [23 November] vindrent ascons des Communes en noun de touz en mesme la Chambre Blanche, et prierent as seignurs illeoqes esteantz qils purroient avoir ascons evesqes, contes, et barons ove queux ils purroient treter, parler, et debatre pur le meulz faire issue et exploit sur la matire qe lour estoit enjoynt; et demanderont les evesqes de Londres, de Wyncestre, et de Baa et Welles; et les counts Darundell, March, et Salesbirs; monsire Guy Brian, et monsire Henry le Scrop; queux estoit accorde daler a les Communes et treter ovesqes eux sur les dites pointz et causes en la chambre le chamberlein. Et issint en deliberacion entre les ditz grantz et Communes sur les causes avantnomez tanqe Mardy en la veille de Seint Andreu [29 November].

PROCEEDINGS IN THE GOOD PARLIAMENT, 1376

Writs were issued on 28 December, 1375, for a parliament to meet at Westminster on 12 February, 1376; writs of *supersedeas* were issued 20 January postponing the parliament until 28 April; its session lasted until 10 July.

92. ACCORDING TO THE ANONIMALLE CHRONICLE

[*The Anonimalle Chronicle, 1333 to 1381*, ed. V. H. Galbraith (1927), 79-94.]

The Anonimalle Chronicle survives in a manuscript written for St. Mary's Abbey, York. The portion from 1376 onwards has a contemporary value, though in its extant form it was probably written by two scribes at a date between 1396 and 1399. See also A. Steel, *Richard II* (1941), Appendix, 292-295.

Lan mille CCCLXXVI le roy Edwarde le tierc tenist soun parlement a Loundres et tiel parlement ne fuist unqes oye avaunt ne si longement enduraunt, qare il comenca le Lundy [28 April] en le tierc symaigne apres le Pasche et endurra tanqe la translacion de seint Benett [11 July], cest assavoir par x semaignes entiercz. En quel parlement furount assemblez le roy Dengleterre, le prince de Gales, monsire Johan de Gaunt duk de Loncastre, monsire Edmonde de Langeley count de Caunterbrige, monsire Thomas de Wodestok count de Bugyngham et fitz al tresnoble Roy Dengleterre, et deux ercevesqes et xiiii evesqes et plusours abbes et priours et les countes de la Marche, de Arundale, de Salesbury, de Warwyk, de Southfolk, de Stafford et toutz les barones et baneretes de valew de la terre et cciiii^{xx} chivalers et esquiers et citisayns et burgeis pur la communealte de diverses cites et burghes et countees.

Et le Lundy avauntdit en comencement de la parlement, en presence de nostre seignur le roy et les seignurs et communes avauntditz, furount pronunciez les poyntes et articles usueles de le Parlement par monsire Johan Knyvet, adonqes chaunceler de Engleterre, entre queux coment la roialme Dengleterre fuist en perile et en poynt par les adversers de Frauns, Despayne, de Gascoigne, de Flaundrez, Descotes et des autres naciones destre destruyt par terre et par mere; par qay le dit sire Johan pria depart le roi daide et de socour encontre ses enemys et qils vodrount bonement graunter une disme de le clergie et une quinzime et de les lais, et le custome de les layns et des autres marchandis pur une an ou pur deux pur la guerre mayntener. Et de ceo les seignours et communes pristerent avysement de lour respouns come la ley demaunde. Et en mesme celle temps au fyne de la pronunciacione le dite sire Johan Knyvet chaunceller comanda depart le roy a les chivalers et burgeis et al communes de les countes, sur lour ligeaunz et sur payn de forfeture, qe si ascune poynt soit a redrescer ou a mender deinz la dite roialme, ou le dit roialme soit malement rewle et governe ou enginousement conseile, qils par lour bone avyse et conseil, ordinerent remedy en quaunt qils purrount coment la roialme purroit plus profitablement estre governe al honour le roy et profite al roialme. Et issi finist le primer iour. Et le roy departist devers sa chambre et les autres seignurs et communes devers lour hostelle.

Et le secunde iour apres [30 April], les erchevesqes et evesqes et countz et barouns assemblerent et pristerent lour places pur treter et lour conseil prendre en la blaunk chambre deinz le palais le roy. Et fuist assigne a les chivalers et communes le chapiter del abbeye de Wymouster, en quel ils purrount lour conseil privement prendre saunz destourbaunce ou fatigacion des autres gentz. Et en le dit secunde iour toutz les chivalers et communes avauntditz assemblerent et entrerent en chapiter et ses assistrerent en viroune, chescune pres de autre; et comenceroune de parlere de lour mater de les poyntes de le parlement, disoyunt qe bone serroit al comencement destre iurrez chescune a autre de tener conseil ceo qe fuist parle et ordine entre eux et loialment treter et ordiner pur profit de la roialme saunz conselement; et a cestez choses parfourner toutz unement assenterent et firent bone serement pur estre loialles chescune a autre. Et donqes une de eux dist qe si ascune de nous sciet ascune chose dire pur profit del roy et roialme qe bone serroit de moustrer soun sceue parentre nous, et apres, une apres autre ceo qe lour gist au coer.

Denapres une chivaler del south pais leva suse et ala a la lectrone en my lieu le chapiter qe toutz purrount oier, et enpellaunt sur le dit lectrone comenca a dire en cest maner: "Jube domine benedicere et cet. Seignours, vous avez entenduz les poyntes del Parlement queux sount grevous, coment nostre seignur le roy ad demaunde de la clergie et de les communes une disme et une quinszime et les custumes de les layns et des autres marchandys pur une an ou deux et come me est avyse il est fort a graunter qare les communes sount si feblez et poveres par diverses taliages et taxes quels ils ount devaunt ces iours paie qils ne purrount tiel charge porter ne a cest fotz paier, et dautrepart toute qe nous avoms done a la guerre par longe tenps avoms perdeu par enchesone qe malement ad este degaste et fausement despendew ; et purceo bone serroit de conseiler coment nostre seignur le roy poet vivre et le roialme governer et la guerre mayntener od ses biens demesne et nyent raunsoner ses liges gentz de la terre, et, come iay entendeu, ils sount diverses gentz qe ount les biens et tresore a graunt somme dore et de argent de nostre Seignur le Roy en mayns saunz sew de luy, et fausement ount concele les ditz biens et mauvaysement et extorciousement gayne en diverses maners a graunt damage a nostre seignur le roy et a le roialme. A cest foitz ne dirra pluis. Tu autem domine meserere nostris" : et sen ala seere par ses compaignons. En celle tenps une autre chivaler se adressa suise et ala a la lectrone et dist : "Seignurs, nostre compaignoune ad profitablement dit et une poynt vous dirra pur profit de le roialme come Dieu moy durra grace. Vous avez entenduz qe fuist ordine par commune conseil en parlement qe lestaple des layns et autres marchandys serroit entierment a Kalays a graunt avauntage a nostre seignur le roy ; et adonqes la dite ville fuist governe et rewle par marchaundes Dengleterre et riens ne pristerent en recompensacion pur sawders pur la guerre mayntener ne pur governaille de la dite ville. Et puis apres le dite estaple fuist sodeignement severe a diverses cites et villes Dengleterre et les marchaundes oustez hors de Kalays od lour femmes et lour meyne saunz sew ou assent de parlement pur singuler profite encontre la ley et encontre lestatute ent fait dycelle, issent qe le seignur de Latimer et Richard Liouns de Loundres et autres purrount avoir les avauntages, et leverount graundes sommes de la male tolle par concelement qe le roy deveroit de droit avoir, qare le roy despende chescune an pur sawver la ville amounttaunse de viii mille li. dore et dargent saunz rien prendre la ou mestre ne fuist avaunt celle temps de despendre ; par qay bone est de ordiner remedy par avysement qe lestaple poet resorter a Kalays." Et plus ne vodroit dire, mes sen ala sere. Et le tierce leva suis et ala a le lectroune et dist : "Seignours nostre compaignouns ount tres bien et tres profitablement dit, et come me est avysee, et de treter de si graundes poyntes et grevouses maters pur profite de la roialme saunz conseil et aide de plus graundes et sages qe nous ne sumez et ne serra poynt profitable ne honurable a nous tiel processe comencer saunz assent des seignours, par qay bone est al comencement de prier a nostre seignur le roy et a soun sage conseil de le Parlement qils voilliont graunter et assigner a nous certeins evesqes et certeins countz et baronez et banerettes queux nous voillioms nomer et pur nous aider et conseiler et oier et tesmoigner ceo qe nous dirroums." Et a celle toutz assenterent ; et apres leverent en mesme la maner bien a deux ou troys, chescune apres autre et parlerent de diverses mociones et poyntes come la mater serra pluis plenerement declare ; et quaunt ils avoient toutz fyne lour parlaunce et fuerount assis entre lour compaignons pristrent lour conseil ensemble coment serrast profitable affair en celle cause. En mesme le temps une chivaler de marche de Gales et seneschalle al count de la Marche, sire Peirs de la Mare nome, comenca a parler ou les autres aparlerent et dist : "Seignours, vous avez bien entenduz les parlaunces et sceu des noz compaignouns et coment ils ount moustre lour purpose, et, come me est avyse, ils ount loialment et profitablement dit" ; et rehersa de parole en parole touz les poyntes queux ils avoient avaunt dite bien et sagement et en bone fourme. Et outre ceo ils les conseila de diverses poyntes et articles come serra oye pluis plenerement apres, et si finerent le secunde iour.

Le tierce iour apres [3 May], assemblerent toutez les chivalers et communes en le dite chapiter et treterent de iour en iour tanque la vendredy proschein ensuaunt [9 May] de plusours maters et extorciones faitz par diverses gentz et par traitury come ils furount avysez ; en quel trete et conseil par commune assent par cause qe le dite sire Peirs de la Mare fuist si bien parlaunt et si sagement rehersaunt les maters et purpose de ses compaignouns et les enfourmaunt pluis avaunt qils mesmes ne savoient, prierent a luy qil vodroit prendre la charge pur eux davoir la sovereinte de pronuncier lour voluntes en le graunt parlement avaunt les ditz seignours coment ils furount avysez defair et dire en descharge de lour conscience. Et le dite sire Peirs al reverence de Dieu et ses bones compaignouns et pur profite del roialme prist celle charge. Et en le avauntdit venderdy, quaunt ils furount toutez ensemble, le roy les manda une messegere, mounsire Raynalde Bukkeshill, enpriaunt a eux depart le roy qils vodroient avoir consideracione de soun estate qare il fuist a male ease a luy graunter sa peticione et request qil avoit fait le primer iour en Parlement, et qils vodroient deliverer le dit parlement a pluis tost qils purrount, qare il mesmes vodroit estre aliours en soun dedute. Et en celle temps fuist ordine entre eux qe toutz ensemble deveroient aler sarrement avaunt les seignours et ceo qe le dit sire Peirs dirroit par lour avyse toutz deverount assenter et ses dites mayntener. Et mesme celle iour de venderdy les communes ses profrerent dentrer en Parlement et vendrent al huse de parlement ; une partie entrerent et les autres furount rebatez et clos hors et alerent ou ils vodroient. Et quaunt le dit sire Peirs et partie des ses compaignouns furount entrez avaunt les seignours et virent qe lour compaignouns ne purrount entrer, purceo ils ses merveylerent graundement de cest affair.

Den apres le duk de Lancastre, adonqes lieu tenant le roy detener le parlement en sa absence et le prince, a tresgraunt male ease comensa a dire. "Quel de vous avera la parlaunce et pronunciacion de ceo qe vous avez ordine parentre vous ?" Et le dit sire Peirs respondist qe par comune assent il averoit les paroles a la iourne, et le duk dist: "Dites ceo qe vous voilliez." "Sire," fist il, "volunters. Seignours, vous savez bien et avez bien conceu qe toutes les comunes qe issy sount venuz sount venuz par nostre seignur le roy par brief et par eleccione des viscountes de diverses countes, et ceo qe une de nous dist touz diount et assentount; par qay al comencement ieo demaunde lenchesone pur qay les unez sount tenuz hors, et pur certayne ieo ne moveray mater avaunt qils soient toutes entrez et presentz." Donqes le dit duk de Loncastre dist: "Sire Peirs, ceo ne serroit meistre de tauntz de comunes entrer pur doner respouns, mes dusz ou tresz purrount soeffire a une foitz, come ad este use avaunt ces hures." Et sire Peirs briefment respondist qe nulle parole vodroit dire ne moustrer avaunt qils furount toutes assembles. Par qay au darrayne le duke fist mander pur eux et enquere ou ils furount devenuz; et furount enquys en plusours lieuz bien par deux houres avaunt qils purrount estre trovez et puis apres entrerent a lour compaignouns. Et quaunt ils furount toutz entrez sire Peirs comensa a dire ceo qe fuist parle et ordine entre eux en cest maner: "Seignours, sil vous plest, vous avez entendu le charge qe nous avoms de nostre seignur le roy sur nostre ligeaunce de treter et ordiner pur lestate de luy et de le roialme et pur redresser et amender les defautes qe nous trovoms en quaunqe en nous est; et nous avoms trove moult des fautes et grevouses poyntes qe serroit profite a nostre seignur le roy et al roialme destre amendes et nous sumez si simples de sceu et davoir qe nous ne purroms redresser tiels graundes poyntes saunz conseil de sagez gentz; par qay nous vous requerroms pur profite del roilme qe vous voilliez graunter et associer a nous quatre evesqes, quatre countz, quatre barones et banerettes doier et tesmoigner ceo qe nous dirroms." Et de ceo les seignours enterparlerent et acorderent bien qil fuist resoune et profitable.

Den apres le duk dist a sire Peirs: "Quel demaunde vous?" "Sire," fist il, "les evesqes de Londres, de Norwyche, de Cardoile et de Baa, et les countz de la Marche, de Warwyk, de Southfolk et de Stafford; de barouns et banerettes—le seignur de Percy, monsire Roger Bewchampe, monsire Guy de Brian et monsire Richarde de Stafford. Et quaunt ils ount entendu et oie nostre conseil, nous declaroms a vous nostre purpos et ordinaunce et cest iour ne dirroms pluis." Et pristrent conge de les seignours et les comanda a Dieu. Et quaunt les comunes furount departez, les seignurs pristrent lour conseil coment serroit affair, et ordinerent certeins messegers daler al roy et nuncier a luy ceo qe fuist dit par les communes. Et quaunt le Roy avoit entendu lour voluntes il se agrea bien et comanda associer a eux le seignours avauntditz.

Et le lundy apres [12 May], les evesqes et countz et barouns avauntditz vendrent a eux et pristrent lour charge en le graunt parlement pur estre attendaunt a les comunes et apres alerent ensemble a eux a lour chapiter pur oier lour conseil; et les comunes les receiverent benygnement et moustrerent a eux certeins poyntes queles ils vodroient pronuncier par lour assent ; et quaunt ils furount assentews ils alerent toutz a le parlement et quaunt ils furount venuz devaunt les seignours, ils les saluerent et les seignurs les renderent lour salutz. Et quaunt toutz furount en peas et saunz noys, le duk de Loncastre dist ; "Qi parlera ?" Et monsire Peirs respondist. "Sire, come ieo vous dyse le tiercz iour passe fuist ordine par comune assent qe ieo avera la parlaunce a cest fotz, fesaunt toutz vois protestacione devaunt toutz qe yssy sount, qe si ieo rien mesdy en ascune poynte qe ieo me sumet al coreccion et amendement de mes compaignouns, qar il ne ad si sage, ou ieo me ret pur fole, qe en une graunde mater ne purroit forfere. Et quaunt a nostre mater nous sumez avyse par nostre conseil la ou nostre seignur le roy demaunde une disme et une quinszime et le custome des layns et de chescune livere de marchaundys xii deniers pur sa guerre mayntener encontre ses enemys, nous dioms qe, sil fuist bien governe od ses ministres et soun tresor loialment et saunz gast despendu, ne serroit poynt meistre defair tiel chevauns ; mes il ad ovesqe luy certains conseilers et servauntz qe ne sount poynt loialles ne profitablez a luy ne al roialme et ils ount les avantages par sotilte en desceit de nostre seignur le roy." Et de ceo le duk de Lancastre se amervailla et dist : "Coment est ceo et queux sount tiels qe ount les avantages ?" "Volunters," fist sire Peirs ; "Seignours une estatute fust fait en Parlement par comune assent qe lestaple entier des layns et autres marchandys deveroit estre a Kalays et qe certeins citisayns et marchandes Dengleterre deverount illeoqes demurrere et avoir le governail et garde del estaple et de la ville, issint qe nostre seignur le roy purroit avoir le profit et de les customes et del eschaunge dor et dargent ; le quel avantage del eschange qe fuist fait illeoqes par toutz les marchandes de cristiante amontast par estimacione a viii mille li. par an del eschaunge taunt soulement ; et quaunt les ditez citisayns et marchaundes avoient le governaile de la dite ville, bien et loialment governerount et ordinerount pur la ville issint qe nostre seignour le roy rien despendist de sawders ne pur defendre la dite ville encontre ses enemys la ou il despende ore viii mille li. par an a graunt damage de luy et al roialme, et ore le dit estaple ad este severe par longe tenps a diverses cites et viles en Engleterre saunz comune assent de parlement et encontre lestatute fait dycelle, issint qe le seignur de Latimer et Richard Liouns citisayn de Loundres de novel et de nyent leve, avaunt si graunt avauntage et de si graunt somme par diverses patentes grauntes de les customes saunz sew le Roy qe homme ne purroit bien noumbrer en desceyt le roy ; et moult des patents ount este trop legerment graunte a plusours marchaundes avaunt ces hures : par qay nous prioms de remedy pur profit nostre seignur le roy, qe lestaple poet resorter a Kalays et estre entierment illeoques." Et quant le seignur de Latymer avoit entendu lour paroles il dist : "Quaunt lestaple fuist remowe de Kalays il fuist fait par le roy et soun conseil." Et sire Peirs respondist qe ceo fuist encontre la ley Dengleterre et encontre lestatute ent fait en parlement, et ceo qest fait en parlement par estatute ne serra poynt defait saunz parlement et ceo vous moustra par lestatute escript. Et le dit sire Peirs avoit une liver des estatutes prest sur luy et overa le liver et luyst lestatute avaunt toutz les seignours et comunes issint qil ne purroit estre dedist. Et fuist graunt altercacioun parentre eux et sire Peirs dist: "Sire, nous vous dirroms pluis bien tost. Seignours, le secunde poynt qe nous voillioms dire est qe une chevauns fuist fait par le seignur de Latymer qe issy est et Richard Liouns avauntdite a graunt profite a eux et a graunt damage et perde al roy, la ou meistre ne fuist a cest fotz pur chevauns fair, la quel chevauns amountast a xx mille marcz, pur quel xx mille marcz le Roy deveroit paier xx mille li. issint qe ceux qe firent la chevauns deverount avoir avauntage de x mille marcz." Adonqes le seignur de Loncastre dist qe tiel case et tiel necessite purroit avenire qe le roy serroit bien lee de doner la somme de x mille marcz pur chevauns avoir de xx mille marcz. A ceo sire Peirs respondist qil ne covendreit poynt adonqes de fair chevauns qare il avoit entendu qils forent deux citisayns de Loundres, cest assavoir Adam Fraunceys et Johan [1] de Walworth qe profererent a monsire Richard Lescrope adonqes Tresorer Dengleterre a profit le Roy xv mille marcz en mayns saunz damage ou perde al roy, pur prendre le payment del customes des layns a Kalays de an en an tanqe ils furont paiez de lour somme. Et a ceo prover il priast depart les comunes al conseil del parlement pur avoir plener informacione del evesqe Dexcestre et de mounsire Richard Lescrope quels avount este tresorers Dengleterre deins brief tenps avaunt, qils purrount fair serement a eux par avyse et assent de nostre seignur le roy et soun bone Conseil. Et quaunt monsire Richard Lescrope entendist lour paroles, se adressa avaunt les seignours et comunes et dist: "Seignurs vous savez bien qe ieo ai este tresorere et de conseil nostre seignur le roy et ceo qe iay oie del conseil pur moy sil ne soit par comandement de monseignur lige, mes si ieo serra iurre ieo nesparnera nulle vivaunt qe ieo ne dirray la verite entierment a moun science come iay conceu et entendu et sen apris." Et de cest poynt les seignours et comunes pristrent respit tanqe autre iour qils purrount avoir respouns de nostre seignur le roy et enformacion de luy. "Le tierce poynt est qe la oue nostre seignur le roy avoist apprompte graunt somme dore et dargent des ercevesqes et evesqes, abbes et priours, citisayns et burgeys et marchaundes, le seignour de Latymer et Richard Liouns barganerent ovesqes les unes de eux pur avoir lour tailles et les donere pluis petite somme ou autrement rien ne deveroient avoir; et ceo fuist fait par sutilte a lour profit et issint pristerent taillies de plusours gentz par bargayne et paierent a les unes pur mille li., d li. et as unes pur cccc li., cc li. et pur cc li., c li. et si gaynerount graundes sommes a lour oeps demesne saunz sew le roy ou il mesmes purroit avoir ew les avauntages. Une autre poynt il ad qe une dame ou damoseil, dame Alice Perers par noune, ad chescune an del tresore nostre

[1] This should read 'William', and a later hand has added the correction in the margin of the manuscript.

seignur le roy m[1] m[1] ou iii mille li. dore et dargent de les cofres nostre Seignur le Roy saunz ascune notable profit et en graunt damage a nostre seignur le roy ; et graunt profit serroit a le roialme de remower la dite dame de le compaigny le roy pur doute de conscience et de male esplait en sa guerre, issint qe la dite somme purroit resorter et profiter a nostre seignur le roy, et qe les wardes de les fitz et feiles des graundes seignurs queux appendent al roy ne soient trope legerment dones a ceux queux ne purrount profiter ne availler ; et a cest iour ne dirroms pluis, mes nous prioms entierment pur profit nostre seignur le roy et de le roialme qe les seignurs avauntditz, le evesque de Excestre et monsire Richard Lescrope purrount estre assignez a nous et iurrez de nous ensenser de ceo qe ils scient pur profit par lour conscience." Et si departirent a cest iour.

Le dysmaigne apres [13 May], furount maundes al Roy par comune assent del parlement diverses seignours pur nuncier al roy les ordinances et les parlauns des comunes, coment ils prierent a luy qil vodroit assenter de assigner a eux les seignours avauntditz. Et de ceo quaunt les seignours furount a luy venuz et avount moustre lour message depart les communes, il se agrea bien et comanda qe les ditz evesqes [1] et monsire Richard Lescrope soient associez a eux et iurrez de dire ceo qils savoient et gist au coer saunz fautyse pur profit de luy et al roialme.

Le Lundy proschein ensuant [19 May] toutz les seignours entrerent en le blaunk chambre deinz le palays a lour parlement, et les comunes entrerent en le chapiter avauntdit et pristrent lour conseil coment serroit affair de lour purpos. Et par comune assent manderent pur les trois evesqes, trois countz et les barouns et banerettes queux furount associez a eux ; et quaunt ils furount venuz et assis entre les comunes, comencerount de parler de lour mater et dire a les seignours qils ne vodrount plusours poyntz dire en parlement avaunt qe le evesqe de Excestre et sire Richard Lescrope furount iurrez et assignez a nous et, pluis outre, tanqe le poyntes et articles avauntditz soient redresses et amendes par le roy et soun bone conseil del parlement. Et quaunt ils avoient dit, leverount toutz ensemble et alerent del chapiter al parlement et entrerent avaunt les seignours et les saluerent et prierent davoir respouns de lour peticion fait a nostre seignour le roy. Et adonqes le duke de Loncastre dist : "Avez ascuns autres articles a dire uncore ?" Et sire Peirs respondist briefment qils ne vodroient pluis dire tanqe la verite fuist declare de les poyntes avauntditz et redresce fait dy ceux qe avount extorsiousement gayne et detenw les biens le roy en desceit de luy et de le roialme ; et qe lestaple poet resorter a Kalays entierment, et de la chevauns qe fuist fait au roy saunz meistre, et de la graunt somme qe les seignour de Latimer et Richard Liouns sutilment pristrent par bargayn de ceux qe avoient apreste al roy lour biens pur sauver le remanaunt, et qe dame Alice Perers soit remowe del compaigny le roy ; et dautrepart nous vous requerroms qe monsire Richard

[1] This is a slip. The bishop of Exeter only is meant.

Lescrope soit charge de dire coment le chevauns fuist fait et saunz necessite a cest foitz. Et le duk dist devaunt les seignours qe la volunte le Roy est qe levesqe de Excestre et sire Richard le Escrope soient iurrez de dire ceo qils sciount par cause qils ount este tresorers avaunt ces houres et, come me est avyse, il est resoune ; et purceo il fist le dit evesqes et sire Richard depart le roy fair serement destre attendaunt a lour conseil et loialment moustrer ceo qils savoient en profit del roialme. Et de ceo les comunes furount bien lees et ioyous pur avoir de eux plener enformacion. Donqes comensa sire Peirs a dire : "Seignours, come vous bien savetz, quaunt a la chevauns qe fuist fait et le graunt perde qe nostre seignur le roy avoit par celle cause, monsire Richard Lescrope sciet coment il fuist, et profit serroit sil vodroit dire." Et sire Richard respondist qil dirroit volunters puis qil fuist charge. "Seignours," fist il, "vous savez bien qe iestoye tresorer et entendaunt al conseil nostre Seignur le roy, et la chevauns fuist fait come ieo suppose par le seignur de Latymer qe issy est et Richard Liouns, saunz sew de moy, la ou meistre ne fuist, qare il avoit deux citisayns de Londres, Adam Fraunceys et William de Walworth avauntdites, le quel William est issy present, queux profererent a moy dapprestere al oeps nostre seignur le roy en sa necessite xv mille marcz, destre repaie de les customes de layns a Kalays a ease termes saunz damage ou perde par otre ; et mervaille serroit qe toutz les mynistres et conseilers nostre seignur le roy ne purrount fair chevauns de v mille marcz mes adoner par otre pur chevauns de v mille marcz, x mille marcz." Et a ceo le duk dist : "Qi fist la chevauns ?" Et les comunes disoient : "Come nous supposoms, le seignur de Latymer et Richard Liouns, come sire Richard Lescrope ad dit et ad ceo provere et declarer William de Walworth sciet la verite." Et purceo le duk luy fist appeller et examiner sour la ligeaunce. Et le dite William dist qil ne fist poynt mes, come il avoit entendu, Richard Liouns et Johan Pyall firent la chevauns. "Ou est," fait le duk, "Johan Pyall ?" "Sire," diount ils, "il est prest." "Appelles a nous," dist le duk. Et quaunt il fuist venu avaunt eux le duk luy comanda de metter mayn a liver et si fist, et fuist charge de dire la verite coment la chevauns fuist fait et sil fuist fait de ses biens demesne ou nemy. Et il respondist qe nonnyl il ne fuist pas fait de mes biens. "Et coment fuist il fait donqes et de quy ?" dist le duk. "Sire," fist il, "par le serement qe iay fait, come ieo suppose il fuist fait de les biens nostre seignur le roy ou de biens le seignur de Latymer par assent le dit seignur de Latymer et de Richard Liouns." Adonqes toutz les comunes crierent a une voyce : "Monsire le duk, ore vous purrez bien vere et entender qe le seignur de Latymere et Richard Liouns ount falsement fait pur avoir les avauntages a lour oeps demesne, par qay nous prioms de remedy et redresse et qe le dit Richard poet estre arreste et mys en garde tanqe nostre seignur le roy et le conseil de parlement ount dit lour volunte de luy." Et le seignur de Latymer dist en audience de toutz, qe ceo ne covendrast poynt, qare il poet trover sufficiaunt pleges de respondre pur luy en temps avener. Et a ceo sire Peirs de la Mare dist qe toutz les biens qil ad, moblez et nyent mobles, ne purrount suffire a ceo qil ad extorciousement a nostre seignur le roy, come prestez serroms a prover et dire outre ceo qe nous avoms dit ; et seignours nous ne dirroms pluis a cest iour. Et si departirent tanqe autre iour. Et le seignur de Latymer fuist moult irrouse et greve de lour parlauns.

Lendemaigne [20 May] les seignours entrerent en lour parlement et le comunes en le chapiter et treterent de iour en iour de ceo qe serroit affair et ordiner. Le quart iour apres [24 May], les seignours entrerent en lour parlement et manderent pur les comunes pur oier ceo qils vodrount dire et les comunes unement et apertement vendrent avaunt les seignours en parlement. Et lavauntdit sire Peirs comensa a dire. "Seignours, nous sumez issy venuz devaunt vous et a vostre mandement pur moustrer ceo qe nous gist a coer ; et nous dioms qe nous avoms declare a vous et a tute le conseil de parlement diverses trespas et extorciouns faitz par diverses gentz et nous ne oieoms poynt de remedy, ne nulle ne ad entour le Roy qe luy voet dire la veritee, ne loialment ne profitablement voet conseilere, mes toutz iours de iapery et mokery et procurere lour profite demesne ; par qay nous vous dioms qe nous ne dirroms pluis tanqe toutz ceux qe sount entour le Roy qe sount fautours et male conselours soient remowez et voidez de nostre Seignur le Roy et qe le chaunceller et tresorer qe ore sount, soient aleges de lour offices, qare ils ne sount pas profitablez, et qe dame Alice Perrers soit ouste tute outrement pour doute de conscience et de male esploit en sa guerre et de male procurere a damage al roialme, et qe nostre seignur le roy voet assigner a luy mesmes pur estre de soun conseil trois evesqes, trois countz et trois barouns tiels queux ne vollount esparner de dire la verite et fair profite, et qe rien des graundes bussoignes soient faitz et ne termine saunz eux, ne nulle wardes, ne marriages soient donez saunz lour conseil, et qils voillount redresser ceo qe malement ad este fait et use avaunt ces hures en desceit le roy ; qare avaunt qe ceux soient remowez, nulle ne serroit si hardy de verite dire, ne de remedy fair, ne la terre resonablement governer, et qils voillount oier et amender par lour bone conseil et avysement les trespas queux ount este faitz, come nous avoms moustre avaunt ces houres." Et les seignours responderent qe ceo serroit profitable affair et qils vodroient volunters mander al Roy lour enseu et conseil et lour purpos ; et departirent a cest iour saunz pluis fair.

Le secunde iour apres [26 May], le duk et les autres seignours del Parlement envoierent certeins seignours al Roy pur luy nuncier la parlauns de les communes et assent de les seignours pur luy conseiler de wayver ceux qe furount pres de luy queux ne furount poynt bones ne profitablez et ouster ceux qe furount de soun conseil et dame Alice Perrers toute outrement, notifiauntz a luy de lour affers coment ils avoient faitz en desceyt de luy et qil vodroit prendre a luy tiels conselours queux vodroient loialment et profitablement luy governer et ordiner pur soun estate et pur le roialme et nyent doner foy et credence as mawez conselours et male fesours. Et le Roy benygnement dist a les seignours qil vodroit volunters fair ceo qe serroit profit al roialme ; et les seignours luy amercierent, empriaunt a soun tresexcellent seignourye qil vodroit eslire trois evesqes, trois countz et trois barouns come avaunt est dite, pur estre de soun conseil, qare ceo appent a luy de eslire et nyent as autres del Parlement. Et le Roy respondist pacientement qil ferroit volunters par lour avyse et bone ordinaunce. Et si enterparlerent quels purrount estre ; et eliserount lercevesqe de Caunterbury, le evesqe de Loundres, le evesqe de Wyncestre, les countz de Arundell', del Marche et de Stafford, le seignour de Percy, monsire Guy de Brian et monsire Roger Bewchampe. Et quaunt ceo fuist fait, il maunda pur le duk de Loncastre et soun frere le count de Caumbrige et pur les ix seignours avauntditz et quaunt ils furount a luy venuz, comencerount a moustrer lour conseil del ordinaunce avaunt ordine et parle en parlement. Adonqes le Roy pria a les ditz ix seignours qils voilloient estre entendaunt a luy et a soun conseil et ordiner pur luy et pur le roialme et redresser les trespas queux ount este faitz et usez avaunt ces houres. Et les seignours benygnement graunterent de fair soun pleser en quauntqe qils purrount et furount iurrez destre loialles al roy et loialment governer luy et le roialme a lour poiar.

En mesme le tenps furount oustez de conseil le roy le seignur de Latymer, monsire Johan de Neville et monsire Richard de Stafford et dame Alice Perrers ; et le roy meesmes fist serement avaunt les seignours qe iames apres la dite Alice ne vendrast en soun compaigny ; et fuist ordine par comune assent qe les ix seignours avauntditz deveroient demurrer en Loundres, ou pres le roy ou qil fuist, issint qils purrount toutz iours estre prestez de luy conseiler quaunt tenps serroit ; et adonqes departirent et repaierent a Loundres a le parlement ; et le duk de Loncastre nyent paie mes malement greve et anoie de ceo qil ne fuist my eslew destre une de les conseilers.

Mesme celle an mille CCCLXXVII [1] en temps del Parlement avauntdit, le tresnoble prince Dengleterre et de Gales et comford a tute Engleterre mounsire Edward de . . . le quart prist une grevouse malady a Loundres avaunt la Pentecost [1 June] et gist a Kenyngtoun pres de Loundres. En quel tenps de sa malady, Richard Liouns avauntdit fuist en graunte anoye, et envoiea par eaw al dit prince une barelle pleyne dore privement, come une barelle desturgeoune ont este, pur avoir soun bone seignurie. Et quaunt le presaunt fuist fait le prince le refusa outrement et en cest manere dona respouns : qe ceo qe fuist deinz le barelle fuist reste et nyent profitable, qare il ne fuist mye bien ne loialment gayne, pur qay il ne vodroit tiel presaunt prendre ne le dit Richard aider ne en ses male faitz favorere, mes il fuist sarrement ovesqe les comunes en conseil et ordiner pur lestate del roialme et amender ceo qe fuist extorciousement et maweysment fait.

Deinz brief tenps apres, les seignurs et les comunes entrerent en

[1] This should be 1376.

parlement et le duk pronuncia coment le Roy avoit fait, et coment les ix seignours furount eslews destre de soun conseil et furount iurrez pur loialment conseiler et governer luy et le roialme a lour poiar. Et de ceo les comunes ly mercierent graundement de sa bone grace et volunte ; et mesme le iour furount les ix seignours avauntditz presentz en parlement et sire Pers de la Mare comenca a dire en tiel fourme : "Seignours, sil vous plest, vous estez ordine par nostre seignur le roy doier et amendre les defautes queux nous avoms moustre avaunt ces houres et ceux queux nous vous dirroms apres, et de ceo nous vous prioms toutz pur profit del roialme et nous vous dirroms plus outre. Vous savez bien qe nous avoms parle de diverses poyntz et trespases queux ne sount poynt uncore redresses del seignur de Latymer et Richard Liouns ; et ils ount faitez plusours defautes queux ne sount my parle, et pur ceo nous vous dirroms pluis avaunt. Quaunt al seignur de Latymer nous vous dicms qe pur defaute de luy furent Becherelle et seint Savours perduz et renduz suis a les Fraunceys, et pur la deliveraunce prist le dit seignur graunte some dore et dargent de les enemys come nous avoms entenduz : le quel seignur les purroit avoir socure et rescuse sil vodroit par sa bone procurement et governaille. Par qay nous vous prioms et requirroms depart le roy et le conseil de parlement qe lavauntdit seignur de Latymer soit arestew et mys en salve garde pur toutz les trespases et forfaites avauntditz, tanqe il ad fait gree et satisfaccion al roy de ses mesfaites ; et le dit Richard de Liouns iuge solonc soun desert de les poyntes et articles sur luy mys les queux il ne poet dedire par resoune." En quel temps le dite seignur de Latymer fuist appelle et aresone de les poyntes avauntditz devaunt les seignours de parlement et le dit seignur, nyent garne ne avyse des ses respouns, pria de conseil et de iour ou avoir les articles en escript, issint qil purroit respoundre par avysement. Mes sire William de Wikam evesqe de Wyncestre dist avaunt les seignours qe ceo ne covendroit poynt davoir conseil ne iour qare nulle ne savoit ses faites demesne sil bien come il savoit mesmes et purceo resone serroit de respoundre saunz autre avysement et saunz prolongacione de iour. Et le seignur de Latymer respondist al evesqe et dist qe ceo serroit trefort et encontre resone deinz si brief temps destre chace de doner respouns de si grevousez et heynous poyntes queux furount mys sur luy, fesaunt toutz voies protestacione qil se mettrait entierment ses biens, ses chateux et soun corps demesne en la grace et voluntee de soun seignur lige defair de luy et de ses biens ceo qil plerra. Et en celle temps fuist attache et mys en ease gard del count de la Marche adonqes mareschall Dengleterre ; et le conestablerie de Dover, de quel le dit seignour de Latymer fuist gardeyn, et conestable fuist done a mounsire Edmonde de Langeley, count de Caumbrige et fitz al roy. Et mesme celle temps Richard Liouns avauntdite fuist foriuge et comande al toure de Londres a prisone perpetuel et toutz ses rentes et tenementz donez as diverses gentz par le roy et toutz ses biens forfetes ; et issint fynist le parlement.

93. ACCORDING TO THE ROLLS OF PARLIAMENT

[*Rot. Parl.*, II, 321-330.]*

For discussion of impeachment see T. F. T. Plucknett, 'The Origin of Impeachment', in *Trans. R.H.S.*, 4th ser., XXIV (1942), 47-71, and 'The Impeachments of 1376', in *ibid.*, 5th ser., I (1951), 153-164.

[On Tuesday, 29 April, the chancellor announced the reasons for the summons of parliament. Receivers and triers of petitions were appointed.]

8. Item, puis apres les ditz prelatz, seignurs, et communes assemblez en parlement fust dit a les ditz communes depar le roy qils se retraiassent par soi a lour aunciene place en la maison du chapitre del abbe de Westmouster, et y tretassent et conseillassent entre eux meismes, principalment de les dites matiers dont declarracion ad este fait en parlement depar le roy, come dessus est dit; et les prelatz et seignurs y ferroient semblable tretee de lour part. Et lour y fust dit qe report serroit fait de lune partie a lautre de tout lour fait et purpos en celle partie. Et issint se departirent les communes a lour dit place. Et sur ce furent assignez en parlement les prelatz et seignurs souzescritz, cestassavoir, levesqe de Londres, levesqe de Norwiz, levesqe de Karlell, levesqe de Seint Davy; le counte de Marche, le counte de Warrwyk, le counte de Stafford, le counte de Suffolk; le seignur de Percy, sire Guy de Brian, sire Henry Lescrop, et sire Richard de Stafford, daler a mesmes les communes destre en lour aide, pur treter et communer avec eulx des dites choses a eulx declarrez, come dessus est dit.

10. Item, les communes considerantz les meschiefs de la terre, moustrent au roi et as seignurs du parlement qe serroit honur al roy et profit a toute la terre, qest maintenant grevez en diverse manere par pluseurs adversitees, sibien par les guerres de France, Despaigne, Dirland, de Guyenne, et Bretaigne, et aillours, come autrement; et les officers qont este acustumez destre en couste le roy ne suffisont mye sanz autre aide a si grande governaille. Par quoi ils priont qe le conseil nostre seignur le roy soit enforcez de seignurs de la terre, prelatz, et autres, ademurrer continuelment tanqal nombre de dys ou xii selonc la volunte du roi; par manere tielle qe nulle groos bosoigne y passe ou soit delivers sanz lassent et advis de touz, et autres meyndres bosoignes par ladvis et assent de sys ou quatre au meyns selonc ce qe le cas requert. Issint au meins qe six ou quatre des tielx conseillers soient continuelment residentz du conseil le roi. Et nostre seignur le roy entendant la dite requeste estre honurables et bien profitables a luy et a tout son roialme, lad ottroiez. Purveuz toutes voies qe chanceller, tresorer, et gardein de prive seal, et touz autres officers du roi, purront faire et esploiter les busoignes qe touchent lour offices sanz la presence des ditz conseilles les queux le roi ad assignez et assignera de temps en temps de tieux come luy plerra. Et est ordenez et assentuz qe meismes les consellers qore sont assignez, ou qi pur le

temps serront, soient sermentz de garder ceste ordenance et de faire droit a chescuny selonc lour poairs. Et ensement est ordene qils ne prendront rienz de nully par promesse nautrement, sil ne soit mangier et boire a petite value ou autre chose qe ne purra resonablement estre dit louer, pur nul bosoigne qe serra tretee ou mesnee devaunt eux, sur peyne de rendre a la partie le double de ce qils prendront, ovesqe les despenses et damages par tant suffertz, et a nostre seignur le roy sis foitz a tant come ils y averont pris. La conissance et jurisdiccioun de quelle chose serra au roy et ses filz, pris a eux sys prelatz et seignurs a la suite de partie donante, et nemye devant autres persones, ne en autre manere. Et si nul homme se y pleygne de nully et ne puisse prover sa entente, encourge la peyne ordeigne par estatut, lan xxxviii[e], des accusours de ceux qi sont pleint al roi meismes.

11. Item, par meisme le manere est ordeigne qe touz les officers et ministres du roi soient restreintz des douns prendre, et sur meisme la peine. Sauvez qe les ditz conseillers, officers, et touz autres ministres du roi, purront prendre fees et robes de lours seignurs et maistres, et prendre pur lour labour qe ne touche mye lour offices. Et salvez auxint qe si nul des ditz officers ou ministres travaillent en aucun especial fait, qils y purront prendre pur lour travail. Et y soient les ditz officers et ministres juggiez par le roy et les autres dessusditz, par forme et manere qe les ditz conseillers serront, come dessus est dit, et nemye autrement par aucune voie.

12. Item, est ordene qe tout qe y serra conseille ou ordene, dont report covient estre fait a nostre seignur le roy pur ent avoir son avys ou assent, qe le dit report serra fait par les ditz conseillers, ou deux de eulx eslieux de lour commune assent, et nemye par autres par nulle voie.

13. Item, est ordene qe chescune ordenance qe serra ordene par le conseil et ladvis de nostre seignur le roy et des conseillers suisditz, qe le chanceller, tresorer, gardein du prive seal, seneschal, et chamberleyn nostre seignur le roy, admiralles, justices, barons de lescheqer, visconts, eschetours, sergeantz darmes, et toutz autres officers et ministres de qiconqe estat ou condicion qils soient, a qi ou a queux lexecucion des ditz ordenances appartiendra, et serra commande qils facent ent due, hastyve, et bone execucion, par toutes les bones et hastives voies et maneres qils se faire purront, sanz tarier ou delay par nulle voie. Et si defaute en aucun de eux soit trove, encourgent la peyne qe serra par le roy et les suisditz continuels conseillers ajuggee, selonc la quantitee du damage sur ce apendant.

15. Et puis apres les ditz communes vindrent en parlement, y faisantz protestacion overtement qils furent de auxi bone volente et ferme purpos daider a lour noble seignur lige ove corps et biens, et quanqe qils aveient, come unqes y furent nulles autres en aucun temps passe, et toutdys serroient a tout lour poair. Mais ils y distrent qe leur semblait pur chose veritable qe si lour dit seignur lige eust euz toutdys entour luy des loialx conseillers et bons officers, meisme nostre

seignur le roy eust este bien rychez de tresor, et par tant neust mye grantment bosoigne de charger sa commune par voie de subside, ou de talliage, nautrement; aiant consideracion as grandes sommes dor qont este apportez deinz le roialme des ranceons des roys de France et Descoce, et dautres prisoners et paiis, qamonte a une tresgrande somme. Et pluis distrent qi lour semblait auxint qe pur singuler profit et avantage daucuns privez entour le roi, et dautres de lour covyne, si est le roy et le roialme Dengleterre grandement enpovriz, et plusours de ses merchantz apoy destruitz et annyntiz. Dont lour semble qe profitable chose y fust a nostre dit seignur le roy et a tout son dit roialme dy mettre due amendement a tout le haste qe lem purroit. Et mesmes les communes y promistrent a nostre dit seignur le roy qe si il verroit faire justice et hastive execucioun de ceux qi ent serroient trovez coupables, et ent prendroit de ceux ce qe loy et resoun luy durroit, ovesqe ce qils luy ont donez en cest parlement, ils vorroient emprendre qil serroit assez riche pur maintenir ses guerres et ses autres affaires pur une longe terme, sanz grantement charger sa dite commune pur le temps avenir en aucune manere. Et pluis y distrent qe parmy ce faisant, nostre seignur le roy y ferroit chose bien meritorie, et grande plesance a Dieu, et a toute sa commune Dengleterre grant profit et aise, paront ils serroient de le pluis grande corage et bone volentee daider a lour seignur lige avauntdit a tout lour poair si le cas avenoit qil eust bosoigne de lour greignour aide. Et sur ce mesmes les communes y firent declaracion en especial de trois pointz. . . .

[The complaints are (i) that the Staple has been removed from Calais; (ii) that money has been lent to the king at interest; and (iii) that debts due by the king have been bought at a fraction of their value and claimed in full. All these things have come about with the knowledge and assent of those about the king for their own profit. Afterwards the Commons proceeded as follows.]

17. Primerement, Richard Lyons, marchant de Londres, estoit empeschez et accusez par les dites communes de plusours disceites, extorsions, et autres malx, faites par luy au roy nostre seignur et a son poeple, sibien du temps qil ad este repeirant a la maisoun et al conseil du roy, come autrement du temps qil estoit fermer des subsides et custumes le roi. Et par especial de ce qe le dit Richard, par convyne fait parentre luy et aucuns du prive conseil nostre Seignur le roy pur lour singuler profit et avauntage ent avoir, ont procurez plusours patentes et briefs de licence estre faitz de carier grande fuyson des leynes, pealx lanutz, et autres merchandises, aillours depar dela qe a Lestaple de Çaleys, encontre les ordenances et defenses ent faitz devant ceste heure en parlement, en destruccion de meisme Lestaple de Caleys, et del Monyage illoeqes, a grant damage du roi et del roialme Dengleterre, et annientissement de la ville de Caleys avantdite. Et auxint de ce qil ad mys et procurez destre mys sur les leynes, pealx

lanutz, et les autres merchandises, certeins novelles imposicions, sanz assent de parlement, et celles imposicions levez et coillez grant piece a son oeps propre et al oeps de ceux qi y sont de sa dite covyne entour le roy, sanz la veue ou tesmoignance daucun contrerollour, et sanz ce qil y est chargez par record ou autrement forsqe a sa volentee, mais ent est tresorier et resceivour tantsoulement, et le haut tresorier del roialme ne se ent medle de rienz. Et dit est communement qil prent en certein x souldz en une parcel et xii deniers en une autre parcell de chescun saak etc., qamonte une tresgrande somme par tout le temps qil ent ad este resceivour ou tresorier, come dessus est dit. Et ensement dune autre novelle imposicioun de quatre deniers par lui faite et myse sur chescune livre de monoie a envoier depar dela par Lumbardz et autres merchantz par voie deschange, par sa propre auctoritee, et sanz garrant ou assent du parlement, ou autrement. Et mesme celle imposicion de quatre deniers del livre grant piece coillast et gardast al oeps du roi, nostre seignur le roi ent de rienz paiez. Et auxint de diverses chevances faitz al oeps le roi sanz cause necessarie. . . .

[Further more detailed charges, based on the Commons' three points, then follow.]

18. A qoi le dit Richard, present en parlement, dit qe quant al dit chevance fait al roi de les xx mille marz avauntditz, il y est outrement sanz aucune coulpe. Et pluis dit il qil nent avoit unqes profit ne gain, ne apprestast unqes riens a la chevance avantdite, en monoie, ne en autre chose ; et ce fust il prest deprover par toutes les voies resonables qomme voleit demander. Et quant a les ditz imposicions de x soldz et xii deniers al saak de leyne etc., et quatre deniers al livre de monoie, il ne se poait clerement excuser qil ne les avoit issint levez et coillez, et ent pris devers luy partie ; cestassavoir, xii deniers de chescun saak de leyne etc. Mais ce fist il, il dist, de comandement nostre seignur le roy expres, et a la priere et assent des marchantz qi tielles licences demanderent. Et quant al remenant dycelles imposicions, il les avoit entierment fait deliverer al resceivour de la Chambre le roi, et ent plainement accomptez en dit Chambre. Et fust dit al dit Richard qil y baillast avaunt son garrant, par qi auctoritee il fist les dites choses. Mais nul garrant ne auctoritee mist avant en parlement souz le seal du roy, nautrement, forsqe soulement qil dit qil en avoit comandement du roi meismes et de son conseil del faire. Et sur ce fuist tesmoignez overtement en parlement qe nostre seignur le roy ent avoit dit par expres le jour devant a ascuns seignurs cy presentz en parlement qil ne savoit coment ou en quelle manere il fust devenuz en tiell office devers luy ; et qe pluis est, il nel conust mye pur soen officer. Et quant as autres articles, le dit Richard ny fist nulle responce ; einz dist qe sil y eust derienz trespassez ou mesfait, il se mist en la grace du roi nostre seignur.

19. Par quoy le dit Richard est agardez a la prisone a la volente

du roy ; et destre mys au fyn et ranceon selonc la quantitee et horribletee du trespas : et qil perde sa franchise de la citee de Londres, et jammais ne soit en office du roy, ne naproche au conseil ne a Lostel le roy. Et sur ce autre foitz le dit Richard estoit mandez devaunt les seignurs du parlement, et y fust dit a luy qe sembloit as seignurs qe ses malfaitz estoient si grandes et horribles qil nestoit pas suffisantz dent faire satisfacion. Et tantost le dit Richard se submist en la grace du roy, son corps, ses terres, tenementz, biens, et chateux ; et y voloit et grantast qe son corps, terres, biens, et chateux fuissent a la volentee du roy dent ordener et faire ce qe luy plerroit ; requerrant al roy de luy granter son vivre si luy plerroit, et si ne luy plust mie, qil feist de luy et de quanqe il ad pleinement sa volentee. Par quoy il est auxint agarde qe touz ses terres, tenementz, biens, et chateux, soient seisiz es mains du roy, et le corps demoerge en prisone a la volentee du roi. Et quant a les extorsions faitz par le dit Richard ou ses deputez du temps qil estoit fermer des dites subsides ou custumes, come dessus est dit, ordenez est en parlement qe bone enquerre se face par suffisantz gentz en toutes les portz Dengleterre.

21. Item, William, sire de Latymer, estoit empeschez et accusez par clamour des ditz communes de diverses disceites, extorsions, grevances, et autres malx, faitz par luy et autres des soens et de sa covyne du temps qil ad demurrez devers le roy nostre seignur, sibien en Bretaigne quant il y estoit en office ovesqe le roi, come autrement en Engleterre du temps qil ad este chamberleyn et du prive conseil meisme nostre seignur le roi.

[Latimer was accused of offences and extorsions in Brittany and of the same offences in England as Richard Lyons.]

26. A quoy le dit sire de Latymer, lors present en Parlement, dist qe salve a luy quanqe doit estre salvez a luy come a un des pierres del roialme, tant en juggement doner come autrement en temps avenir, si plest a nostre seignur le roi et as seignurs ycy assemblez volenters ent durra sa responce a celluy qi en especial luy vorra surmettre aucune des choses avantdites. Et puis apres, par tant qe nulle especiale persone vorroit apertement accuser le dit seignur de mesmes les choses en parlement, einz qe les communes vorroient maintenir les ditz accusementz en commune, le dit sire de Latymere, en excusacion de sa persone, et declaracioun de sa fame, dist . . .

[Lord Latimer's answers and the proceedings upon them follow.]

27. . . . Et plusours examinacions ent faites sibien en prive come en appert, apres longe deliberacion ent eue, fust juggement renduz en parlement vers le dit seignur de Latymer en les paroles qe sensuent :

28. Pur ce qe le seignur de Latymer est trovez en plein parlement en defaute par soun singuler conseil et governement encontre le profit le roy et du roialme ; cestassavoir, de diverses chevances faitz au perde du roy sanz cause necessaire, et auxint de patentes faites en destruccion de Lestaple de leynes et del Monyage de Caleys, a grant damage du

roi et del roialme Dengleterre, et annyentissement de la ville de Caleys; et ensement des diverses grevouses imposicions mises sur les leynes encontre lestatut du parlement ent nagaires fait; il est agardez par les prelatz et seignurs en plein parlement a prisone destre en garde du mareschal, et faire fyn et ranceoun a la volentee le roy. Sur quoi la dite commune ad suppliez al roy qe pur ce qil est trovez en tieux defautes par ses singulertes susditz, il soit oustez de toutz offices le roy, et especialx et privez conseilx entour le roy, par tout temps; quelle requeste le roi ad ottroiez, et le voet et grante.

29. Et sur ce le dit sire de Latymer trovast en parlement certains prelatz, seignurs, et autres, ses mainpernours durant le parlement, de avoir son corps devant le roi et les seignurs a respondre pluis avant a les articles dont il estoit issint arettez, souz certaine paine et forme comprises en une cedule annexe a ycestes. Et par celle mainprise le mareschal Dengleterre luy lessast aler a large etc.

[Other impeachments were then made, of William Elys, farmer of the customs in Great Yarmouth, for extortions in his office; of John Pecche of London who had purchased a patent from the king giving him a monopoly of the sweet wine trade in London; of John, Lord Nevill, for purchasing tallies at a discount from the king's debtors and for other offences; and of Adam de Bury, citizen of London, for various offences committed by him.]

94. RECOGNITION OF RICHARD OF BORDEAUX AS HEIR APPARENT

[*Rot. Parl.*, II, 330.]*

Edward III's first-born son, Edward, earl of Chester, duke of Cornwall, prince of Wales and prince of Acquitaine, born 1330, died 8 June, 1376. His elder son, Edward of Angoulême, born January, 1365, died in 1371, leaving his only brother, Richard of Bordeaux, born 6 January, 1367, to become the heir apparent.

50. Item, les dites Communes prierent humblement a nostre seignur le roy en dit parlement qe pleust a lour dit seignur le roi en grande confort de tout le roialme faire venir avant en parlement luy nobles enfantz Richard de Burdeux, filz et heir monsire Edward nadgairs eisnez filz du dit nostre seignur le roi et prince de Gales, qi Dieux assoille, issint qe les seignurs et communes du roialme y purreient veer et honurer le dit Richard come verrai heir apparant du roialme. Quelle requeste fust ottroiez, et issint y vynt le dit Richard devant touz les prelatz, seignurs, et Communes en parlement le Mesquardy lendeman Saint Johan [25 June], lan dessusdit, par comandement et volentee mesme nostre seignur le roi. Et larcevesqe de Canterbirs y avoit les paroles de la volente le roi nostre seignur a luy moustree, et dist qe coment qe luy tresnobles et puissant prince monsire Edward, nadgairs prince de Gales, fust departiz et a Dieu commandez, come dessus est dit, toutes voies mesme le prince y fust come present et nemye absent par lessant deriere luy un tiel si noble et beuaux filz

qest son droit ymage ou verroie figure ; qar a ce, dist il, saccorde bien luy sage Salamon. Et par tant y dist mesme larcevesqe a touz illoeqes presentz qe le dit Richard, luy quel estoit verroi heir apparant del roialme par manere come son dit noble pere le prince estoit, deust estre tenuz entre eux et de touz autres liges le roi a grant honour et reverence. Et sur ce les Communes y prierent touz a un voice, qe pleust a lour noble seignur lige granter al dit Richard le noun et honour de prince de Gales par mesme la manere come le dit monsire Edward son pere les eust tantcome il vesquist. A quoy lour fust responduz qe ce nappartenoit mye as prelatz ne a seignurs del faire en parlement, nautrement, einz appartenoit clerement au roi mesmes del faire a grant solempnetee et feste. Mais y promistrent les prelatz et seignurs dy faire diligeaument lour mediacions envers mesme nostre seignur le roi en celle partie.

95. PETITION FOR THE PROPER ELECTION OF KNIGHTS OF THE SHIRES

[*Rot. Parl.*, II, 355.]*

186. Item, prie la Commune qe pleise establier par estatut en cest present parlement qe chescun an soit tenuz un parlement de faire correccions en roialme des erroures et fauxtces, si nuls y soient trovez. Et qe les chivalers des countees pur celles parlementz soient esluz par commune eleccion de les meillours gentz des ditz countees, et nemye certifiez par le viscont soul saunz due eleccion sur certeine peyne. Et en mesme le manere soient les viscontz des countees du roialme dan en an esluz, et nemye faitz par brocage en la courte du roi come ils soleient faire, pur leur singuler profit, et par procurement des meyntenours du paiis pur sustener leur fausetees et malices et leur fauxes quereles, come ils ont fait communement avant ces hures en destruccion du poeple.

Responsio. En droit du parlement chescun an, il y a ent estatutz et ordenances faitz les queux soient duement gardez et tenuz. Et quant as viscontes, il y a une bille responduz. Et quant al article del eleccion des chivalers qi vendront a parlement, le roi voet qils soient esluz par commune assent de tout le contee.

PROCEEDINGS IN THE FIRST PARLIAMENT OF 1377

Writs were issued on 1 December, 1376, for a parliament to meet at Westminster on 27 January, 1377 ; its session lasted until 2 March.

96. GRANT OF A POLL-TAX AND PETITION FOR THE APPOINTMENT OF WAR TREASURERS

[*Rot. Parl.*, II, 364.]*

19. Les nobles seignurs et Communes assembles en cest parlement [considering the king's expenses] . . . de lour commune assent

et liberale volentee, ont grantez a nostre dit seignur le roy, en maintenance de ses dites guerres, quatre deniers a prendre des biens de chescune persone de meisme le roialme, sibien masles come femmeles, outre lage de xiiii ans, exceptes tantsoulement verrois mendinantz sanz fraude. [Their poverty prevents them from granting more.]

20. Et auxint y prierent les dites Communes, qe pleust a nostre seignur le roy de nomer deux contes et deux barons, de tieux qe luy mieltz sembleroit, qi serroient gardeins et tresoriers sibien de ceste subside ore grante, et del subside qe le clergie Dengleterre qest encores a granter al roy nostre seignur, come del subside des leyns, quirs, et pealx lanutz grantez en derrain parlement. Et qe ceux quatre countes et barons y feussent jurrez en lour presence qe quanqe fust par eux resceuz des ditz subsides serroit entierment expenduz sur mesmes les guerres, et en nul autre oeps. Et qe le haut tresorier Dengleterre nent prenoit rienz, nene se medleroit en aucune manere.

21. Et fait a remembrer, qe puis apres quant y fuist accomptez a quelle somme les gaiges des tieux quatre tresoriers continuelment residentz sur celle fait amonteroit par an, les Communes se departirent de celle purpos, et prierent qe le dit haut tresorier ent fust receivour et gardein al oeps des dites guerres en manere acustumee.

97. PETITION FOR NO TAXATION WITHOUT ASSENT OF PARLIAMENT

[*Rot. Parl.*, II, 365-366.]*

25. [The Commons petition] . . . ne qe en temps avenir voz dites prelatz, contes, barons, communes, citiszeins, et burgeaux de vostre roialme Dengleterre ne soient disore chargez, molestez, ne grevez de commune aide faire en charge sustiner, si ce ne soit par commune assent des prelatz, ducs, contes, et barons, et autres grantz de la commune du vostre dit roialme Dengleterre, et ce en plain parlement. Ne nulle imposicion mys sur les leynes, pealx lanutz, quirs, si non le anxiene coustume, cestassavoir, le saak du leyne demi marc, et de trois centz pealx lanutz demi marcz, et de un last de quirs une marcz de custume tantsoulement, solonc lestatut fait lan de vostre roialme quaturzsime, savant a vous la subside a vous grantee tanqe a certain temps limitee au darrein parlement, et nient levez a ore.

Responsio. . . . Et quant a ce qe charge ne fuisse mys sur le poeple sanz commune assent, le roi nest mye en volentee de le faire sanz grande necessite, et pur la defense du roialme, et la ou il le purra faire par reson. Et quant a ce qe imposicions ne soient mises sur les leynes sanz assent des prelatz, ducs, contes, barons, et autres grantz de la commune de son roialme, il y a estatut ent fait quele le roi voet qil estoise en sa force.

REIGN OF RICHARD II
1377–1399

Richard II was born on 6 January, 1367, and acceded on 22 June, 1377. He was crowned on 16 July.

98. APPOINTMENT OF THE COUNCIL OF TWELVE, 20 JULY, 1377

[Rymer, *Foedera* (R.E.), IV, 10, printed from the Patent Roll.]*

For discussion see N. B. Lewis, 'The "Continual Council" in the early Years of Richard II', in *E.H.R.*, XLI (1926), 246-251.

Le roy a touz ceux qi cestes lettres verront, salutz. Come nadgaires, de lassent des prelatz, ducs, contes, barons, et autres esteantz delez nous en nostre conseil tenuz a Westmouster, lendemain de nostre coronement [17 July], eussiens ordenez qe, par nous et eux, dousze persones, cestassavoir, deux evesqes, deux contes, deux barons, deux baneretz, et quatre bachilers, serrient esleuz noz conseillers sur noz bosoignes touchantz lestat, honur, et profit de nous et de roialmes, seignuries, et terres, en eide de noz chanceller et tresorer ; et qe meismes les conseillers ensi a eslire, apres ces qils serrient esleuz, averoient noz lettres patentz a faire et excercerer les dites choses ; et qe les ditz chanceller et tresorer mettroient duement en execucion les choses qe par eux et par les ditz esleuz, ou par la greindre partie diceux, serroient ordenees. Seur quoi feurent esleuz par nous et par les prelatz et seignurs susditz, les honurables piers en Dieu, William, evesqe de Londres, et Rauf, evesqe de Saresbirs ; noz chers et foialx cosyns, Esmon, conte de la Marche, et Richard, conte Darondel ; et noz chers et foialx, William, sire Latymer, et Johan, sire de Cobeham, barons ; Roger de Beauchamp et Richard de Stafford, baneretz ; et Johan Knyvet, Rauf de Ferreres, Johan Devereux, et Hugh de Segrave, bachilers ; les queux feurent jurez en nostre presence noz conseillers, a faire et excercer les dites choses en la forme avantdite tantcome nous plerroit. Nous, veullantz la dite ordenance estre mys en effect, avons constitut et assignez les avantditz, ensi esleuz, noz conseillers a faire et excercer les dites choses selonc la forme de lordenance desusdite. Et en especial, pur ce qe, a cause de certeins grosses et chargeantz bosoignes touchantes la salvacion et necessaire defense de nostre roialme Dengleterre qe demandent grande effusion de despenses, nous avons bosoigne en present de certeines sommes de deniers, nous constituons et assignoms par ses presentz les ditz esleuz noz conseillers, et sys de eux, ensemblement ovesqe les chanceller et tresorer avantditz, a faire, en noun de nous, chevances de qeconqes sommes de deniers a nostre oeps par voie dapprest, engagement, obligacion, et en autre manere, la meilloure qils purront ou verront meltz, et de qeconqes persones qe faire se purra ; et si averons ferm et aggreable quanqe ensi par les ditz esleuz, ensemblement ovesqe les chanceller et tresorer avantditz, ou par la greindre partie diceux, serra fait en nostre noun, comme dessus, es choses susdites et en chescune dycelles, et le volons estre fermement gardez. En tesmoignance de quele chose nous avons fait faire cestes noz lettres patentes a durer a nostre volente. Donne a nostre Paleys de Westmouster le xx jour de Juyl.

Per billam ipsius regis de signeto.

PROCEEDINGS IN THE SECOND PARLIAMENT OF 1377

Writs were issued on 4 August for a parliament to meet at Westminster on 13 October ; its session lasted until 5 December.

99. RICHARD II'S TITLE TO THE CROWN

[*Rot. Parl.*, III, 3.]*

[The archbishop of Canterbury, giving the opening sermon of the parliament, gave three reasons for any happy meeting.]

4. Et ore est il einsi qe nostre seignur le roy cy present, qi Dieu salve, si est il ores venuz ycy en vostre presence come vostre droiturel seignur lige et vostre bon et entier amy, nemye soulement pur une des dites causes, einz pur toutes les dites trois causes ensemble. Cestassavoir, pur soy rejoier avec vous de la noble grace qe Dieu vous ad donez en sa persone, la quelle vous est naturel et droiturel seignur lige, come dit est, nemye par eleccion ne par autre tielle collaterale voie, einz par droite succession de heritage ; de quoy vous luy estez de nature moelt le pluis tenuz de luy amer perfitement et humblement obbeir . . .

100. A COMMONS' ADDRESS TO THE KING, OCTOBER

[*Rot. Parl.*, III, 6.]*

20. Item, qe la commune loy et auxint les especialx loys, estatutz, et ordinances de la terre faitz devant ces heures pur commune profit et bone governance du roialme, lour feussent entierement tenuz, ratifiez, et confermez, et qe par ycelles ils fussent droiturelement governez ; qar la commune soy ent ad sentuz moeltz grevez cea en ariere qe ce ne lour ad my este fait toutes partz, einz qe par maistrie et singulertees daucuns entour le roy, qi Dieux assoille, ont este plusours de la dite commune malmesnez. Mais toutes voies la dite commune ny requert mye ore pur vengeance avoir de nully qi ait mesfait devant

ceste heure, einz qe en temps avenir, quant plest au roy nostre seignur et son Conseil, chastiement soit duement fait des tieux malfaisours. Et qe y soit pris al oeps du roi ce qil purra prendre par loy et reson, en donant bone ensample as autres de lour abstiner pur le temps avenir de semblablement malfaire. Requerante as seignurs du parlement qe quanqe y feust ordenez en ce parlement ne fust repellez sanz parlement. Et qe aiantz due consideracion coment les jours sont courtz a present, et le temps se passe fortment, et len faut hastivement travailler entour lordinance du roialme et des guerres avant ditz, ou autrement, qe Dieu ne veullie, le roialme est destruit, ils lour ent advisent, et sur ce lour donent hastive et bone responce. Salvant en toutes choses la regalie et dignitee nostre seignur le roi avauntdit, a la quelle les Communes ne veullient qe par lours demandes chose prejudiciele y fust faite par aucune voie. Et sur ce fust responduz qe les prelatz et seignurs y vorroit ent conseiller ensemble, comandant as Communes de retournir a lour place et treter de lours autres charges a eulx donez parentre cy et Joefdy proschein, a quiel jour ils furent comandez a retournir en parlement pur oier la responce de lours requestes avantdites.

101. APPOINTMENT OF THE COUNCIL OF NINE, OCTOBER

[*Rot. Parl.*, III, 6.]*

21. [As regards the first request of the Commons] . . . qe le conseill nostre dit seignur le roy fust enlargez par le nombre de oept suffisantz persones de diverses estatz et degrees, pur estre continuelment residentz du conseil avec les officers dessusditz sur les busoignes du roi et del roialme, meement tantcome nostre dit seignur soit issint de tendre age ; par manere tielle qe nul grosse ou chargeante busoigne y passe ou soit deliverez sanz lassent et advis de touz, et autres meindres busoignes par lassent et advis de quatre au meins, selonc ce qe le cas requiert, issint qe quatre de ceux soient continuelment residentz du conseil le roy ; empriantz humblement qe lour pleust ore en ce parlement mesmes les oept conseillers eslire de pluis suffisantz persones del roialme, et des tieux qi mieltz scievent, et pluis diligeaument purroient et vorroient travailler et mettre lours peines sur lamendement des meschiefs et perils avantditz ; et sur ce notifier lours nouns a mesme la Commune en ce parlement, en grant confort de eux et de tout le roialme avauntdit. Et qe ceux conseillers ne soient desore purveuz, faitz, ou esluz forsqe en parlement, si ne soit qe aucun de eux moerge ou feust remuez par cause resonable entre parlement et parlement, en quiel cas le roy, par advis de son conseil, y face et ordeigne a sa plesance dautres suffisantz en lours lieux.

22. Nostre seignur le roy entendant la dite requeste estre honurables et bien profitables sibien a luy mesmes come a son roialme avantdit, lad ottroiez, purveux toutes voies qe chanceller, tresorer, gardein du prive seal, justices del un Bank et de lautre, et touz les autres officers du roi, purront faire et esploiter les busoignes qi touchent lours offices

sanz la presence de tieux conseillers. Et nostre seignur le roy, pur certains causes qi luy moevent a present, par ladvis des seignurs de parlement, y voet avoir ceste present anee tantsoulement neof persones ses tieux conseillers, et les ad fait eslire en dit parlement ; cestassavoir, les evesqes de Londres, de Kardoill, et de Salesbirs ; les contes de la March et de Stafford ; messires Richard de Stafford et Henry Lescrop, baneretz ; et messires Johan Deverose et Hugh Segrave, bachilers. Et est ordenez qe les ditz neof conseillers issint esluz, et auxint les oept conseillers qi pur le temps serront, ne demurront en dit office forsqe soulement un an entier. Et celle an fini ne deveront mye celles mesmes persones estre reesluz a celle office par deux ans proschein ensuantz.

23. Et auxint est ordene qe nul doun deschete, de garde, mariage, rente, ne dautre rienz appartenant al roy, ne se face a nully des ditz conseillers durant le terme del dit an, si ne soit par commune assent de touz les ditz conseillers, ou la greindre partie diceulx ; ne qils preignent rienz de nulle partie par promesse nautrement, sil ne soit mangier et boire de petite value, ou autre chose qe ne purra resonablement estre dit louer, pur nulle busoigne qe serra mesnee ou tretee devant eux, sur peyne de rendre a la partie le double de ce qils einsi prendront, avec les damages et despenses par tant suffertz, et a nostre seignur le roi six foitz atant come ils y averont pris. Et auxint est ordenez qe nul tiel conseiller nempreigne ou sustiene aucune querelle par maintenance en paiis naillours, sur tielle grevouse payne qe serra ordenez par nostre seignur le roy del advis des seignurs du roialme.

102. APPOINTMENT OF TREASURERS OF THE WAR

[*Rot. Parl.*, III, 7.]*

27. [The lords and Commons grant two-tenths and two-fifteenths] . . . empriantz humblement a lour seignur lige et les autres seignurs du parlement, qe sibien de ceux deniers, come des deniers de les dismes ore a granters par la clergie Dengleterre, et auxint de les deniers provenantes de les subsides de leynes, feussent certains persones suffisantz assignez depar le roi destre tresoriers ou gardeins, au tiel effect qe celles deniers feussent tout entierment appliez a les despenses de la guerre, et nemye autre part par aucune voie. Et fait a remembrer, qe celle requeste lour estoit ottroiez par le roi, salvant au roi entierment la sue anciene custume de demi marc des denszeins, et dis soldz des foreins, due de chescun saak de leyne appasser hors du roialme etc. Et sur ce nostre seignur le roi fist assigner William Walworth et Johan Philypot, marchantz de Londres, destre gardeins des dites sommes al oeps avantdit, et de faire loial accompte de lours resceites et issues par manere come serroit ordene par nostre seignur le roy et son dit Grant Conseil en resonable manere. Et sur ce, par comandement nostre dit seignur le roi, les ditz William et Johan pristrent lour charge,

et a ce faire loialment furent ils sermentez et jurrez devant le roy mesmes en plein parlement. . . .

103. PETITION FOR THE APPOINTMENT OF OFFICERS BY PARLIAMENT

[*Rot. Parl.*, III, 16.]*

50. Item, ils prient, pur ceo qe moultz des malx et damages sont avenuz par tieux conseillers et tieux ministres avant nommez, sibien au roy come al roialme, qe plese ore a sa hautesse, par advys de touz les seignurs du parlement, qe tanqe il soit au plein age a conustre les bons et les malx, granter qe touz les conseillers et officers apres escriptz puissent estre faitz et purveieuz par parlement ; cestassavoir, chanceller, haut tresorier, chief justices del un Bank et del autre, et chief baroun de lescheqier, seneschal, et tresorier de son Hostiel, chief chaumberlein, clerc de prive seal, un chief gardein de ses forestes decea Trent, et un autre de la. Et sil aviegne par aucune aventure qe y covient a mettre aucuns des ditz ministres par entre un parlement et autre, qen tiel cas y plese au roy nostre dit seignur granter qe tiel ministre puisse estre mys par son grant conseil, tanqe le parlement proschein ensuant.

Responsio. Quant a cest article, il est assentuz qe tantcome nostre seignur le roi soit issint de tendre age, qe les ditz conseillers, et aussint les chanceller, tresorier, seneschal de son Hostiel, et chaumberlein, soient esluz par les seignurs en parlement ; salvez toutdys lestat et leritage du conte Doxenford del dit office de chaumberlein. Mais sil avenist issint qe aucun de eux morust, ou feust par cause resonable remuez, entre parlement et parlement, adonqes le roi par ladvys des seignurs de son continuel conseil les ferra en le moiene temps. Et quant as autres officers dessusnommez, le roy les ferra par lassent des seignurs du son dit conseil.

104. PETITION FOR THE EXAMINATION OF ACCOUNTS

[*Rot. Parl.*, III, 17.]*

57. Item, priont les Communes, qe les tresoriers qont receux les subsides de leyns al secound parlement devant ore grauntez, et les profitz des terres alienez, et la taillage de grotes et autres revenues a cause de la guerre, puissent ore declarre lour resceites et lours despenses dycelles as peres et baronage du roialme qy sont ore en parlement, issint qe droit et conissance de veritee puisse ent estre conceux as seignurs et al poeple pur la suspecioun qent ad este supposee devaunt ore, donant talent et voluntee as vos dites Communes le pluis voluntierment estre eidantz a la necessite de voz guerres.

Responsio. Certains prelatz et autres sont assignez de veer et examiner les resceites et issues des ditz subsides et taillages, et les faire traire hors des pealx de la resceite, et mettre en escrit, au fin qe celles soient moustrez as seignurs du continuel Conseil.

PROCEEDINGS IN THE PARLIAMENT OF 1378

Writs were issued on 3 September, 1378, for a parliament to meet at Gloucester on 20 October ; its session lasted until 16 November.

105. THE PROTESTATION OF JAMES PICKERING AS SPEAKER

[*Rot. Parl.*, III, 34-35.]*

16. Et puis apres les Communes y revindrent devant le roi, les prelatz, et seignurs en parlement, et illoeqes monsire James de Pekeryng, chivaler, qavoit les paroles depar la commune, faisant sa protestacion sibien pur lui mesmes come pur toute la commune Dengleterre illoeqes assemble. Et primerement pur la dite commune, qe si par cas il y deist chose qe purroit soner en prejudice, damage, esclaundre, ou vilanie de nostre seignur le roi, ou de sa coroune, ou en amenusement del honour et lestat des grantz seignurs du roialme, qe ce ne feust acceptez par le roi et les seignurs, einz tenuz pur nul, et come rienz nent eust este dit, desicome la commune nest en autre volentee, mais souvrainement desirent loneur et lestat de nostre seignur le roi et les dreitures de sa coroune estre maintenuz et gardez en touz pointz, et la reverence dautres seignurs estre duement gardez toutz partz. Et pur sa propre persone demesne, faisant sa protestacion qe si pur meins bone discrecion, ou en autre manere, il y deist chose qe ne fust del commune assent de ses compaignons, ou par cas forvoiast de rienz en ses paroles, qil feust par eulx susportez et amendez, ore devant lour departir, ou en apres quant lour pleust.

106. RELUCTANCE OF THE COMMONS TO MAKE A GRANT

[*Rot. Parl.*, III, 35-38.]*

18-19. [The Commons were unwilling to make a grant because, as they rehearsed, in the hope that it would be the last for a long time, they had made a large grant in 1377, which could not all be expended. The steward of the Household, Richard Scrope, stated that the taxes had been received by the war treasurers, and all had been spent, and only on the war.]

20. Et sur ce la Commune, eue un poy de deliberacion, requiste autre foitz a nostre seignur le roi qe pleust a luy de faire moustrer a sa dite Commune, coment et en quiel manere les dites grantz sommes, issint donez et ordenez pur la dite guerre, feurent despenduz, et qe due ordinance y feusse faite, qe si einsi avenoit qe aucun seignur ou nul autre persone retenuz al derrain viage, ou nul part aillours, eust meindre nombre des gentz a sa moustre qil nestoit retenuz davoir avec luy, et eust resceuz gages et les deniers le roi, qe celle surpluis de monoie oultre les gages des gentz moustrez feust repaiez a nostre dit seignur le roi pur estre appliez a la guerre, en descharge par tant de la Commune avauntdite. Et auxint ils requirgent, qe pleust a nostre

seignur le roi granter qe la Commune feust acertez des nouns qi serroient les grantz officers del roialme, et qi serroient conseillers a nostre seignur le roi et governours de sa persone tantcome il soit issint de tendre age, pur lan ensuant, par manere come autre foitz estoit ordeignez en parlement.

21. A quoi feust responduz par le dit monsire Richard, del dit comandement, qe coment qe nestoit unqes veuz qe de subside ou autre grant fait au roi en parlement ou hors du parlement par la Commune, ent feust accomptee apres renduz a la Commune, ou a aucun autre forsqe a roi et ses officers, nientmeins nostre dit seignur le roi voet et comande, en plesance de sa Commune, del son propre moevement, sanz ce qil le fait de droit, ou par coartacioun parmy la dite requeste ore a luy faite, qe le dit William Walworth cy present, ensemble avec certaines autres persones del Conseil nostre seignur le roi a ce a assigners de par le roi, vous moustrent en escrit clerement les receites et despenses ent faites, par tielle covenante qe ce ne soit desore trete en ensaumple ne consequencie qe ce feust autrement fait, forsqe soulement des propres moevement et comandement nostre dit seignur le roi, come dit est. Et quant a ce qe remaint des gages resceuz oultre les gentz moustrez, vous doivez entendre qe ce appartint a nostre dit seignur le roi mesmes, et a ses ministres de Lescheqier, et nulle part aillours; et ceux de Lescheqier ne vorront nene soloient mettre en ubblie tieux choses, mesqe ce feust le greinour seignur Dengleterre. Et quant as ditz officers et conseillers, nostre seignur le roi, par advis des seignurs, ad fait eslire les ditz officers, et ferra ses conseillers de tieux come luy plerra, sitost come il purra a ce attendre, de qi nouns vous serrez bien acertez, si plest au roi. [And they were again exhorted to make a speedy grant.]

22. [The Commons next asked for a copy of the enrolment of the grant of 1377] . . . Et ce lour estoit ottroiez, come de la volente nostre seignur le roi, et nemye a lour requeste.

23. Item, ils prierent, qe cynk ou vi des prelatz et seignurs venissent a la Commune pur treter et communer avec eux sur lours dites charges. Et a celle requeste les seignurs responderent, en disantz, qe ce ne devroient nene vorroient faire, qar tielle affaire et manere nestoit unqes veuz en nul parlement, sinoun en les trois derrains parlementz proschein passez. Mais ils diont et confessont qad este bien acustumez qe les seignurs elisoient de eux mesmes une certaine petite nombre de vi ou x, et les Comunes une autre tielle petite nombre de eux mesmes, et yceux seignurs et Communes issint esluz deussent entrecomuner en aisee manere, sanz murmur, crye, et noise. Et issint serroient ils tost a aucun certain bon purpos par mocions entre eux affaire, et celle purpos serroit oultre reportez a lours compaignons de lune et lautre partie. Et a tielle guyse vorront les seignurs ore faire, et en nulle autre manere, qar ils diont, qe si la Commune se vorra tenir entiere sanz eux departir par autielle manere, diont les seignurs qils vorront faire sanz lour departir. Et sur ce la Commune assenti bien de eslire

certains seignurs et Communes en petite et resonable nombre, par manere come ent ad este usez dancienetee.

24-25. [After examining these enrolments and accounts, the Commons announced that the expenditure on the last expedition was well spent, but that £46,000 had been spent by the war treasurers on other things, on the defence of places overseas, on messengers abroad, and on the carriage of the ransom of the king of Scotland. These charges were answered.]

29-30. [A grant of a subsidy and of poundage was made.] . . . Et prient humblement mesmes les seignurs et Communes a nostre seignur le roi dessusdit, qe les deniers provenantz des ditz subsides, ensemble avec les autres profitz ordenez estre despenduz sur les dites defens et salvacion, soient appliez a celle oeps et a nul autre ; et qe certaines suffisantz persones soient assignez pur estre tresoriers dycelles, par manere come autre foitz estoit ordeignez en parlement. . . .

---

107. LETTER FROM WILLIAM OF WYKEHAM, BISHOP OF WINCHESTER, TO EDMUND STONOR, 1378

[*Supplementary Stonor Letters and Papers*, ed. C. L. Kingsford (Camden Society, 3rd ser., XXXIV, 1924), 2.]

William of Wykeham (1324–1404), bishop of Winchester from 1367, was chancellor 1368–1371 and again 1389–1391. Edmund Stonor was sheriff of Oxfordshire and Berkshire 1377–1378.

Tres cher et tres ffiable amy. Nous avoms entenduz qe vouz avez escrit et envoiez mandement par vertue de vostre office a Johan atte Bere, Esmond Hortand et Robert Pochardy, noz tenantz del hundred de Wergrave, et eux chargez de faire lever de noz tenantz del dit hundred xix s. vj d. pur les depenses des Chivalers de parlement. Cher amy, voillez savoir qe les Evesques, Ducs et Countes qe sont les principales pieres du Roialme par privilegie de lour peraute et franchise de lour esglises et de lour Countees sont et ont esteez de tout temps passe deschargees et quites pur eux mesmes et pur touz lour tenantes dascune paiement faire as Chivalers de parlement pur lour despenses. Si vous prioms, tres cher Amy, si especialement de coer [come nous] pooms et sour le grande affiance qe nous avoms en vous devant nulle autre en voz parties qe vous ne facez . . . constreint de tiel parlement faire par nulle voie eux qe vous les voilles tout outrement. . . .

108. DECLARATION THAT A GREAT COUNCIL CANNOT TAX, 1379

[*Rot. Parl.*, III, 55-56.]*

Writs were issued on 16 February, 1379, for a parliament to meet at Westminster on 24 April ; its session lasted until 27 May.

5. [The chancellor, explaining the reasons for the summons of parliament, showed that the continual Council, in the face of the dangers

of the realm, summoned a Great Council soon after Christmas, 1378, but the prelates and lords had excused themselves.] . . . Par quoy avoient en comandement autre foitz de venir, toute excusacion cessante, le Lundy proschein apres le Chandeleure proschein passe [7 February]. Au quiel temps vindrent bien pres touz les prelatz, sibien abbees comes autres, ducs, contes, barons, banerettes, et autres sages du roialme ; et illoeqes exposez les grantz perils et meschiefs du roialme parmy les grandes guerres apparantz par terre et par meer, dont nulle ordinance estoit purveuz encontre la dite proschein seisone de estee. En enoultre declare devant eulx touz par les officers et ministres du roi et les tresoriers de la guerre, lestat du roi et de roialme ; et trovez par examinacion qe rienz en effect estoit remys en la dite Tresorie pur la guerre, estoit dit en mesme le Conseil pur conclusion final qils ne poaient celle meschief remedier sanz charger la commune du roialme. Quelle charge ne poait estre fait ne grantez sanz parlement. Et par tant, par assent de eulx touz, dont la greindre partie sont ycy ore presentz, estoit cest parlement sommonez. . . .

[All the lords present lent the king money, and so too did London and other towns to whom the king, by assent of the Great Council, wrote.]

PROCEEDINGS IN THE PARLIAMENTS OF 1380

Writs were issued on 20 October, 1379, for a parliament to meet at Westminster on 16 January 1380 ; its session lasted until 3 March.

Writs were issued on 26 August, 1380, for a parliament to meet at Northampton on 5 November ; its session lasted until 6 December.

109. EXPLANATION OF THE FINANCES IN PARLIAMENT, JANUARY

[*Rot. Parl.*, III, 71-73.]*

5. [On 17 January the chancellor, explaining the reasons for the summons of parliament, disclosed the king's great defence costs.] . . . Et devrez savoir, qe nostre seignur le roi voet qe ses grantz officers del roialme, avec les prelats et autres seignurs qont este lan passe de son continuel Conseil, vous facent clerement moustrer les sommes resceuz, sibien, cestassaver, des somes sourdantz del grant fait au derrain parlement, come des subsides des leins, quirs, et peaulx lanutz ; coment et en quelle manere cestes summes sont depuis despenduz, a quelle heure qe embusoigne, et le vorrez demander. . . .

10. [Later the chancellor explained the history of the war finances since the parliament of 1378. The poll tax of 1379 had produced scarcely £22,000 and the expedition to Brittany had therefore been drastically cut by the Council. There was nothing in the Treasury, and the king was in debt.]

110. PETITIONS FOR REFORM

[*Rot. Parl.*, III, 73.]*

11. Item, les Communes, apres qils furent advisez de lour dite charge, retournerent en parlement en presence de nostre seignur le roi ; et monsire Johan de Gildesburgh, chivaler, qestoit eslit par la Commune davoir pur eulx les paroles, faisant sa protestacioun qe sil y deist rienz qe purroit tournir ou sonnir en desplesance ou deshonur de nostre seignur le roi, ou des autres seignurs illoeqes presentz, qe ce ne feust arettez a la Commune come chose dite illoeqes de lour voluntee, einz en defaute, et par le nounsachance ou negligence del dit monsire Johan, et qe ce feust tenuz pur rienz dit ; et auxint sil dit pluis ou meins qe nestoit assentuz par ses compaignons, qil en feust amendez a quelle heure qe leur plest.

12. Dist qe lour sembloit a la dite Commune qe si lour seignur lige eust este bien et resonablement governez en ses despenses pardedeinz le roialme et autrement, il neust ore busoigne de lour aide par chargeant sa dite Commune qore est trop povres, et pluis qunqes devaunt ne fuist, a ce qils entendent. Empriantz qe les prelatz et autres seignurs du continuel conseil, qont longement travaillez en dit affaire, feussent oultreement deschargez, a lour grant aise, et en descharge de roi de lour coustages ; et qe nuls tielx conseillers soient pluis retenuz devers le roi ; aiant regard qe nostre seignur le roi si est ore de bone discrecioun et de bele stature ; aiant regard de son age, qest ore bien pres accordant al age de son noble aiel, qi Dieux assoill, al temps de son coronement ; luy quiel navoit autres conseillers el comencement de soun regne sinoun les cynk principalx officers de son roialme acustumez. Empriantz oultre qe en ce parlement soient esluz et choises les cynk principalx officers des pluis suffisantz deinz le roialme qi soient tretables, et qi mieltz scievent et purront faire lours offices ; cestassavoir, chanceller, tresorer, gardein du prive seal, chief chamberlein, et seneschal del Hostiel le roi. Et qe ceux issint achoisers, des queux la Commune vorroit estre acertez de lours persones et nouns durant cest parlement, a lour tresgrant confort, et aide a lesploit faire as busoygnes de roi, declarrez a mesme la Commune, ne feussent remuz devant le proschein parlement, si ne feust pur cause de mort, maladie, ou autre tielle cause necessaire.

13. Et auxint empriantz, pur remeder le defaute del dit governail, si nul y soit en celle partie, qe une suffisante commissioun et general feusse fait, a mieltz qe lon le sauroit deviser, a certains prelatz, seignurs, et autres des pluis suffisantz, loialx, et sages del roialme Dengleterre, de surveer diligeaument, et examiner en toutes les courtes et places du roi, sibien en son Hostiel mesmes come aillours, lestat del dit Hostiel, et les despenses et resceites qelconqes faitz par qelconqe ses ministres en qelconqes offices del roialme et des autres ses seignuries et terres par meer, et sibien decea come dela la meer, depuis le coronne-

ment nostre dit seignur le roi tanqe en cea ; issint qe si nul defaute y soit par le dit examinement trovez en ascune manere, par negligence des officers ou en autre manere, les dites commissioners le certifient a nostre seignur le roi pur laumender et corriger, au fin qe le roi nostre seignur puisse estre honurablement governez deinz son roialme, come appartient au roi destre gouvernez, et en partie de soen propre supporter le charge des despenses a mettre entour le dit defens del roialme et des autres despenses dessusdites.

14. Et puis apres nostre seignur le roi, par ladvis des seignurs de son parlement, volont bien et grantent la dite commissioun estre faite as persones compris en mesme la commissioun qi furent a ce esluz en parlement, et la dite commissioun, faite par lour advis a mieltz qils le sacheroient deviser, estoit rehercez en plein parlement, et assentuz illoeqes ; et enoultre accordez qe si les ditz commissioners y vorroient en apres avoir novelles articles en ycelle commissioun adjoustez en novel et pluis plein poair, qe ce feust amendez de temps en temps a mieltz qils le sauroient deviser ; salvant toutdys lestat et regalie nostre dit seignur le roi en toutes choses. De quelle commissioun privement ensealez et moustrez en parlement le tenour sensuit de mot a mot. . . .

111. EXPENDITURE OF TAX GRANTED TO BE CONFINED TO WAR PURPOSES

[*Rot. Parl.*, III, 75.]*

16. [The lords and Commons granted a lay subsidy, and asked that it and certain other taxes be spent only on the Breton expedition] . . . Et qe une suffisante persone soit assigne par commissioun nostre dit seignur le roi davoir la garde et administracioun des deniers provenantz des grantz et subsides dessuisdites, issint qe celles deniers ne soient medlez avec autres deniers le roi, nautrement expenduz qe dessuis nest dit par garant de prive seal ne de grant seal, nautre mandement quelconqe si par cas aucune y feusse fait au contraire par quelconqe voie.

112. GRANT OF A POLL-TAX, NOVEMBER–DECEMBER

[*Rot. Parl.*, III, 89-90.]*

10. [The Commons, who had been asked to make a grant of money, demanded a clarification of the position and a statement of the total sum required.]

11. Et surce une cedule qestoit fait devant par les grantz officers et le Conseil le roi contenante diverses sommes necessaires en celle partie, a ce qestoit dit ; quelles sommes sextendoient a cent et sessante mille livres desterlings. Et celle cedule leur estoit liveree pur ent adviser et doner lour bone responce a le hast qils purroient.

12. [The Commons returned before the king and the lords and said that this sum was outrageous ; and they asked that the prelates

and lords discuss by themselves how a reasonable sum might be raised.]

13. Et puis apres, quant les prelatz et seignurs lour ent furent advisez, et avoient tretez longement de la matire, ils firent la Commune venir autre foitz devant eulx, et leur moustrerent lour advis, coment lour sembloit qils purroient ore faire. Primerement, lour advis est qils grantassent une certaine somme des grotes de chescune persone masle et femmale parmy le roialme, le fort aidant al feable; ou si ce ne lour pleust, adonqes lours advis est davoir pur un terme une certaine imposicion currante parmy le roialme, et aprendre del livree de chescune manere de merchandises achatez et venduz en dit roialme a tantz des foitz qils furent venduz par les mains des vendours. Et tiercement lour advis est davoir une somme par x^mes^ et xv^mes^. Mais pur tant qe les dismes et quinszimes si sont moelt grevouses par plusours maneres a la povre commune, et qe tielles imposicions ne aient este encores assaiez, issint qe chescun ne poet savoir a quele somme extendroit, et qe long terme serroit qe aucune notable somme ent feust levez; si semble as seignurs qe si len vorront granter quatre ou cynk grotes de chescune persone, ce serroit une bone et notable somme par quelle le roi purroit bien estre aidez, et chescune persone del roialme le purroit bien supporter, par issint qe les fortz feussent constreintz daider les feobles. Et issint semble as seignurs qe celle manere levee des grotes serroit le meillour et le pluis aisee, come dit est.

[The Commons, after long deliberation, came into parliament and suggested that they would grant 100,000 marks by means of a poll tax if the clergy, who occupied a third part of the kingdom, would grant 50,000 marks.]

A quoy feust reppliez par le clergie qe lour grant ne feust unqes fait en parlement, nene doit estre, ne les laies gentz devroient ne ne purroient constreindre le clergie, nene poet ne doit en celle partie constreindre les layes gentz; mais leur semble qe si aucun deust estre frank ce serroit pluis tost la clergie qe les lays gentz. [After further discussion, the Commons made their grant as follows.]

15. En primes, les seignurs et Communes si sont assentuz qe y serra donez pur les necessitees suisdites, de chescune laie persone du roialme deinz franchise et dehors, sibien des madles come des females, de quiel estat ou condicion qils soient, qi sont passez lage de xv ans, trois grotes, forspris les verrois mendinantz qi ne serront de riens chargez. Sauvant toutesfoitz qe la levee se face en ordeinance et en forme, qe chescune laye persone soit chargez owelment selonc son afferant, et en manere qensuyt; cestassavoir, qe a la somme totale acomptez en chescune ville, les suffisantz selonc lour afferant eident les meindres; issint qe les pluis suffisantz ne paient oultre la somme de lx grotes pur lui et pur sa femme, et nule persone meins qun grote pur lui et pur sa femme. Et qe nule persone soit chargez de paier

forsqe par la ou la demoere de lui et de sa femme et ses enfantz ensont, ou en lieu ou il demoert en service. [Servants must pay their share; the grant is made only for the war, and is not to be treated as a precedent.]

PROCEEDINGS IN THE PARLIAMENTS OF 1381–1382

Writs were issued on 16 July, 1381, for a parliament to meet at Westminster on 16 September; writs of *supersedeas* were issued on 22 August to postpone the meeting until 3 November; its first session lasted until 13 December; its second session from 27 January until 25 February, 1382.

113. PETITIONS FOR REFORM

[*Rot. Parl.*, III, 100-102.]*

17. Item, les Communes avantdites retournerent autrefoitz en parlement, faisantz lour protescatioun come devant, en disantz qe sur les charges a eux donez ils avoient diligeaument communez avec les prelats et seignurs a eux sur ce donez, et lour sembloit pur voir qe si la governance du roialme ne soit en brief temps amendez, mesme le roialme serra oultrement perduz et destruit pur toutz jours, et par consequens nostre seignur le roi et touz les seignurs et communes, qe Dieux ne voille pur sa mercy. [Some examples of misgovernment are given.] . . . Qe plese a nostre seignur le roy et as nobles seignurs du roialme ore assemblez en ce parlement, pur la mercy de Jesu Crist, y mettre tiel remede et amendement sur le dit governaill, toutz partes, qe lestat et dignitee nostre dit seignur le roi principalement, et les nobles estatz des seignurs du roialme, soient entierment salvez, come lentente de la Commune est, et toutdys lont desirez; et mesme la commune puisse estre mys en quiete et paix, oustantz de tout, si avaunt come homme les purra conustre, les malx officers et conseillers, et y mettantz en lour lieux des meillours, pluis vertuouses, et plus suffisantz, et oustantz touz les malx enchesons qont issint este mocion del derrain rumour, et des autres meschiefs eschuz deinz le roialme, come dessus est dit, ou autrement ne pense mye homme qe ceste roialme puisse longement ester sanz greinour meschief qe unqes devaunt navenist a y cell, qe Dieux defende. Et pur Dieux ne soit mis en ublie qe en toutes maneres soient mys entour la persone du roi pur et [*sic*] de son conseil, des plus suffisantz et discretz seignurs et bachilers qe homme purra avoir ou trover deinz le roialme.

18. Et est assavoir qe puis apres, quant le roi nostre seignur avec les seignurs du roialme et son conseil savoit fait adviser sur cestes requestes a lui faites pur le mieulx de lui et de son dit roialme, a ce qe veritablement lui appareust, il voloit et grantast qe certains prelats, seignurs, et autres furent assignez pur survere et examiner en prive conseil sibien lestat et governaill de la persone nostre dit seignur,

come de son dit Hostiel, et de lour adviser des remedes suffisantz sil embusoigneroit, et ent faire lour report a roi dessusdit. [The duke of Lancaster, six ecclesiastics, eleven laymen, and others were chosen for this purpose. Later the Commons presented these persons with a series of articles.]

19. Prient les Communes a mon treshonure seignur de Lancastre et a touz noz autres seignurs ov lui esluz par nostre tresredoute seignur le roi pur ordener lestat nostre dit seignur honurablement et honestement, sibien des bones gentz et dignes entour sa persone, come bones et vaillantz officers pur son Hostiel, sibien de ceux qi ore sont ove nostre dit seignur, come des autres la ou les pluis suffisantz y soient, pensantz tendrement, sil vous plest, sur les principales persones qi serront entour sa persone, et les principals officers qi serront de son Hostiel, qils soient de les pluis discretz et pluis vaillantz de roialme et de null autres ; oustant les mals, si aucuns soient, sibien pur conseiller les grandes officers par dehors Lostell quaunt busoigne serra, come pur governaill du persone nostre dit seignur et de son Hostell, en honour et profit de lui et de son roialme ; pensant auxi, sil vous plest, de la grande repaire des gentz, sibien a chival, come a pee, qi sont repairantz au dit Hostell, faisant tiel nombre et tiel gent en le dit Hostiell, qe nostre dit seignur puisse vivre honestement de son propre desore enavant, sanz charger son poeple come ad este fait pardevant, considerantz, pur Dieux, les greves et pleintes qe le povre poeple ont fait sovent pur mal governaill et outrageouses despenses, et ne scievent nene poent qe pleindre et clamer pur remedie.

20. [The Commons ask that, with the advice of the king, the lords should appoint a wise and discreet chancellor, and that with him they should enquire into the condition of the Chancery, about which there are many rumours of scandals and oppressions.]

21. [The Commons ask that the treasurer and other officers of the Exchequer be appointed in the same way.]

22. [The Commons ask the same of the justices of both Benches, and that two justices, two sergeants, and four apprentices declare on oath the defects in the law and the reforms that might be made in it.]

23. [The Commons ask to be informed of the names of the officers and the ordinances for their offices when they are made.]

24-26. [The Commons ask the lords to make provision for the peace of the realm and to consider the ruinous wars and the poverty of the realm.]

27. [The Commons ask that when these things have been done, the lords in parliament be asked to promise to observe them, and that penalties be announced so that the officers and others will observe these ordinances.]

28. Et fait a remembrer, quant mesmes les articles estoient lues en dit parlement si fuist assentuz qe sibien les clercs de la Chancellerie de les deux principalx degrees, et les justices et sergeantz, barons et grantz officers de Lescheqier, trestouz, et auxint certaines persones

des melliours apprentices de la loi, serront chargez par lour ligeances et serementz, chescune degree par soy, de lour adviser diligealment de les abusions, tortz, et defautes qe furent faites et usez en lours places, et en les courtes du roi ; et auxint en les courtes dautres seignurs parmy le roialme ; et par especial des ditz maintenours et extorcioners en paiis, et de lours malfaitz damender le dit governaill, come devaunt ad este requis. . . . [The merchants were similarly to be charged.] Et qe, sur lour advis ent pris, chescun des dites degrees et places par soi mettroit en escrit les meschiefs usez en le governaill qa luy appartient, et avec ce leur avis des remedies apurvoier pur amendement, au fin qe les seignurs et communes apris del purpos de ceulx qi mieulx ent sont conissantz, par reson purront le plus discretement aler avant a bone conclusioun damender ce qest a amender en dit governaill, come devaunt est demandez. Et einsi furent chargez de faire singulerement.

114. ASSERTION BY THE COMMONS THAT GRANT OF A SUBSIDY IS NOT A ROYAL RIGHT

[*Rot. Parl.*, III, 104.]*

This point was re-asserted in 1385 [*Rot. Parl.*, III, 204].

40. [The Commons came before the lords and said that they had heard the king's costs, and that the parliamentary grant of the subsidies, his most profitable source of income, expired at Christmas next. They wished to aid the king.] . . . Et pensent dautre part, qe par continuel occupacioun del dit subside es mains de nostre dit seignur le roi sanz interrupcioun de temps, len purroit legerement cleymer pur et en noun le roi davoir les dites subsides come de droit et de custume, combien qe riens ny ad le roi es dites subsides sinoun par lour grant. Quele chose par proces de temps purroit issint cheoir en desheritison et continuel charge de toute la commune Dengleterre pur touz jours, qe Dieux ne veulle. Et par tant, et pur eschuer celle meschief, les prelats, seignurs, et Communes avauntdites grantent a nostre seignur le roi, pur eux et pur toute la commune Dengleterre, autielles subsides des leynes, peaulx lanutz, et quirs, en touz pointz come il ent avoit, ou resceut, parmy le derrain grant avauntdit, a avoir et resceiver del feste de la Circumcision nostre Seignur proschein venant, tanqe al feste de la Chandeleure deslors proschein ensuant tantsoulement. Issint qe lespace parentre Nowell et la dite Circumcisioun ent soit de tout voide, a cause de faire avoir ore la dite interrupcioun.

115. STATUTE TO EXTEND THE LAW OF TREASON (5 Richard II, st. 1, c. 6)

[*Stat. R.*, II, 20.]*

Et le roi defende estroitement a toutes maneres des gentz, sur peine de quanqe ils purront forfaire devers lui en corps et en biens, qe nully desore face ne recomence par voie quelconqe celles riot [occurring in the Peasants' Revolt] et rumour nautres semblables. Et si nully le face, et ce provez duement, soit fait de luy come de traitre au roi et a son dit roialme.

116. ANNULMENT OF A STATUTE TO WHICH THE COMMONS HAD NOT ASSENTED, 1382

[*Rot. Parl.*, III, 141.]* Cf. H. G. Richardson, 'Heresy and the Lay Power under Richard II', in *E.H.R.*, LI (1936), pp. 1–28.

Writs were issued on 24 March, 1382, for a parliament to meet at Westminster on 7 May; its session lasted until 22 May. Writs were issued on 9 August for a parliament to meet at Westminster on 6 October; its session lasted until 24 October. The present request was made during the latter parliament.

53. Item, supplient les Communes qe come un estatut fuist fait en derrain parlement en ces paroles, 'Ordenez est en cest parlement qe commissions du roi soient directes as viscounts et autres ministres du roi, ou as autres suffisantz persones, apres et solonc les certificacions des prelatz ent affaires en la Chancellerie du temps en temps, darester touz tieux precheours et lours fautours, mayntenours, et abettours, et de les tenir en arest et forte prisone tanqe ils se veullent justifier selonc resoun et la loy de Seinte Esglise. Et le roi voet et comande qe le chanceller face tieles commissions a touz les foitz qe serra par les prelatz ou aucun de eux certifie et ent requis, come dessuis est dit'. La quiel ne fuist unqes assentu ne grante par les Communes, mes ce qe fuist parle de ce, fuist sanz assent de lour. Qe celui estatut soit annienti, qar il nestoit mie lour entent destre justifiez ne obligez lour ne lour successours as prelats pluis qe lours auncestres nont este en temps passez.

Responsio. Y plest au roi.

PROCEEDINGS IN THE FIRST PARLIAMENT OF 1383

Writs were issued on 7 January, 1383, for a parliament to meet at Westminster on 23 February; its session lasted until 10 March.

117. ASSERTION OF THE INSUFFICIENCY OF A GREAT COUNCIL

[*Rot. Parl.*, III, 144.]*

3. [The chancellor, explaining the reasons for the summons of parliament, showed that after the last parliament, in which the king decided to invade France, news of the French conquest of Flanders was received.] . . . Par quoy, tantost le roi nostre seignur ceste novelle oiez, fist somoner un Grant Conseil cy a Westmouster tost apres la Epiphanie derrain passez; en quiel Conseil si estoit grant partie des seignurs du roialme, esperitelx et temporelx, et grant nombre des pluis suffisantz bachilers

du roialme . . . [who advised that the king should lead an army abroad]. Mais pur tant qe la busoigne estoit et est si chargeante, sibien touchant le governaill du roialme en absence du dit nostre seignur sil y passast, come autrement sur son dit aler, qe homme ne voloit ne nosast, pur perils apparissantz, finalment assentir al un ne a lautre sanz parlement. . . .

118. REQUEST BY THE COMMONS FOR NO DEPARTURE BEFORE DETERMINATION OF PETITIONS

[*Rot. Parl.*, III, 147.]*

19. . . . Item, prient les Communes qil plese au roi nostre seignur de sa grant roialtee chargire les seignurs et autres ses liges qe null se departe de parlement tanqe les peticions suisescritz soient finalment terminez et mys en due execucioun ; et qe les executours des ditz busoignes puissent overtement estre conuz as voz dites Communes devant lour departir pur ent faire relacioun a lour veisins en chescune partie, en grant confort de voz Communes avauntdites.

THE CRISIS OF 1386–1387

Writs were issued on 8 August, 1386, for a parliament to meet at Westminster on 1 October ; its session lasted until 28 November. The king was present at the opening of the parliament, but soon afterwards retired to Eltham. Efforts to procure his return were unavailing until threats of deposition were made to him by the duke of Gloucester and others. He did return before 24 October, when the chancellor and treasurer were replaced. The parliament then proceeded with the impeachment of the retiring chancellor, Michael de la Pole, earl of Suffolk.

119. ACCORDING TO HENRY KNIGHTON

[*Chronicon Henrici Knighton vel Cnitthon Monachi Leycestrensis*, ed. J. R. Lumby (R.S., 1895), II, 215-221, 223-225.] See V. H. Galbraith, 'The Chronicle of Henry Knighton', in *Fritz Saxl, 1890–1948*, ed. D. J. Gordon (1957).

Henry Knighton was a canon of Leicester Abbey. The portion from 1376 to 1395 shows pro-Lancastrian bias.

Rex tenuit parliamentum apud Westmonasterium die lunae in crastino sancti Jeronimi [1 October] et finivit in festo sancti Andreae [30 November]. Comes Oxoniae qui et Marcheus Dubliniae factus dux Hiberniae in festo sancti Edwardi regis et confessoris [13 October]. Rex traxit moram tempore parliamenti apud Eltham pro majore parte. Proceres igitur regni et communes de communi assensu nunciaverunt regi, oportere amoveri cancellarium et thesaurarium ab officiis suis, quia non erant ad commodum regis et regni, ac etiam habebant talia negotia tractare cum Michaele de Pole quae non possent tractare cum eo quamdiu staret in officio cancellariae. Rex inde motus mandavit eis ut de his tacerent, et de negotiis parliamenti procederent atque ad expeditionem festinarent, dicens se nolle pro ipsis nec minimum garcionem de coquina sua amovere de officio suo. Petierat enim cancellarius ex nomine regis a communibus quatuor quindenas solvi in uno anno et totidem decimas a clero, dicens regem adeo indebitatum quod non posset aliter a suo debito et aliis oneribus sibi incumbentibus tam de guerra quam de familia et de aliis relevari. At illi communi assensu dominorum et communium remandaverunt regi, se non posse nec omnino velle in aliquo negotio parliamenti procedere, nec minimum quidem articulum expedire, donec rex veniret et seipsum in propria persona in parliamento eis ostenderet, dictumque Michaelem de Pole ab officio amoveret. At rex remandavit eis, ut quadraginta milites de peritioribus et valentioribus communibus ad eum transmitterent, qui ei vota aliorum omnium indicarent. Tunc illi majus timuerunt unusquisque de propria salute. Nam occultus rumor aures secretius asperserat, quod eorum interitus per insidias imaginaretur. Nam ut postea innotuit eis, dicebatur, illis sic ad regis colloquium accedentibus turba armatorum eos invaderet et interficeret, vel ad regis convivium invitatos scelesti viri armati in eos irruerent et necarent, vel in hospitiis suis Londoniis subito interficerentur, sed renuente et ad tantum scelus nullo modo consentiente Nicholao de Exton, Majore ville Londoniensis, istud flagitium dilatum est. Salubri igitur usi consilio miserunt de communi assensu totius parliamenti dominum Thomam de Wodestoke ducem Gloucestriae, et Thomam de Arundelle, episcopum Helyensem, ad regem apud Eltham, qui salutarent eum ex parte procerum et communium parliamenti sui sub tali sensu verborum ei referentes vota eorum.

Domine Rex, proceres et domini atque totus populus communitatis parliamenti vestri cum humillima subjectione se commendant excellentissimo [patrocinio] regalis dignitatis vestrae, cupientes prosperum iter invincibilis honoris vestri contra inimicorum potentiam, et validissimum vinculum pacis et dilectionis cordis vestri erga subditos vestros in augmentum commodi vestri erga deum et salutem animae vestrae, et ad inedicibilem consolationem totius populi vestri quem regitis. Ex quorum parte haec vobis intimamus, quod ex antiquo statuto habemus et consuetudine laudabili et approbata, cujus contrarietati dici non valebit, quod rex noster convocare potest dominos et proceres regni atque communes semel in anno ad parliamentum suum tanquam ad summam curiam totius regni, in qua omnis aequitas relucere deberet absque qualibet scrupulositate vel nota, tanquam sol in ascensu meridiei, ubi pauperes et divites pro refrigerio tranquillitatis et pacis et repulsione injuriarum refugium infallibile quaerere possent, ac etiam errata regni reformare et de statu et gubernatione regis et regni cum sapientiori consilio tractare, et ut inimici regis et regni intrinseci et hostes extrinseci destruantur et repellantur quomodo convenientius et honorificentius fieri poterit cum salubri tractatu in eo disponere et praevidere, qualiter quoque onera incumbentia regi et regno levius ad commodum communitatis supportari poterunt. Videtur etiam eis quod ex quo onera supportant incumbentia habent etiam supervidere qualiter et per quos eorum bona et catalla expendantur. Dicunt etiam quod habent ex antiquo statuto quod si rex a parliamento suo se alienaverit sua sponte, non aliqua infirmitate aut aliqua alia de causa necessitatis, sed per immoderatam voluntatem proterve se subtraxerit per absentiam temporis xl. dierum tanquam de vexatione populi sui et gravibus expensis eorum non curans, extunc licitum omnibus et singulis eorum absque domigerio regis redire ad propria et unicuique eorum in patriam suam remeare. Et jam vos ex longiori tempore absentastis, et qua de causa nesciunt, venire renuistis.

Ad haec rex, Jam plene consideramus quod populus noster et communes intendunt resistere atque contra nos insurgere moliuntur, et in tali infestatione melius nobis non videtur quam cognatum nostrum regem Franciae [invocare] et ab eo consilium et auxilium petere contra insidiantes, et nos ei submittere potius quam succumbere subditis nostris.

Ad haec illi responderunt. Non est hoc vobis sanum consilium sed magis ducens ad inevitabile detrimentum. Nam rex Franciae capitalis inimicus vester est et regni vestri adversarius permaximus. Et si in terram regni vestri pedem figeret, potius vos spoliare laboraret et regnum vestrum invadere, vosque a sublimitate regalis solii expellere, quam vobis aliquatenus manus adjutrices cum favore apponere, si, quod absit, ejus suffragio quandoque indigeretis. Ad memoriam igitur revocetis qualiter avus vester Edwardus tertius rex et similiter pater vester Edwardus princeps nomine ejus in sudore et angustiis in omni tempore suo per innumerabiles labores in frigore et calore certaverunt indefesse pro conquisitione regni Franciae, quod eis jure hereditario attinebat, et vobis per successionem post eos. Reminiscamini quoque qualiter domini regni et proceres atque communes innumerabiles tam de regno Angliae quam Franciae, reges quoque et domini de aliis regnis, atque populi innumerabiles in guerra illa mortem et mortis periculum sustinuerunt, bona quoque et catalla inaestimabilia et thesauros innumerabiles pro sustentatione hujus guerrae communes regni hujus indefesse effuderunt. Et quod gravius dolendum est, jam in diebus vestris tanta onera eis imposita pro guerris vestris sustinendis supportaverunt, quod ad tantam pauperiem incredibilem deducti sunt, quod nec redditus suos pro suis tenementis solvere possunt, nec regi subvenire, vel vitae necessaria sibi ipsis ministrare, et depauperatur regia potestas, et dominorum regni et magnatum infelicitas adducitur, atque totius populi debilitas. Nam rex depauperari nequit qui divitem habet populum nec dives esse potest qui pauperes habet communes. Et mala haec omnia redundant non solum regi sed et omnibus et singulis dominis et proceribus regni, unicuique in suo gradu. Et haec omnia eveniunt per iniquos ministros regis qui male gubernaverunt regem et regnum usque in praesens. Et nisi manus citius apponamus adjutrices et remedii fulcimentum adhibeamus regnum Angliae dolorose attenuabitur tempore quo minus opinamur.

Sed et unum aliud de nuncio nostro superest nobis ex parte populi vestri vobis intimare. Habent enim ex antiquo statuto et de facto non longe retroactis temporibus experienter, quod dolendum est, habito, si rex ex maligno consilio quocunque vel inepta contumacia aut contemptu seu proterva voluntate singulari aut quovis modo irregulari se alienaverit a populo suo, nec voluerit per jura regni et statuta ac laudabiles ordinationes cum salubri consilio dominorum et procerum regni gubernari et regulari, sed capitose in suis insanis consiliis propriam voluntatem suam singularem proterve exercere, extunc licitum est eis cum communi assensu et consensu populi regni ipsum regem de regali solio abrogare, et propinquiorem aliquem de stirpe regia loco ejus in regni solio sublimare. Quae forte dissensio aut error gravis (ne) in populo oriatur, et populus regni novo aliquo dissidio dolendo, et inimicis regni placibili, in diebus vestris per insanum consilium ministrorum vestrorum subruatur, regnumque Angliae tam honorificum et in toto orbe terrarum prae caeteris regnis tempore patris vestri hactenus in militia nominatissimum, nunc vero diebus vestris per divisionem malae gubernationis impropriose desoletur, regnique tanti damno titulus pro debili gubernatione sub perpetua memoria personae vestrae scandalosae quam regni vestri atque populi, et animum ab inepto consilio revocetis et eos qui vobis talia suggerent nec solum non audiatis sed etiam de consilio vestro penitus amoveatis; nam in eventu vario parum aut nihil vobis prodesse poterunt in effectu.

His et aliis talibus loquelis rex ab ira semotus animum de melancholia revocavit, sicque pacificatus promisit se venire ad parliamentum post triduum et eorum petitioni cum maturitate se libenter adquiescere velle. Venit igitur rex ad parliamentum ut promisit, et tunc dominus Johannes de Fortham episcopus Dunelmensis amotus est de officio thesaurariae et episcopus Herfordenis factus est thesaurarius. Dominus Mychael de Pole comes de Southfolke depositus est cum ingenti rubore de officio cancellariae, et Thomas de Arundell episcopus Helyensis per consensum parliamenti factus est cancellarius. Post haec dictus Michael de Pole accusatus est de multis transgressionibus, fraudibus, falsitiis et traditionibus factis in grave praejudicium et damnum regis et regni, convictusque in mirabili numero articulorum praedictorum, noluerunt ipsum morte plectere neque nomen comitis ei auferre, et hoc propter honorem gradus militaris, sed judicaverunt eum ad carcerem in castello de Wyndesowre. Sed statim parliamento finito et universis ad propria regressis rex eum a custodia revocavit, et abire libitum libere permisit donec providerent qualiter disponerent aliter de eo. Redditusque et possessiones quos perquisierat dum steterat in officio cancellariae ad annuam summam mille librarum ad perpetuum profectum regis confiscati sunt et adjudicati per judicium parliamenti, et multas alias summulas quas nequiter et fallaciter lucratus fuerat in tardando negotia populorum donec cum eo primo finem facerent antequam eos expediret, videlicet ad summam xii. mille librarum condemnatus est reddere regi in relavamen communitatis regni. . . . [Here follow the articles of arraignment against Michael de la Pole.]

Videntes interea domini et magnates parliamenti quod per cupidinem officiariorum regis bona regni adeo quasi inaniter consumpta essent, rexque nimis deceptus et populus regni per gravia onera depauperatus, redditus et emolumenta dominorum et magnatum multum debilitata, et agriculturae pauperum tenentium in multis locis in desolationem derelictae, et in his omnibus officiarii regis supra modum locupletati sunt, elegerunt quatuordecim dominos regni qui gubernaculum totius obtinerent; de quibus tres erant de novis ministris regis per parliamentum electis, videlicet episcopus Elyensis qui erat cancellarius, episcopus Herfordensis thesaurarius, et dominus Johannes de Waltham custos secreti sigilli, et undecim de aliis dominis regni, scilicet archiepiscopus Cantuariensis, archiepiscopus Eboracensis, Edmundus de Langleye dux Eboracensis, Thomas de Wodestoke dux de Gloucestria, episcopus de Wynchestre, episcopus de Excestria, abbas de Waltham sanctae Crucis, comes de Arundele, dominus Johannes Cobham, dominus Ricardus le Scrope, dominus Johannes de Eurose. Et dederunt eis licentiam et potestatem ad inquirendum, tractandum, diffiniendum, et determinandum de omnibus negotiis, causis, et querelis emergentibus a tempore Edwardi tertii avi regis Ricardi usque in praesens, tam in regno quam extra regnum in remotis. Similiter de expensis regis et ministris, et de omnibus quibuscumque aliis pro tempore sibi assignato emergendis; feceruntque dictos proconsiliarios dominos jurare ad sancta dei evangelia juste et fideliter regulare omnia onera et negotia incumbentia regi et regno, et justitiam facere cuilibet petenti secundum gratiam et scientiam a deo sibi datam.

Similiter et rex sacramentum juramenti praestitit stare ordinationi eorum et eos fovere in suis agendis, et nullum articulum potestatis eorum revocare; sed firmum et stabile habere quicquid praedicti consiliatores fecerint et ordinaverint durante tempore illis assignato. Et si contingat quod omnes simul in quocumque negotio adesse non poterunt aliunde occupati, saltem vj. eorum cum tribus officiariis regis praedictis audire poterunt inquirere, tractare, et determinare quamcunque causam contingentem sive citra mare sive extra quocunque titulo emergente ubicunque rex facere habuerit sicut ad plenum infra patebit. Similiter ordinatum est quod si quis regem consuluerit aliquid de potestate eorum revocare in tempore succedente, licet rex nihil revocaverit, si super eo verisimiliter convinci poterit, omnibus bonis et possessionibus privabitur; et si secundo tale quid attemptaverit, tractus per civitatem tanquam traditor publicus regis et regni suspendetur, sicut infra patebit in ordinatione. Et ut rex majorem benevolentiam et favorem adhibebit in praemissis concesserunt ei dimidiam decimam de spiritualibus, et dimidiam quindenam de temporalibus solvendas ad festum sancti Michaelis proximo sequens, si necesse fuerit per visum praedictorum consiliatorum si caetera concessa non sufficerent ad supportandum onera incumbentia medio tempore regi et regno. Similiter concesserunt regi de quolibet dolio vini intrante regnum Angliae, et de quolibet dolio exeunte de regno tres solidos. Item, de libra cujuscumque mercimonii intrante regnum vel exeunte de regno xij. denarios tam de indigenis quam de extraneis, solum exceptis lanis, coriis, et pellibus.

120. IMPEACHMENT OF MICHAEL DE LA POLE, EARL OF SUFFOLK

[*Rot. Parl.*, III, 216-220.]*

See also no. 93 above. For discussion see also T. F. T. Plucknett, 'State Trials under Richard II', in *Trans.R.H.S.*, 5th ser., II (1952), pp. 159–171 and 'Impeachment and Attainder', in *ibid.*, III (1953), 145-158.

Michael de la Pole (?1330–1389), earl of Suffolk (cr. 1385), was appointed chancellor 13 March, 1383. After this parliament he was released from prison by the king and his fine remitted. In November, 1387, he was obliged to flee to Paris, where he died in 1389. In his absence he was sentenced to death and forfeiture by the Merciless Parliament (see no. 128 below).

5. . . . En ycest parlement, touz les Communes dun accord et unement assemblez viendrent devant le roi, prelatz, et seignurs en la chambre de parlement, compleignantz griefment de Michel de la Pole, count de Suffolk, darrein chanceller Dengleterre, lors esteant present, et lui accuserent par demoustrance de bouche en manere ensuant, cestassavoir.

6. Primerement, qe le dit count, esteant chanceller et jurrez de faire le profit du roi, purchacea de nostre seignur le roy terres, tenementz, et rentes a graunt value, come piert par record es rolles de la Chancellerie, encontre son serement, la ou il ne lavoit tant deservi, considerez la graunt necessite du roi et du roialme. Et outre ce, a cause qe le dit count feust chanceller au temps du dit purchace faite, les ditz terres et tenementz feurent extenduz a meyndre value qils ne vaillent par an par grante somme, en deceit du roi.

Item, la ou ix seignurs feurent assignez au darrein parlement pur veer et examiner lestat du roi et du roialme, et dire lour avys coment il purra meuz estre amendez et mys en meliour governance et disposicion, et sur ce lexaminement fait, et le report sur ce fait au roi, sibien par bouche, come en escript, le dit nadgairs chanceller disoit en plein parlement qe les ditz advisement et ordinance deussent estre mys en due execucion; et ce ne feust fait, et en defaut de lui qalors feust principal officer.

Item, la ou la charge feust grantez par les Communes au darrein parlement pur estre despenduz en certeine forme demande par les Communes et assentuz par le roi et les seignurs, et nounpas autrement, les deniers ent provenantz feurent despenduz en autre manere, siqe la meer nestoit gardez en manere come feust ordeinez; paront plusours meschiefs sont avenuz au roialme, et vray semblable est davenir, et ce en defaut dudit nadgairs chanceller.

Item, par la ou un Tydeman de Lymborgh, qavoit a lui et ses heirs de doun le roi laiel l livres par an de la custume de Kyngeston sur Hull, le quele Tydeman forsfist devers le roi, et auxint le paiement des ditz l livres annueles feust discontinue par xx ou xxx ans, le dit nadgairs chanceller ce sachent, purchacea a lui et ses heirs du dit Tydeman les ditz l livres annueles, et fist tant qe le roi lui conferma la dite purchace, la ou le roi deust avoir eue le profit.

Item, par la ou le haut mestre de Seint Antoign est sismatik, et par celle cause le roi deust avoir le profit qa lui appartenoit en le roialme Dengleterre, le dit nadgairs chanceller, qi deust avoir avancez et procurez le profit du roi, prist a ferme le dit profit du roi pur xx marcz par an, et ent prist a son oeps propre bien entour mille marcz, et al heure qe le mestre de Seint Antoign en Engleterre qore est deust avoir possession et livere du dit profit, il ne le poast avoir, avant qil et deux persones ovesqe lui savoient obligez par recognissance en la Chancellarie, et par instrumentz, en trois mille livers de paier annuelement a dit nadgairs chanceller, et a Johan son fitz, C livres par an a terme de lour deux vies.

Item, qen le temps du dit nadgairs chanceller feurent grantez et faitz diverses chartres et patentes [of pardons] des murdres, tresons, felonies, rasures des roules, vente des lois; et en especial, puis le comencement de cest parlement feust faite et enseale une chartre de certeines franchises grantez au chastel de Dovorr, en desheritisoun de la corone, et subversioun des toutes les places et courtes du roi, et de ses lois.

Item, par la ou ordinance feust faite au darrein parlement pur la ville de Gant, qe dys mille marcz deussent estre cheviz, et pur celle chevance deussent estre perduz iii mille marcz, la en defaut et negligence du dit nadgairs chanceller la dite ville feust perduz; et nientmeyns les x mille marcz paiez, et les ditz iii mille marcz pur la chevance perduz, come desuis est dit.

De toutz les queux articles les dites Communes demandent juggement du parlement.

[To which articles the earl made reply, and the Commons made replication to these replies; to this the earl made further reply.]

12. Et sur ce, apres les respons du dit count donez as accusementz des dites Communes, et les replicacions a yceux faites dune partie et dautre, le dit count, a la requeste des dites Communes, pur la grandesse des defautes a lui issint surmises, estoit arestu par commandement du roi et commys en la garde de conestable Dengleterre, et puis lesse a maynprise.

13. Et pur ce qe le dit count naleggea point en son respons qil observa leffect de son serement en ce qil jurast, "qil ne saveroit ne ne soeffreroit le damage ne la desheritesoun du roi, ne qe les droitures de la corone feussent destrutz par nulle voie si avant come il les poiast destourber, et sil ne le poast destourber il le ferroit savoir clerement et

expressement au roi ensemblement ove son loial avys et conseill, et qil ferroit et purchaceroit le profit le roy par tout ou il le purroit faire resonablement". Et il, tancome il estoit ensy principal officer du roi, sachant lestat et necessite du roi et du roialme, prist du roi tielx terres et tenementz come est suppose par lempechement a luy en le dit primer article surmys. Et coment qil alleggea en son respons qe les douns a luy issint faitz feurent confermez par plein parlement, il y a null tiel record en roulle de parlement. Par quoi agarde est qe toutz les manoirs, terres, tenementz, rentes, services, fees, advoesons, reversions, et profitz, ove lour appurtenances, par lui issint receuz du roi, soient reseisez et reprises en les mayns du roi, a avoir et tenir a nostre dit seignur le roi et ses heires si pleinement et enheritablement come il les avoit et tient devant le doun ent fait al dit count. Et qe toutz les issues et profitz ent receuz ou eues al oeps du dit count en le mesne temps soient levez al oeps nostre seignur le roy des terres et chatelx du dit count illoeqes et aillours. Mes nest pas lentencioun du roy, ne des seignurs, qe celle juggement sestende de lui faire perdre le noun et le title de count, ne les xx livres annuels queux le roi lui graunta aprendre des issues du countee de Suffolk pur le noun et title avantditz . . . [Other forfeitures were imposed in respect of some of the other counts.]

16. . . . Et quant a les trois articles, cestassavoir de les ix seignurs, la garde du meer, et Gant, y semble au roi et as seignurs du parlement qe le dit count ne doit estre empesche par soi sanz ses compaignons qi feurent alors du conseil le roi. Et si ascun lui vorra empescher dascun defaut en especial, il soi offrist prest a respondre.

17. Et quant al article contenant chartres de pardoun et la patent de Dovorr, agarde est qe la patent de Dovorr soit reppellee, cancelle, et outrement adnullez. Et quant as autres chartres et patentes contenuz en lempeschement avantdit, si ascuns soient faitz encontre la ley agarde est qe toutes tielles chartres et patentes, si ascunes tielles y soient, soient repellez, cancellez, et adnullez, esteantz les autres en lour force et vertue. . . .

121. PETITION FOR THE APPOINTMENT OF A COMMISSION

[*Rot. Parl.*, III, 221.]*

The commission asked for was issued on 19 November, and was subsequently given statutory authority on 1 December (*Stat. R.*, II, 39-43). The commissioners appointed were William Courtenay, archbishop of Canterbury, Alexander Neville, archbishop of York, William of Wykeham, bishop of Winchester, Thomas Brantingham, bishop of Exeter, Nicholas, abbot of Waltham, Thomas, duke of Gloucester, Richard, duke of York, Richard, earl of Arundel, John, lord Cobham, Richard, lord Scrope of Bolton, and John, lord Devereux. The commission was to expire on 19 November, 1387.

20. Item, suppliont treshumblement les Communes, pur lonur de Dieu, et en meintenance de vostre corone, et pur vostre profit demesne, et de toutz les prelatz, seignurs, et en supportacioun de voz poveres

communes de vostre roiaume, qe vous plese ordeiner et establir en cest present parlement suffisantz officers, cestassavoir, chaunceller, tresorer, gardeyn de prive seal, et seneschal de vostre Hostiel, et aussi autres seignurs de votre graunt et continuel counseil ; et qe les ditz seignurs et officers purront avoir poair de corriger et amender totes les defautes de ce qe vostre corone est tant emblemy, sibien qe les loies et les estatuz ne sont point tenuz et gardez, come les autres biens et profitz qeconqes de vostre dit corone retretz, come voz ditz Communes vous ount en partie declarez, et unqore sont et serront prestes de le faire ; et qe sur ce faire suffisant commissioun a les seignurs et officers suisditz, a durere de la fest de Seint Esmon le Roy et Martir darrein passe [20 November], et de mesme la fest en un an lors prochein ensuant, et de celle temps jesqe a parlement adonqes prochein ensuant ; et auxi faire estatut qe nully, de quelle dignite, estat, nacion, ou condicion qil soit, ne soit si hardy, en prive nen apert, de counseiler ne faire venir a lencontre de ce qe les ditz seignurs et officers vorront conseiler, et ce sur grevouse peyne ; la quelle chose vous avez en partie de vostre benignite mys en execucioun, vous enrequerantz qa present vous plese faire le remenant. Et aussi qe voz ditz officers et counseilers purroient demurrer continuelment a Londres durant le dit terme pur avoir pleine enformacioun, sibien des rolles et recordes, come des justices et autres persons qeconqes del Chauncellarie ou del Escheqer, ou dascune autre place de recorde.

Responsio. Le roy le voet, forspris qe la commissioun et estatut demandez en cest peticion ne durerent forsqe par un an entier. Et quant al seneschal de son Hostell, il ordeinera un sufficeant par advis de son counseill.

122. THE KING SAVES HIS PREROGATIVE

[*Rot. Parl.*, III, 224.]*

35. Fait aremembrer qe le roi en plein parlement, devant le fyn dicell, fist overte protestacioun par sa bouche demesne qe pur riens qestoit fait en le dit parlement il ne vorroit qe prejudice avendroit a luy ne a sa corone, einz qe sa prerogatif et les libertees de sa dite corone feussent sauvez et gardez.

123. RICHARD II'S QUESTIONS TO THE JUDGES, 1387

[*Stat. R.*, II, 102-104.]*

For discussion see S. B. Chrimes, 'Richard II's Questions to the Judges, 1387', in *L.Q.R.*, LXXII (1956), 365-390, and references contained therein.

Memorandum, quod vicesimo quinto die mensis Augusti, anno regni Regis Ricardi secundi undecimo, apud castrum Notyngham coram dicto domino rege, Robertus Tresilian, capitalis justiciarius, et Robertus Bealknap, capitalis justiciarius de Communi Banco domini nostri regis predicti, et Johannes Holt, Rogerus Fulthorp, et Willelmus Burgh, milites, socii predicti Roberti Bealknap, ac Johannes Loketon, serviens dicti domini regis ad legem, in presencia dominorum et aliorum testium subscriptorum personaliter existentes, per dictum dominum nostrum regem requisiti in fide et ligeancia quibus eidem domino nostro regi firmiter sunt astricti, quod ad certas questiones inferius designatas et coram eis recitatas, fideliter responderent et super eis secundum discrecionem suam legem dicerent.

In primis, querebatur ab eis, an illa nova statutum et ordinacio atque commissio, facta et edita in ultimo parliamento apud Westmonasterium celebrato, derogant regalie et prerogative dicti domini nostri regis? Ad quam quidem questionem unanimiter responderunt quod derogant, presertim eo quod fuerant contra voluntatem regis.

Item, querebatur ab eis, qualiter ipsi qui statutum, ordinacionem, et commissionem predicta fieri procurarunt sunt puniendi? Ad istam questionem unanimiter responderunt quod pena capitali scilicet mortis puniri merentur, nisi rex in ea parte voluerit eis gratiam indulgere.

Item, querebatur ab eis, qualiter sunt illi puniendi qui regem predictum excitarunt ad consenciendum statuti, ordinacionis, et commissionis hujusmodi faccioni? Ad quam quidem questionem unanimiter responderunt quod nisi rex eis graciam fecerit sunt pena capitali merito puniendi.

Item, querebatur ab eis, qualem penam merentur illi qui compulerunt sive artarunt regem ad consenciendum confeccioni dictorum statuti, ordinacionis, et commissionis? Ad quam quidem questionem unanimiter responderunt quod sunt ut proditores merito puniendi.

Item, querebatur ab eis, quomodo sunt illi eciam puniendi qui impediverunt regem quominus poterat excercere que ad regaliam et prerogativam suam pertinuerunt? Ad istam questionem unanimiter responderunt quod sunt ut proditores eciam puniendi.

Item, quesitum erat ab eis, an postquam in parliamento congregato negocia regni et causa congregacionis parliamenti de mandato regis fuerint exposita et declarata, et certi articuli limitati per regem super quibus domini et Communes regni in eodem parliamento procedere debeant, si domini et Communes super aliis articulis velint omnino procedere, et nullatenus super articulis limitatis per regem donec super articulis per eosdem expressatis fuerit per ipsum regem primo responsum, non obstante quod fuerit eis injunctum per regem incontrarium; nunquid rex debeat habere in ea parte regimen parliamenti et de facto regere ad effectum quod super limitatis articulis per regem primo debeant procedere; vel an domini et Communes primo debeant habere responsum a rege super articulis per eosdem expressis antequam ulterius procedatur? Ad quam quidem questionem unanimiter responderunt quod rex in ea parte haberet regimen, et sic seriatim in omnibus aliis articulis tangentibus parliamentum usque ad finem ejusdem parliamenti, et si quis contra hujusmodi regimen regis fecerit tanquam proditor est puniendus.

Item, querebatur ab eis, nunquid rex quandocumque sibi placuerit poterit dissolvere parliamentum et suis dominis et Communibus precipere quod abinde recedant, an non? Ad quam quidem questionem unanimiter responderunt quod potest. Et si quis extunc contra voluntatem regis procedat, ut in parliamento tanquam proditor puniendus existit.

Item, quesitum erat ab eis, ex quo rex potest quandocumque sibi placuerit removere quoscumque officiarios et justiciarios suos, et ipsos pro delictis eorum justificare et punire, nunquid domini et Communes possint absque voluntate regis officiarios et justiciarios ipsos impetere super delictis eorum in parliamento, an non? Ad istam questionem unanimiter responderunt quod non possunt. Et si quis incontrarium fecerit, est ut proditor puniendus.

Item, querebatur ab eis, qualiter est ille puniendus qui movebat in parliamento quod mitteretur pro statuto per quod Rex Edwardus, filius Edwardi Regis, proavus regis nunc, erat alias adjudicatus in parliamento, per cujus statuti inspeccionem, nova statutum et ordinacio ac commissio supradicta fuerunt in parliamento concepta? Ad quam quidem questionem unanimiter responderunt quod tam ille qui sic movebat quam alius qui pretextu hujusmodi mocionis statutum illud portavit ad parliamentum, sunt ut proditores et criminosi merito puniendi.

Item, quesitum erat ab eis, an judicium in ultimo parliamento apud Westmonasterium celebrato redditum contra comitem Suffolcie fuit erroneum et revocabile, an non? Ad quam quidem questionem unanimiter responderunt quod si illud judicium esset modo reddendum illi justiciarii et serviens predicti illud reddere nollent, quia videtur eis quod judicium illud revocabile est tanquam erroneum in omni sui parte.

In quorum omnium testimonium justiciarii et serviens predicti sigilla sua presentibus apposuerunt. Hiis testibus reverendis patribus dominis Alexandro, archiepiscopo Eboracensi, Roberto, archiepiscopo Dublinensi, Johanne, episcopo Dunolmensi, Thoma, Cicestrensi episcopo, Johanne, Bangorensi episcopo, Roberto, duce Hibernie, Michaele, comite Suffolcie, et Johanne Rypon, clerico, ac Johanne Blake, scutifero. Datum loco, die, mense et anno predictis.

THE LORDS APPELLANT AND PROCEEDINGS IN THE MERCILESS PARLIAMENT, 1388

Richard II returned to London on 10 November. Four days later Thomas, duke of Gloucester, Thomas Beauchamp, earl of Warwick, and Richard, earl of Arundel lodged charges of treason against Alexander Neville, archbishop of York, Robert de Vere, duke of Ireland, Michael de la Pole, earl of Suffolk, Chief Justice Tresilian, and Sir Nicholas Brembre. The king agreed that these charges should be heard in the next parliament. On 17 December writs were issued for a parliament to meet at Westminster on 3 February, 1388; its first session lasted until 20 March; its second session lasted from 13 April to 4 June.

The writs of 17 December, 1387, contained the unprecedented phrase that the men elected should be 'in debatis modernis magis indifferentes'. Further writs issued on 1 January, 1388, ordered this phrase to be ignored (see *Report on the Dignity of a Peer*, IV, 726-727).

124. ACCORDING TO THOMAS FAVENT

[*Historia siue Narracio de modo et forma Mirabilis Parliamenti*, etc., ed. M. McKisack (Camden Miscellany, XIV, Camden Soc., XXXVII, 1926), 9-10, 13-16.]

Thomas Favent was probably a clerk of the diocese of Salisbury, *fl.* 1394. His pamphlet has a contemporary value and he may have been an eye-witness of the proceedings in this parliament.

Verumptamen, huius temporis intermedio, predicti tres proceres, scilicet dux et duo comites, congregatis aciebus, eadem septimana, hoc est xiiij die Novembris eiusdem anni, apud Waltham Crois in comitatu Hertford', pro ceteris commissariis cum rege in Westmonasterii palacio existentibus miserunt. Ibidem prefatos quinque phendomenos, videlicet archiepiscopum Eboracensem, ducem Hibernie, comitem Suffolcie, Robertum Tresilian et Nicholaum Brembre, super crimen lese-maiestatis in scriptis appellarunt et offerebant se suam appellacionem prosequi velle, et iuxta quod eis indictum fuerit legitime probare, sub ypotheca rerum suarum et competencium fideiussorum; et omnes ceteros commissarios tanquam partes et appellantes in eorum appellacione inseri fecerunt, deinde rogabant eos ista regi referre. Et cum huiusmodi factum auribus regis resonaret, misit ad eos petendo quod foret propositum et voluntas eorum, at ipsi responsum miserunt, dicentes "Interest reipublicae quosdam proditores circa vos glomerantes merito reici et puniri, quoniam melius est ut quidam moriantur pro populo quam tota gens pereat." Pecierunt eciam ut omnino secure veniendo et redeundo insimul colloquerentur. Deinde, rex habita eorum voluntate, remittendo iussit eos venire, et cum venissent ad Westmonasterium et rex in magna aula sedens in solio in medio suorum commissariorum, dicti tres proceres appellantes cum ingenti multitudine gentilium aulam intrarunt ac illico genua curvo poplite flectentes salutarunt regem subnixius trina vice. Ast allegata causa iterum, modo et forma quo prius apud Waltham Crois, super crimen lese maiestatis appellarunt dictos archiepiscopum, ducem, comitem, Tresilian et Brembre, qui tunc temporis in obscuris palacii ergastulis et in latebrosis latibulis, velut Adam et Eva a Deo primitus latitarunt et se absconderunt non habentes animum comperendi [*sic*]. Mox dictam appellacionem probandam et prosequendam rex acceptavit, prefigendo eis diem in prenominato parliamento celebrando, crastino Purificacionis beate Marie futuro [3 February]. Medio vero tempore, rex ambas partes cum earum bonis et hominibus ad effectum quod nullus alterum inquietaret usque in sequens parliamentum sub sua speciali protectione suscepit, que vero continuo per partes Anglie publice proclamata fuerunt, et recesserunt consolati . . .

[p. 13] Et quia opportune ad spinas, cardones et sizannia defalcanda et extirpanda tunc temporis instetit messis, ratihabicione regis mutuo consensu dictorum commissariorum omnium et appellatorum a domicilio regis plures officiarios expulerunt, videlicet, in locum Johannis Beauchamp, senescalli, Johannes Deverose, miles, unus de commissariis subrogatur. Et Petrus de Courteney, miles, in camerarium regis, loco dicti ducis Hibernie ordinatur. Predictus vero Johannes Beauchamp, Simon de Bureley, sub-camerarius regis, Johannes Saresbury, hostiarius camere, Thomas Triuet, Jacobus Barens, Willelmus Elmham et Nicholaus Daggeworth, milites, et ceteri clerici officiarii, videlicet, Ricardus Metteford, secretarius, Johannes Slake, decanus capelle, Johannes Lincoln, camerarius scaccarii, et Johannes [*recte* Ricardus] Clifford, clericus capelle, quia predictorum criminum tanquam participes, pro eo quod ea scientes et non contradicentes et quia quidam ea fieri volentes, diversis Anglie carceribus usque in Parliamentum ad imponenda responsuri sub aresto intrudi mandantur. Alios vero plures, prout eorum famulos ceterosque inutiles et inanes pro vacabundis reiectos omiserunt. Et sic squalorosus nidus fixus in arbore quadam quantocius conquassatur, cuius saucissimi sorde volucres dispersim vacillando euolarunt.

In vigilia vero Purificacionis beate Marie sequenti [1 February], in camera regis apud Westmonasterium, mutuo consilio omnium commissariorum predicti Robertus Bealknap, Johannes Holt, Rogerus Fulthorp, Willelmus Burgh, Johannes Locton, et Johannes Cary, officiis supponuntur. Ast arrestati sine disputacione aliquali usque alias imponendis responsuri iussu cancellarii obstipuentes et pauidi in turri intruduntur. Robertus vero Charelston, loco Bealknap, et Walterus Clopton, loco Tresylian, officiis iudicandi funguntur. Interum, oneratis et susceptis omnibus et iuramentis officio iudicandi incumbentibus, prandendi causa recesserunt.

Et quoniam tempus quadragesimale iuxta eiusdem historiam tempus sit ydoneum et acceptabile delinquentes secundum merita corrigere et punire, inceptum fuit, igitur parliamentum grande secunda die mensis Februarii sequentis [*recte* 3 February], in hunc modum. Omnes utriusque status, proceres et egregii huius regni in alba aula regia apud Westmonasterium congregati, adueniente rege sedente pro tribunali, nobillissimi memorati quinque appellantes, quorum ubique terrarum propria resonent merita probitatis nitentes prosperis incoatis prospera cumulare, cum numerosa multitudine, una secta vestibus aureis, alterius amplexis brachiis, aulam intrarunt intuentes autem unanimiter genuflectando salutarunt Regem. Una vero hominum congluuies inibi fuerat aule usque in angulos. Sed quid putas dictorum phendomenorum vel eorum adherencium pro tunc ibidem reperiebatur ? Nicholaus vero Brembre, preantea deprehensus usque alias in carcerem de Gloucestre truciter trudi mandatur. Cum ergo seculares a sinistro et clerus a dextro regis, secundum antiquam parliamenti consuetudinem, sedissent, cancellarius in promptu retro regem stans quandam collacionem, causas et materias Parliamenti tangentem sicut moris categorizando, promulgauit. Qua peracta, consurgentes prefati quinque proceres eorum anteloquum Roberto Plesyngton, militi prudenti, meminerunt, qui dixit, "Ecce dux Gloucestrie de imposita sibi prodicione per dictos fugitivos presens ad purgandum se veniebat." Cancellarius quippe, responsum suscipiens ab ore regis, dictum ducem excusando dixit. "Domine dux, ex quo oriundus excuteras de tam digna stirpe regali et ita proximus reperimini ei in linea collaterali non suspicabatur de vobis talia ymaginari." Prefatus dux subnixius cum suis quatuor complicibus genu genuflexis, gratulabantur regi. Tandem, imposito silencio memorati proceres accusacionis articulos de predicta prodicione in scriptis proposuerunt. Galfridus vero Martyn, clericus corone, in medio parliamenti lapsu duarum horarum predictos articulos festinanter lectitando antestetit. Quorundam vero corda concussa sunt mesticia propter inhorribilia in dictis articulis contenta. Et plures vultus turgidos dederunt cum lacrimis in maxillis. Finita etenim articulorum lectura, regem benigne interpellarunt quod iusta et conveniens super predicta pseudola prodicione secundum allegata et probata esset sentencia ferenda en ut in personas ipsorum fugitiuorum debita fieret execucio : et promisit ea rex. Et tantum in prima die. Crastinum vero diem consiliis vexaverunt nichil agitando, et ideo non secundum dies procedam sed solum acta grossiora parliamenti tangam.

Cum ergo triduo contra dictos fugitivos procedendum venissent, Anglie cancellarius, nomine Cleri, in pleno parliamenti allegauit illos non posse ullomodo de huiusmodi causis intromittere neque interesse velle tempore quo aliquod iudicium sanguinis agitatur. Et ad ista confirmanda protestacionem edebant clerici in scriptis qua publice perlecta se excusando dixerunt quod neque racione fauoris vel odii metu vel mercedis ista pretendebant, sed secundum quod canonum sancciones et omnia iura ab huiusmodi nephario clericos refrenare suadent et coartant, ea seruare volebant. In capitulo autem abbatie conueniebant milites comitatuum consilia et materias eorum tractaturi, pro quibus ad dictam protestacionem eciam eis notificandam miserunt. Interim, dicta protestacione non obstante, petierunt prefati quinque proceres contra quatuor contumaces dampnando sententiare. Quumque dicta plebeia communitas dicto citius aduenisset, edita protestacione coram eis itidem et perlecta, adhuc nichilominus prefati quinque nobiles contra dictos contumaces iudicium petere non cessabant. Mox, consurgens Clerus, pro tempore abierunt in cameram regis annexam. Verumptamen rex consciencia motus caritative, cernens bonum fore in omnium opere finem memorare et iuxta iuris exigenciam pocius reis quam actoribus fauorare, si aliquid pro parte absencium possit interim allegari vel iuritice, diferri processum continuavit. Aggrauati enim proceres, ipsi supplicabant regi quod nulla causa procedens, incidens vel emergens aliquo modo moueretur quousque presens causa prodicionis finaliter sit sopita. Quorum peticio mox gratum dixit optatum.

Tandem, xj° die Februarii [*recte* 13 February], cum nichil pro absentibus possit allegari quin gravis sentencia dampnacionis possit difinitiue ferri, predictus Johannes Deverose, curie senescallus, locumque tenens regis, prefatos archiepiscopum, ducem, comitem et Tresilian adiudicavit a turri Londonie usque ad Tybourn per ciuitatem fore tractandos, deinde indilate furcis suspendendos et eorum omnia bona confiscari ut nec eisdem posteri gaudeant successores.

125. ACCORDING TO THOMAS WALSINGHAM

[*Chronica Monasterii S. Albani: Thomae Walsingham, quondam monachi S. Albani, Historia Anglicana*, ed. H. T. Riley (R.S., 1864), II, 166.]

Thomas Walsingham was a monk of St. Alban's Abbey, *fl.* 1390. He used other known sources extensively, but wrote independently in the main for the first fifteen years of Richard II. See Kingsford, *EHL*, 12-21, and A. Steel, *Richard II* (1941), Appendix, 289-292, and V. H. Galbraith, 'Thomas Walsingham and the St. Alban's Chronicle, 1272–1422', in *E.H.R.*, XLVII (1932), 12-29, and (ed.) *The St. Albans Chronicle, 1406–20* (1937).

Ad haec domini responderunt, ob regis et regni utilitatem se convenisse, et ut proditores, quos secum jugiter detinebat, avellerent ab eodem. Proditores vero appellabant Robertum de Veer, ducem Hiberniae, Alexandrum Nevyle, Archiepiscopum Eboracensem, Michaelem Atte Pole, Comitem Southfolchiae, Robertum Trisilian, falsum Justiciarium, Nicholaum Brambre, falsum militem Londoniensem. Et ut hanc appellationem veram fore monstrarent, projectis chirothecis, eam se velle duello prosequi juraverunt. Ad haec Rex,—"Non," ait, "modo fiet hoc, sed in proximo Parliamento, quod praefigimus in crastino Purificationis Beate Virginis [3 February], ad quod tam vos quam ipsi venientes, recipietis, secundum juris exigentiam, quae ratio dictaverit universa. Et nunc ad vos, o Domini, meus sermo;—Quo modo, qua ratione, vel quali vos audacia praesumpsistis contra me insurgere in hac terra? Putastisne me terruisse cum tanta vestra praesumptione? An non armatos habeo, si voluissem, qui vos circumseptos, ut pecudes, mactavissent? Profecto de vobis omnibus non plus in hac parte reputo, quam de coquinae mee infimo garcione."

126. ACCORDING TO THE MONK OF WESTMINSTER

[*Polychronicon Ranulphi Higden Monachi Cestrensis*, etc., ed. J. R. Lumby (R.S., 1886), IX, 107-110, 114-116.]

This Chronicle, formerly regarded as a first continuation of the *Polychronicon* and attributed to John Malvern of Worcester, is now identified as a second continuation by an unknown monk of Westminster and has contemporary value. See A. Steel, *op. cit.*, 295-296.

Responsis hinc inde habitis inter regem et ipsos tandem finitis rogabant regem praedicti domini praebere auditum ad ea quae dominus Ricardus Scrop miles eorum ex parte in communi audientia foret dicturus. Annuit rex ; qui constanter dixit quod ista motio dominorum habuit exordium principaliter propter quinque personas domino nostro rege jugiter adhaerentes parum superius nominatas, quas isti domini appellarunt de proditione facta per eos tam regi quam regno et cum eorum appellatione non obstantibus contradicentibus volunt stare. Quare supplicant celsitudini vestrae quod istae personae in tuto loco usque in proximum parliamentum custodirentur et communi lege pro eorum maleficiis favore postposito persectarentur, si contingat taliter inveniri. Rex autem adquievit petitioni eorum et accepit causam in manu sua praefixitque terminum parliamenti fore tertio die Februarii. . . .

[Four of the five accused absconded, and only Brembre could be arrested. The king summoned a Council to meet at Westminster but did not attend, and threatened resistance.]

[p. 109] Audientes domini praedicti quomodo rex intentabat eis minas, proposuerunt ipsum deponere tum quia non servabat conventionem eis promissam tum quia ut apparet magis sibi placet gubernari per falsissimos proditores quam per suos nobiles et dominos regni sui fidelissimos amatores. Quibus restitit comes Warwykiae et illos ab hac sententia protinus revocavit. . . .

[Robert de Vere mobilized forces which were dispersed at Radcot Bridge on 19 December, and de Vere took to flight. The Appellants thereafter procured a meeting with the king in London.]

[p. 114] Igitur sexto die Natalis Domini accesserunt domini praedicti ad Gildam Aulam Londoniarum ubi in praesentia majoris et communitatis civitatis praedictae declarabant se quomodo et sub qua forma et quare premissa agebant ac cum tanta multitudine equitarunt. Quo facto ad turrim Londoniarum cum quingentis viris bene armatis illico pervenerunt videntesque regem juxta capellam in suo solio sub divo sedentem factaque sibi debita veneratione, scilicet cum trina prostratione in terram, tandem rege annuente cum modestia surrexerunt, habitoque cum illo ibidem aliquali colloquio, sed propter tumultum populi non ad plenum, ideo rege volente praefatam capellam intrabant, ubi sunt regem super factis suis satis rigide allocuti ; primo in contraveniendo suum proprium juramentum non servando illis ea quae promisit ; secundo incontinenter mortem eis intentans contra suam nobilitatem et statum ; tertio in defendendo falsissimos proditores in sui ipsius destructionem et totius regni suppeditationem. Plura alia inibi sibi dixerunt quae in publicum non venerunt. Sed finaliter protestando asseruerunt ipsum necessario errata corrigere et deinceps subjicere se regimini dominorum. Quod si renuerit ita facere, sciret utique suum heredem fore indubie perfectae aetatis qui libenter propter commodum regni ejusque salvationem effectualiter vellet eis parere, ac sub eorum regimine gubernari.

Ad haec stupefactus rex ait se velle ipsis prout decuit in licitis obtemperare et eorum salubri consilio gubernari, salva corona sua ac etiam regia dignitate, et hoc juramento proprio affirmavit. Quo facto dixerunt domini quod nullo modo ipsos in istis promissionibus falleret neque de caetero suam voluntatem vi aut arte circa praemissa mutaret prout in posterum sua regalitate et corona vellet gaudere. Igitur ultimo die Decembris venerunt Westmonasterium ubi tractarunt de illis qui steterunt circa regem an digni forent stare ulterius cum rege vel non . . . [A number of royal officials were removed from office, and several persons were arrested and others removed from the king's Court.] Item pro gubernatione regis continua ordinarunt episcopum Wyntoniensem, episcopum Bathoniensem, dominum Johannem Coboham, dominum Ricardum Scrop, et dominum Johannem Deverose, quem statuerunt etiam senescallem hospitii domini regis et constabularium castri de Dovoria. Item secundo die Januarii omnes familiares praecipue domino regi proximiores dicti domini a curia removerunt et loco eorum alios ad libitum subrogarunt. Hoc quidem factum cor regis moerore implevit quamvis aliter protunc fieri non potuit idcirco haec et alia patientissime toleravit. . . .

127. AN ALLEGED DEPOSITION OF RICHARD II, DECEMBER, 1387

[*B.M.*, *Harl. MS. 3600*, printed by M. V. Clarke, *Fourteenth-Century Studies*, ed. L. S. Sutherland and M. McKisack (1937), 91-95.]

This manuscript is a continuation of the *Polychronicon* and belonged to the Cistercian abbey of Whalley, Lancashire.

This allegation receives some confirmation from the confession made by Thomas, duke of Gloucester, at Calais in 1397. See J. Tait, 'Did Richard II murder the duke of Gloucester?', in *Owens College Historical Essays* (1907), ed. T. F. Tout and J. Tait, 193-316.

Hic intercedere disposui quod in tempore suo pretermissum fuit. Nam cum Thomas Wodstok comes de Bokyngham, comes de Arundel, comes Warwyc' cum ceteris magnatibus consurrexissent adversus quosdam consiliarios regis et Symonem de Burlay decapitassent ac ducem Hibernie apud Ratcotebrige profugassent et Thomam de Molenewes cum aliis multis ibidem occidissent, adierunt regem Ricardum et eum de solio regali deposuerunt et sic per triduum mansit discoronatus; sed ill[is] de successione concertantibus, communibus volentibus exaltari in regem Thomam Wodstok sed e contra Henrico duce Herfordie se de seniori fratre progentitum protestante ac per hoc regem se forte debere vendicante, videntes magnates et timentes ne illi duo inter se discordarent et illi quasi proditores notarentur concilium iniunt et regem Ricardum iterato recoronant ammoventes omnes familiares suos et consiliarios a maiori usque ad minimum, eidem alios assignantes ad quorum concilium rex regeretur, sed qualiter rex se de hiis vindicaverit supra patet.

128. THE APPEAL OF TREASON

[*Rot. Parl.*, III, 229-245.]*

The five Lords Appellant, Thomas, duke of Gloucester; Henry, earl of Derby; Thomas Mowbray, earl of Nottingham; Thomas Beauchamp, earl of Warwick; and Richard Fitzalan, earl of Arundel, brought forward their appeal on the first day of the parliament, 3 February. By 20 February sentences had been pronounced and so far as possible carried out. On 2 March impeachments were proceeded with against the judges who had participated in the councils at Shrewsbury and Nottingham in 1387, and these were found guilty by 6 March; other lesser persons were also impeached, and after the adjournment (20 March to 22 April) these were found guilty and sentenced.

Fait a remembrer, qe le Lundy le tiercz jour de Feverer, lendemain de la Chaundelure, lan du regne nostre seignur le Roi Richard Seconde unzisme, au parlement tenuz a Westmouster a mesme le temps, en presence du dit roi nostre seignur en la Blanke Sale viendront Thomas, duc de Gloucestre, conestable Dengleterre, Henri, counte de Derby, Richard, counte Darundell et de Surrey, Thomas, counte de Warrwyk, et Thomas, counte Mareschall, et liveront sus lour peticioun—prout patet in quodam rotulo huic consuto et annexo.

A nostre tresexcellent et tresredoute seignur le roi et soun counseil de cest present parlement, moustront Thomas, duc de Gloucestre, conestable Dengleterre, Henri, count de Derby, Richard, count Darundell et de Surrey, Thomas, count de Warrwyk, et Thomas, count Mareschall, qe come les avauntditz . . . [Gloucester, Arundel, and Warwick] come loiaux lieges nostre seignur le roi, pur profit du roi et de roialme, le xiiii jour de Novembre darrain passe, a Waltham Crosse en la countee de Hertford, devaunt le tresreverent piere en Dieux William, lercevesqe de Canterburs, Esmon, duc Deverwyk, les reverentz piers en Dieux William, evesqe de Wyncestre, Thomas, evesqe Dely, alors chaunceller Dengleterre, Johan de Waltham, alors gardein du prive seal nostre seignur le roi, Johan, seignur de Cobeham, messires Richard Lescrop et John Deverose, adonqs commissioners nostre seignur le roi ordeignez et faitz en le darrein parlement, appelleroun Alisaundre, lercevesqe Deverwyk, Robert de Veer, duc Dirland, Michel de la Pole, count de Suffolk, Robert Tresilian, faulx justice, et Nichol Brembre, faulx chivaler de Loundres, de hautes tresons par eux faitz encountre le roi et soun roialme; et soi offrerunt de ceo pursuire et meintenir, et suffisaunt suerte trover; et prierount as ditz seignurs de ceo certefier a lour dit seignur liege. Quele chose estoit certefie mesme le jour a nostre dit seignur le roi par les ditz seignurs commissioners a Westmouster ou plusours des ditz appellez estoient presentz, pleinement enformeez et certefiez de dit appell. Et puis par assent du roi et de son counsail, les avauntditz Thomas, duc de Gloucestre [and the two others aforesaid], le Dimainge lors proschein enseuauntz [17 November], viendront a Westmouster en presence du roi et de soun conseil, et illoeqes, pur profit du roi et du roialme, appellerunt les avauntditz Alisaundre, lercevesqe Deverwyk, Robert de Veer, duc Dirland, Michel de la Poule, count de Suffolk, Robert Tresilian, faux justice, et Nichol Brembre, faulx chivaler de Loundres, de haut traisoun par eaux fait encountre le roi et soun roialme, come traitours et enemys du roi et de roialme; en affermantz lour appell avauntdit, et soi offrerount de le pursuere et meintenir come devaunt est dit.

La quele appell nostre seignur le roi accepta, et sur ceo assigna jour as ditz parties a soun primere parlement, qi serroit tenuz a Westmouster lendemain del Chaundellur alours proschein ensuant [3 February], de prendre et resceivre adonqes sur la dit appell plein justice; et en mesme le temps prist en sa sauf et especial proteccioun les ditz parties ove touz lour gentz, biens, et chateux, et ceo fist proclamer et publier en sa presence a mesme le temps.

Et puis Lundy proschein apres le jour de la Nativite nostre Seigneur Jesu Crist proschein enseuant [30 December], les avauntditz Thomas, duc de Gloucestre, [and the two others aforesaid] ensemblement ove les avauntditz Henri, count de Derby, et Thomas, count Mareschal, en presence du roi en le Tour de Loundres, come loiaulx lieges nostre dit seignur le roi, pur profit du roi et de roialme, appellerunt Alisaundre, [and the four others] de hautes tresouns par eux faitz encountre le roi et soun roialme come traitours et enemys de roi et de roialme; et soi offrerount de pursuer et maintenir, et suffisaunt suerte trover come desus. Et sur ceo le roi lour assigna jour a soun dit proschein parlement a purseuer et declarer lour dit appell. Sur qei le roi, par avys de soun conseil, fist proclamer en touz les counteez Dengletere par brief de soun grant seal qe touz les ditz appellez seroient a dit parlement a dit jour de parlement, a y respondre sur lappell suisdit; et quele appell les avauntditz Thomas, duc de Gloucestre, [and the four others] appellauntz, sont prestes de pursuer, maintener, et declarer, et come loiaulx lieges nostre seignur le roi, pur profit du roi et de roialme, appellount les avauntditz Alisaundre, [and the four others] de hautes traisons par eaux faitz encountre nostre seignur le roi et soun roialme, come traitours et enemys de roi et de roialme. Quelx appell et traisoun sunt declarez, appointez, et specefiez plenerement, sicome est contenuz en diverses articles desouz escritz. Et priount qe les ditz appelles soient demandes, et qe droit et justice ent soit fait en ceste present parlement avauntdit. . . .

[The thirty-nine articles of the appeal are then given. When parliament met only Brembre was in custody.]

A quel temps les justices, et sergeantz, et autres sages du ley de roialme, et auxint les sages de la ley civill, feuront chargez depar le roi nostre dit seignur de doner loial conseill as seignurs du parlement de duement proceder en la cause de lappell susdit. Les queux justices, sergeantz, et sages de la ley du roialme, et auxint les ditz sages de la ley civill, pristront ent deliberacioun, et responderont as ditz seignurs du parlement qils avoient veue et bien entendu le tenour du dit appell, et disoient qe mesme lappell ne feust pas fait ne afferme solonc lordre qe lune ley ou lautre requiert. Sur quoy les ditz seignurs du parlement pristront ent deliberacioun et avisement, et par assent du roi nostre dit seignur, et de lour commune acorde estoit declare qe en si haute crime come est pretendu en cest appell, qe touche la persone du roi nostre dit seignur et lestat de tout soun roialme, perpetre par persones qi sont peeres du roialme, ovesqe autres, la cause ne serra aillours deduc qen parlement, ne par autre ley qe ley et cours du parlement, et qil appartient as seignurs du parlement, et a lour fraunchise et libertee dauncien custume du parlement, destre juges en tieux cas, et de tieux cas ajugger par assent du roi. Et qe ensi serra fait en cest cas par agarde du parlement, pur ce qe le roialme Dengleterre nestoit devant ces heures, ne a lentent du roi nostre dit seignur et seignurs du parlement unqes ne serra reule ne governe par la ley civill ; et auxint lour entent nest pas de reuler ou governer si haute cause come cest appell est, qi ne serra aillours trie ne termine qen parlement, come dit est, par cours, processe, et ordre use en ascune court ou place plus bas deinz mesme le roialme ; queux courtes et places ne sont qe executours dauncien leys et custumes du roialme et ordinances et establisementz du parlementz. Et feust avis au mesmes les seignurs du parlement, par assent du roi nostre dit seignur, qe cest appell feust fait et afferme bien et assetz deuement, et le processe dycell bone et effectuel solonc les leys et cours du parlement, et pur tiel lagarderont et ajuggeront . . .

[The lords spiritual, after claiming recognition as peers (see no. 129 below), withdrew from the proceedings as canon law did not permit them to be present. The articles were examined and on 13 February judgement was delivered.]

Mesme le Joedy, le xiii jour du dit moys de Feverer, les ditz duc et countes appellantz prieront as ditz roi nostre seignur et seignurs du parlement illeoqes esteantz qe les ditz ercevesqe, duc, counte, et Robert Tresilian, appellez come devant, feussent ajuggez convictz de les hautes tresouns contenuz en le dit appell. Par quoy les ditz seignurs du parlement illeoqes esteantz come juges de parlement en cest cas, par assent du roi nostre dit seignur, pronuncieront lour declaracioun avantdite, et ajuggeront les ditz ercevesqe, duc, counte, et Robert Tresilian, appellez come devant, coupables et convictz des tresons contenuz en les ditz articles declarez pur tresoun come devant, et agarderont qe mesmes les duc, counte, et Robert Tresilian, appellez come devant, feussent treynez et penduz come traitours et enemys au roi nostre dit seignur et au soun roialme . . .

[After further proceedings Nicholas Brembre was similarly convicted on 20 February.]

Item, le Lundy, le seconde jour du moys de Marcz prochein ensuant, sire Robert Bealknap, nadgairs chief justice de Commune Bank, sire Roger Fulthorp, sire John Holt, sire William Burgh, nadgairs les compaignons justices de meme le Bank, sire John Cary, nadgairs chief baroun de Lescheker, et John Lokton nadgairs sergeant le roi a la ley, feuront amesnez en mesme le parlement al request del Commune du dit parlement, et la par touz les Communes illeoqes assemblez pur touz les countees, citees, et burghs Dengleterre, feuront accusez et empeschez . . . [in respect of their answers to the king's questions in 1387.]

[Judgement and sentence of death followed for all the justices, afterwards commuted at the request of the lords spiritual to banishment for life to Ireland. Judgement and sentence of death followed for Simon Burley, John Beauchamp of Holt, John Salisbury, and James Berners, knights.]

[The lords claimed certain privileges, see no. 130 below.]

[On 20 March all the lords and commons present took an oath on the Cross of Canterbury that they would keep the peace and would do nothing against the persons of the five Lords Appellant, saving the allegiance they owed to their lord the king, the prerogative of his Crown, and the laws and good customs of the realm. On 2 June it was agreed that £20,000 should be paid to the five Lords Appellant out of the subsidy then granted 'pur lour custages, travails, et despenses faites adevant pur lonour, profit, et salvacioun de Roi et de tout le Roialme'.]

129. RECOGNITION OF THE PRELATES AS PEERS

[*Rot. Parl.*, III, 236-237.]*

. . . Et sur ce lercevesqe de Canterbirs, pur luy et touz autres evesqes, ses suffragenes et confreres, et touz autres seignurs espirituels du parlement de sa province, fist une protestacioun et la livera en mesme le parlement en escript, dont le tenour cy ensuyt:

In Dei nomine, Amen. Cum de jure et consuetudine regni Anglie ad archiepiscopum Cantuariensem qui pro tempore fuerit, necnon ceteros suos suffraganeos, confratres, et coepiscopos, abbates, et priores, aliosque prelatos quoscumque per baroniam de domino nostro rege tenentes, pertineat in parliamentis regiis quibuscumque ut pares regni predicti personaliter interesse, ibidemque de regni negociis et aliis ibi tractari consuetis, cum ceteris dicti regni paribus et aliis ibidem jus interessendi habentibus, consulere, et tractare, ordinare, statuere, et diffinire, ac cetera facere que parliamenti tempore ibidem iminent facienda. In quibus omnibus et singulis nos Willelmus, Cantuariensis archiepiscopus, tocius Anglie primas, et apostolice sedis legatus, pro nobis nostrisque suffraganeis, coepiscopis, et confratribus, necnon abbatibus, prioribus, ac prelatis omnibus supradictis, protestamur, et eorum quilibet protestatur qui per se vel procuratorem hic fuerit modo presens, publice et expresse, quod intendimus et intendit, volumus ac vult eorum quilibet, in hoc presenti parliamento et aliis ut pares regni predicti more solito interesse, consulere, tractare, ordinare, statuere, et diffinire, ac cetera excercere cum ceteris jus interessendi habentibus in eisdem, statu et ordine nostris et eorum cujuslibet in omnibus semper salvis. Verum quia in presenti parliamento agitur de nonnullis materiis in quibus non licet nobis, aut alicui eorum, juxta sacrorum canonum instituta, quomodolibet personaliter interesse. Ea propter, pro nobis et eorum quolibet protestamur, et eorum quilibet hic presens eciam protestatur, quod non intendimus nec volumus, sicuti de jure non possumus nec debemus, intendit nec vult aliquis eorundem, in presenti parliamento dum de hujusmodi materiis agitur vel agetur quomodolibet interesse, set nos et eorum quemlibet penitus in ea parte absentare : jure paritatis nostre, et cujuslibet eorum interessendi in dicto parliamento, quo ad omnia et singula inibi excercenda nostris et eorum cujuslibet statui et ordini congruencia in omnibus semper salvo. Ad hec insuper protestamur, et eorum quilibet protestatur, quod propter hujusmodi absenciam non intendimus nec volumus, nec eorum aliquis intendit vel vult quod processus habiti et habendi in presenti parliamento super materiis antedictis, in quibus non possumus nec debemus, ut premittitur, interesse, quantum ad nos et eorum quemlibet attinet, futuris temporibus quomodolibet impugnentur, infirmentur, seu eciam revocentur.

130. PRIVILEGE OF PEERS

[*Rot. Parl.*, III, 244.]*

7. En ycest parlement toutz les seignurs sibien espiritels come temporels alors presentz clamerent come lour libertee et franchise qe les grosses matires moevez en cest parlement, et amovers en autres parlementz en temps avenir, tochantz pieres de la terre, serroient demesnez, ajuggez, et discus par le cours de parlement, et nemye par la loy civile, ne par la commune ley de la terre usez en autres plus bas courtes du roialme ; quell claym, liberte, et franchise le roy lour benignement alloua et ottroia en plein parlement.

131. THE LORDS AND COMMONS MAKE A GRANT BEFORE THE END OF THE PARLIAMENT, 10 MARCH

[*Rot. Parl.*, III, 244.]*

11. Marsdy, le disme jour de Marcz, qestoit le xxxvi jour de cest parlement, les seignurs et Communes granterent a nostre seignur le roy pur la sauve garde du meer une dymy disme et dymy quinzisme a lever en manere acustume, et appaier al quinzeine de Pasqe adonqes proschein ensuant ; sur condicioun qil serroit despenduz sur le viage affaire sur le meer si le dit viage soy deveroit tenir, et en nulle autre manere ; et ove protestacioun qe le dit grant issint fait pur necessite devant le fyn du parlement ne serroit trait en ensample nen consequence, nene tourneroit as ditz seignurs et Communes en prejudice

en temps avenir par cause qil fuist grante devant le fyn du parlement, come devant est dit. Et enoutre prierent au roy qe noun obstant le dit grant issint fait devant le fyn du parlement, come desuis, qe le dit parlement purroit nientmayns tenir avant son cours, et estre ajourne si mestier serroit, et toutes choses touchantz le dit parlement auxi pleinement faitz et executz come le dit grant neust este fait si noun al fyn du parlement en manere accustumez. Et le roy lottroia siavant come la chose soy deveroit faire de resoun.

132. STATUTE AGAINST DISTURBANCE OF THE LAW BY SIGNET OR PRIVY SEAL (11 Richard II, c. 10)

[*Stat. R.*, II, 55.]*

Item, ordeyne est et estably qe lettres de signet ne du secre seal nostre seignur le roy ne seient desormes envoiez en damage ne prejudice de roialme, nen destourbance de la loye.

133. STATUTE FOR THE PAYMENT OF WAGES OF KNIGHTS OF THE SHIRES (12 Richard II, c. 12)

[*Stat. R.*, II, 59.]*

Writs were issued on 28 July, 1388, for a parliament to meet at Cambridge on 9 September; its session lasted until 17 October.

Item, endroit de la levee des despenses des chivalers venantz as parlementz pur les communes des countees, accordez est et assentuz qe la dite levee soit faite come ad este use avant ces hures; ajouste a ycell qe si ascun seignur ou autre homme, espirituel ou temporel, eit purchacez ascuns terres ou tenementz ou autres possessions qi soleient estre contributoirs as tiels despenses devant le temps du dit purchace, qe mesmes les terres, tenementz, et possessions, et les tenantz dicelles, soient contributoirs as dites despenses come les ditz terres, tenementz, et possessions, et les tenantz dicelles, soileient faire devant le temps de mesme la purchace.

---

134. A PROCLAMATION BY RICHARD II, 8 MAY, 1389

[Rymer, *Foedera*, (O.E.), VII, 618-619, printed from the Close Roll.]*

Rex vicecomitibus Londonie, salutem. Desiderantes intime, ut tenemur, bonum regimen ac prosperam et felicem gubernacionem regni nostri Anglie, ac tocius populi et ligeorum nostrorum ejusdem regni, necnon pacem, quietem, et tranquillitatem ubique in regno nostro predicto confoveri, ac leges et consuetudines ejusdem regni firmiter observari, justiciamque et plenum rectum omnibus et singulis ligeis et subditis nostris fieri et ministrari, de avisamento, assensu, et consilio prelatorum, procerum, et magnatum ejusdem regni nostri, integrum regimen ac plenam gubernacionem regni nostri predicti super personam nostram propriam sumpsimus et suscepimus. Sperantes indubie, ac cum Dei adjutorio firmiter proponentes, regnum ac populum nostrum predicta in propria persona nostra, cum deliberacione consilii nostri, melius, felicius, et prosperius, ad honorem Dei, ac majorem quietem et tranquillitatem populi nostri predicti, necnon pleniorem exhibicionem justicie, quam hucusque tempore nostro fieri consuevit, favente Domino, regere et gubernare. Volentes semper quod omnes et singule gracie, pardonaciones, et remissiones in parliamento nostro apud Westmonasterium, anno regni nostri undecimo, per nos facte et concesse, in omnibus suis articulis inviolate et inconcusse permaneant et existant, ac in suo robore et vigore imperpetuum perseverent. Et quod nullus eorum, cui hujusmodi gracie, pardonaciones, et remissiones facte fuerunt, cujuscumque status seu condicionis fuerit, pro aliquibus que in eodem parliamento acta, gesta, facta, perpetrata, remissa, et pardonata fuerunt, per nos vel heredes nostros futuris temporibus impetatur, molestetur in aliquo seu gravetur. Et quia premissa ad noticiam populi nostri volumus pervenire, vobis precipimus quod statim visis presentibus, in civitate predicta et suburbiis ejusdem, in locis ubi melius expedire videretis, premissa omnia et singula publice faciatis proclamari. Et eciam ex parte nostra publice proclamari faciatis quod nullus, cujuscumque status vel condicionis fuerit, aliquas congregaciones, oppressiones, manutenencias, seu conventicula illicita, que in perturbacionem pacis, seu turbacionem aut commocionem populi nostri, aut legis communis vel execucionis ejusdem impedimentum, aliqualiter cedere poterunt, sub forisfactura omnium que nobis forisfacere poterit, contra formam et effectum statutorum et ordinacionum, inde editorum, faciat, procuret, seu manuteneat quovismodo. Et si quis de populo nostro per aliquas hujusmodi congregaciones, oppressiones, conventicula, seu manutenencias, contra proclamacionem predictam, senset se gravatum, penes nos et consilium nostrum prosequatur. Et nos sibi super querela sua remedium competens et oportunum secundum legem et consuetudinem regni nostri Anglie, indilate, Deo dante, fieri, et delinquentes in hac parte juxta sua demerita puniri faciemus. Et hoc nullatenus omittatis. Teste Rege apud Westmonasterium viii die Maii.

Per ipsum regem.

PROCEEDINGS IN THE FIRST PARLIAMENT OF 1390

Writs were issued on 6 December, 1389, for a parliament to meet at Westminster on 17 January, 1390; its session lasted until 2 March.

135. RESIGNATION AND RE-APPOINTMENT OF OFFICERS, 20–21 JANUARY

[*Rot. Parl.*, III, 258.]*

6. Joefdy, le vint jour de Janver, et le quart jour de cest parlement, levesqe de Wyncestre, chanceller Dengleterre, et levesqe de Seint David, tresorer Dengleterre, et toutz les seignurs del Grant Conseill

du roi horspris le clerc du prive seal prierent a nostre seignur le roi davoir consideracioun a les grantz travailles et coustages qils avoient continuelment eus et suffertz el temps qils avoient occupiez les ditz offices, et eux descharger de mesmes les offices, et mettre autres bones et sufficeantz en lour lieux. Et sur ce le chanceller susrendy le grant seal, et le tresorer les cliefs del Tresorie au roi ; et le roi les resceut, et eux deschargea des ditz offices. Et deschargea auxint les seignurs du Conseill. Et quant ils furent deschargez, ils prierent overtement en parlement qe si ascun vorroit compleindre sur eux qils avoient riens mespris ou autrement faitz qils ne deussent faire el temps qils avoient estez es ditz offices, qil le dirroit et moustreroit au roy maintenant en parlement. Et sur ce le Communes prierent jour davisement tanqal lendemayn ; et lendemayn, cestassavoir Vendredy ensuant, les ditz Communes demandez et opposez par monsire de Lancastre, par comandement du roi, de ceste chose, disoient pleinement qils avoient diligealment enquis et parlez entre eux de la dite matire, et qils ne savoient nene troverent nulle cause de compleindre sur eux, ne riens dire encontre eux ; einz qil lour sembla qils avoient tresbien faitz, et tresgrant gre deserviz en lour ditz offices, et de ce les mercierent grantment en plein parlement. Et puis, toutz les prelatz et seignurs du parlement demandez depar le roy de toutes les dites choses en manere semblable, disoient qils ne savoient qe bien ; et qils avoient bien et duement faitz en lour ditz offices. Et maintenant apres nostre seignur le roi disoit overtement qe les ditz officers et conseillers avoient bien faitz en lour ditz offices, et les tenoit bons et loialx.

7. Et rechargea le dit evesqe de Wyncestre del office de chanceller, et luy rebailla le grant seal ; et le dit evesqe de Seint David del office de tresorer, et luy rebailla les cliefs du Tresorie. Et reprist mesmes les conseillers a son Conseill, ensemblement ove le duc de Lancastre et le duc de Gloucestre. Et enoutre, le roi fist protestacioun qe combien qil avoit ses ditz officers et conseillers pur deschargez en parlement et rechargez en ycell, il ne voleit qe ce serroit trait ne pris en ensample nen consequence en temps avenir. Einz qil voleit estre frank et a large de remuer et faire ses officers et conseillers toutdis a sa volunte, et quant luy plerra. Et puis le roy fist toutz les ditz officers et conseillers qi furent presentz jurrer en plein parlement de bien et loialment faire et conseiller en les offices susditz.

136. PETITION BY THE COMMONS AGAINST ORDINANCES CONTRARY TO LAW

[*Rot. Parl.*, III, 266.]*

30. Item, prient les Communes qe le chanceller ne le Conseill du roy, apres le parlement finy, facent nulle ordinance encontre la commune ley, ne les aunciens custumes de la terre, et estatutz devant ces hures ordeinez, ou a ordeigner en cest present parlement ; einz courge la commune ley a tout le poeple universel. Et qe null juggement renduz soit adnulle sanz due proces du ley.

Responsio. Soit use come ad este use devant ces hures, issint qe la regalie du roi soit sauve. Et si ascun soi sente greve, moustre en especial, et droit luy serra fait.

137. STATUTE REGULATING THE JURISDICTION OF THE CONSTABLE AND MARSHAL AND OF THE STEWARD AND MARSHAL OF THE HOUSEHOLD (13 Richard II, st. 1, cc. 2-3)

[*Stat. R.*, II, 61-62.]*

Item, pur ce qe la Commune fest grevousement compleint qe la court del conestable et mareschall ad accroche a luy, et accroche de temps en temps, contractz, covenances, trespasses, dettes, et detenues, et plusours autres accions pledables par la commune ley, en grant prejudice du roy et de ses courtes, et a grant grevance et oppressioun du poeple, nostre seignur le roy, voillant ordeigner remede encontre les prejudices et grevances suisditz, ad declare en cest parlement, par advys et assent des seignurs espiritueles et temporeles, le poair et jurisdiccioun du dit conestable en la fourme qensuit. Al conestable appartient davoir conissance des contractz tochantz fait darmes et de guerre hors du roialme, et auxint des choses qe touchent armes ou guerre deinz le roialme queux ne poent estre terminez ne discus par la commune ley, ove autres usages et custumes a ycelles matires appurtenantz queux autres conestables devant ore ont duement et resonablement usez en lour temps ; ajoustant a ycell, qe chescun pleintif declare pleinement sa matire en sa peticioun avant qe soit envoie pur ascun homme a respondre a ycell. Et si ascun soi voet pleindre qascun plee soit comence devant le conestable et mareschall qe purroit estre trie par la commune ley de la terre, eit cell pleintif brief de prive seal du roi sanz difficulte, direct as ditz conestables et mareschall de surseer en celle plee tanqil soit discus par le Conseil du roi si celle matire doit de droit appartiegner a celle courte ou autrement estre triez par la commune ley du roialme, et qils surseent en la mesne temps.

Item, accordez est et assentuz qe la court de seneschall et mareschall del Hostiell du roy, ne la jurisdiccion dycelle, ne passe lespace de dousze lewes a counters entour le tenell du roi.

138. STATUTE IN RESTRAINT OF ISSUE OF PARDONS (13 Richard II, st. 2, c. 1)

[*Stat. R.*, II, 68-69.]*

Nostre seignour le roy a son parlement tenuz a Westmouster Lundy prochein apres le fest de Seint Hiller, lan de son regne treszisme, oie la grevouse compleint de sa Commune en mesme le parlement des outrageouses meschiefs et damages qe sont avenuz a son dit roialme purceo qe tresones, murdres, et rapes des femmes sont trop communement faitz et perpetrez, et ceo le plus purceo qe chartres de pardoun ont este trop legerement grauntez en tieux cases, la dite Commune pria a nostre seignour le roi qe tieux chartres ne fuissent mes grauntez; a qoi nostre seignur le roi respondy qil vorroit salver sa libertee et regalie come ses progenitours ont fait devant ces heures, mes pur la greindre quiete et pees nurrer deinz son roialme, del assent des grantz et nobles en mesme le parlement esteantz, ad grantee qe nulle chartre de pardoun desore soit alowe devant qiconqes justices pur murdre, mort de homme occys par agayt, assaut, ou malice purpense, tresoun, ou rape de femme, si mesme le murdre ou mort de homme occys par agait, assaut, ou malice purpense, tresoun ou rape de femme ne soient especifiez en mesme la chartre; et si la chartre de mort de homme soit alegge devant qiconqes justices, en quelle chartre ne soit especifie qe celuy de qi mort ascun tiel soit arreigne feust murdres ou occis par agait, assaut, ou malice purpense, enquergent les justices par bone enquest del visne ou la mort fuit occys sil fuist murdre ou occys par agait, assaut, ou malice purpense, et sils trovent qil fuist murdy ou occis par agait, assaut, ou malice purpense, soit la chartre disalowe, et soit fait outre solonc ceo qe la ley demande. Et si ascun prie au roi pur chartre de pardoun pur murdre, mort de homme occys par agait, assaut, ou malice purpense, tresoun, ou rape de femme, si le chamberleyn endose tiel bille ou face endoser, mette le noun de celuy qi pria pur tiele chartre sur mesme la bille, sur peine de mille marcz; et si le southchamberlein endose tielle bille, face semblablement sur peyne de cynk centz marcz; et qe null autre qe chamberleyn ou southchamberlein endose ne face endoser nulle tielle bille, sur peyne de mille marcz; et qe tielle bille soit envoie et directe al gardeyn du prive seale, et qe null garant du prive seale soit fait pur tiel chartre avoir sinoun qe le gardein de prive seale eit tielle bille endose ou signe par le chamberleyn ou southchamberleyn come desuis est dist. Et qe nulle chartre de pardoun de tresoun ne dautre felonie passe la Chauncellarie sanz garant du prive seale, forsqe encas ou le chaunceller le puisse grantier de soun office sanz ent parler au roi; et si celuy a qi prier ascune chartre de pardoun pur murdre, mort de homme, tue par agait, assaut, ou malice purpense, tresoun, ou rape de femme soit grante, soit archevesqe ou duc, paie au roi mille livres, et sil soit evesqe ou count, paie au roy mille marcz, et sil soit abbe, priour, baroun, ou baneret, paie au roi cynk centz marcz, et sil soit clerc, bacheler, ou autre de meyndre estat, de quele condicioun qil soit, paie au roi deux centz marcz et eit lemprisonement dun an.

139. SECOND STATUTE OF PROVISORS (13 Richard II, st. 2, cc. 2-3)

[*Stat. R.*, II, 69-74.]*

[The text of the first statute of Provisors is rehearsed.]

Et outre ce, nostre dit seignur le roi qore est, de lassent des grantz de soun roialme esteantz en cest present parlement, ad ordeigne et establi qe de toutz erceveschees, eveschees, et autres dignites et benefices electives, et autres benefices de Seint Esglise qeconqes, qe comencerent destre voidez de fait le vint et noefisme jour de Janver, lan du regne nostre dit seignur le Roi Richard treszisme, ou puis, ou qe se voidront en temps avenir deinz le roialme Dengleterre, le dit estatut fait le dit an xxv soit fermement tenuz pur touz jours, et mys en due execucioun de temps en temps en toutz pointz ; et si ascun face ascun acceptacioun dascun benefice de Seint Esglise a contrarie de cest estatut, et ce duement prove, et soit depar de la, demurge exile et banny hors du roialme pur toutz jours, et ses terres, tenementz, biens, et chateux forfaitz au roi ; et sil soit deinz le roialme, soit il auxi exile et banny come devant est dit, et encourge mesme la forfaiture, et preigne soun chemyn, issint qil soit hors du roialme deinz sys semaignes procheins apres tiel acceptacioun ; et si ascun recette ascun tiel banny venant depar de la, ou esteauntz deinz le roialme apres les sys semaignes avauntditz, conisant de ce, soit auxint exile et banny, et encourge au tiel forfaiture come devaunt est dit ; et qe lour procuratours, notairs, executours, et somonours eient la forfaiture et peyne susditz. Purveu nepurqant qe toutz yceux as queux nostre seint pier le pape ou ses predecessours ont purveu ascun ercevesche, eveschee, ou autre dignitee ou benefices electives, ou autres benefices de Seint Esglise, del patronage des gentz de Seint Esglise, acause de voidance devant le dit xxix jour de Janver, et ent furent en corporel possessioun devaunt mesme le xxix jour, eient et enjoient lour ditz erceveschees, eveschees, dignites, et benefices peisiblement pur lour vies, nient contresteantz les estatutz et ordinance avantditz. Et si le roi envoie par lettre ou en autre manere a la courte de Rome al excitacioun dascune persone, ou si ascun autre envoie ou prie a mesme la courte, paroun qe la contrarie de cest estatut soit fait touchant ascun erceveschee, eveschee, dignite, ou autre benefice de Seint Esglise deinz le dit roialme, si cely qi fait tiel excitacioun ou tiel prier soit prelate de Seinte Esglise, paie au roi le value de ses temporaltees dun an ; et sil soit seignur temporel, paie au roi le value de ses terres et possessions nient moebles dun an ; et sil soit autre persone destate pluis bas, paie au roi la value du benefice pur quel tiel prier soit fait et eit la prisone dun an. Et est lentencioun du cest estatut qe de toutz dignites et benefices de Seint Esglise qestoient voidez de fait le dit xxix jour de Janver, queux sont donez, ou as queux soit purveu par lappostoill devaunt mesme le xxix jour, qe ceux as queux tiels douns ou provisions soient faitz puissent franchement des tielx douns et provisions suer execucioun sanz offence de cest estatut ; purveu toutzfoitz qe de nulle dignite ou benefice qestoit plein le dit xxix jour de Janver, null a cause dascun doun, collacioun, reservacioun, et provisioun, ou dautre grace de lappostoill qeconqe nient execute devaunt le dit xxix jour, ne sue ent execucioun sur les peynes contenuz en cest present estatut.

Item, ordeigne est et establi qe si ascun port ou envoie deinz le roialme ou le poair nostre dit seignur le roy ascun somonces, sentences, ou escomengementz envers ascun persone, de quel condicioun qil soit, a cause de la mocioun, fesance, assent, ou execucioun du dit estatut des provisours, soit il pris et arestuz et mys en prisone, et forface toutz ses terres et tenementz, bien et chateux pur touz jours, et outre encourge la peyne de vie et de membre. Et si ascun prelat face execucioun des tieux sommonces, sentences, ou escomengementz, qe ses temporaltes soient prises et demurgent es mayns nostre dit seignur le roy tanqe due redresse et correccion ent soit fait. Et si ascun persoun de meyndre estate qe prelat, de quel condicioun qil soit, face tiel execucioun, soit pris et arestuz et mys en prisoun, et eit emprisonement, et face fyn et raunceoun solonc la discrecioun du Conseill nostre dit seignur le roy.

140. STATUTE AGAINST LIVERY AND MAINTENANCE (13 Richard II, st. 3)

[*Stat. R.*, II, 74-75.]*

[The lords spiritual and temporal and the Commons have complained in parliaments] . . . des grantz et outrageouses oppressions et maintenances faitz en damage de nous et de nostre poeple en diverses parties de mesme le roiaume par diverses maintenours, menours, barettours, procurours, et embraceours de quereles et enquestes en paiis, des queux plusours sount le pluis embaudez et hardyz en lour maintenance et malvestees suisditz pur ceo qils sont de retenue des seignurs et autres de nostre dit roiaume as fees, robes, et autres liverees appellez liverees de compaignie. Si avons ordenez et estroitement defenduz, de ladvys de nostre Grant Conseil, qe null prelat nautre homme de Seint Esglise, ne bachiler, ne esquier, nautre de meyndre estat, ne donne nulle manere de tiel liveree appelle liveree de compaignie ; et qe nul duc, cont, baroun, ou baneret ne donne tiel liveree de compaignie a chivaler ne esquier sil ne soit retenuz ovesqe luy a terme de vie, pur pees et guerre, par endenture, sanz fraude ou male engyne, ou qe soit mesnal et familier demurant en soun hostell, ne a nul vallet appellez yoman, archer, nautre de meindre estat qe esquier sil ne soit ensement familier demurant en soun hostell. Et qe toutz seignurs espirituels et temporels, et toutz autres de quele condicioun ou estat qil soient, oustent toutoutrement touz tielx meyntenours, menours, barettours, procurours, et embraceours de quereles et enquestes de lour fees, robes, et touz maneres livereez, et de lour service, compaignie, et retenu, sanz ascun tiel receivre a lour retenu en quelconqe manere de temps avenir. Et qe nul seignur espirituel ne temporel, ne nul autre qad ou avera gentz de sa retenue, ne soeffre nuls qi soient devers luy estre maintenour, menour, barettour, procurour, ou embraceour des quereles et enquestes en paiis en nul manere, mes les ouste de son service et retenue, come devant est dit, a plus tost qil poet ent estre apercieu. Et qe si ascun seignur ouste ascun tiel maintenour, menour, barettour, procurour, ou embraceour de sa compaignie par celle cause, qe adonqes nul autre seignur luy reteigne ne receyve de sa retenue ne de sa compaignie en nul manere ; et qe null de noz lieges, grant ne petit, de quele condicioun ou estat qil soit, soit il de retenue dascun seignur ou autre persone qeconqe, qi ne soit mye de retenue nenpreigne querele autre qe sa propre, ne la maintiegne par luy ne par autre, en prive nen appert ; et qe touz yceux qi usent et portent tiel liveree appelle liveree de compaignie a contraire de ceste nostre ordenance, les lessent tout outrement deinz dys jours apres la proclamacioun de mesme ceste ordenance, sanz les plus user ou porter en apres ; et qe ceste nostre ordenance soit tenue et fermement garde et duement execute en touz pointz, sibien par ceux qont ou averont gentz de lour retenue, come par touz autres persones en ce qe a eux apartient touchant mesme ceste ordenance, sur peine demprisonement, fyn, et raunceon, ou destre puniz en autre manere solonc ceo qe soit avis a nous et a nostre Conseil.

---

141. ORDINANCE FOR THE COUNCIL, 8 MARCH, 1390

[*Procs. and Ords.*, I, 18a-b.]*

Lordenance faite sur le gouvernement a tenir par le Consail du roi.

Premierement, que les seignurs du Consail se taillent estre au Consail parentre oyt et noef de la clokke au plustard.

Item, que les busoignes du roi et du roiaume soient examinez premierement devant toutes autres quant les greindres du Consail et autres officers serrount presentz.

Item, qe les busoignes touchantes la comune ley soient envoiez pur estre determinez devant les justices.

Item, qe les busoignes touchantes loffice du chanceller soient envoiez pur estre determinez devant lui en la Chauncellerie.

Item, que les busoignes touchantes loffice du tresorer soient envoiez pur estre determinez devant lui en Lescheqer.

Item, qe toutes autres matires qe ne purront estre exploitez saunz especiale grace et coungie du roi soient exposez a lui pur ent avoir son avys et voluntee.

Item, que nul doun ou graunt que purra tournir a disencrees du profit du roi passe saunz avys du consail et lassent des ducs de Guyene et Deverwyk, de Gloucestre, et du chanceller, ou deux de eux.

Item, que toutes autres busoignes mandez au Consail pur avoir lour avys, et autres du grant charge, soient determinez par ceux du Consail qi serront presentz ovec les officers.

Item, que toutes autres billes du poeple du meindre charge soient examinez et exploitez devant le gardein du prive seal et autres du Consail qi serrount presentz pur le temps.

Item, que les ordenances touchantes les offices a doner par le roi faites autrefoiz par assent de lui et de son Consail soient tenuz et gardez.

Item, qe nuls seneschalx ne justices soient desore enavant ordenez a terme de vie.

Item, qe les bachilers esteauntz du Consail du roi eient gages resonables pur le temps quils serront travaillantz entour mesme le Consail.

Item, que les seignurs esteauntz de mesme le Consail eient regard pur lour travaux et coustages par avys du roi et de son Counsail.

Item, puisqe une matire soit attamez en le Conseil, quils ne passent a nulle autre matire tanqe respounse soit done a la matire premierement attamee.

Le oytisme jour de Marz, lan etc. treszisme, ceste ordenaunce estoit faite a Westmoustier en presence du roi, esteantz illoeqes le duc de Guyene, le duc Deverwik, le comte de Saresbirs, le comte de Northumberland, le comte de Huntyndon, le chanceller, le tresorer, le prive seal, le seneschall, Lovell, Stury, et Dalingrugg.

142. LORDS' AND COMMONS' PRAYER FOR THE SAFEGUARDING AND FREEDOM OF THE KING'S REGALITY, 1390, 1391

[*Rot. Parl.*, III, 279 and 286.]*

Writs were issued on 12 September, 1390, for a parliament to meet at Westminster on 12 November ; its session lasted until 3 December.

Writs were issued on 7 September, 1391, for a parliament to meet at Westminster on 3 November ; its session lasted until 2 December.

(*a*) 1390

15. Fait aremembrer, qe les prelatz, seignurs temporels, et Communes prierent a nostre seignur le roi en plein parlement qe la regalie et prerogative de nostre dit seignur le roi et de sa corone soient toutdis sauvez et gardez. Et qe si riens ad este fait ou attempte encontre ycelles, qil soit redresse et amende. Et enoutre, qe nostre dit seignur le roi soit aussi frank en son temps come ses nobles progenitours, jadys roys Dengleterre, feurent en lour temps. Quelle priere sembla a nostre seignur le roi honeste et resonable, et purceo il lottroia en toutz pointz.

(*b*) 1391

13. En y cest parlement, le second jour de Decembre, les Communes prierent overtement en plein parlement qe nostre seignur le roi soit et estoise aussi frank en sa regalie, liberte, et dignite roiale en son temps, come ascuns de ses nobles progenitours, jadys rois Dengleterre, furent en lour temps ; nient contresteant ascun estatut ou ordinance fait devant ces heures a contraire, et mesment en temps le Roi Edward second qi gist a Gloucestre. Et qe si ascun estatut feust fait en temps le dit Roi Edward en derogacioun de la liberte et franchise de la corone, qil soit annulle, et de nulle force. Et puis toutz les prelatz et seignurs temporeles prierent en mesme le manere. Et surce nostre dit seignur le roi mercia les ditz seignurs et Communes de la grant tendresse et affeccioun qils avoient a la salvacion de soun honour et de son estat. Et a cause qe lour ditz priers et requestes luy semblerent honestes et resonables, il sagrea et assenta pleinement a y celles.

143. STATUTE FOR REMEDY BY THE CHANCELLOR IN CERTAIN CASES (15 Richard II, c. 12), 1391

[*Stat. R.*, II, 82.]*

Item, a la grevouse compleint des Communes fait au plein parlement de ce qe plusours liges du roi sont faitz venir devaunt les conseilx de diverses seignurs et dames, a y respondre de lour frank tenement et de plusours autres choses, reales et personeles, qe deveroient estre demesnez par la ley de la terre, encontre lestat et droit de nostre seignur le roi et de sa corone, et en defesance de la commune ley; accordez est et assentuz qe null lige du roi desore enavant soit artez, compellez, ne constreint par nulle voie de venir ne dapparoir devaunt le conseill dascun seignur ou dame pur y respondre de soun frank tenement, ne de chose qi touche frank tenement, ne de nulle autre chose, reale ou personele, qappartient a la ley de la terre en ascune manere. Et si ascun se sent grevez en temps avenir encontre ceste ordeinance et accorde, sue al chaunceller qi serra pur le temps, et il en ferra remede.

144. THE ADVICE OF THE LORDS, ?1386–?1392

[*Procs. and Ords.*, I, 84-86.]*

Opinions differ as to the date, the significance, and structure of this document. W. Stubbs, *Constitutional History* (1876), II, 510, and T. F. Tout, *Chapters in Mediaeval Administrative History*, III (1928), 410 n. 2, are inclined to assign it to 1386–1388 and to regard it as a provision forced upon the king. J. F. Baldwin, *The King's Council* (1913), 131, and B. Wilkinson, *Studies in the Constitutional History of the 13th and 14th centuries* (1937), 133, assign it rather to about 1392 and regard it as merely representing an episode in the evolution of the Council.

Lavis des seignurs touchant le bon governement du roy et du roiaume.

Primerement, qil plese au roy doner creance a son Conseil en les choses qe touchent le governement des loys et du roiaume, et les soeffrir faire et governer duement ce qe a cela appartient, ensi come mielz leur semblera a son honur et profit et de mesme le roiaume, et de non commander a son dit Conseil par message ne par lettre rien au contraire.

Item, si aucuns volroient enfourmer ou exciter le roy en sa propre persone de meller daucune chose qe touche la loy ou partie, qil lui plese commettre et envoier touz tieux enfourmours ovesqe leur informacions et suggestions a son dit Conseil, et non doner creance ne audience as ditz enfourmours, einz en soeffrir son dit Conseil faire ce qe a la loy et pur son honur et estat appartient.

Item, si aucuns li volroient aucune chose doner ou promettre pur lui faire favourer, eider, ou maintenir aucune cause ou querele contre partie, ou en prejudice de partie, qil plese a nostre dit seignur le roy non recevoir ne accepter tieux douns ou promesses par lui ne par autre, einz les refuser outrerment, a fin qil soit toutdys le plus indifferent et le plus enclyns a plein et owel justice.

Item, qil plese au roy doner covenable temps et audience a son Conseil de temps en temps quant il lui en volront supplier pur communer ovesqe lui pur le bon exploit et deliverance des busoignes touchantes lestat de lui et de son roiaume, car par ce fesant il conoistra et savera le mielz ce qe appartient a governance et a son honur et estat, et si serront les dites busoignes le mielz et le plus prestement deliverez, a grant honur et profit de lui et de tout son roiaume.

Item, qil plese au roy qe ceux qi occuperont les offices de chamberlein, seneschal de Lostel, et gardein de son prive seal soient persones suffissantes et covenables, et qils soient reportours de ses voluntees entre lui et son dit Conseil, et qe nuls autres reportours ne soient usez daucune chose chargeante, sauvant toutdys le droit qe le conte Doxenford cleyme touchant le dit office de chamberlein.

Item, qil plese au roy non granter aucun office de justice, visconte, eschetour, seneschal de terre, ou de seignurie, receivour, custumer, contreroulour ne serchour, ne aucunes fermes a aucune persone sanz en avoir primerement lavis de son Conseil et de ses principalx officers.

Item, qil plese au roy qe son estat touchant les revenues et les charges de son Escheqer soit veuz et examinez par certeins seignurs, a fin de mettre bone ordenance coment et de quoi son estat purra estre sustenuz et son poeple paiez pur les vivres qe serront pris pur son Hostel, come lestatut voet.

Item, qil plese au roy qe lestat de son Hostel soit veuz, et qe si aucunes persones meins suffissantz ou nient profitables y soient trovez, qils soient remuez et congeiez, et si plus de suffissantz y busoignent par lavis de son dit Conseil, qe adonqes ils soient retenuz tieux qe soient a son honur et profit, et qe purront estre de poair de lui servir come gentz suffissantz quant il avera busoign de eux.

Item, qil plese au roy soi desporter de doner ou granter terres, rentes, fermes, gardes, mariages, eschetes, annuytees, ne autres profitz ne revenues de ceux qi lui sont a present demorez, ne dautres quant ils escherront a nulle persone, einz soient gardez et reservez pur son estat propre, et pur paier ses despenses et acquiter ses dettes. Et si aucune tiele charge devera estre grantez, adonqes soit fait par plein avis et assent de son Conseil et bone informacion de la vraie value.

Item, qil plese au roy estre avisez de non granter legierement chartres de pardoun de mort de homme, murdre, rape de femmes, robberies, et dautres felonies sanz bone informacion et tesmoignance de suffissantz gentz.

Item, qil plese au roy estre aussi avisez du grant de chartres dexempcion ; car autrement il ne trovera a peine nul suffissant homme a passer en enqueste, ne destre visconte ne autre officer.

Item, qil plese au roy attrerez a li gentz destat et de bien et de honur, et communer ovesqes eux et eschuire la compaignie dautres ; car en ce fesant, li en purra avenir grand bien et honur, et ensi attrera a li les cuers et amour de son poeple. Et en fesant le contraire, li en purroit avenir le contraire, a grand peril de li et du roialme, qe Dieu defende.

Item, qe chescun qi serra entour nostre seignur le roy, pur le temps cesse et se despoite outrement desore de queconqe maintenance faire, ou querele dautre daucune chose qe touche partie emprendre et promovoir devers nostre dit seignur le roy encontre qeconqe persone, et de qeconqe brocage prendre ou faire a nostre dit seignur le roy en tieu cas, en privee ne en appert, sur peyne destre deshonurez et tenuz desloial, et destre congiez hors de Loustel du roy sanz james estre reconcillez a ycell.

145. SECOND STATUTE OF PRAEMUNIRE (16 Richard II, c. 5), 1393

[*Stat. R.*, II, 84-86.]*

Writs were issued on 23 November, 1392, for a parliament to meet at Winchester on 20 January, 1393; its session lasted until 10 February.

For references see no. 71 above.

Item, come les Communes du roialme en cest present parlement eient moustrez a nostre tresredoute seignur le roi, grevousement compleignantz, qe parla ou mesme nostre seignur le roy et toutz ses liges deivent de droit, et soloient de tout temps purseuer en la courte mesme nostre seignur le roi pur recoverer lour presentementz as esglises, prebendes, et autres benefices de Seinte Esglise as queux ils ount droit a presenter, la conisance de plee de quelle purseute appartient soulement a courte mesme nostre seignur le roy daunciene droit de sa coronne use et approve en temps de touz ses progenitours, rois Dengleterre; et qant juggement soit rendu en mesme sa courte sur tiel plee et purseute, les ercevesqes, evesques, et autres persones spiritueles qount institucion de tiele benefice deinz lour jurisdiccioun, sont tenuz et ont fait execucioun des tieux juggementz par mandement des rois de tout le temps avantdit sanz interrupcioun, qare autre lay persone ne poet tiele execucioun faire, et auxint sont tenuz de droit de faire execucioun de plusours autres mandementz nostre seignur le roi, de quele droit la corone Dengleterre ad este peisiblement seisy sibien en temps nostre dit seignur le roi come en temps de touz ses progenitours tanqe enca; mes ore tarde diverses processes sont faitz par le seint piere le pape et sensures descomengement sur certeins evesques Dengleterre pur ceo qils ount fait execucioun des tieux mandementz, en overte desheritance de la dite corone et destruccioun de regalie nostre dit seignur le roi, sa lay, et tout soun roialme, si remedie ne soit mys; et auxint dit est et commune clamour yad qe le dit seint piere le pape ad ordeigne et purpose de translater aucuns prelates de mesme le roialme, ascuns hors du roialme, et aucuns de un eveschee a autre deinz mesme le roialme, saunz assent et conisance nostre seignur le roy, et saunz assent du prelat qi ensy serroit translate, queux prelatz sont moult profitables et necessaires a nostre dit seignur le roi et tout soun roialme; par queux translacions, sils fusent sufertz, les estatutz du roiaume serront defaitz et anientez, et ses sages lieges de soun Conseill sanz soun assent et encountre sa voluntee subtrez et esloignez hors de soun roiaume, et lavoir et tresore du roiaume serroit emporte, et ensi mesme le roiaume destitut sibien du counseill come davoir a final destruccioun de mesme le roialme; et ensy la corone Dengleterre, qad este si frank de tout temps qele nad hieu null terrien soveraigne, mes immediate subgit a Dieu en toutes choses tuchantz la regalie de mesme la corone, et a null autre, serroit submuys a pape, et les leys et estatutz du roialme par luy defaitz et anientez a sa volente, en perpetuele destruccioun de la soveraynte nostre seignur le roy, sa corone, et sa regalie, et tout soun roialme, qe Dieu defende. Et disoient outre les Communes avantdites qe les dites choses ensi attemptez sount overtement encountre la corone nostre seignur le roi et sa regalie use et approve du temps du touz se progenitours; par quoy ils et touz les lieges communes du mesme le roialme veullent estere ovec nostre dit seignur le roy et sa dite corone et sa regalie en les cases avauntdites, et en touz autres cases attemptez encountre luy, sa corone, et sa regalie en toutz pointz, a vivre et murer; et prierent outre a nostre seignur le roy, et luy requistrent par voy de justice, qil vorroit examiner touz les seignurs en parlement, sibien spiritueles come temporeles, severalment, et touz les estatz du parlement, coment lour semble des cases avauntditz qe sount si overtement encountre la corone nostre seignur le roi, et en derogacioun de sa regalie, et coment ils voillent estere en mesmes les cases ovesqe nostre seignur le roy en sustenance des droitz de ses ditz corone et regalie. Sur quoy les seignurs temporelx ensi demandez, ount respondu chescun par soy qe mesmes les cases avantdites sont overtement en derogacioun de la corone nostre seignur le roy et de sa regalie come notoirement est et ad este de tout temps conuz, et qe ils veullent estre ovec mesmes les corone et regalie en mesmes cestes cases en especial, et en touz autres cases qe serront attemptez encountre mesmes les corone et regalie en toutz points, ove tout lour poair. Et outre ce, demandez estoit des seignurs espirituels et illeqes esteantz, et des procuratours des autres absentz, de lour estre avys et volente en ceux cases, queux seignurs, cestassavoir ercevesqes, evesqes, et autres prelates esteantz en le dit parlement, severalment examinez, fesantz protestacions qil nest pas lour entencioun de dire ne affermer qe nostre seint piere le pape ne poet excomenger evesques, ne quil poet faire translacions des prelatz solonc le ley de Seinte Esglise, respoignent et diount qe si aucunes execucions de processes faitz en la courte du roi, come devaunt, soient faitz par ascuny, et censures de escomengementz soient faitz encountre ascun evesqe Dengleterre ou ascun autre liege du roi pur ce qils ount fait execucioun des tieux maundementz, et qe si aucuns execucions des tieux translacions soient faitz dascuns prelatz de mesme le roialme, queux seignurs sount moult profitables et necessairs a nostre dit seignur le roi et a soun roiaume suisdit, ou qe ses sages lieges de soun Counseil saunz soun assent et encountre sa volunte soient sustretz et esloignez hors du roialme, siqe lavoir et tresor du roialme purroit estre destruit, qe ce est encountre le roy et sa corone sicome est continuz en la peticioun avantnome. Et semblablement les ditz procuratours, chescun par soy examine sur le ditz matieres, ount respondu et dit en noun et pur lour seignurs come les ditz evesqes ount dit et respondu, et qe les ditz seignurs espiritueles veullent et deivent estere ovesqe le roy nostre seignur en ceux cases loialment en sustenance de sa corone, et en touz autres cases tochantz sa corone et regalie, come ils sount tenuz par lour ligeance. Sur quoy nostre dit seignur le roy, del assent avauntdit, et a la priere de sa dit Commune, ad ordeigne et establie qe si ascun purchace ou pursue, ou face purchacer ou pursuer en la courte de Rome ou aillours, ascuns tieux translacions, processes, et sentences de escomengementz, bulles, instrumentz, ou autre chose qeconqe qi touche le roi nostre seignur encountre luy, sa corone, et regalie ou soun roialme, come devaunt est dit, et ceux qi les porte deinz le roialme, ou les resceive, ou face ent notificacioun ou autre execucioun qeconqe deinz mesme le roialme ou dehors, soient ils, lour notairs, procuratours, meintenours, abbettours, fautours, et conseillours mys hors de la proteccioun nostre seignur le roy, et lours terres et tenementz, biens et chatieux forfaitz au roy nostre seignur, et qils soient attachez par lour corps sils purront estre trovez, et amesnez devaunt le roy et soun Conseil pur y respondre es cases avauntditz, ou qe processe soit fait devers eux par premunire facias en manere come est ordeigne en autres estatutz des provisours, et autres qui seuent en autry courte en derogacioun de la regalie nostre seignur le roy.

146. STATUTE AGAINST FALSE SUGGESTIONS (17 Richard II, c. 6), 1394

[*Stat. R.*, II, 88.]*

Writs were issued on 13 November, 1393, for a parliament to meet at Westminster on 27 January, 1394; its session lasted until 6 March.

Item, qe qant gentz sont faitz venir devaunt le Counseil du roi ou en la Chancellarie par briefs founduz sur suggestions nient vrais, qe le chanceller pur le temps esteant, maintenant apres qe tielx suggestions sont duement trovez et provez nient veritables, eit poair dordeigner et agarder damages solonc sa discrecioun a celuy qest issint travaillez noun duement come desuis.

PROCEEDINGS IN THE PARLIAMENTS OF 1397 AND 1398

Writs were issued on 30 November, 1396, for a parliament to meet at Westminster on 22 January, 1397; its session lasted until 12 February.

Writs were issued on 18 July, 1397, for a parliament to meet at Westminster on 17 September; its first session lasted until 29 September;

its second session was held at Shrewsbury from 27 January to 31 January, 1398.

147. CASE OF THOMAS HAXEY, 1–7 FEBRUARY, 1397

[*Rot. Parl.*, III, 338-339, 341.]†

15. Item, al quart article touchant le charge del hostiel le roy et la demuree devesqes et dames en sa compaignie, le roy prist grandement a grief et offense de ce qe les Communes, qi sont ses lieges, deussent mesprendre ou presumer sur eux ascune ordenance ou governance de la persoun de roy, ou de soun Hostiel, ou dascuns persones destat qil plerroit avoir en sa compaignie. Et sembloit a roy qe les Communes firent en ce grant offense et encontre sa regalie, et sa roiale mageste, et la liberte de lui et de ses honurables progenitours, queles il est tenuz et voet maintenir et sustenir par leide de Dieu. Par quoy le roy comanda les ditz seignurs espirituels et temporels qils deussent le Samady matin ensuiant [3 February] moustrer et declarer as ditz Communes pleinement la volunte du roy sur celle matiere. Et outre le roy, entendant coment les ditz Communes feurent moez et enformez par un bille baillee a eux pur parler et moustrer la dit darrein article, si comanda a le duc de Guyen et de Lancastre pur charger monsire Johan Bussy, parlour pur les Communes, sur sa ligeance de counter et dire a lui le noun de cellui qi bailla as ditz Communes la dite bille.

16. Item, le Samady, lendemayn de le dit feste del Chandelure [3 February], les seignurs espirituels et temporels feurent avek les Communes et moustrerent a eux la volunte et commandement du roy, et les dites Communes livererent la dite bille a seignurs ovek le noun de celui qui la bailla a eux, cest assavoir sire Thomas Haxey. Quele bille feust apres liveree al clerc del corone par le clerc du parlement du comandement de roy, et meintenant apres les Communes viendrent devant le roy en parlement de son comandement, et illoeqes ovek tout humilite et obeissance qils purroient, faisant grant dolour, come aparust par lour chier, de ce qe le roy avoit pris tiel conceit envers eux, empriantz humblement a roy doier et accepter lour excusacioun, qe unqes ne feust lour entencion ne volunte de parler, moustrer, ne faire ascun chose qe serroit offense ne displesance a la roiale mageste du roy, ne encontre son roiale estat, ne liberte; et moement de ceste matiere touchant sa persone demesme, et la governance de son Hostiel, ou des seignurs et dames en sa compaignie, ne de nulle autre matiere qi lui touche mesmes; sachantz et conissantz bien qe tieles choses napartienent my a eux, mes soulement a roy mesmes, et a sa ordenance. Einz qe lour entencioun feust et est, pur la grant affeccioun qils portent au roy come foialx lieges, qe les seignurs deussent prier au roy de considerer son honurable estat, et sur ce faire ce qe lui plerroit, combien qe le roy autrement eust conceu qe ne feust lour entent, dont lour poise durement. Et sur ce les ditz Communes lour submysterent en la grace et volunte du roy humblement empriant a sa roiale mageste

de lour avoir graciousement excusez, disantz enoutre qils sont toutdys prestz a lour poair de sauver son roiale estat et liberte, et pur faire en corps et biens come loialx lieges sont tenuz ce qe purra estre honur et salvacioun a sa roiale magestee.

23. Fait aremembrer qe Mesquerdy apres la Chandelure [7 February], maintenant apres le juggement rendu devers Thomas Haxey, clerc, qi feust ajuggez en parlement a la mort come traitour, viendrent devant le roy en parlement ovek grant humilite lercevesqe de Canterbirs et touz les autres prelatz et firent pleine protestacioun qe leur entier et pleine entencioun est, et toutdis serra, qe le roial estat et regalie du roy soit toutdis sauvez et gardez sanz emblemissement ; et prieront a roy humblement qe lui plerroit de sa grace avoir pite et mercie del dit Thomas, et de sa haute et roial benignite remitter et relesser lexecucioun de la mort du dit Thomas, et luy ottroier et donir sa vie. Et le roy sur ce, a la priere des ditz prelatz, de sa pite roiale, et de sa grace especiale, remist et relessa lexecucioun de la mort du dit Thomas, et lui ottroia et dona sa vie. Sur quoy les ditz prelatz, remerciantz a roy de sa grantz benignite et mercie qil avoit fait, prierent humblement a roy qil plerroit a luy de sa plus habundant grace, al reverence de Dieu, et pur honeste de Seinte Esglise, granter a eux la garde del corps du dit Thomas, protestantz sur ceo pleinement le ditz prelatz qils ne font my celle requeste ne priere, ne demandent my celle grante grace del garde du dit corps pur nulle droit ne duete qe appartient ou purra appartiener a eux en cest cas, mes soulement de grace especiale et volente du roy mesmes. Sur quoy le roy, soulement de sa grace especiale, et pur honestee de Seint Esglise, et nemy dascun duete ne droit des ditz prelatz en celle partie, granta et ottroia a eux la garde del corps du dit Thomas. Et comanda sur ce a monsire Thomas Percy, seneschall del hostel le roy, pur deliverer le corps du dit Thomas Haxey al dit ercevesqe a garder sauvement du grace du roy, come dessus est dit.

[The judgement on Haxey was annulled and his rights restored in the first parliament of Henry IV, 1399 (*Rot. Parl.* III., 434).]

148. LEGITIMATION OF THE BEAUFORTS, 6 FEBRUARY, 1397

[*Rot. Parl.*, III, 343.]*

The letters patent legitimating the children of John, duke of Lancaster, and Catherine Swynford were dated 1 February, and had been preceded by papal letters of legitimation. The royal letters patent were now read and confirmed in parliament. The letters patent were exemplified and confirmed by Henry IV on 10 February, 1407, but with the words 'excepta dignitate regali' inserted, which words appear to have then been interlineated into the enrolment of Richard II's letters. The letters patent of Richard II, however, had been confirmed and ratified in the parliament of 1397, and Henry IV's attempt at excluding the Beauforts from the line of succession to the throne can hardly have had any legal validity. See S. Bentley, *Excerpta Historica* (1831), 152-159.

28. Fait aremembrer, qe le Maresdy, le quinzisme jour de parlement, le chaunceller, du comandement de roy, declara coment nostre seint pere le pape, al reverence de la tresexcellent persone du roy et de son honurable uncle, le duc de Guyen et de Lancastre, et de son sank, ad habliez et legitimez mon sire Johan de Beauford, ses freres, et sa soer. Et purceo, nostre seignur le roy, come entier emperour de son roialme Dengleterre, pur honour de son sank, voet, et ad de sa plenir roial poiar hablie, et fait muliere, de sa propre auctorite, le dit Johan, ses ditz freres, et soer. Et aussi pronuncia et puplist labilite et legitimacioun solonc la fourme de la chartre du roy ent faite. La quele chartre feust lue en pleine parlement, et baillez a le dit duc, pere a dit Johan, et ses ditz freres et soer, le tenour de quele chartre sensuit. Ricardus, dei gracia rex Anglie et Francie, et dominus Hibernie, carissimis consanguineis nostris nobilibus viris Johanni, militi, Henrico, clerico, Thome, domicello, ac dilecte nobis nobili mulieri Johanne Beauford, domicelle, germanis precarissimi avunculi nostri, nobilis viri, Johannis, ducis Lancastrie natis, ligeis nostris, salutem et benevolenciam nostre regie magestatis. Dum interna consideracione pensamus quot incessanter et quantis honoribus parentili et sincera dileccione prefati avunculi nostri et sui maturitate consilii, undique decoramur, congruum arbritramur et dignum, ut meritorum suorum intuitu, ac graciarum contemplacione personarum, vos qui magne probitatis ingenio, vite ac morum honestate fulgetis, et ex regali estis prosapia propagati, pluribusque virtutibus, munere insigniti divino, specialis prerogative munimine favoris et gracie fecundemus. Hinc est quod dicti avunculi nostri, genitoris vestri, precibus inclinati, vobiscum qui, ut asseritur, defectum natalium patimini, ut hujusmodi defectu, quem ejusque qualitates quascumque presentibus haberi volumus pro sufficienter expressis, non obstante, quod quecumque honores, dignitates, preeminencias, status, gradus, et officia, publica et privata, tam perpetua quam temporalia, atque feudalia et nobilia, quibuscumque nominibus nuncupentur, eciam si ducatus, principatus, comitatus, baronie, vel alia feuda fuerint, eciam si mediate vel inmediate a nobis dependeant seu teneantur, prefici, promoveri, eligi, assumi, et admitti, illaque recipere, retinere, gerere, et excercere, provide, libere, et licite valeatis, ac si de legitimo thoro nati existeretis, quibuscumque statutis seu consuetudinibus regni nostri Anglie incontrarium editis, seu observatis, que hic habemus pro totaliter expressis, nequaquam obstantibus ; de plenitudine nostre regalis potestatis, et de assensu parliamenti nostri, tenore presencium dispensamus. Vosque et vestrum quemlibet natalibus restituimus et legitimamus.

149. THE KING'S RIGHTS, 17 SEPTEMBER, 1397

[*Rot. Parl.*, III, 347.]*

Fait aremembrer, qe Lundy proschein apres le fest del Exaltacioun de la Seinte Croys [17 September], lan du regne le Roy Richard

Secound puis le Conquest vintisme primer, le roy esteant en parlement, levesqe Dexcestre, chaunceller Dengleterre, du comandement du roy moustra et pronuncia la cause del somonce du parlement, disant coment le roy ad somonz son parlement a lonur et reverence de Dieu et de Seinte Esglise, et al salvacioun et amendement de son roialme. Paront il prist a son theme la parole de Ezechiel le Prophete, 'Rex unus erit omnibus', allegeant sur ce pluseurs auctoritees de Seinte Escripture qe un roy et un governour serra, et qe par autre manere nulle roialme purra estre governez ; et qe a la bone governance de chescun roy trois choses sont requis. Primerement, qe le roy soit puissant a governer. Secondement, qe les loies par queux il doit governer soient gardez et executz justement. Tiercement, qe les subgitz du roialme soient obeissantz duement a roy et ses loies. Et par celle cause, primerement, au fyn qe roys soient ensi puissantz a governer leur subgitz, ils ont de droit pluseurs privileges donez a eux, come regalies, prerogatives, et pluseurs autres droitz annexez a la corone, as queux ils sont obligez en leur coronacioun a garder et sustenir ; et ycelles ils ne puissent alienir ne translater en autre oeps, entant qe si alienacioun soit affermez par serement, la loie repelle tiele alienacioun, et relesse le serement. Par quoy le roy ad fait assembler lestatz de parlement a cest foitz, pur estre enformez si ascuns droitz de sa corone soient suistretz ou amenusez, a fyn qe par lour bon advys et discrecioun tiele remedie puisse estre mys qe le roy puisse esteer en sa libertee et poair come ses progenitours ont estee devant luy, et deussent de droit, non obstante ascune ordenance a contraire, et ensi un roy as touz, et les governera.

150. PETITION BY THE COMMONS FOR A LAY PROCTOR FOR THE PRELATES AND CLERGY, 18 SEPTEMBER, 1397

[*Rot. Parl.*, III, 348-349.]*

9. Item, mesme le Marsdy [18 September] les Communes moustrerent au roy coment devant ces heures pluseurs juggementz, ordenances, faitz en temps des progenitours nostre seignur le roy en parlement, ount este repellez et adnullez pur ceo qe lestat de clergie ne feust present en parlement a la faisaunce des ditz juggementz et ordenances. Et pur ceo prierent au roi, qe pur seurte de sa persone, et salvacioun de soun roialme, les prelatz et le clergie ferroient un procuratour ovec poair sufficeant pur consenter en leur noun as toutz choses et ordenances a justifiers en cest present parlement ; et qe sur ceo chescun seignur espirituel dirroit pleinement soun advis. Sur qoi les ditz seignurs espirituelx severalment examinez se consenterent de commetter leur plein poair generalment a une lay persone, et nomerent en especiale monsire Thomas Percy, chivaler. Et sur ceo baillerent au roy une cedule contenant leur dit poair. La quele nostre seignur le roy receust, et comanda la dite Marsdy estre entrez de record en rolle du parlement. De quele cedule la forme sensuit.

10. Nos Thomas Cantuariensis et Robertus Eboracensis archiepiscopi, ac prelati et clerus utriusque provincie Cantuariensis et Eboracensis, jure ecclesiarum nostrarum et temporalium earundem habentes jus interessendi in singulis parliamentis domini nostri regis et regni Anglie pro tempore celebrandis, necnon tractandi et expediendi in eisdem quantum ad singula in instanti parliamento pro statu et honore domini nostri regis, necnon regalie sue, ac quiete, pace, et tranquillitate regni judicialiter justificandi, venerabili viro domino Thome de Percy, militi, nostram plenarie committimus potestatem; ita ut singula per ipsum facta in premissis perpetuis temporibus habeantur.

151. ANNULMENT OF THE COMMISSION OF 1386, 18 SEPTEMBER, 1397

[*Rot. Parl.*, III, 349-350.]*

11. Et sur ceo, le dit monsire Johan Bussy rehercea en substance la dite pronunciacioun faite par le chanceller ; et moustra au roy pur les ditz Communes coment en le parlement tenuz a Westmouster primer jour Doctobre, lan du regne nostre seignur le roy disme, Thomas, duc de Gloucestre, et Richard, cont Darundell, traitours au roy et soun roialme, par faux ymaginacioun et compassement, firent faire par estatut une commissioun directe a eux mesmes, et autres persones a lour denominacion, pur avoir la governaille du roy et du roialme, sibien diens Lostiel du roy come dehors, et en les seignuries du roy pardela, come contenuz est en la dite commissioun . . . [The text of the commission follows.]

Quelles commissioun et estatut touchant mesme la commissioun sembla as ditz Communes estre prejudicielx au roy et sa corone, et usurpacioun de sa regalie et roiale poair. Et qe les ditz duc de Gloucestre et cont Darundell envoierent une grand persone, pere de la terre, en message a nostre seignur le roy, qi de leur part luy disoit qe sil ne voudroit granter et assenter as ditz commission et estatut il feust en grant peril de sa vie. Et issint, sibien la dite commission, come le dit estatut touchant mesme la commission, feurent faitz par constreint et compulsioun encontre la gree du roy et sa volunte. Queles Communes prierent au roy qe les ditz commissioun et estatut touchant mesme la commission serroient, ove touz les dependantz dicelles, repellez en cest present parlement, et de tout adnullez, come chose fait traiterousement encontre sa regalie, sa corone, et sa dignitee. Sur quoy nostre seignur le roy, de lassent de toutz les seignurs espirituelx et temporelx, et les procuratours del clergie, assemblez en cest present parlement, et a la requeste des ditz Communes, sy ad repellez le dit estatut en cest article, et mesme la commission, et toutz les peines et dependances dicelles, et de tout adnullez pur toutz jours, pur les causes suisdites, queux sont overtement conuz as toutz les estatz du parlement. Et outre ceo, le roy par assent de toutz les ditz seignurs et Communes, ad ordeinez et establiz qe nulle tiele commissioun, nautre semblable, james ne soit purchacez, pursuez, ne fait en temps avenir ; et celuy qi purchace, pursue, ou procure destre faite ou pursue ascune tiele commissioun ou semblable en temps advenir, en privee ou en appiert, ou use jurisdiccioun ou poair par vertue dascune tiele commissioun, et de ceo soit duement convict en parlement, soit adjugge pur traitour et ceo de haut traisoun fait encontre le roy et sa corone ; et de ce ceo le roy eit la forfaiture de ses terres, tenementz, et possessions, et toutz autres enheritementz a luy et ses heirs, sibien tenuz de luy mesmes come dautres.

152. REVOCATION OF THE APPELLANTS' PARDONS, 18 SEPTEMBER, 1397

[*Rot. Parl.*, III, 350.]*

The pardons in question were granted in 1388 to Thomas, duke of Gloucester, youngest son of Edward III, Richard FitzAlan, earl of Arundel, and to Thomas Beauchamp, earl of Warwick. Gloucester was to die in prison in Calais during September ; Arundel was shortly to be executed ; Warwick was condemned to forfeiture and imprisonment for life in the Isle of Man, but was liberated in 1399. A special pardon to Arundel dated 30 April, 1394, was also now revoked (*Rot. Parl.*, III, 351).

12. [The Commons showed how the duke of Gloucester and the earl of Arundel, by the said commission, with the earl of Warwick, had gathered men and forced the king to summon the parliament of 1388 and in it had made him give them all a pardon by statute.] Et pur ceo qe la dite pardoun feust fait par compulsion et constreint de les ditz duc et contes Darundell et Warrwick, et leur poair, en prejudice du roy, et encontre soun gree et volunte, et regalie, libertee, et dignitee de sa corone, prierent les ditz Communes au roy qe la dite pardoun soit tout repellez et adnullez. Et qe la peine de tresoun de toutz ceux qi font pursuit de freindre, adnuller, ou reverser ascunes appelles, pursuites, accusementz, processes, juggementz, et execucions faitz et renduz en mesme le parlement le dit an unszisme ; et auxi de ceux qi pursuent de recounceiller ceux qi feurent forjuggez en le dit parlement le dit an unszisme, ou de eux faire avoir pardoun, ou de eux restituer a la commune ley en ascun manere, serroit adjugge et averoit execucioun come traitour et enemye du roy et du roialme,—soit auxint repellez et adnullez. Sur quoy nostre seignur le roy, de lassent de toutz les seignurs sibien espirituelx come temporelx, et procuratours del clergie, et a la request des ditz Communes assemblez en cest present parlement, sy ad repellez le dit pardoun et la peine auxint et les dependences dicell, et de tout adnullez.

153. IMPEACHMENT OF THOMAS ARUNDEL, ARCHBISHOP OF CANTERBURY, 20 SEPTEMBER, 1397

[*Rot. Parl.*, III, 351.]*

Thomas Arundel (1353–1414), archbishop of York, 1388, of Canterbury, 1396, chancellor, 1386–89, 1391–96, was a brother of the earl of

Arundel. He was now impeached and banished and translated to the bishopric of St. Andrews; he returned with Henry Bolingbroke in 1399 and became chancellor again in 1407, and 1412.

15. Item, puis les ditz Communes, mesme le jour [20 September] devant le roy en plein parlement, accuserent et empescherent Thomas Darundell, ercevesqe de Cantirbirs, de haute traisoun, de ceo qil esteant chief officer du roy, cestassavoir soun chanceller, traiterousement feust aidant, procurant, et conseillant de faire et pursuir la dite commission directe a Thomas, duc de Gloucestre, Richard, conte Darundell, et autres, lan du regne nostre seignur le roy disme, et fist et procurast luy mesmes come chief officer du roialme estre mys en la dite commissioun a avoir poair de faire execucioun dicelle ovesqe les autres commissioneres desuisditz; la quele commission feust faite en prejudice du roy et overtement encontre sa regalie, sa dignite, et sa corone. Et qe le dit Thomas Darundell, ercevesqe, usa et myst en execucioun la commission suisdite.

Item, de ceo qe le dit Thomas, ercevesqe, lan du regne nostre dit seignur le roy unszisme, procurast et conseillast les ditz duc de Gloucestre, et contes Darundell et Warrwick de prendre sur eux roiale poair, et de arester les loialx lieges du roy, Simond de Burley et James Berners, et de eux, contre la volente et assent du roy, adjugger a la mort. Et sur ceo les ditz Communes prierent au roy qe le dit Thomas, ercevesqe, serroit mys en sauve garde en honeste manere. Et le roy nostre seignur disoit qe par cause qe les ditz accusementz et empeschementz touchent si haute persone et pere de soun roialme il volloit ent estre advisez.

[On 25 September the Commons asked for judgment against the archbishop, and were told that he had confessed before the king and certain lords, and placed himself on the king's grace. Thereupon the king, the lords temporal, and Thomas Percy on behalf of the prelates and clergy, declared the charge proved and the archbishop to be a traitor. He was sentenced to banishment during the king's pleasure, seizure of his temporalities, and forfeiture of his goods and chattels, and of all his lands and tenements in fee simple.]

154. THE APPEAL OF THE APPELLANTS (ACCORDING TO ADAM OF USK), 21 SEPTEMBER, 1397

[*Chronicon Adae de Usk*, ed. E. M. Thompson (2nd ed.), 1904, 13-14.]

Adam of Usk, a protégé of Edmund Mortimer, earl of March, was a doctor of laws of Oxford and taught law in Oxford until 1392, when he began to practise in the Court of Canterbury. He was an associate of Archbishop Arundel, and was present in an unknown capacity in the parliament of September 1397. See Kingsford, *E.H.L.*, 32-35, and A. Steel, *Richard II* (1941), Appendix, 297-298.

Item, die Veneris, scilicet in festo Sancti Mathei contingente, de Rotlond, de Kent, de Huntington, de Notyngham, de Somerset, de Sarum, comites, dominus de Spenser et dominus Wyllelmus Scroppe, in una secta rubiarum togarum de cerico, rotulatarum et albo cerico, literis aureis immixtarum, appellacionem per eos regi prius aput Notingham edditam proposuerunt; in qua accusabant Thomam ducem Gloucestrie, Ricardum comitem Arundellie, Thomam comitem Warwyci, et Thomam Mortimer, militem, de premissis prodicionibus et eciam de insurrexione armata aput Haryncay Parke contra regem prodittorie facta. Prestitaque caucione de prosequendo appellacionem suam, Ricardus comes Arundellie scistebatur in judicio in rubra toga et capicio de scarleto. . . . Et tunc dux Lancastrie mortis sentenciam sub hiis verbis tulit in eundem: "Ricarde, ego senescallus Anglie te proditorem esse judico, et te trahendum, suspendendum, decollandum, et quatriperciendum, ac terras tuas taliatas et non taliatas confiscandas sentencialiter et diffinitive condempno". Tunc rex, ob reverenciam sanguinis sui, jussit eum tantum decollari.

155. REQUEST BY THE COMMONS FOR A STATUTE DECLARING THE REPEAL OF ANY ACTS OR JUDGEMENTS OF THE PRESENT PARLIAMENT TO BE TREASON, 26 SEPTEMBER, 1397

[*Rot. Parl.*, III, 352.]*

20. Item, le xxvi jour de Septembre, les ditz Communes prierent au roy qe luy plerroit ordeiner par estatut qe si ascune persone ou persones, de qeconqe estat ou condicioun qils soient, en temps avenir, pursue ou pursuent, procure ou procurent, pur adnuller, reverser, ou casser ascuns juggementz donez et renduz, ou estatut ou ordenance faite en ceste present parlement, ou serra donez ou renduz durant le dit parlement, qil soit tenuz pur traitour. Sur quoy nostre seignur le roy, a la request des ditz Communes, et de lassent de touz les seignurs assemblez en ceste parlement, ad ordeine et estable qe si ascun, de quele estat ou condicioun qil soit, pursue, procure, ou conseille, de repeller, casser, reverser, ou adnuller ascuns des juggementz renduz devers ascunes persones adjuggez en ceste present parlement, ou ascunes estatutz ou ordenances faitz en mesme le parlement, ou ascune parcelle dicelles, en ascune manere, et ceo duement provee en parlement, qil soit adjuggez et eit execucioun come traitour au roy et a roialme.

156. OATH TO MAINTAIN THE ACTS AND JUDGEMENTS OF THE PRESENT PARLIAMENT, 30 SEPTEMBER, 1397

[*Rot. Parl.*, III, 355-356.]*

37. [After a request made by the Commons to the king in parliament that the lords spiritual and temporal should take such an oath, the archbishop of York, thirteen bishops, two abbots, a prior, and the prior of St. John came before the king in Westminster Abbey after mass on 30 September] . . . Et illoeqes toutz les ditz prelautz severalment sur lauter del dit fertre de Seint Edward, firent lour sere-

mentz solonc la fourme contenue en une cedule illoeqes lue devant eux, en quantqe a eux appent, sauvant loneste de lour estat ; de quele serement la fourme sensuit.

38. Vous jurrez qe bien et loialment tendrez, sustendrez, et esterrez, sanz fraude ou male engyn, ovesqe toutz les estatutz, establissementz, ordenances, et juggementz faitz en cest present parlement, sanz jammes aler ou faire a lencontre de null dicell, ou dependantz ou parcell dicell ; ne qe jammes vous les repellerez, revokerez, casseretz, irriterez, reverserez, ne adnullerez, ne jammes soeffrez repeller, revoker, casser, irriter, reverser, ne adnuller, a vivre et murer ; sauvant au roy sa regalie et liberte, et le droit de sa corone.

39-40. [At the same time, seven dukes, a marquess, eight earls, 21 lords, and three others took a similar oath with the addition] . . . Vous jurrez qe james en temps avenir vous ne soeffrez nully vivant aler ne faire a lencontre de null des estatutz, establissementz, ordenances, et juggementz faitz ou renduz en cest present parlement, ne a null dependances ou parcell dicell. Et si nully le face, et de ceo soit duement convict, vous ferrez vostre entier poair et diligence, sanz fraude ou male engyn, et pursuerez devers nostre seignur le roi et ses heirs, rois Dengleterre, de luy faire avoir execucioun come haut et faux traitour au roy et a roialme ; sauvant au roy sa regalie et liberte, et la droit de sa corone.

41. Et outre, les chivalers de les contees Dengleterre qi feurent presentz illocqes pur le parlement feurent demandez par le roy sils vorroient tenir mesme le serement ? Les queles chivalers meintenant promistrent ovesqe hautes voices ensemble de tenir mesme le serement, adressantz toutz ensemble leur mains dextres en signe de affirmance de leur serementz suisditz.

42-43. [Thomas de Percy then took the same oath as the lords temporal on behalf of the clergy ; and the prelates ordered that all these things should be observed under pain of excommunication.]

157. STATUTE OF TREASON (21 Richard II, cc. 3, 4)

[*Stat. R.*, II, 98-99.]*

Item, ordeine est et establiz qe chescun qi compasse et purpose la mort du roy, ou de luy deposier, ou desuis rendre son homage liege, ou celluy qi leve le poeple et chivache encontre le roy afaire de guerre deinz son roialme, et de ceo soit duement atteint et adjuggez en parlement, soit adjuggez come traitour de haute traisoun encontre la Corone, et forface de luy et ses heirs qeconqes toutz sez terres, tenementz, possessions, et libertees, et touz autres enheritementz queux il ad, ou ascun autre ad a son oeps, ou avoit le jour de traisoun perpetrez, sibien en fee taille come en fee symple, a roy et ses heirs, sibien tenuz dautres come de luy mesmes, pur toutz jours, et auxi celle possessioun qe ascun autre ad a son oeps. Et qe cest estatut se extende et teigne lieu si bien as ceux qi sont adjuggez ou atteintz pur ascun des quatre pointz des ditz traisons en cest parlement, come de touz ceux qi serront adjuggez ou atteintz en parlement en temps advenir des ascuns des quatre pointz de traisons susditz. Et nest pas lentencion du roy, ne de les seignurs, ne assent des Communes avantditz, qe si ascun tiele qi forface en manere susdite soit enfeoffez en ascuny terre, tenement, ou possessioun a autry oeps, qe ceo soit compris en celle forfaiture.

Item, le roy, de lassent susdit, ad ordeine et establie qe si ascun, de quel estat ou condicioun qil soit, pursue, procure, ou conseille de repeller, casser, reverser, ou adnuller ascuns des juggementz renduz devers ascuns persones adjuggez en le dit parlement, ou ascuns estatuz ou ordenances faitz en mesme le parlement, ou ascune parcelle dicelles en ascune manere, et ceo duement provee en parlement, qil soit adjugge et eit execucioun come traitour au roy et a roialme. A queles ordenance et estatut bien et loialment tenir et garder les seignurs du roialme, sibien espirituels come temporels, sount jurrez et sermentz devant le roy, come piert en le rolle de parlement.

158. VINDICATION OF THE JUDGES' REPLIES TO THE KING'S QUESTIONS OF 1387, AND REPEAL OF THE ACTS OF THE PARLIAMENT OF 1388, 28 JANUARY, 1398

[*Rot. Parl.*, III, 358.]*

47. . . . Queles questions et les responses dicelles, sibien devant le roy et seignurs, come devant les Communes, feurent luz et entenduz, et demande feust de toutz lestatz du parlement coment il lour sembloit de les responses suisditz. Et ils disoient qe lour sembloit qe les ditz justices firent et donerent lour responses duement et loialment come bones et loialx lieges du roy deveroient faire. Et en mesme la manere monsire Thomas de Skelton, apris de la loie, et William Hankeford et William Brenchesle, sergeantz du roy, demandez par le roy de lour advys en celle partie, disoient qe les responses feurent bones et loialx, et qils vorroient avoir donez mesmes les responses si les ditz questions eussent este demandez de eux. Et monsire William Thirnyng, chief justice de Commune Bank du roy, dist qe declaracioun de traisoun nient declarez appartient a parlement ; mes sil feusse seignur ou piere du parlement, sil eust este demandez il voudroit avoir dit en mesme la manere. Et ensi et en mesme la manere dist monsire William Rikhill, justice du Commune Bank. Et apres la venue de monsire Wauter Clopton, chief justice, il dist en mesme la manere. Paront les ditz responses sont adjuggez et affermez pur bones et sufficeantz en cest present parlement. Sur quoy par le roy, de lassent des seignurs espirituels et temporels, et les procureurs de la clergie, et de les ditz Communes, et par advys de les justices et sergeantz suisditz illoeqes esteantz, agardez feust et adjuggez, ordenez, et establiz qe le dit parlement tenuz le dit an unszisme soit tout outrement adnullez et tenuz pur nul, come chose faite sanz auctorite et encontre la volunte et liberte du roy, et le droit de sa corone. Et qe toutz les jugementz, estatutz, et

ordenances faitz en icell, ove toutz les dependantz dicelles, soient revokez, adnullez, reversez, et tout outrement repellez et tenuz pur nul.

159. GRANT OF A SUBSIDY FOR LIFE, 31 JANUARY, 1398

[*Rot. Parl.*, III, 368.]*

The grant of a subsidy on wool and leather for life was at this time unprecedented.

75. Item, mesme le jour [31 January], les Communes du roialme, par assent des seignurs espirituels et temporels, granterent au Roy la subside des leyns, quirs, et peaux lanutz a terme de sa vie, et une quinszisme, et disme, et une dimyquinszisme et dimydisme, en la manere et forme ensuantz.

160. DECLARATION BY THE KING, 31 JANUARY, 1398

[*Rot. Parl.*, III, 369.]*

77. [The king issued a general pardon.]

78. Et nostre seignur le roy, sur la grante de ceste grace et pardoun ensi faitz a ses lieges a cest foitz, fist overt declaracioun par soun bouche demesne qe si les seignurs ou communes du roialme qi viendront as parlementz en temps advenir, mettent ou facent impediment ou destourbance a contraire del grante du dite subside des leins, quirs, et peaux lanutz ensi grantez a luy a terme de sa vie, qe adonqes la dite grace et pardoun soit tout voide et tout outrement adnulle.

161. APPOINTMENT OF A PARLIAMENTARY COMMITTEE, 1398 AND 1399

[*Rot. Parl.*, III, 368.]*

Two versions of this proceeding appear on different Parliament Rolls. The words italicized appear in a version written in 1399 but not in the original version of 1398. On the whole subject see J. G. Edwards, 'The Parliamentary Committee of 1398', in *E.H.R.*, XL (1925), 321-333.

74. Item, mesme le Joefdy [31 January], les Communes prierent au roy qe come ils aient devers eux diverses peticions, sibien pur especials persones, come autres, nient luez ne responduz, *et auxi pleuseurs autres matiers et choses aient estee moevez en presence du roy, lesqueux* pur briefte du temps ne purront bonement estre terminez *a present*; qe plerroit au roy commettre plein poair as certeines seignurs et autres persones queux luy plerra, dexaminer, respondre, et terminer les ditz peticions, et les matiers *et choses suis ditz, et toutes les dependences dicelles. A quel prier le roy sassenti. Et sur ceo*, par auctorite et assent du parlement, ad ordine et assigne Johan, duc de Lancastre, Esmon, duc Deverwyk, Edward, duc Daumarle, Thomas, duc de Surrey, Johan, duc Dexcestre, Johan, marquys de Dorset, Roger, cont del Marche, Johan, cont de Sarum, Henri, cont de Northumberland, Thomas, cont de Gloucestre, Thomas, cont de Wircestre, et Thomas, cont de Wiltes', ou sys de eux; Johan Bussy, Henri Grene, Johan

Russell, Richard Chelmeswyk, Robert Teye, et Johan Golafre, chivalers venantz pur le parlement, ou trois de eux, de examiner, respondre, et pleinement terminer, *si bien* toutz les ditz peticions, et les matiers *comprisez* en ycelles, *come toutes autres matiers et choses moevez en presence du roy, et toutes les dependences dicelles nient determinez, solonc ceo qe* meulx lour semblera par lour bon advys et discrecioun en celle partie, par auctorite du parlement suisdit.

162. BUSINESS BEFORE THE PARLIAMENTARY COMMITTEE, 1398 and 1399

[*Rot. Parl.*, III, 383, 372.]†

See also no. 161 above.

The Committee is known to have met five times only. The first meeting was on 19 March, 1398, at Bristol, at which five petitions left over from the parliament were examined and answered and five corresponding statutes were enrolled (*Stat. R.*, II, 65), and the dispute between Henry, duke of Hereford, and Thomas, duke of Norfolk, was considered. The second meeting was on 29 April, 1398, at Windsor, at which the decision was taken to refer the dispute to trial by battle. The third meeting was on 16 September, 1398, at Coventry, at which the trial by battle was stopped and sentence of banishment pronounced. The fourth meeting was on 18 March, 1399, at which the letters patent given to Hereford and Norfolk were revoked (John of Gaunt, duke of Lancaster, died on 3 February, 1399), and Sir Robert Plesyngton, who had died in 1393, was declared to have been a traitor. The fifth meeting was on 23 April, 1399, at Windsor, at which Henry Bowet, who had assisted Henry Bolingbroke, duke of Hereford, to obtain the letters patent aforementioned, was condemned as a traitor.

11. . . . Et puis le xix jour de Marz adonqes prochein ensuant a Bristuit, apres qe les ditz ducs de Hereford et de Norffolk avoient este devaunt nostre seignur le roy a Oswaldestre, fuist assentuz et accorde par nostre dit seignur le roy et les seignurs et chivalers suisditz qe la processe et la determinacioun de les matiers suisditz tiendroit la cours de la ley de chivalrie tanqe il soit determine parentre les ditz ducs par la cours de la ley suisdite, si proves sufficiantz ne fuissent trovez.

Sur quoy, le xvi jour de Septembre, lan du regne nostre dit seignur le roy xxii, a Coventre fuist dit a dit Henry, duc de Hereford, et a dit Thomas, duc de Norffolk, par comaundement du roy, coment le Mesquerdy prochein apres le quinzisme de Seint Hiller [30 January], lan du regne nostre seignur le roy xxi, en le dit parlement a Shrouesbury le dit Henry bailla a nostre dit seignur le roy une bille . . .

Et apres a Oswaldestre, le xxiii jour du moys de Feverer, les ditz Henry de Lancastre et Thomas Moumbray comparerent, come piert par le act de record de mesme le jour. A quel temps jour lour fuist assigne destre a Wyndesore le Dymengne le xxviii jour Daveryll, lan du regne nostre dit seignur le roy xxi. A quel jour les ambideux parties comparent, et jour lour fuist assigne tanqe a lendemayn qe fuist Lundy le xxix jour du moys Daveryll suisdite. Et coment en le mesne temps nostre dit seignur le roy a soun counsaill tenuz a Bristuit veiant lact de Oswaldestre, par avys de ceux qavoient auctorite du parlement, ordeigna la bataille parentre les ducs de Hereford et de Norffolk avauntditz si proves sufficiantz ne fuisse trovez. Et a Wyndesore suisdite les ditz ducs de Hereford et de Norffolk comparerent le dit Dymenge et Luendy ensuant. A quel Luendy fuist la bataille jointe parentre mesmes les ducs de Hereford et de Norffolk, sibien par avys des ducs, countes, barons, bannerettes, et chivalrie graunt foisoun Dengleterre assembles par mesme ceste cause, come de ceux qavoient auctorite du parlement, et ceo acause qe nuls proves sufficiantz ne purroient estre trovez en le moyne temps, combien qils furent demaundez et apposez par le act de record de mesme le jour. A quel temps, jour fuist assigne as ditz ducs de Hereford et de Norffolk a Shrouesbury pur y avoir lour jour, lour lieu, et lours pointes. La quele xvi jour de Septembre, les ditz dukes furent prestes a dit ville de Coventre pur faire lour devoir. Nientmains nostre dit seignur le roy considerant la case de la bataille si haut, cestassavoir tresoun, auctorise par parlement, et les ditz dukes de Hereford et de Norffolk si pres del sank le roy et de ses armes, nostre dit seignur le roy, come celluy qad toutdys assance le bien et lonnur de toutz ceux de soun sank et de ses armes, et dolent en soun coer, come bon et gracious seignur, pluis de eux qe de nul autre quaunt ils deservont la contraire, come bien qe acun de eux a pluis graund coulpe qe nul autre ; et pur eschuer loutrement dishonour del un des ditz dukes de Hereford et de Norffolk, a nostre dit seignur le roy sy procheins, come desuis, mesme nostre seignur le roy, come droiturel, naturel, et soveraigne seignur, de sa grace especial, prist la bataille en sa mayn. Et a dit Henry de Lancastre, duk de Hereford, fuist dit qe nostre dit seignur le roy, par pleyn avys, auctorite, et assent du parlement, voet et ordeigne, et adjuge, pur la pees et tranquillite de luy, soun roialme, et de ses subgiz, et pur eschuer debates et troubles, especialment parentre mesmes les dukes de Hereford et de Norffolk, lours amys et bien voillantz, qe le dit Henry de Lancastre, duk de Hereford, voidera soun roialme pur dys ans. Et qil soit hors de dit roialme dedeins le jour de le oeptas de Seint Edward le Confessour prochein venant [20 October], et ceo sur peigne de encurrer en tresoun par auctorite de parlement. Et auxi qil fuist ordeigne par auctorite, et sur peigne come desuis, qe le dit duk de Hereford ne viendra en nul manere en la companye de dit Thomas, duk de Norffolk, ne de Thomas Darundell, et qil nenvoiera, ne ferra envoier, ne resceivera, ne ferra resceiver, par message, nautrement, ne ne mellera en nul manere ovesqe nul de eux, et ceo sur la peigne come desuis. Et ceo nemye pur riens qe le dit duk de Hereford ad mesfait en chose qe touche soun appel, nen nul point dycell, eins qil ad pleynment fait soun devoir touchant soun dit appel tanqe le dit bataille fuist pris en la mayn le roy. Et a dit Thomas Moumbray, duk de Norffolk, fuist dit pur taunt qe a Wyndesore, le Luendy le xxix jour du moys Daveryll, le dit an xxi, il confessa certeins pointes civiliens contenuz en lappel suisdite, les queles il denya a Oswaldestre le dit xxiii jour du moys de Feverer, et les queles pointes furent vraisemblablez davoir nurry graundes troubles dedeins le roialme ; nostre dit seignur le roy voillant punir come droiturel seignur toutz ceux qi voudrent semer tiels troubles et debates, et auxi voillant eschuer toutz occasions diceux, adjuge et ordeigne par mesme lavys, auctorite, et assent du parlement, qe le dit Thomas Moumbray, duk de Norffolk, voidera soun roialme pur terme del vie de dit duk de Norffolk, et qil soit hors de soun roialme dedeins le jour del oeptas de Seint Edward le Confessour adonqes prochein ensuant [20 October], et y demurer en Almayne, Beme, et Hungry, et passer le graunt meer en pillerinage, et nemye de venir ne demurer en autre part en Cristiente, et ceo sur peigne de encurrer en tresoun par auctorite come desuis est dit. . . .

87. Fait aremembrer, qe Marsdy le xviii[me] jour de Marce, lan du regne nostre seignur le roy xxii, a Westmouster en presence du roy moustre feust par le chanceller Dengleterre as plusours seignurs espirituels et temporels y esteantz par commandement du roy, coment Henry, duc de Hereford, apres le juggement envers luy renduz a Coventre par auctorite du parlement, ad pursuez a nostre dit seignur le roy par peticioun lue devaunt nostre dit seignur le roy et les seignurs pur diverses choses et matiers comprises el dit peticion ; et entre autres choses en especial qe en cas qascun successioun ou ascunes heritages luy deveroient descendre ou escheer en sa absence, pur queux il deust faire homage, qil par ses attournees purroit pursuir et avoir livere des tiels heritages ou succession a luy ensi descenduz, ou en autre manere eschuz ; et qe son homage et foialte lui serroit respitez ; come par les lettres patentes ent faites pluis pleinement appiert. Quelles lettres par inadvertence, et sanz covenable advisement, ou mere deliberacioun, come affiert, feurent grauntez au dit duc. Et les queux puis vieues et diligealment examinez, ovesqe toutz les circumstances et dependences dicelles, trovez est qe mesmes les lettres sont overtement encontre les ditz juggementz renduz a Coventre. Porceo qe le dit duc, apres le dit juggement ensi renduz, ne feust persone hable davoir naccept benefice de les lettres avantdites. Et par tant adjuggez est par nostre dit seignur le roy, et par Esmon, duc Deverwyk, Edward, duc Daumarle, Johan, duc Dexcestre, Johan, markys de Dorset, Johan, cont de Sarum, Henry, cont de Northumberland, Thomas, cont de Gloucestre, Thomas, cont de Wircestre, et William, cont de Wilteshire ; Johan Bussy, Henry Grene, Johan Russell, et Robert Teye, chivalers venantz pur le parlement, aiantz a ceo poair par vertue et auctorite du parlement, de lassent des seignurs espirituels et temporels avantditz, qe les ditz lettres patentes, ove toutes les circumstances et dependences dicelles, soient de tout revokez, adnullez, cassez, et repellez, et lenrollement dicelles en la Chancellarie cancellez. Et qe sibien les dites lettres patentes, come lenrollement dicelles, soient voides et tenuz de nulle force ne vertue as toutz jours.

88. [Similar letters patent to the duke of Norfolk were also revoked.]

DEPOSITION OF RICHARD II, 1399

On 29 May, Richard II sailed to Ireland from Milford Haven. Henry Bolingbroke landed at Ravenspur about 4 July. Richard II on his return landed in Pembrokeshire mid-July, whence he proceeded to Conway Castle, and later surrendered near Flint Castle. On 19 August writs were issued at Chester in his name for a parliament to meet at Westminster (see no. 166 below).

For discussion see G. T. Lapsley, 'The Parliamentary Title of Henry IV' in *Crown, Community and Parliament in the later Middle Ages* (1951), 273-340, and 'The "Last Parliament" of Richard II', *ibid.*, 341-374; B. Wilkinson, 'The Deposition of Richard II and the Accession of Henry IV' in *E.H.R.*, LIV (1939), 215-239.

163. ACCORDING TO THOMAS WALSINGHAM

[*Op. cit.*, II, 233-235, 238.] See no. 125 above.

Sed cum [Richard II] Angliam attigisset, et cognosset de Ducis apparatu, pugnandi dimisit animum, pro certo tenens quod populus contra eum congregatus citius mori vellet quam cedere, tam propter ejus odium quam timorem. Dimisit igitur familiam, monens per Senescallum, Dominum Thomam Percy, ut se reservarent ad tempora meliora. Ipse vero Rex, quaerens divortia, huc illucque contulit multis diebus, semper eum Duce cum exercitu insequente. Tandem apud castellum de Conewey constitutus, petiit habere colloquium cum Domino Thoma Arundelle, quem expulerat de Archiepiscopatu Cantuariae, et Comite Northumbriae, cum nulla spes esset ulterius fugiendi. Quibus indicavit se velle regno cedere, si sibi victus honorificus, vitaeque securitas octo personis quas nominare vellet, fide interposita, donaretur. Quibus concessis et firmatis venit ad castrum de Flynt; ubi habito brevi colloquio cum Duce Lancastriae, mox ascensis equis venerunt ad castellum Cestriae ea nocte, cum exercitu, qui Ducem secutus fuerat, numeroso valde. Reddidit autem se Rex Duci vicesimo die mensis Augusti, et quadragesimo septimo die ab ingressu Ducis in Angliam; thesaurus Regis, cum equis et aliis ornamentis, et universa domus supellectili venit ad manus Ducis; sed familiares Regis, magnates, domini, et mediocres, per Wallicos et Northumbrenses despoliati sunt. Rex vero perductus est Londonias, conservandus in Turri usque ad Parliamentum proximo celebrandum.

Interim directa sunt brevia ad personas regni, qui de jure debeant interesse Parliamento, sub nomine Regis Ricardi, ut convenirent Londoniis, apud Westmonasterium, in crastino Sancti Michaelis [30 September]. Quibus convenientibus, ipso die Sancti Michaelis, coram Archiepiscopo Cantuariensi, Thoma de Arundele, Archiepiscopo Eboracensi, Ricardo Le Scroop, et Johanne episcopo Herfordensi; necnon Domino Henrico, Duce Lancastriae, Henrico comite Northumbriae; Radulpho Comite Westmerlondiae, Hugone domino de Burnele, domino Thoma de Berkeley, Abbate Westmonasterii, Priore de Cantuaria, Dominis de Roos, de Wylby, de Bergenneye, W. Thirnyngge et J. Makeham, Justiciariis; T. Stoke et Johanne Burbache, Legum Doctoribus; T. Herpingham et T. Gray, militibus; Willelmo de Ferby et Dionysio Lopham, notariis publicis; in Turri Londoniarum, Rex Ricardus gratanter, ut apparuit, et vultu hilari, perlegit distincte formam cessationis suae, et absolvit ligeos suos a juramento fidelitatis et homagii, et relaxavit ab omnibus aliis juramentis quibuscunque, et suis dominiis renunciavit et cessit, juravit, talia dixit, et protulit in legendo, et manu propria se subscripsit, prout in forma cessationis plenius continetur. Et mox adjunxit, quod desideravit ut Dux Lancastriae succederet sibi in regno; sed quia hoc in potestate sua non erat, Archiepiscopum Eboracensem et Episcopum Herfordensem pro tunc suos constituit procuratores, ad declarandum et intimandum cessationi et renunciationi hujusmodi omnibus statibus dicti regni.

In crastino [30 September] in Magna Aula Westmonasterii, sede regali tunc vacua, absque praesidente quocunque procuratores Regis Ricardi, Archiepiscopus scilicet Eboracensis et Episcopus Herfordensis, renunciationem dicti Regis, et cessionem, omnibus statibus regni tunc adunatis, ibi publice declararunt. Quam quidem renunciationem et cessionem singuli singillatim, super hoc requisiti, unanimiter et concorditer admiserunt.

Tunc fuit expositum publice, quod fuit expediens ac utile regno praedicto, pro omni scrupulo et sinistra suspicione tollendis, quod plura crimina et defectus per dictum Regem circa malum regimen regni sui frequentius perpetrata propter quae, ut idem Rex asseruit in cessione sua, facta per eum, et esset ipse merito deponendus, a populo legerentur, quodque essent populo declarata. Lecti sunt igitur articuli, numero triginta duo, qui omnes violationes juramenti regalis finaliter concludebant. Et quoniam videbatur cunctis regni statibus, super dictis articulis singillatim ac etiam communiter interrogatis, quod illae causae criminum erant sufficientes et notoriae ad deponendum eundem Regem, ordinati sunt commissarii ex parte statuum et communitatis ejusdem regni, ad ferendum depositionis sententiam contra dictum Regem, sub forma que sequitur. . . .

[The sentence of deposition and the claim and accession of the duke of Lancaster then follows.]

Die Mercurii proxima sequente [1 October], dicti procuratores, ut praemittitur, deputati ad praesentiam dicti Ricardi nuper Regis, infra Turrim existentis, prout eis injunctum fuerat, accesserunt, et, per os Domini Willelmi Thirnyng, admissionem renunciationis, ac modum, causam, et formam [sententiae] depositionis hujusmodi eidem Ricardo notificarunt, et vice omnium regni statuum, homagium et fidelitatem eidem Ricardo nuper Regi factam, ut praemittitur, reddiderunt et resignarunt; ita quod nullus dictorum statuum sive populi ab hoc tempore et deinceps sibi portaret fidem, nec obedientiam, tanquam

Regi suo. Ad quae solum respondit istud, quod non respexit post talia;—"Sed post haec omnia," inquit, "spero quod cognatus meus vult esse mihi bonus dominus et amicus."

164. ACCORDING TO THE DIEULACRES CHRONICLE

[*Chronicle of Dieulacres Abbey*, ed. M. V. Clarke and V. H. Galbraith in *Bull. J. Rylands Library*, XIV (1930), 172-173, with the accompanying article 'The Deposition of Richard II' reprinted in M. V. Clarke, *Fourteenth-Century Studies*, ed. L. S. Sutherland and M. McKisack (1937).

This Chronicle, attributed to monks of Dieulacres Abbey, Staffordshire, was probably written before 1413. The portion 1377–1400 appears to be pro-Richard II, the portion 1400–1403 pro-Henry IV.

Eodem anno circa festum Advincula sancti Petri [1 August] rex Ricardus in Hibernia audiens insurrectionem ducis predicti prodiciose festinantem diu per insanum consilium impeditus fuit, donec eius adversarius totum regnum contra ipsum suscitaverit, tandem transmeavit et ad Caermethyn devenit in Wallia dispersoque exercitu pauci cum rege permanserunt. Habuit quidem rex predictus vij^{tem} armigeros valentes et generosos de comitatu Cestrie et cuilibet eorum circa octoginta vernaculos electos specialiter deputatos, excubias regis cum magnis securibus custodientes. Nomina vero eorum hec sunt—Iohannes de Legh del Bothes, Thomas Cholmeley, Rauf Davenport, Adam Bostok, Iohannes Downe, Thomas Bestone, Thomas Holford. Isti vero signa regalia in scapulis album cervum quasi resurgentem deferebant. Ab eis siquidem mala fama extorcionum in populo ventilabatur. Ob quam rem rex innocens in odium suorum communium letaliter sine merito inciderat.

Insuper, ut dictum est, cum rex audiret de copioso exercitu ducis et quasi mundus totus post eum abiit media nocte comitantibus solummodo xv de familiaribus secrete exivit ad castra de Hardelagh, de Caernarvan, de Beaumarrys et de Conway, et in istis, nunc in uno, nunc in alio prestolabatur. Mane autem surgens senescallus domus regie innuens eis regem recessisse virgamque fregit deceptorie et ut quilibet se ipsum salvaret monuit. Sicque dispersi fere sunt omnes, a Wallensibus spoliati unusquisque cum labore ad sua remeabat.

Interea dux regem audiens apud Conway prestolari misit legacionem ut se sponte duci tunc Anglie senescallo iure hereditario et communibus secure presentarent. Tunc per mediacionem precipue archiepiscopi Cantuariensis et comitis Northamhimbrorum et super sacramentum corporis Christi iurati quod rex Ricardus staret in suo regali potestate et dominio promiserunt. Et in hac condicione triduo postea ad eos spontanea voluntate se transmisit et cum aliis condicionibus minime retentis sed omnibus in nichilum redactis apud castrum de Flynt simul obviaverunt. Tunc pulcra promissa defecerunt quia suum dominum quasi captivum vel servum tractaverunt: sicque per

Cestriam et eius comitatum versus London' properabant. Tunc quidem erant signa regalia tam cervi quam corone sub abscondito posita, unde creditur quod armigeri ducis Lancastrie deferentes collistrigia quasi leporarii ad destruendum insolenciam invise bestie albi cervi per annum presignati sunt quodam presagio futurorum.

Quo etiam anno in festo sancti Michelis archangeli [29 September] factum est parliamentum apud London ubi intimatum erat regi pro eius depositione in quantis tam proceres quam plebani eum accusare disponebant. Unde ne parliamentum intraret humiliter, ut dictum est, rogavit ; et corona regni super humo posita Deo ius suum resignavit.

165. ACCORDING TO ADAM OF USK

[*Op. cit.*, 29-30, 31-33.]

See also no. 154 above. Adam of Usk was in the company of Archbishop Arundel and Henry Bolingbroke in their Bristol-Chester movements in August, 1399, and he attended Henry IV's first parliament and coronation. He later fell into disrepute and disfavour and was obliged to leave the country. He eventually returned, was pardoned, and died 1420.

Item, per certos doctores, episcopos, et alios, quorum presencium notator unus extiterat, deponendi regem Ricardum et Henricum, Lancastrie ducem, subrogandi in regem materia, et qualiter et ex quibus causis, juridice committebatur disputanda. Per quos determinatum fuit quod perjuria, sacrilegia, sodomidica, subditorum exinnanicio, populi in servitutem reduccio, vecordia, et ad regendum imbecilitas, quibus rex Ricardus notorie fuit infectus, per capitulum, "Ad apostolice," (extractus, "De re judicata," in Sexto), cum ibi notatis, deponendi Ricardum cause fuerant sufficientes ; et, licet cedere paratus fuerat, tamen ob causas premissas ipsum fore deponendum cleri et populi autoritate, ob quam causam tunc vocabantur, pro majori securritate fuit determinatum.

Sancti Mathei festo [21 September], ad byennium decapitacionis comitis Arundelle, in dicta Turri, ubi rex Ricardus in custodia fuerat, ipsius cene presencium notator interfuit, ipsius modum et gesturam explorando, per dominum Wyllelmum Beuchamp ad hoc specialiter inductus. Ubi et quando idem rex in cena dolenter retulit confabulando sic dicens : "O Deus ! hec est mirabilis terra et inconstans, quia tot reges, tot presules, totque magnates exulavit, interfecit, destruxit, et depredavit, semper discencionibus et discordiis mutuisque invidiis continue infecta et laborans." Et recitavit historias et nomina vexatorum a primeva regni inhabitacione. Videns animi sui turbacionem, et qualiter nullum sibi specialem aut famulari solitum, sed alios extranios sibi totaliter insidiantes, ipsius obsequio deputatos, de antiqua et solita ejus gloria et de mundi fallaci fortuna intra me cogitando, multum animo meo recessi turbatus.

Quodam die, in concilio per dictos doctores habito, per quosdam fuit tactum quod, jure sanguinis ex persona Edmundi comitis Lancastrie, asserentes ipsum Edmundum regis Henrici tercii primogenitum esse, sed ipsius geniture ordine, propter ipsius fatuitatem, excluso, Edwardo suo fratre, se juniore, in hujus locum translato, sibi regni successionem directa linea debere compediri. . . .

In festo Sancti Michaelis [29 September], missi erant regi in Turri, pro parte cleri, archiepiscopus Eboracensis et episcopus Herfordensis; pro parte dominorum temporalium superiorum, de Northomerland et de Westhomerlland comites; pro inferioribus prelatis, abbas Westmonasterii et prior Cantuarie; pro baronibus, de Berkeley et de Burnel domini; pro plebeis cleri, magister Thomas Stow et Johannes Borbach; pro communitate regni, Thomas Grey et Thomas Erpingham, milites, ad recipiendum cessionem regis Ricardi. Quo facto, et in crastino [30 September] iidem domini, ex parte tocius parliamenti clerique et regni populi, sibi legiancie, fidelitatis, subjeccionis, attendencie, et cujuscumque obediencie juramentum et fidelitatem totaliter reddiderunt, ipsum diffidendo, nec pro rege set pro privato domino Ricardo de Bordux, simplici milite, de cetero eundum habituri; ipsius anulo cum eis, in signum deposicionis et privacionis, adempto et cum eis ad ducem Lancastrie delato, et sibi in pleno parliamento, eodem die incepto, tradito. Eodem die, Ebrocensis archiepiscopus, facta per eum prius collacione sub hoc themate: "Posui verba mea in os tuum," [Is. lj. 16] factus per regem Ricardum vocis sue organum, in prima persona, ac si ipsemet rex loqueretur, ipsius status regii resignacionem, et quorumcumque sibi legiorum seu subditorum ab omni subjeccione, fidelitate, et homagio liberacionem, palam et publice, in scriptis redactas, in pleno legit parliamento. Quam resignacionem, requisito primitus omnium et singulorum de parliamento ad hoc concensu, palam et expresse admiserunt. Quo facto, dominus meus Cantuariensis archiepiscopus, sub isto themate: "Vir dominabitur eis" (1 Reg. ix. 17), collacionem fecit, multum ducem Lancastrie ipsiusque vires, sensus, et virtutes summe commendando, ipsum ad regnandum meritoque extollendo; ac inter cetera recitata per eundem de demeritis regis Ricardi, et presertim qualiter patruum suum, ducem Glowcestrie, dolose et sine audiencia seu responsione injustissime suffocaverat in carceribus; et qualiter totam legem regni, per eum juratam, subvertere laborabat. Et sic (ut quid mora ?), licet seipsum deposuerat ex habundanti, ipsius deposicionis sentencia in scriptis redacta, consensu et auctoritate tocius parliamenti, per magistrum Johannem Trevar de Powysia, Assavensem episcopum, palam, publice et solempniter lecta fuit ibidem. Et sic, vacante regno, consensu tocius parliamenti, dictus dux Lancastrie, in regem erectus, per archiepiscopos predictos in sede regali ad statim intronizari optinuit; et sic in trono regali sedens quandam protestacionem in scriptis redactam ad statim ibidem palam et publice legit, in se continentem quod, regnum Anglie videns vacare, per descensum, jure successorio ex persona Henrici regis tercii sibi debito, hujusmodi successionem, quia sibi eidem debitam, peciit pariter et admisit; et quod, vigore hujusmodi successionis vel ipsius conquestus, nullatenus regni statum vel alicujus ejusdem in libertatibus, frangesiis, hereditatibus, vel quovis alio jure vel consuetudine modo in aliquo mutare permitteret. Et diem coronacionis sue, Sancti scilicet Edwardi proxime futurum [13 October]; ac, quia per deposicionem Ricardi olim regis parliamentum, ejus nomine congregatum, fuit extinctum, ideo, ipsius novi regis nomine, novum parliamentum, in dicte coronacionis crastino, de consensu omnium, incipiendum, duxit statuenda. Fecit eciam ad tunc publice proclamari die, si quis aliqua servicia seu officia in ipsius coronacione, jure hereditario seu consuetudinario, sibi duxit vendicanda, coram senescallo suo Anglie suas in scriptis, quo jure et quare, peticiones proponeret, die Sabbati proxime sequenti, apud Westmonasterium, justiciam in omnibus habiturus.

166. ACCORDING TO THE ROLLS OF HENRY IV'S FIRST PARLIAMENT

[*Rot. Parl.*, III, 415-424.]*

Writs were issued in Richard II's name on 19 August for a parliament to meet at Westminster on 30 September. These writs were deemed to have been invalidated by Richard II's abdication on 29 September, but the parliament met in Henry IV's name on 6 October and its session lasted until 19 November.

1. Au parlement somons et tenuz a Westmouster par le Roy Henry le quart, Lundy le jour de Seinte Feie la Virgine, qe feust le vi[me] jour Doctobre, lan du regne mesme le Roy Henry primer; seant mesme le roy en soun see roiale en la grande sale de Westmouster, en presence de luy mesmes et de toutz les seignurs espirituelx et temporelx et des Communes y venuz par auctorite et sommons du parlement, et des plusours autres gentils et communes esteantz a tresgrant nombre, Thomas Darundell, ercevesqe de Canterbirs, reherceant, coment le Maresdy darrein passez qe feust lendemain de Seint Michel et le jour de Seint Jerome le Doctour [30 September], a quel jour le Roy Richard second apres le conquest avoit somonez soun parlement dy estre tenuz; quele sommons ne feust de null force neffect, a cause de lacceptacioun de la renunciacionun fait par le dit Roy Richard, et de la deposicioun de mesme le Roy Richard qe feust fait le Maresdy suisdit, come par le record et proces ent faitz et enrollez en cest rolle du parlement piert pluis au plein. . . .

[*Commission of Abdication.*]

10. Memorandum, quod die Lune in festo Sancti Michaelis Archangeli [29 September], anno regni Regis Ricardi secundi vicesimo tercio, domini spirituales et temporales, et alie persone notabiles, videlicet Ricardus le Scrop, archiepiscopus Eboracensis, Johannes, episcopus Herefordensis; Henricus, comes Northumbrie, et Radulphus,

comes Westmorlandie; Hugo, dominus de Burnell, Thomas, dominus de Berkeley; prior Cantuariensis et abbas Westmonasterii; Willelmus Thyrnyng, miles, et Johannes Markham, justiciarii; Thomas Stowe et Johannes Burbache, legum doctores; Thomas de Erpyngham et Thomas Gray, milites; Willelmus de Feriby et Dionisius Lopham, notarii publici, de quorundam dominorum spiritualium et temporalium, ac justiciariorum, et aliorum tam in jure civili et canonico, quam in regni legibus peritorum, apud Westmonasterium in loco consueto consilii congregatorum, assensu et avisamento, ad actum subscriptum primitus deputati, ad presenciam dicti Regis Ricardi, infra [11]. Turrim Londonie existentis, circiter nonam pulsacionem horilogii accesserunt. Et recitato coram eodem rege per predictum comitem Northumbrie, vice omnium predictorum sibi ut premittitur adjunctorum, qualiter idem rex alias apud Coneway in North Wallia in sua libertate existens, promisit domino Thome, archiepiscopo Cantuariensi, et dicto comiti Northumbrie, se velle cedere et renunciare corone Anglie et Francie et sue regie magestati, ex causis per ipsum regem ibidem de sui inhabilitate et insufficiencia confessatis, et hoc melioribus modo et forma quibus facere poterit prout peritorum consilium melius duxerit ordinandum; idem rex coram dictis dominis et aliis superius nominatis ad hoc benigne respondens, dixit, se velle cum effectu perficere quod prius in ea parte promisit. Desideravit tamen habere colloquium cum Henrico, duce Lancastrie, et prefato archiepiscopo, consanguineis suis, antequam promissum suum hujusmodi adimpleret. Petivit tamen copiam cessionis per eum faciende sibi tradi, ut super illa posset interim deliberare: qua quidem copia sibi tradita dicti domini et alii ad sua hospicia redierunt. Postea eodem die post prandium, dicto [12.] rege plurimum affectante predicti ducis Lancastrie adventum, et illum diucius prestolante, tamen idem dux Lancastrie, domini et persone superius nominati, ac eciam dictus archiepiscopus Cantuariensis, venerunt ad presenciam dicti regis in Turri predicta, dominis de Roos, de Wiloghby, de Bergeveney, et pluribus aliis tunc ibidem presentibus. Et postquam idem rex cum dictis duce et archiepiscopo Cantuariensi colloquium habebat ad partem, vultu hillari hincinde inter eos exhibite prout circumstantibus videbatur, tandem dictus rex, accercitis ad eum omnibus ibidem presentibus, dixit publice coram illis, quod paratus erat ad renunciandum et cedendum secundum promissionem per eum ut premittitur factam. Sicque incontinenti, licet potuisset ut sibi dicebatur ab aliis cessionem et renunciacionem, in quadam cedula pergameni redactam, per aliquem deputatum organum vocis sue fecisse pro labore tam prolixo lecture vitando, idem tamen rex gratanter, ut apparuit, ac hillari vultu, cedulam illam in manu sua tenens dixit semetipsum velle legere, et distincte perlegit eandem; necnon absolvit ligeos suos, renunciavit, et cessit, juravit, et alia dixit et protulit in legendo, et se subscripsit manu sua propria, prout plenius continetur in dicta cedula, cujus tenor sequitur, in hec verba:

13. In Dei nomine, amen. Ego Ricardus, Dei gracia, rex Anglie et Francie, et dominus Hibernie, omnes dictorum regnorum et dominiorum archiepiscopos, episcopos, et alios quoscumque ecclesiarum secularium vel regularium prelatos, cujuscumque dignitatis, gradus, status, seu condicionis existant, ducesque, marchiones, comites, barones, milites, vassallos, et valvassores, et ligeos homines meos quoscumque, ecclesiasticos, vel seculares, quocumque nomine cenceantur, a juramento fidelitatis et homagii, et aliis quibuscumque michi factis, omnique vinculo ligeancie et regalie ac dominii quibus michi obligati fuerant, vel sint, vel alias quomodolibet astricti, absolvo. . . .

14. Et statim idem rex renunciacioni et cessioni predictis verbotenus adjunxit, quod si esset in potestate sua, dictus dux Lancastrie succederet sibi in regno. Set quia hoc in potestate sua minime dependebat, ut dixit, dictos Eboracensem archiepiscopum, et episcopum Herefordensem, quos protunc suos constituit procuratores ad declarandum et intimandum cessionem et renunciacionem hujusmodi omnibus statibus dicti regni, rogavit, ut intencionem et voluntatem suam in ea parte populo nunciarent. Et in signum sue intencionis et voluntatis hujusmodi, annulum auri de signeto suo patenti de digito suo tunc ibidem extraxit, et digito dicti ducis apposuit, desiderans hoc ipsum ut asseruit omnibus regni statibus innotesci. Quo facto valefacientes hincinde omnes, Turrim [15.] predictam exierunt ad sua hospicia reversuri. In crastino autem, videlicet die Martis in festo Sancti Jeronimi [30 September], in magna aula apud Westmonasterium in loco ad parliamentum tenendum honorifice preparato, dictis archiepiscopis Cantuariensi et Eboracensi, ac duce Lancastrie, aliisque ducibus ac dominis tam spiritualibus quam temporalibus, quorum nomina describuntur inferius, populoque dicti regni tunc ibidem propter factum parliamenti in maxima multitudine congregato presentibus; ac prefato duce Lancastrie locum statui suo debitum et solitum occupante, ac sede regali cum pannis auri solempniter preparata tunc vacua absque presidente quocumque, supradictus archiepiscopus Eboracensis suo et dicti Herefordensis episcopi nomine juxta dicti regis injunctum, cessionem et renunciacionem per ipsum sic fuisse ut premittitur factam, eciam cum subscripcione regie manus, et tradicione signeti sui, publice declaravit, eandemque cessionem et renunciacionem per alium, primo in latinis verbis, et postea in anglicis, legi fecit ibidem. Et statim ut fuerat interrogatum a statibus et populo tunc ibidem presentibus, primo videlicet ab archiepiscopo Cantuariensi predicto, cui racione dignitatis et prerogative ecclesie sue Cantuariensis metropolitice in hac parte competit primam vocem habere inter ceteros prelatos et proceres regni, si pro eorum interesse, et utilitate regni, vellent renunciacionem et cessionem eandem admittere? Status iidem et populus reputantes, ex causis per ipsum regem in sua renunciacione et cessione predictis specificatis, hoc fore multum expediens, renunciacionem et cessionem hujusmodi singuli singillatim, et in communi cum populo, unanimiter et concorditer admiserunt.

16. Post quam quidem admissionem fuerat publice tunc ibidem expositum, quod ultra cessionem et renunciacionem hujusmodi, ut prefertur, admissam, valde foret expediens ac utile regno predicto, pro omni scrupulo et sinistra suspicione tollendis, quod plura crimina et defectus per dictum regem circa malum regimen regni sui frequencius perpetrata, per modum articulorum in scriptis redacta, propter que, ut idem asseruit in cessione facta per eum, esset ipse merito deponendus, publice legerentur, quodque essent populo declarata. . . .

[*The Charges against Richard II.*]

18. In primis obicitur regi, quod propter malum regimen suum, videlicet bona et possessiones ad coronam suam spectancia eciam personis indignis donando, et alias indiscrete dissipando, et ob hoc collectas et alia onera gravia et importabilia populo sine causa imponendo; necnon alia mala innumerabilia perpetrando; alias de assensu et mandato suis per totum parliamentum ad gubernacionem regni certi prelati et alii domini temporales erant electi et assignati, qui totis viribus suis circa justam gubernacionem regni propriis sumptibus suis fideliter laborarunt, tamen rex facto per eum conventiculo cum suis complicibus dictos dominos tam spirituales quam temporales circa regni utilitatem occupatos de alta prodicione impetere proponebat; ac justiciarios regni ad suum nefandum propositum roborandum metu mortis et cruciatus corporis violenter attraxit, dictos dominos destruere satagendo.

19. [By colour of the judges' replies at Shrewsbury, he had intended the destruction of the duke of Gloucester and other lords.

20. He had commissioned the duke of Ireland to raise troops in Cheshire.

21. He had, despite the pardons of the Appellants, procured the death of the duke of Gloucester and the arrest of the earls of Arundel and Warwick.

22. The troops he had levied from Cheshire had behaved disgracefully.

23. He had unjustly treated the families and entourages of the three Appellants.

24. He had extracted fines and redemptions from various persons notwithstanding previous pardons.]

25. Item, in parliamento ultimo celebrato apud Salopiam idem rex proponens opprimere populum suum, procuravit subtiliter et fecit concedi quod potestas parliamenti de consensu omnium statuum regni sui remaneret apud quasdam certas personas ad terminandas dissoluto parliamento, certas peticiones in eodem parliamento porrectas protunc minime expeditas. Cujus concessionis colore persone sic deputate processerunt ad alia generaliter parliamentum illud tangencia; et hoc de voluntate regis, in derogacionem status parliamenti, et in magnum incomodum tocius regni, et perniciosum exemplum. Et ut super

factis eorum hujusmodi aliquem colorem et auctoritatem viderentur habere, rex fecit rotulos parliamenti pro voto suo mutari et deleri, contra effectum concessionis predicte.

26. Item, non obstante quod dictus rex in coronacione sua juraverit, "quod fieri faceret in omnibus judiciis suis equam et rectam iusticiam et discrecionem in misericordia et veritate, secundum vires suas," dictus tamen rex, absque omni misericordia rigorose inter cetera statuit et ordinavit sub gravibus penis quod pro Henrico, duce Lancastrie, relegato pro aliqua gracia sibi facienda nullus rogaret aut intercederet apud eundem regem. In quo facto idem rex contra caritatis vinculum operabatur, juramentum predictum temere violando.

27. Item, quamvis corona regni Anglie et jura eiusdem corone, ipsumque regnum, fuerint ab omni tempore retroacto adeo libera quod dominus summus pontifex nec aliquis alius extra regnum ipsum se intromittere debeat de eisdem, tamen prefatus rex ad roboracionem statutorum suorum erroneorum supplicavit domino pape quod statuta in ultimo parliamento suo ordinata confirmaret. Super quod dictus rex litteras apostolicas impetravit, in quibus graves censure proferuntur contra quoscumque qui dictis statutis in aliquo contravenire presumpserint. Que omnia contra coronam et dignitatem regiam, ac contra statuta et libertates dicti regni tendere dinoscuntur.

28. Item, licet dominus Henricus, nunc dux Lancastrie, billam suam statum et honorem regis concernentem ad ipsius regis mandatum contra Thomam, ducem Norffolcie, proposuisset, et eandem fuisset debite prosecutus, adeo quod juxta regis ordinacionem se ad duellum in omnibus paratum exhibuisset, prefatusque rex ipsum nunc ducem Lancastrie debitum suum in hac parte honorifice quantum in ipso fuerat implevisse pronunciasset et declarasset per decretum et hoc coram toto populo ad duellum hujusmodi congregato fuisset publice proclamatum; idem tamen rex predictum nunc ducem Lancastrie, sine causa quacumque legitima, ad decennium relegari fecit et mandavit contra omnem justiciam et leges et consuetudines regni sui ac jura militaria in hac parte, perjurium dampnabiliter incurrendo.

29. Item, postquam dictus rex graciose concessit per litteras suas patentes domino Henrico, nunc duci Lancastrie, quod ipsius absencia dum fuerat relegatus generales attornati sui possent prosequi pro liberacione sibi facienda de quibuscumque hereditatibus sive successionibus ipsum extunc contingentibus, et quod homagium suum respectuari deberet pro quodam fine racionabili faciendo, litteras illas patentes injuriose revocavit, contra leges terre, perjurium incurrendo.

30. [The king personally, contrary to statute, appointed his favourites to be sheriffs.]

31. Item, tempore illo quo rex predictus petivit et habuit a quampluribus dominis et aliis de regno plures pecuniarum summas ex causa mutui, certo termino persolvendas; non obstante quod idem rex per singulas litteras suas patentes promisit bona fide singulis personis a quibus mutuo recepit pecunias illas quod eis limitato termino predicto

resolveret hujusmodi pecunias mutuatas, promissionem suam hujusmodi non adimplevit, nec de pecuniis illis est hactenus satisfactum, unde creditores hujusmodi valde gravantur et non tam illi quam plures alii de regno regem reputant infidelem.

32. Item, ubi rex Anglie de proventibus regni sui et patrimonio ad coronam suam spectante posset honeste vivere absque oppressione populi sui dummodo regnum non esset guerrarum dispendio oneratum, idem rex, quasi toto tempore suo durantibus treugis inter regnum Anglie et adversarios ejus, non solum magnam ymmo maximam partem dicti patrimonii sui donavit eciam personis indignis, verumeciam propterea tot onera concessionis subditorum imposuit quasi annis singulis in regno suo, quod valde et nimium excessive populum suum oppressit in depauperacionem regni sui; bona sic levata non ad commodum et utilitatem regni Anglie convertendo, set ad sui nominis ostentacionem et pompam ac vanam gloriam prodige dissipando. Et pro victualibus Hospicii sui et aliis empcionibus suis maxime summe pecuniarum in regno suo debentur, licet diviciis et thesauris plus quam aliquis progenitorum suorum de quo recolitur habundavit.

33. Item, idem rex nolens justas leges et consuetudines regni sui servare seu protegere, set secundum sue arbitrium voluntatis facere quicquid desideriis ejus occurrerit, quandoque et frequencius quando sibi exposite et declarate fuerant leges regni sui per justiciarios et alios de Consilio suo et secundum leges illas petentibus iusticiam exhiberet, dixit expresse, vultu austero et protervo, quod leges sue erant in ore suo et aliqociens in pectore suo, et quod ipse solus posset mutare et condere leges regni sui. Et opinione illa seductus, quampluribus de ligeis suis justiciam fieri non permisit, set per minas et terrores quamplures a prosecucione communis justicie cessare coegit.

34. [Contrary to his coronation oath he had revoked statutes made in parliament.

35. Contrary to statute he had renewed the tenure of office of sheriffs beyond one year.]

36. Item, licet de statuto et consuetudine regni sui in convocacione cujuslibet parliamenti populus suus in singulis comitatibus regni debeat esse liber ad eligendum et deputandum milites pro hujusmodi comitatibus ad interessendum parliamento, et ad exponendum eorum gravamina, et ad prosequendum pro remediis superinde prout eis videbitur expedire; tamen prefatus rex, ut in parliamentis suis liberius consequi valeat sue temerarie voluntatis effectum, direxit mandata sua frequencius vicecomitibus suis ut certas personas per ipsum regem nominatas ut milites comitatuum venire faciant ad parliamenta sua; quos quidem milites eidem regi faventes inducere poterat, prout frequencius fecit, quandoque per minas varias et terrores, et quandoque per munera, ad consenciendum illis que regno prejudicialia fuerant, et populo quamplurimum onerosa; et specialiter ad concedendum eidem regi subsidium lanarum ad terminum vite sue, et aliud

subsidium ad certos annos suum populum nimium opprimendo. [Thirteen lesser charges are made in addition.]

[*The Commission of Deposition.*]

51. Et quoniam videbatur omnibus statibus illis, superinde singillatim aceciam communiter interogatis, quod ille cause criminum et defectuum erant satis sufficientes et notorie ad deponendum eundem regem, attenta eciam sua confessione super ipsius insufficiencia et aliis in dicta renunciacione et cessione contentis patenter emissa, omnes status predicti unanimiter consenserunt ut ex habundanti ad deposicionem dicti regis procederetur pro majori securitate et tranquillitate populi ac regni comodo faciendo. Unde status et communitates predicti certos commissarios, videlicet episcopum Assavensem, abbatem Glastonie, comitem Gloucestrie, dominum de Berkeleye, Thomam Erpyngham et Thomam Grey, milites, et Willielmum Thirnyng, justiciarium, unanimiter et concorditer constituerunt et deputarunt publice tunc ibidem ad ferendum sentenciam deposicionis hujusmodi et ad deponendum eundem Ricardum Regem ab omni dignitate, magestate, et honore regiis, vice, nomine, et auctoritate omnium statuum predictorum, prout in consimilibus casibus de antiqua consuetudine dicti regni fuerat observatum. Et mox iidem commissarii onus commissionis hujusmodi in se assumentes et ante dictam sedem regalem pro tribunali sedentes, prehabita super hiis deliberacione aliquali, hujusmodi deposicionis sentenciam in scriptis redactam, vice, nomine, et auctoritate predictis tulerunt, et per dictum episcopum Assavensem, concommissarium et collegam suum, eandem sentenciam de ipsorum commissariorum voluntate et mandato legi et recitari fecerunt in hec verba:

52. In Dei nomine, Amen. Nos Johannes, episcopus Assavensis, Johannes, abbas Glastonie, Thomas, comes Gloucestrie, Thomas, dominus de Berkeleye, Thomas de Erpyngham et Thomas Gray, milites, ac Willelmus Thirnyng, justiciarius, per pares et proceres regni Anglie spirituales et temporales et ejusdem regni communitates omnes status ejusdem regni representantes, commissarii ad infrascripta specialiter deputati, pro tribunali sedentes, attentis perjuriis multiplicibus, ac crudelitate, aliisque quampluribus criminibus dicti Ricardi circa regimen suum in regnis et dominio supradictis pro tempore sui regiminis commissis et perpetratis, ac coram dictis statibus palam et publice propositis, exhibitis, et recitatis; que adeo fuerunt et sunt publica, notoria, manifesta, et famosa, quod nulla poterant aut possunt tergiversacione celari; necnon concessione predicti Ricardi, recognoscentis et reputantis, ac veraciter ex certa sciencia sua indicantis, se fuisse et esse insufficientem penitus et inutilem ad regimen et gubernacionem regnorum et dominii predictorum et pertinencium eorumdem, ac propter sua demerita notoria non inmerito deponendum, per ipsum Ricardum prius emissa, ac de voluntate et mandato suis coram dictis

statibus publicata, eisque notificata et exposita in vulgari, prehabita super hiis et omnibus in ipso negocio actitatis coram statibus antedictis, et nobis deliberacione diligenti, vice, nomine, et auctoritate nobis in hac parte commissa, ipsum Ricardum exhabundanti, et ad cautelam ad regimen et gubernacionem dictorum regnorum et dominii, juriumque et pertinencium eorumdem, fuisse et esse inutilem, inhabilem, insufficientem penitus, et indignum ; ac propter premissa et eorum pretextu, ab omni dignitate et honore regiis, si quid dignitatis et honoris hujusmodi in eo remanserit, merito deponendum pronunciamus, decernimus, et declaramus, et ipsum simili cautela deponimus per nostram diffinitivam sentenciam in hiis scriptis. Omnibus et singulis dominis archiepiscopis, episcopis, et prelatis, ducibus, marchionibus, comitibus, baronibus, militibus, vassallis, et valvassoribus, ac ceteris hominibus dictorum regnorum et dominii, ac aliorum locorum ad dicta regna et dominium spectancium, subditis ac ligeis suis quibuscumque, inhibentes expresse, ne quisquam ipsorum de cetero prefato Ricardo, tanquam regi vel domino regnorum aut dominii predictorum, pareat quomodolibet vel intendat.

[*The Claim of Henry of Lancaster.*]

53. Volentes autem preterea dicti status ut nichil desit quod valeat aut debeat circa premissa requiri, superinde singillatim interrogati, personas easdem prius per commissarios nominatos constituerunt procuratores suos conjunctim et divisim ad resignandum et reddendum dicto Regi Ricardo homagium et fidelitatem prius sibi facta et ad premissa omnia hujusmodi deposicionem et renunciacionem tangencia si oportuerit intimandum. Et confestim, ut constabat ex premissis et eorum occasione regnum Anglie cum pertinenciis suis vacare, prefatus Henricus, dux Lancastrie, de loco suo surgens et stans adeo erectus quod satis intueri posset a populo et muniens se humiliter signo crucis in fronte et in pectore suo, Christi nomine primitus invocato, dictum regnum Anglie, sic ut premittitur vacans, una cum corona ac omnibus membris et pertinenciis suis vendicavit in lingua materna sub hac forma verborum :

In the name of Fadir, Son, and Holy Gost, I Henry of Lancastre chalenge this rewme of Yngland and the corone with all the membres and the appurtenances als I that am disendit be right lyne of the blode comyng fro the gude lorde Kyng Henry therde, and thorgh that ryght that God of his grace hath sent me with helpe of my kyn and of my frendes to recover it, the whiche rewme was in poynt to be undone for defaut of governance and undoyng of the gode lawes.

54. Post quamquidem vendicacionem et clameum tam domini spirituales quam temporales et omnes status ibidem presentes, singillatim et comuniter interrogati quid de illa vendicacione et clameo sentiebant ? Iidem status cum toto populo absque quacumque difficultate vel mora ut dux prefatus super eos regnaret unanimiter con-

senserunt. Et statim ut idem rex ostendit statibus regni signetum Ricardi Regis sibi pro intersigno traditum sue voluntatis ut premittitur expressum, prefatus archiepiscopus dictum Henricum Regem per manum dexteram apprehendens duxit eum ad sedem regalem predictam. . . .

[Archbishop Arundel then preached on the text "Vir dominabitur populo".]

55. . . . Qua collacione completa, dictus dominus Rex Henricus ad ponendum suorum subditorum animos in quiete, dixit publice tunc ibidem hec verba :

56. Sires, I thank God and zowe spirituel and temporel and all the astates of the lond ; and do yowe to wyte it es noght my will that noman thynk that be waye of conquest I wold disherit any man of his heritage, franches, or other ryghtes that hym aght to have, no put hym out of that that he has and has had by the gude lawes and custumes of the rewme, except thos persons that has ben agan the gude purpose and the commune profyt of the rewme. . . .

[*William Thirnyng's Speech.*]

58. . . . Les paroles qe William Thirnyng parla a monsire Richard nadgairs roy Dengleterre a le Toure de Loundres en sa chambre le Mesqerdy prochein apres le fest de Seint Michell Larchaunchell [1 October], sensuent :

59. Sire, it is wele knowe to zowe that ther was a parlement somond of all the states of the reaume for to be at Westmynstre and to be gynne on the Teusday in the morne of the fest of Seint Michell the Archaungell that was zesterday, by cause of the whiche sommons all the states of this londe were ther gadyrd, the whiche states hole made thes same persones that ben comen here to zowe nowe her procuratours and gafen hem full auctorite and power and charged hem for to say the wordes that we sall say to zowe in her name and on thair be halve, that is to wytten, the bysshop of Seint Assa for ersbisshoppes and bysshoppes, the abbot of Glastenbury for abbotes and priours and all other men of Holy Chirche, seculers and rewelers, the erle of Gloucestre for dukes and erles, the lord of Berkeley for barones and banerettes, sire Thomas Irpyngham, chaumberleyn, for all the bachilers and commons of this lond be southe, Sire Thomas Grey for all the bachilers and commons by north, and my felawe Johan Markham and me for to come wyth hem for all thes states. And so, sire, thes wordes and the doyng that we sall say to zowe is not onlych our wordes bot the wordes and the doynges of all the states of this lond and our charge and in her name. And he answerd and sayd that he wyst wele that we wold noght say bot os we were charged. Sire, ze remembre zowe wele that on Moneday in the fest of Seint Michell the Archaungell, ryght here in this chaumbre and in what

presence ze renounsed and cessed of the state of kyng and of lordesship and of all the dignite and wirsshipp that longed ther to and assoiled all zour lieges of her ligeance and obeisance that longed to zowe uppe the fourme that is contened in the same renunciacion and cession which ze redde zour self by zour mouth and affermed it by zour othe and by zour owne writyng. Opon whiche ze made and ordeyned zour procuratours the ersbysshopp of Zork and the bysshopp of Hereford for to notifie and declare in zour name thes renunciacion and cession at Westmynstre to all the states and all the people that was ther gadyrd by cause of the sommons forsayd; the whiche thus don zesterday by thes lordes zour procuratours and wele herde and understonden, thes renunciacion and cession ware pleinelich and frelich accepted and fullich agreed by all the states and poeple forsayd. And over this, sire, at the instance of all thes states and poeple ther ware certein articles of defautes in zour governance redde there; and tho wele herd and pleinelich understonden to all the states forsaide, hem thoght hem so trewe and so notorie and knowen that by the causes and by mo other, os thei sayd, and havyng consideracion to zour owne wordes in zour owne renunciacion and cession that ze were not worthy, no sufficeant, ne able, for to governe for zour owne demerites, os it is more pleinerlych contened ther in, hem thoght that was resonable and cause for to depose zowe, and her commissaries that thei made and ordeined, os it is of record ther, declared and decreed and adjugged zowe for to be deposed and pryved, and in dede deposed zowe and pryved zowe of the astate of kyng and of the lordesship contened in the renunciacion and cession forsayd and of all the dignite and wyrsshipp and of all the administracion that longed ther to. And we, procuratours to all thes states and poeple forsayd, os we be charged by hem, and by hir autorite gyffen us, and in her name, zelde zowe uppe for all the states and poeple forsayd, homage liege and feaute and all the ligeance and all other bondes, charges, and services that longe ther to. And that non of all thes states and poeple fro this tyme forward ne bere zowe feyth, ne de zowe obeisance os to thar kyng.

60. And he answerd and seyd that he loked not ther after; bot he sayde that after all this he hoped that is cosyn wolde be goode lord to hym. . . .

REIGN OF HENRY IV
1399–1413

PROCEEDINGS IN THE PARLIAMENT OF 1399

See no. 166 above.

167. ARCHBISHOP ARUNDEL'S SERMON, 6 OCTOBER

[*Rot. Parl.*, III, 415.]*

Archbishop Arundel (see no. 153 above) received a papal bull dated 19 October, 1399, cancelling his translation to the see of St. Andrews.

3. Et sur ceo mesme lercevesqe prist a soun theame le parol de Machabeon primo, endisant, "Incumbit nobis ordinare pro regno", ceste adire, qil est la volunte du roy destre conseillez et governez par les honurables, sages et discretes persones de soun roialme, et par lour commune conseil et assent faire le meulx pur la governance de luy et de soun roialme; nient veullant estre governez de sa volunte propre, ne de son purpos voluntarie, singulere opinione, mais par commune advis, conseil, et assent, come desuis est dit.

168. RESIGNATION OF THE SPEAKER AND APPOINTMENT OF ANOTHER, 14–15 OCTOBER

[*Rot. Parl.*, III, 424.]*

62. Item, le Maresdy ensuant [14 October], les Communes du roialme presenterent au roy monsire Johan Cheyne pur lour parlour et procuratour en parlement, a qi le roi sagrea bien. Et puis le dit monsire Johan fist humblement requeste au roy qil purroit faire protestacioun qe sil dirroit riens par ignorance, necligence, ou autre voie qe nestoit assentuz par ses compaignons, ou qe serroit displesance au roy, ou encontre soun roial estat ou regalie, qe le roy luy vorroit avoir ent pur excusez; et qil se purroit corriger et amender par ses ditz compaignons; et qils purroient avoir lour libertee en parlement come ils ont ewe devant ces heures; et qe ceste protestacioun soit entrez de record en rolle du parlement. Quele requeste sembla au roy honeste et raisonable, et lad ottroiez.

63. Item, Mesquardy proschein ensuant, viendrent les Communes devaunt le roy en parlement, et illoeqes le dit monsire Johan moustra qe coment qil soit ordeignez destre parlour pur les Communes a cest foitz, tielx infirmitee et maladie luy sont advenuz a present, come il est notoirement conuz a ses compaignons, qil ne puisse sustenir cel labour, naucunement entendre pur ycel. Et par tant mesmes ses com-

paignons veantz soun grand disease, de lour commune assent ont esluz un autre de ses compaignons en soun lieu, cestassavoir, Johan Doreward, empriantz au roy de sa grace especiale davoir le dit monsire Johan Cheyne pur excusez a cause de sa dite infirmite, et graciousement accepter le dit Johan Doreward destre parlour pur les Communes en lieu de dit monsire Johan Cheyne. A qi le roy sagrea bien, et chargea le dit Johan Doreward destre parlour pur les Communes suisditz, et ensi le roy tient le dit monsire Johan pur excusez par la cause suisdite.

64. Item, mesme le Mesquardy, le dit Johan Doreward fist sa protestacioun en manere come le dit monsire Johan Cheyne avoit fait le Maresdy suisdit ; la quele le roy ad ottroiez, come desuis est dit. Et outre ceo, le dit Johan Doreward pria a mesme nostre seignur le roy qe come il soit ensi ordeignez destre parlour pur les ditz Communes, qe ceo qil deust ensi parler en cest parlement pur les dites Communes ne serroit pris qil le face de soun propre motif ou voluntee singulere, ainz qil est et serra le commune assent et accord de toutz ses compaignons suisditz. Quele requeste semble au roy raisonable, et lad auxint ottroiez.

169. ANNULMENT OF THE PROCEEDINGS OF THE PARLIAMENT OF 1397, 15 OCTOBER

[*Rot. Parl.*, III, 425-426.]*

66. Item, mesme le Mesquardy [15 October], les ditz Communes moustrerent a nostre seignur le roy qe come le Lundy proschein apres le fest del Exaltacioun del Seinte Croice, lan du regne le dit nadgairs Roy Richard vint primer [22 January, 1397], un parlement feust sommonez et tenuz a Westmouster, et dilloeqes adjournez a Salopbirs ; a quele ville certeine poair par auctorite du parlement feust commys as certeines persones de proceder sur certeins articles et matirs comprises en rolle du parlement ent faitz, come par mesme le rolle y purra apparoir. En quel parlement, et auxint par lauctorite suisdite, diverses estatutz, juggementz, ordinances, et establissementz furent faitz, ordeignez, et renduz, erronousement et tresdolorousement, en grant disheritesoun et final destruccioun et anientisement des plusours honurables seignurs et autres lieges du roialme, et de leur heirs as toutz jours. Sur qoi mesmes les Communes prierent a nostre seignur le roy et as toutz les seignurs espirituelx et temporelx en cest present parlement qe leur pleise par leur commune assent revoker, adnuller, casser, irriter, et repeller tout ceo et quant qen mesme le parlement tenuz le dit an xxi, ou par auctorite dicel, ad este fait, et le tenir pur nul parlement, pur pleuseurs causes notables et raisonables allegez par les Communes suisdites. Sur quoi mesme nostre seignur le roy eue deliberacioun et advis des toutz les seignurs espirituelx et temporelx severalment examinez en plein parlement de les matires suisdites, et par commune assent de mesmes les seignurs ad adjuggez le dit parlement tenuz le dit an xxi^e^, et lauctorite ent done, come dessuis est dite,

ove toutes autres circumstances et dependences dicel destre de nul force ou value, et qe mesme le parlement, ove lauctorite suisdite, et toutes autres circumstances et dependences dicelle soient de tout reversez, revokez, irritez, cassez, repellez, et adnullez pur toutz jours. Et auxi les dites Communes prierent a nostre dit seignur le roy qe si ascune estatut, ordeignance, ou autre chose necessaire et profitable pur le bien et commune profit du roialme soit comprise en ascun article fait en le dit parlement tenuz le dit an xxi^{e}, ou par auctorite dicel, qe mesmes les Communes ent purroient avoir deliberacioun et advis et le mettre en leur peticions; et qe ceo purra estre grantez, accordez, et refourmez en cest present parlement. Quele prier semble au roy ioust et resonable, et par commun assent des ditz seignurs lad ottroiez.

67. [The king grants a request of the Commons that the parliament of 1388 be affirmed.]

68. [The king grants a request of the Commons that all those forejudged in, or by authority of the parliament of 1397 should be restored.]

70. Item, mesme le Mesquardy, nostre dit seignur le roy, humblement requis par les seignurs et Communes suisditz de dire soun advys touchant les repell et adnullacioun du parlement le dit an xxi^{e}, et de les circumstances dicell et de laffermance du dit parlement tenuz le dit an unszisme, dist qe par pleusours causes raisonables luy semble qe le dit parlement tenuz le dit an xxi^{e} de dit nadgairs Roy Richard, ensemblement ove toutz les juggementz, establissementz, estatutz, et ordinances faites et renduz en ycell, ou par auctorite dicell, et toutes les dependences dicel, sont revocables, et voet qils soient toutoutrement revokes, repellez, et adnullez, et qe le parlement tenuz lan xi^{e} le dit nadgaires Roy Richard ove toutes les circumstances et dependences dicel estoise en ses force et vertue solonc la fourme et effect dicel. Et mesme nostre seignur le roy dist outre qe come en le dit parlement tenuz lan xxi^{e} certeine poair feust commys par auctorite du parlement as certeins seignurs et autres, et a certein nombre de mesmes les seignurs et autres, pur respondre et terminer certeines peticions et autres choses moevez en le dit parlement, come en le rolle du parlement ent fait piert pluis au plein; quele chose feust fait en tresgrand derogacioun des toutz les estates du roialme; sa volunte est qe nul tiele poair desoreenavant soit aucunement grantez par tiele auctorite du parlement, ne qe cel fait soit traite en ensample ou en consequence aucunement en temps advenir. Et auxint mesme nostre seignur le roy de soun propre motif reherceant qe come en dit parlement tenuz lan xxi^{e} y feurent ordeignez par estatut pleusours peines de traisoun si qe y ne avoit ascun homme qi savoit coment il se deust avoir de faire, parler, ou dire, pur doubt des tielx peines, dist qe sa volunte est tout outrement qe en nul temps advenir ascun traisoun soit adjuggez autrement qil ne feust ordeignez par estatut en temps de soun noble aiel le Roy Edward tierce, qi Dieu assoille. Dont les ditz seignurs et Communes

feurent tresgrandement rejoisez et molt humblement ent remercierent nostre dit seignur le roy.

170. ANNULMENT OF RICHARD II'S BLANK CHARTERS, 15 OCTOBER

[*Rot. Parl.*, III, 426.]*

69. Item, mesme le Mesquerdy [15 October], les ditz Communes prierent a nostre dit seignur le roy qe come la citee de Londres et xvii contees Dengleterre, pur doubte et poure qils avoient du dit nadgairs Roy Richard, feurent constreintz densealer diverses escriptz et blanches chartres, en grant derogacioun de les enhabitantz des ditz citee et contees, et encontre lestat et liberte des mesmes les enhabitantz; qe pleise a mesme nostre seignur le roy grantir qe celles escriptz et blanches chartres ensi enseallez soient adnullez, cancellez, et dampnez pur toutz jours, et qe jammais ils ne soient de nul record, force, ou vertue en nul temps avenir. Quel prier le roy, par advys des seignurs suisditz, ad ottroiez en toutz pointz.

171. RECOGNITION OF HENRY OF LANCASTER AS HEIR APPARENT, 15 OCTOBER

[*Rot. Parl.*, III, 426.]*

71. Item, mesme le Mesquardy [15 October], en plein parlement moustrez feust par le dit ercevesqe de Canterbirs coment Dieu de sa tresgrande grace, considerant la tresgrande desolacioun et vraisemblable destruccioun de ceste honurable roialme Dengleterre, ad envoiez le roy nostre seignur qicy est pur le recoverer et consolacioun de mesme le roialme; et coment puis souñ arrivail en ycel, Dieux ad purveuz de toutz partz graciousement pur mesme nostre seignur le roy; et auxi coment toutz les estatz du roialme entierment et benignement, et dun acord et assent, luy ont acceptez en leur droiturel roy; et auxi coment Dieux de sa grace luy ad ottroiez molt honurable et tresbeal issue; et par tant mesme nostre seignur le roy veullant et desirant come soun noble aiel le roy Edward le tierce et ses autres nobles progenitours devant luy ont voluz et desirez, lonur et lencresce de soun eisne fitz, Henry de Lancastre, soit purposez de luy creer et faire en estat, honur, et dignite du prince de Gales, duc de Cornewaille, et count de Cestre. Et veullant sur ceo avoir plein advis, deliberacioun, et assent des toutz les seignurs espirituelx et temporelx, et des toutz les Communes esteantz en cest present parlement, sils voillent a ceo consentir; et outre ceo, en cas qil aviegne qe mesme nostre seignur le roy passe de cest siecle a la volunte de Dieu, sils vorroient accepter le dit prince en cas qil survive nostre dit seignur le roy, son pere, come droit heriter a la roialme et la corone Dengleterre? Quele demande severalment fait et examinez des toutz les seignurs et Communes suisditz, responduz est et assentuz par yceux seignurs et Communes qe le dit eisne fitz Henry soit fait prince de Gales, duc de Cornewaille,

et cont de Cestre ; et auxint, en cas qe nostre dit seignur le roi qorest devie vivant le dit prince, soun eisne fitz, ils veullent accepter le dit prince come droit heriter a les roialme et corone suisdites, et luy obeier come a leur roy et seignur liege.

72. Sur quoi mesme nostre seignur le roy seant en soun see roiale en plein parlement, myst un sercle sur le test le dit Henry, soun eisne fitz, et luy dona un anel dor sur soun dey, et luy bailla en sa mayne un verge dor, et puis luy beisa, et luy dona ent sa chartre. Et ensi luy fist prince de Gales, duc de Cornewaille, et cont de Cestre, et sur ceo luy fist amesner ensi arraiez par le duc Deverwyk, uncle a nostre dit seignur le roi, a la see a luy ordeigne et assigne en parlement a cause de la principalte suisdit.

172. CONDEMNATION OF RICHARD II TO SECRET IMPRISONMENT FOR LIFE, 23 AND 27 OCTOBER

[*Rot. Parl.*, III, 426-427.]*

Richard II was taken from the Tower of London on 28 October to Gravesend, and afterwards conveyed in disguise to Leeds Castle, Kent, and from there to Pontefract Castle, where his life was terminated in February, 1400.

73. Joefdy, le xxiii^e jour Doctobre, lercevesqe de Canterbirs chargea depar le roy toutz les seignurs espirituelx et temporelx, et toutz autres y esteantz, sur leur ligeance qe ceo qe lors serroit moustrez ou parlez illoeqes serroit tenuz conseil, et qil ne serroit ascunement descoverez a nully vivant. Et puis apres demandez feust par le cont de Northumberland pur la seurete du roy et des toutz lestatz du roialme, coment leur semble qe serroit ordeignez de Richard nadgairs roy pur luy mettre en saufe garde, sauvant sa vie, quele le roy voet qe luy soit sauvez en toutes maneres ? Sur quoy responduz feust par toutz les seignurs espirituelx et temporelx ent severalment examinez, dont les nouns si ensuent, qe leur semble qil serroit mys en saufe et secre garde, et en tiel lieu ou nul concours des gentz y ad ; et qil soit gardez par seures et sufficientz persones ; et qe nul qad este familier du dit nadgaires roy soit ascunement entour sa persone ; et qe ceo soit fait en le pluis secre manere qe faire se purra.

76. Lundy, le xxviime jour Doctobre, le roy vient en parlement en la grande sale de Westmouster, et illoeqes par assent des seignurs espirituelx et temporelx, Richard nadgairs roy Dengleterre feust adjuggez a perpetuele prisone a y demurer secrement en saufe garde en manere come dessuis est dit.

173. DECLARATION BY THE COMMONS THAT THEY ARE NOT PARTIES TO JUDGEMENTS, 3 NOVEMBER

[*Rot. Parl.*, III, 427.]*

79. Lundy lendemayn des Almes, qe feust le tierce jour de Novembre, les Communes firent leur protestacioun en manere come

ils firent au comencement du parlement; et outre ceo moustrerent au roy qe come les juggementz du parlement appartiegnent soulement au roy et as seignurs, et nient as Communes, si noun en cas qe sil plest au roy de sa grace especiale lour moustrer les ditz juggementz pur ease de eux, qe nul record soit fait en parlement encontre les ditz Communes qils sont ou serront parties as ascunes juggementz donez ou a doners en apres en parlement. A qoi leur feust responduz par lercevesqe de Canterbirs, de comandement du roy, coment mesmes les Communes sont peticioners et demandours, et qe le roy et les seignurs de tout temps ont eues, et averont de droit, les jugementz en parlement, en manere come mesmes les Communes ount moustrez. Sauve qen estatutz affaires, ou en grantes et subsides, ou tiels choses affaires pur commune profit du roialme, le roy voet avoir especialment leur advis et assent. Et qe cel ordre de fait soit tenuz et gardez en tout temps advenir.

174. GRANT BY THE COMMONS THAT HENRY IV SHOULD HAVE THE SAME ROYAL LIBERTY AS HIS PREDECESSORS

[*Rot. Parl.*, III, 434.]*

108. Item, come al request Richard darreyn roy Dengleterre en un parlement tenuz a Wyncestre, les Communes du dit parlement luy graunteront, qil serreit en auxi bon libertee come sez progenitours devant luy furent; pur quele graunte le dit roy disoit qil purroit tourner les leyes a sa voluntee, et les fist tourner encountre soun serment, come est overtement en diverses caas bien conuz. Et ore en cest present parlement les Communes dicell, de lour bon gree et voluntee, confiantz en les nobeley, haut discrecion, et graciouse governance le roy nostre seignur, luy ount grauntez qils voillent qil soit en auxi graunde libertee roial come ses nobles progenitours furent devant luy; sur quoy, mesme nostre seignur, de grace roial et tendre conscience, ad graunte en pleyn parlement qe il nest pas soun entente ne voluntee pur tourner les leyes, estatuz, ne bones usages, ne pur prendre autre avantage par le dit graunte, mes pur garder les anciens leyes et estatutz ordeignez et usez en temps de ses nobles progenitours, et faire droit a touz gentz, en mercy et veritee, solonc soun serment.

Responsio. Le roy le voet.

175. STATUTE OF TREASON (1 Henry IV, c. 10)

[*Stat. R.*, II, 114.]*

Item, come en le dit parlement tenuz le dit an vingt primer le dit nadgairs Roi Richard, plusours peines de traison feurent ordeinez par estatut parensi qe y navoit aucun homme qe poie savoit coment il se deust avoir, de faire parler ou dire pur doubte de tielx peines; accordez est et assentuz par le roi et les seignurs et Communes suisditz qen null temps avenir aucune traison soit adjugge autrement qe ne feut ordinez par estatut en temps de son noble aiel le Roi Edward tiers qi Dieu assoile.

176. STATUTE AGAINST THE HEARING OF APPEALS IN PARLIAMENT (1 Henry IV, c. 14)

[*Stat. R.*, II, 116.]*

Item, pur plusours graundes inconveniences et meschiefs qe plusours foitz ont avenuz par voie des plusours appelles faites deinz le roialme Dengleterre devaunt ces heures, ordeinez est et establiz qe desore enavant toutz les appelles affairs des choses faites deinz le roialme soient triez et terminez par les bones leys du roialme, faites et usez en temps des tresnobles progenitours nostre dit seignur le roi ; et qe toutz les appelles affairs des choses faites hors de roialme soient triez et terminez devant les conestable et mareschall Dengleterre pur le temps esteantz. Et outre ceo, accordez est et assentuz qe nulles appellez soient desores faitz ou pursuez en parlement aucunement en null temps avenir.

---

177. GRANT OF AID BY MEMBERS OF A GREAT COUNCIL, FEBRUARY, 1400

[*Procs. and Ords.*, I, 102-106.]*

[In the Great Council summoned by letters under the privy seal to meet at Westminster on 9 February, 1400, negotiations and relations with France were discussed ; information of Scottish harrying was given ; and for these and other matters] . . . demande feut des ditz seignurs espirituelx et temporelx, singulerement examinez, coment et en quele manere leur sembloit qe aucune eide serroit grantez et ottroiez au roi en ce cas, et si mesmes les seignurs voudroient purvoier pur eide de lour part en mesme le cas. Et sur ce, les ditz seignurs espirituelx et temporelx considerantz la necessitee bien gravee, et pur eschuire aucune parlement estre sommonez par celle cause parmy la quele le comun poeple deveroit estre chargez par imposicion, taxe, ou taillage, ou briefment par autre voie queconqe, les ditz seignurs espirituelx et temporelx feurent assentuz de graunter aide a nostre dit seignur le roi en la manere qensuit. . . . [Two archbishops and eleven bishops granted a tenth, which would discharge them of the next clerical tenth ; letters were to be written to all the abbots asking for a similar tenth ; and twenty lay lords granted the service of men and ships.]

PROCEEDINGS IN THE PARLIAMENT OF 1401

Writs were issued on 9 September, 1400, for a parliament to meet at York on 27 October ; writs of *supersedeas* were issued on 3 October transferring the meeting to Westminster and postponing the opening until 20 January, 1401 ; its session lasted until 10 March.

178. THE COMMONS' ADDRESS TO THE KING, 22-31 JANUARY

[*Rot. Parl.*, III, 455-456.]*

8. Samady le xxii jour de Janver les Communes du roialme presenterent au roy monsire Arnald Savage pur lour parlour et procuratour en parlement, a qi le roy sagrea bien. Et puis le dit monsire Arnald fist humblement request au roy qil purroit faire protestacioun qe sil dirroit riens par ignorance, negligence, ou autre voie qe nestoit assentuz par ses compaignons, ou qe serroit displesance au roy, ou trop petit pur defaute de seen, ou superfluite par folie ou nounscience, qe le roy luy vorroit ent avoir pur excusez, et qil se purroit corriger et amender par ses ditz compaignons ; et qe les ditz Communes purroient avoir lour libertee en parlement come ils ont eue devaunt ces heures ; et qe ceste protestacioun soit entre de recorde en rolle de parlement ; quele protestacioun sembla au roy honeste et raisonable, et lad ottroiez. Et puis apres, le dit monsire Arnald, pur avoir en memoire la pronunciacioun du parlement qe feust pronuncie par le dit monsire William Thirnyng, de sa propre auctorite declara en substance devaunt le roi et les seignurs en parlement les causes de sommons de mesme le parlement, a soun escient, clerement, et en briefs paroles. Et outre ceo il pria depar les ditz Communes a mesme nostre seignur le roy, qe de les matirs a moustrers as mesmes les Communes en cest present parlement ils purroient avoir bon advys et deliberacion, sanz estre mys sodeinement a respons de les pluis chargeantz matires au fyn de parlement, come il ad este usez devaunt ces heures. A qoi leur feust responduz depar le roy par le cont de Wircestre, qil nest pas lentencion du roy de suir cel ordre de fait, ne dimaginer nule tiele subtilite, ainz qils averont bon advis et deliberacioun de temps en temps come la bosoigne requiert.

10. [On 25 January the Commons came before the king in parliament and thanked him for his promises at the opening of parliament.]

11. Item, mesme le jour les ditz Communes moustrerent a nostre seignur le roy coment sur certeines matires a movers entre eux, y purroit avenir qascun de leur compaignons, pur faire plaisance au roy, et pur avauncer soy mesmes, conteroit a mesme nostre seignur le roi des tieles matires devaunt queles fuissent determinez et discussez ou accordez entre mesmes les Communes, paront mesme nostre seignur le roy purroit estre moevez grevousement envers les ditz Communes, ou ascun de eux ; sur quoi ils prierent molt humblement a nostre seignur le roi qil ne voloit accepter nulle tiele persone de luy conter nules tieles matires, ne luy doner ascout ne ascune foie ne credence celle partie. A qoi leur feust responduz depar le roi, qe sa volunte est qe mesmes les Communes aient deliberacioun et advis a communer et traiter toutes leur matires entre eux mesmes pur la mesner a meillour fyn et conclusioun, a leur escience, pur les bien et honour de luy et de tout soun roialme ; et qil ne vorroit oier nulle tiele persone, ne luy doner credence,

devaunt qe tieles matires feussent moustrez au roy par advis et assent des toutz les Communes, solonc le purport de leur dit prier.

12. [On the same day the Commons again addressed and advised the king—apparently at some length—on the royal virtues necessary for good governance, and on challenges issued by the French.]

13. Lundy ensuant, qe feust le darrein jour de Janver, les Communes viendrent devaunt le roi et les seignurs en parlement, et firent plusours requestes par bouche. Sur quoy leur feust responduz et comandez depar le roy, de mettre les dites requestes, et leur autres peticions faitz a cel temps, en leur communes peticions, et sur ceo le roy par advis des seignurs espirituelx et temporelx lour dorroit respons raisonable.

179. ENACTMENT AND ENGROSSMENT OF BUSINESS BEFORE DEPARTURE OF THE JUSTICES, 26 FEBRUARY

[*Rot. Parl.*, III, 457-458.]*

21. Item, mesme le Samady [26 February], les ditz Communes prierent a nostre seignur le roy qe les bosoignes faitz et affaires en cest parlement soient enactez et engrossez devaunt le departir des justices tantcome ils les aient en leur memoire. A quoi leur feust responduz qe le clerk du parlement ferroit soun devoir pur enacter et engrosser la substance du parlement par advis des justices, et puis le moustrer au roy et as seignurs en parlement pur savoir leur advis.

180. WITHDRAWAL OF DEMAND FOR SHIPS AT THE COMMONS' REQUEST, 26 FEBRUARY

[*Rot. Parl.*, III, 458.]*

22. Item, pur ceo qore tarde diverses commissions feurent faites as diverses citees, burghs, et villes du roialme pur faire certeines barges et balyngers, sanz assent du parlement, et autrement qe nad este fait devant ces heures, mesmes les Communes prierent a nostre dit seignur le roy qe les dites commissions soient repellez, et qils ne soient de nulle force neffect. A quoi leur feust responduz qe le roy voet qe mesmes les commissions soient repellez en toutz pointz. Mais, pur la grande necessite qy ad des tielx vesselx pur defense du roialme en cas qe les guerres se preignent, le roy voet communer de celle matire ovesqe les seignurs et puis apres le moustrer as ditz Communes pur ent savoir leur conseil et advis celle partie.

181. PETITION BY THE COMMONS FOR RESPONSES TO PETITIONS BEFORE GRANT OF SUPPLY, 26 FEBRUARY

[*Rot. Parl.*, III, 458.]*

23. Item, mesme la Samady [26 February], les ditz Communes moustrerent a nostre dit seignur le roy, qe come es pleuseurs parle-

mentz devant ces heures leur communes peticions nont estee responduz devant qils avoient fait leur grante dascun aide ou subside a nostre seignur le roy. Et sur ceo prierent a mesme nostre seignur le roi, qe pur grands ease et confort des ditz Communes y pleust a nostre seignur le roy de grantir as mesmes les Communes, qils puissent avoir conisance des responses de leur dites peticions devant ascune tiele grante ensy affaire. A quoy leur feust responduz, qe de ceste matire le roy vorroit communer ovesqe les seignurs du parlement, et sur ceo faire ceo qe meulx luy verroit affaire par advys des ditz seignurs. Et puis apres, cestassavoir le darrein jour de parlement, leur feust responduz, qe celle manere de fait nad este veue ne use en nul temps de ses progenitours ou predecessours, qils averoient ascun respons de leur peticions, ou conisance dicelle, devant qils avoient moustrez et faitz toutz leur autres bosoignes du parlement, soit il dascune grante affaire, ou autrement. Et par tant le roy ne vorroit ascunement chaunger les bones custumes et usages faitz et usez dauncien temps.

182. STATUTE *De Haeretico Comburendo* (2 Henry IV, c. 15)

[*Stat. R.*, II, 125-128.]*

Item, cum domino nostro regi ex parte prelatorum et cleri regni sui Anglie in presenti parliamento sit ostensum quod licet fides catholica super Christum fundata, et per apostolos suos et ecclesiam sacrosanctam sufficienter determinata, declarata, et approbata, hactenus per bonos ac sanctos et nobilissimos progenitores et antecessores dicti domini regis in dicto regno inter omnia regna mundi extiterit devocius observata, et ecclesia Anglicana per predictos inclitissimos progenitores et antecessores suos ad honorem Dei et tocius regni predicti laudabiliter dotata, et in suis juribus et libertatibus sustentata, absque hoc quod ipsa fides seu dicta ecclesia per aliquas doctrinas perversas vel opiniones iniquas, hereticas, vel erroneas lesa fuerat vel graviter oppressa seu eciam perturbata. Nichilominus tamen diversi perfidi et perversi cujusdam nove secte, de dicta fide, sacramentis ecclesie, et auctoritate ejusdem dampnabiliter sencientes, et contra legem divinam et ecclesiasticam predicacionis officium temere usurpantes, diversas novas doctrinas et opiniones iniquas hereticas et erroneas, eidem fide ac sanctis determinacionibus ecclesie sacrosancte contrarias, perverse et maliciose infra dictum regnum in diversis locis sub simulate sanctitatis colore predicant et docent hiis diebus publice et occulte. Ac de hujusmodi secta nephandisque doctrinis et oppinionibus conventiculas et confederaciones illicitas faciunt; scolas tenent et excercent; libros conficiunt atque scribunt; populum nequiter instruunt et informant; et ad sedicionem seu insurrecionem excitant quantum possunt, et magnas dissenciones et divisiones in populo faciunt, ac alia diversa enormia auditui horrenda indies perpetrant et committunt, in dicte fidei catholice et doctrine ecclesie sacrosancte subversionem divinique cultus diminucionem, ac eciam in destruccionem status, jurium, et libertatum dicte ecclesie Anglicane. Per quas quidem sectam falsasque et nephandas predicaciones, doctrinas, et opiniones dictorum perfidorum et perversorum, nedum maximum periculum animarum, verum eciam quamplura alia dampna, scandala, et pericula eidem regno, quod absit, poterunt evenire, nisi in hac parte per regiam magestatem uberius et celerius succurratur; presertim cum diocesani dicti regni per suam jurisdiccionem spiritualem dictos perfidos et perversos absque auxilio dicte regie magestatis sufficienter corrigere nequiant nec ipsorum maliciam refrenare, pro eo quod dicti perfidi et perversi de diocesi in diocesim se transferunt, et coram dictis diocesanis comparere diffigiunt, ipsosque diocesanos et suam jurisdiccionem spiritualem ac claves ecclesie et censuras ecclesiasticas despiciunt penitus et contempnunt; et sic suas nephandas predicaciones, et doctrinas indies continuant et excercent, ad omnem juris et racionis ordinem atque regimen penitus destruendum . . . [The prelates and clergy and the Commons in parliament therefore pray the king for remedy, and he] . . . ex assensu magnatum et aliorum procerum ejusdem regni in dicto parliamento existencium, concessit, ordinavit, et statuit decetero firmiter observari. . . .

[that none shall preach without the licence of his diocesan; that none shall hold or publish anything contrary to Catholic faith, etc.; and that books of the sect shall be delivered to the diocesan. Anyone disobeying may be arrested and imprisoned by the diocesan until he clear himself of these heretical opinions, etc.]

Et si aliqua persona in aliquo casu superius expressato coram loci diocesano seu commissariis suis canonice fuerit convicta, tunc idem diocesanus dictam personam sic convictam pro modo culpe et secundum qualitatem delicti possit in suis carceribus facere custodiri prout et quamdiu discrecioni sue videbitur expedire; ac ulterius eandem personam, preterquam in casibus quibus secundum canonicas sancciones relinqui debeat curie seculari, ad finem pecuniarium domino regi solvendum ponere, prout hujusmodi finis eidem diocesano pro modo et qualitate delicti competens videatur. In quo casu idem diocesanus per litteras suas patentes ipsius sigillo sigillatas de hujusmodi fine ipsum regem in Scaccario suo cerciorare tenebitur, ad effectum quod hujusmodi finis de bonis ejusdem persone sic convicte auctoritate regis ad opus suum exigi poterit et levari. Et si aliqua persona infra dicta regnum et dominia, super dictis nephandis, predicacionibus, doctrinis, opinionibus, scolis, et informacionibus, hereticis et erroneis, vel aliqua eorumdem, senialiter coram loci diocesano vel commissariis suis convicta fuerit, et hujusmodi nephandas sectam, predicaciones, doctrinas, opiniones, scolas, et informaciones debite abjurare recusaverit, aut per loci diocesanum vel commissarios suos post abjuracionem per eandem personem factam pronunciata fuerit relapsa, ita quod secundum canonicas sancciones relinqui debeat curie seculari, super quo credatur loci diocesano seu commissariis suis in hac parte, tunc vicecomes comitatus illius loci, et major et vicecomites seu vicecomes aut major et ballivi civitatis ville vel burgi ejusdem comitatus, dicto diocesano seu dictis commissariis magis propinqui, in sentenciis per dictum diocesanum aut commissarios suos contra personas hujusmodi et ipsarum quamlibet proferendis, cum ad hoc per dictum diocesanum aut commissarios ejusdem fuerint requisiti, personaliter sint presentes ; et personas illas et quamlibet earumdem post hujusmodi sentencias prolatas recipiant, et easdem coram populo in eminenti loco comburi faciant, ut hujusmodi punicio metum incuciat mentibus aliorum ; ne hujusmodi nephande doctrine et opiniones heretice et erronee vel ipsarum auctores et fautores in dictis regno et dominiis, contra fidem catholicam, religionem Christianam, et determinacionem ecclesie sacrosancte, quod absit, sustententur seu quomodolibet tollerentur. In quibus omnibus et singulis premissis dicta ordinacionem et statutum concernentibus vicecomites, majores, et ballivi dictorum comitatuum, civitatum, villarum, et burgorum dictis diocesanis et eorum commissariis sint intendentes, auxiliantes eciam, et faventes.

---

183. THE COUNCIL'S ADVICE TO THE KING, MARCH, 1401

[*P.R.O., Exchequer, Treasury of Receipt—Council and Privy Seal*, file 28, no. 3.]*

This mutilated document provides the only known evidence that the Commons in this parliament asked that the king's principal officers and his Council should be charged in parliament, thus giving a precedent for similar incidents in the parliaments of 1404 and 1406. The connection of this document with the parliament of 1401 is established by a letter of credence, a draft of which is written on the dorse of it, from the Council to the king on behalf of John Dorward, who was authorized to explain to him the Council's views. This letter of credence is dated March, and because the steward is said to be the earl of Worcester the year must be 1401. The request of the Commons appears to have been granted, because in October, 1401, the Exchequer was ordered to pay wages from 10 March 1401, to John Frome 'ordained and assigned' of the Council during the last parliament. (*P.R.O., Exchequer, Exchequer of Receipt, Writs and Warrants for Issues*, box 17, no. 201.)

. . . charge a doner a ceux du conseil du roy

. . . era au roy en pleine parlement qe luy plerroit ordeigner ses grandz officers et de . . . antes et honurables estatz a lonur et profit de lui et de soun roiaume, desirant qe ceux officers et conseil ne serroint . . . cy et le prochein parlement et qe mesmes les Comuns avant lour departir purroient avoir conissance de . . . persones et de lour charge, a grande confort de mesmes les Comuns, nientmains nos fesoient overte protestac . . . nestoit qe lour dite requeste ou supplicacion ent faite porteroit aucune preiudice ou . . . lestat, prerogative, ou regalie du roy.

A quoy il semble expedient, qe pur salvacioun de lestat et prerogative du roy, les seignurs et autres nomez et assignez par luy de estre ses officers et de soun conseil soient chargez a part hors du parlement en la presence du roy en aucune lieu come plerra au roy, par manere come les seneschal, tresorer, et countrellours de soun Hostel feurent chargez. Et, sil plest au roy, qe aucuns des Comuns, deux ou troys, soient presentz quant les ditz seignurs et autres prendront cel charge par manere come aucuns des Comuns feurent presentz devant le roy qant les ditz troys officers de soun Hostel pristrent lour charge.

Item, sil plest au roy, soient les grandz seignurs, pieres du royalme, chargez par lour serementz qils avoient fait au roy paravant come ceux qi deivent estre de soun conseil, cestassavoir qils serront loialx a luy pur le temps qils serront ensi de soun conseil. Et en cas qe a cele voie le roy ne se veuille agreer en nul manere, adonqes les ditz grandz seignurs ovec autres de meindres estatz soient jurez et chargez en la manere come autres du conseil du roy soloient estre jurez et chargez du temps passez, fesantz protestacioun qils ne preignent cel charge par force daucun requeste des Comuns mais a la pleisir et reverence du roy come ceulx qi luy vorroient faire bien, honur, et pleisir a lour poair.

Item, considere le grand nombre des prelatz, seignurs, et autres nomez et chargez destre du dit conseil il serroit trop chargeant au roy de lour doner gages ou regard selonc lour estatz sils serroient continuelement demorantz en ycel conseil. Et auxi il serroit chose trop grevouse a eux, et a checun de eux, de faire ensi lour continuel demoer sanz aprocher a les faitz a lour maisons, sibien pur lour governance demesne come pur mettre lour gentz et paiis en bone repos et governance, a bone seuretee du roialme. Par quoy il semble chose bien resonable, qe apres qe par lour comun avys aucune bone appointement de governance touchant lestat du roy et de soun roiaume soit faite de lassent de luy, qe les prelatz et seignurs et autres de meindres estatz soy puissent absenter par aucun covenable temps, parensi qe aucune nombre suffissant de chescun estat de mesme le conseil soit demurrant en lour absence, par quele voie trestouz du conseil, par lour comun avys et lassent, sil plest au roy, purront estre aisez du temps en temps.

184. THE COMMONS CONSULT THE LORDS, 10 OCTOBER, 1402

[*Rot. Parl.*, III, 486.]*

Writs were issued on 19 June, 1402, for a parliament to meet at Westminster on 15 September ; writs of *supersedeas* were issued on 14 August postponing the meeting until 30 September ; its session lasted until 25 November.

10. Maresdy, le disme jour Doctobre, le chanceller en presence du roy moustra as toutz les seignurs espirituelx et temporelx en plein parlement coment les Communes du roialme venuz au parlement

avoient envoiez au roi nostre seignur luy empriant qils purroient avoir advis et communicacion ovesqe certeins seignurs des matires queux ils avoient affaire en parlement pur commune bien et profit du roialme. Quel prier nostre dit seignur le roy graciousement ottroia, faisant protestacioun qil ne le vorroit faire de deuete ne de custume, mais de sa grace especiale a ceste foitz ; et sur ceo nostre dit seignur le roi chargea le clerk du parlement qe ceste protestacioun soit entrez de record en rolle de parlement. [The king then sent the Steward of his Household and his secretary to explain this to the Commons, and they reported to the king in parliament] qe les ditz Communes conustrent bien qils ne purroient avoir ascuns tielx seignurs pur entrecommuner ovesqe eux dascuns bosoignes du parlement sanz especiale grace et mandement de mesme nostre seignur le roi. [The lords assigned were the archbishop of Canterbury, and the bishops of London, Lincoln, and St. Davids'; the earls of Somerset, Northumberland, Westmorland, and Worcester ; and lords Roos, Berkeley, Abergavenny, and Lovel.]

PROCEEDINGS IN THE FIRST AND SECOND PARLIAMENTS OF 1404

Writs were issued on 20 October, 1403, for a parliament to meet at Coventry on 3 December ; writs of *supersedeas* were issued on 24 November transferring the meeting to Westminster on 14 January, 1404 ; its session lasted until 20 March.

Writs were issued on 25 August for a parliament to meet at Coventry on 6 October ; its session lasted until 13 November. These writs of summons directed that no lawyers should be returned, and the parliament has been called 'The Unlearned Parliament'.

185. CASE OF HENRY PERCY, EARL OF NORTHUMBERLAND, 7 FEBRUARY

[*Rot. Parl.*, III, 524.]*

Henry Percy (1342–1408), earl of Northumberland, a principal supporter of Henry IV in 1399, became disaffected and moved to assist the rebellion of his son Harry Hotspur, but submitted after the latter's defeat and death at the battle of Shrewsbury, 21 July, 1403. His subsequent conspiracy with Owen Glendower and Edmund Mortimer led to his death at the battle of Bramham Moor, 20 February, 1408.

11. Item, Vendredy le viii[e] [*sic*] jour de Feverer, le cont de Northumberland vient devant le roy et les seignurs et Communes en parlement, et illoeqes le chanceller Dengleterre luy moustra coment, Mesquardy lors darrein passez, il avoit este devant le roy et les seignurs et Communes en mesme le parlement, et illoeqes il avoit priez au roy, come il avoit fait autrefoitz a soun venue devant luy a Everwyk, qil pleust a mesme nostre seignur le roy de luy faire grace de ceo qil luy avoi mespris envers luy, nient gardant ses loies et estatutz come ligear demande, si come par une peticioun par luy baille en parlement esc

en Engleys, dont le tenure senseute, y purra apparoir pluis au plein. To my most dredful and soveraigne lige lord, I zoure humble lige beseche to zowre hynesse to have in remembrance my commyng to zowre worshipful presence in to Zork, of my free will, be zowre goodly letters, where I put me in zowre grace as I that naght have kept zowre lawys and statutys as ligeance askith; and specially of gederyng of power and zevyng of liverees, as that tyme I put me in zowre grace, and zit do, ze seiyng, and hit like to zowre hynesse that al graceles sholde I nat go. Where fore I beseche yow that zowre hygh grace be sene on me at this tyme. And of othir thynges whiche ze have examynyd me of, I have told zowe pleynly, and of all I put me [12.] holy in zowre grace. Quele peticioun par commandement du roy examinez par les justices pur ent avoir lour conseil et advis celle partie, par protestacioun faite par les ditz seignurs qe le juggement appartient a eux tantsoulement; et puis lue et entendue mesme la peticioun devant le roy et les ditz seignurs, mesme les seignurs, come piers du parlement as queux tielx juggementz appertiegnent de droit, eue sur ceò par commandement du roy deliberacioun competente; et oiez auxi et entenduz sibien les estatutz faitz lan vingt et quint du Roy Edward aiel a nostre seignur le roy qor est de declaracioun de tresoun, come les estatutz des liverees faitz en temps mesme nostre seignur le roy qorest, adjuggeront qe ceo qe feust fait par le dit cont come il est contenuz deins sa dite peticioun nest pas tresoun ne felonie, mes trespas tantsoulement; pur quele trespas le dit cont deust faire fyn et ranceoun a la volunte du roy. Sur quoy le dit cont molt humblement remercia nostre seignur le roy et les ditz seignurs, ses piers de parlement, de lour droiturel juggement, et les ditz Communes de lour bons coers et diligence faitz et moustrez celle partie.

186. HENRY IV REMOVES FOUR MEMBERS OF HIS HOUSEHOLD AT THE REQUEST OF PARLIAMENT, 9 FEBRUARY

[*Rot. Parl.*, III, 525.]*

16. Item, sur certeines priers et requestes faitz pardevant par les Communes as diverses foitz touchant la remoevement des diverses persones, sibien aliens come autres, par diverses distinccions par eux moevez, et par certeins articles apointez par les seignurs sur les charges a eux donez par nostre dit seignur le roy en parlement, accordez estoit en especial par les ditz seignurs, qe quatre persones, cestassavoir le confessour du roy, labbe de Dore, mestre Richard Derham, et Crosseby de la Chambre, serroient de tout oustez et voidez hors de Lostel du roy. Sur quoy, Samady le ixme jour de Feverer, viendrent les ditz confessour, mestre Richard, et Crosseby devant le roy et les seignurs en parlement, et illoeqes le roy, en excusant les ditz quatre persones, dist overtement qil ne conust ne savoit par eux aucune cause ou occasion en especial pur quoi ils deussent estre remoevez de soun Hostel. Nientmeyns, mesme nostre seignur le roy bien entendant qe ceo qe

les ditz seignurs et Communes ferroient ou ordeigneroient feust pur le meilliour de luy et de soun roialme, et par tant luy veullant confourmer a lour entencions, sagrea bien a mesme lordinance, et chargea les ditz confessour, mestre Richard, et Crosseby, de voider soun dit Hostel ; et semblable charge se ferroit au dit abbe sil eust estee present. Et dist outre mesme nostre seignur le roy qe semblablement il vorroit faire daucune autre qestoit entour sa persone roiale, sil feusse en hayne ou endignacioun de soun poeple.

187. AMENDMENT AND APPROVAL BY THE COMMONS OF THE FORM OF COMMISSIONS OF ARRAY

[*Rot. Parl.*, III, 526-527.]*

24. Item, touchant la commissioun de larraie, pur les pluseurs forffaitures et autres diverses clauses et paroles comprises en ycelle qe feurent trop grevouses, damageouses, et perilouses pur les commissioners nomez en mesme la commission es diverses countees Dengleterre, dont la copie feust liveree as ditz Communes pur ent estre advisez et de le corriger solonc leur entencions, mesmes les Communes, eue sur ceo deliberacioun et advis, firent canceller certeines clauses et paroles comprisez en ycelle, et prierent au roy qe desore enavant nulle commissioun de larraie isseroit autrement, nen autres paroles qe nest contenuz en la dite copie, et qe nul des ditz commissioners, leur heirs, executours, ou terre tenantz, par cause daucuns forffaitures ou peynes, ou aucunes autres choses comprises en la dite commissioun, soit, ou soient desore aucunement molestez, grevez, endamagez, ou empeschez en ascun temps advenir. Quel prier nostre dit seignur le roy, de ladvis de seignurs, eue sur ceo communicacioun ovesqe les juges du roialme, molt graciousement ottroia en parlement. De quelle copie le tenure sensute en cestes paroles.

25. Rex etc. [to Thomas Sakevill, thirteen others, and the sheriff of Buckinghamshire. We wish to provide for defence against threatened invasion] . . . assignavimus vos conjunctim et divisim ad arraiandum et triandum omnes et singulos homines ad arma, ac homines armatos, et sagittarios in comitatu predicto commorantes, infra libertates et extra, et ad armari faciendum omnes illos qui de corpore sunt potentes et habiles ad armandum qui de suo proprio habent unde seipsos armare possunt, videlicet, quilibet eorum juxta statum et facultates suas, et ad assidendum et apporcionandum juxta avisamentum et discreciones vestras. Aceciam ad distringendum omnes illos qui in terris et bonis sunt potentes et pro debilitate corporum ad laborandum impotentes, ad inveniendum juxta quantitatem terrarum et bonorum suorum, et prout racionabiliter portare poterunt, salvo statu suo, armaturas hominibus ad arma et hominibus armatis, ac arcus et sagittas. Ita quod illi qui morabuntur, seu morari poterunt ad domum suam propriam in patria sua, super defensione ejusdem regni contra inimicos nostros si periculum eveniat, non capiant vadia nec expensas pro mora

sua apud domos suas predictas. Et ad dictos homines ad arma, ac homines armatos, et sagittarios sic arraiatos et munitos continue in arraiacione, ut in millenis, centenis, et vintenis, et alias prout conveniens fuerit et necesse, teneri et poni faciendum; et eos tamen ad costeram maris, quam alia loca ubi et quociens necesse fuerit ad dictos inimicos nostros expellendum, debellandum, et destruendum, de tempore in tempus cum aliquod periculum imineat mandandum et injungendum, et ad monstrum sive ad monstracionem eorumdem hominum ad arma, ac hominum armatorum, et sagittariorum de tempore in tempus quociens indiguerit diligenter faciendum et supervidendum. Aceciam ad proclamandum, ordinandum, et diligenter examinandum quod omnes et singuli hujusmodi homines ad arma, ac homines armati, et sagittarii in monstris hujusmodi armaturis suis propriis, et non alienis, armentur, sub pena amissionis earumdem, exceptis dumtaxat illis qui ad expensas aliorum armari debent, ut predictum est. Et ad omnes et singulos quos in hac parte inveneritis contrarios seu rebelles arestandum et capiendum, et eos in prisonis nostris committendum, in eisdem moraturos quousque pro eorum punicione aliter duxerimus ordinandum. Et ideo vobis et cujuslibet vestrum districtius quo possumus, super fide et ligeancia quibus nobis tenemini, injungimus et mandamus quod, statim visis presentibus, vos ipsos melius et securius quo poteritis arraiari et parari, et coram vobis ad certos dies et loca quos videritis magis competentes et expedientes, et pro populo nostro minus dampnosos, omnes homines in patria commorantes per quos arraiacio et municio hujusmodi melius fieri et compleri poterunt, venire et vocari faciatis, et eos arraiari, armari, et muniri, et eos sic arraiatos et munitos in arraiacione hujusmodi teneri faciatis. Et insuper, signa vocata bekyns poni faciatis in locis consuetis per que gentes patrie de adventu inimicorum nostrorum poterunt congruis temporibus premuniri, et eosdem homines sic arraiatos et munitos, cum periculum iminuerit, in defensionem regni et patrie predictorum de tempore in tempus, tam ad costeram maris quam alia loca ubi magis necesse fuerit, duci faciatis. Ita quod pro defectu defensionis, arraiacionis, sive duccionis dictorum hominum, vel per negligenciam vestram, dampna patrie predicte per inimicos nostros amodo non eveniant ullo modo pro posse vestro. Damus autem universis et singulis comitibus, baronibus, militibus, majoribus, ballivis, constabulariis, ministris, et aliis fidelibus et ligeis nostris comitatus predicti, tam infra libertates quam extra, tenore presencium firmiter in mandatis, quod vobis et cujuslibet vestrum in omnibus et singulis premissis faciendis et explendis intendentes sint, consulentes et auxiliantes; et tibi prefato vicecomiti, quod ad certos dies et loca quos ad hoc ordinaveritis, venire facias coram vobis omnes illos in comitatu predicto per quos arraiacio, assessio, et ordinacio melius poterunt fieri et compleri, et illos quos pro rebellione sua capi et arestari contigerit in prisona nostra custodias, sicut predictum est. In cujus rei etc. Teste rege apud Westmonasterium, xx die Octobris.

188. HENRY IV'S ANNOUNCEMENT OF HIS INTENTIONS REGARDING GOVERNMENT, 1 MARCH

[*Rot. Parl.*, III, 528-529.]*

33. Item, Samady le primere jour de Marce, en presence du roy et des seignurs en parlement, lercevesqe de Canterbirs, par commandement du roy, moustra as ditz seignurs lentencioun mesme nostre seignur le roy touchant sa governance, en manere come le roy mesmes avoit declarrez Lundy proschein devant. Cestassavoir, qe pur ceo qe ny avoit este si bone governance en soun Hostell, nentour sa persone, come y purroit avoir este sil eust este par temps bien surveue ; et par tant mesme nostre seignur le roy luy veullant conformer a tout ce qe purroit estre plaisant a Dieux, et greable et profit pur tout soun roialme, et confiantz entierment en les seens et discrecions des ditz seignurs, leur dist qe la volentee nostre dit seignur le roy feust, qe ces loies serroient tenuz et gardez ; et qe owel droit et justice se ferroient sibien as povres come as riches ; et qe pur nulles lettres de secret seal ou de prive seal, ne pur autre mandement ou entresigne quielconqe, la commune loie ne serroit destourbez, ne le poeple en lour pursuytc aucunement delaiez. Et outre ce, mesme nostre seignur le roy, veullant qe bone ordinance se ferroit en soun Hostell, pria as ditz seignurs, qils ferroient leur aide et diligence de le mettre en bone et sufficiente governance, et de covenable nombre, au fyn qe le poeple purroit estre paiez pur leur vitail, et pur les despenses de soun dit Hostiel. Et pur ses Chambre et Garderobe il se vorroit tenir pur content de le mettre tout en une somme, parensi qe sufficient assignment ent purroit estre fait pur paier les dettes ent duez. Et feust outre la volentee mesme nostre seignur le roy, qe de le grante affaire par les seignurs et Communes ore en cest present parlement pur les guerres et pur la defense du roialme, qy serroient ordeignez par advys des ditz seignurs et Communes certeins tresorers de mesme le grant, au fyn qe la monoie ent provenant serroit mys sur les guerres, et en nulle autre oeps. Et est a entendre, touchant les guerres, qe pur pluseurs meschiefs qont advenuz puis la coronement de roy nostre seignur par la levee de guerre des diverses ses rebealx deinz soun roialme, qen cas qaucune tiel levee se ferroit en apres deinz mesme le roialme, qe Dieux defende, qalors les ditz tresorers, ensi a ordeigners pur les guerres, facent paiement de ce qe luy enbosoignera pur le temps a resistre tielx malice et rebellioun, si nulles y soient, sanz ent estre grevez, molestez, ou enpeschez par celle enchaisoun. As quelles matires ensi moustrez par le dit ercevesqe mesme nostre seignur le roy sagrea bien, en manere come ils feurrent moustrez par le dit ercevesqe. Et puis apres, par commandement du roy, et par advys des ditz seignurs, mesmes les matires feurent moustrez et declarrez par le dit ercevesqe as ditz Communes en lour maisoun dassemble pur le parlement deinz labbee de Westmouster, et ils sagreoient bien dicelles,

come le dit ercevesqe ent fist report depar les ditz Communes a mesme nostre seignur le roy et a les seignurs avantditz.

189. NOMINATION OF THE KING'S COUNCIL IN PARLIAMENT, MARCH

[*Rot. Parl.*, III, 530.]*

No significant change in the composition of the existing Council was made on this occasion.

37. Item, au fyn qe bone et jouste governance et remede se facent des pleuseurs compleintz, grevances, et meschiefs moustrez au roy nostre seignur en cest parlement, mesme nostre seignur le roy, a la reverence de Dieux, et a les grantes instances et especiales requestes a luy faitz diverses foitz en cest parlement par les Communes de soun roialme, pur ease et confort de tout soun roialme, ad ordeignez certeins seignurs et autres southescriptz destre de soun grant et continuel Conseil; cestassavoir, [the archbishop of Canterbury, the bishop of Lincoln, chancellor, and the bishops of Rochester, Worcester, Bath, and Bangor; the duke of York; the earls of Somerset and Westmorland; lord Roos, treasurer; the keeper of the privy seal; lords Berkeley, Willoughby, Furnivall, and Lovell; masters Piers Courteney, Hugh Waterton, John Cheyne, and Arnald Savage; and John Norbury, John Doreward, and John Curson].

190. GRANT OF A LAND TAX, AND APPOINTMENT OF TREASURERS OF THE WAR

(*a*) According to the *Eulogium Historiarum*.

[*Eulogium Historiarum sive Temporis*, ed. F. S. Haydon (R.S., 1863), III, 399-400.]

This grant was made in the first parliament of 1404, but no record of it was entered on the roll.

Post festum Sancti Hillarii inceptum est parliamentum, et duravit usque ad Pascha, quia Rex exigebat magnum tallagium, dicens se habere bellum cum Wallicis, Scotis, Hibernicis, et Gallicis in Vasconia; insuper custodia Calesiae magna fuit et Maris Anglicani. Communitas respondit dicens quod "isti non inquietant Angliam multum. Et si inquietarent, adhuc Rex habet omnes proventus coronae, ducatus Lancastriae, ac theolonia notabiliter excessive elevata per regem Ricardum, ita ut proventus theoloniorum lanarum, et aliarum mercium excedant proventus coronae. Habet similiter wardas quasi omnium comitum, baronum, et nobilium Angliae. Quae theolonia et wardae olim erant concessae Regi in subsidium communitatis pro guerris, ut a tallagiis exoneretur regnum." Rex autem dixit se nolle perdere terras patrum suorum in diebus suis, et ideo omnino tallagium habere oportuit. Tunc communitas petiit a Rege ut, "si tallagium habere omnino velit, quod theolonia minueret." Rex respondit quod theolonia habere vellet, sicut habuerunt sui praedecessores. Et cum mansissent Londoniis in gravibus expensis usque ad Pascha taliter disputando, tandem exegit ab eis quod pro omni parte terrae in Anglia valente annuatim xx, s' solverentur xii. d'., exceptis terris quas ecclesiastici habuerunt ante annum octavum Edwardi Primi, filii Henrici, in quo ordinatum fuit quod ecclesiastici in possessionibus non crescerent. Ipsi tandem attaediati de mora hoc concesserunt sub hac tamen conditione, quod eligerent certas personas qui tallagium reciperent et pro guerris tantum expenderent, et inde compotum parliamento darent, et Rex auctoritatem recipiendi et expendendi per cartam suam eis daret. Rex videbatur assentire, ac electae sunt personae, et carta scripta sed non sigillata, et solutum est parliamentum.

(*b*) According to the Subsidy Roll, 24 March.

[*P.R.O., Subsidy Roll* C/60/209A. Cf. *Cal. Fine Rolls*, 251.]

This extract is part of a commission to make inquisition about the names of all persons bound to contribute to the land tax. The rates fixed were: 20s. on one knight's fee and so on in proportion; 12d. on lands, tenements, or rents to the clear annual value of 20s. not held by knight service and so on in proportion; 12d. for those not holding by knight service nor having land to the clear annual value of 20s. but who have goods and chattels to the value of £20 and so on in proportion. No one not coming into any of these categories was to contribute. Those who were to pay because of the land they held were not to pay also because of their goods and chattels. Of the sums raised, £12,000 was to be paid to the king to be used at his pleasure.

John Oudeby, clerk, John Haddeley, Thomas Knolles, and Richard Merlawe were to be the treasurers of the war.

. . . Et pur tant qe cest subside est graunte a vous, tresredoute seignur le roi, en defens de vostre roiaume, si ensi soit qe devant le xv jour de May proschein avenir ne soit par vous ne vostre sage Conseil resonablement ordeigne et purveu de resonable armee sur la meer pur save garde dicelle, en defens de vostre roiaume, et ensement . . . [for the defence and conquest of the Welsh rebels, the safeguard of England, and the defence of the Scottish March] les queux ne soient executz et mys en oevre avaunt le dit xv jour de May, qalors cest graunt de subside soit voide et tenuz pur nulle, ne levable ne paiable en nulle manere.

[Members of this parliament are not to be appointed commissioners, collectors, or other officers of the levy.]

. . . Et enoutre qe soient esluz et assignez en icest parlement suffisantz tresorers des autres qi ne sont chivalers, citeins, ou burgeis venuz a icest parlement par brief et par eleccion, a receiver le subside avauntdit des coillours et commissioners suisnommez, et les saufement garder pur estre emploiez et despenduz pur la save garde du roialme et defens dicell en la manere et forme avauntditz, et entour null autre oeps si noun pur les defens et conquest suisditz tantsoulement, forspris les xii mille livres avauntditz, come eux veullent ent respondre as seignurs espirituelx et temporelx, et a la comunaltee du roiaume a proschein parlement a assembler, et qe toutz maners des paiementz qe les ditz tresorers ferront de le subside suisdit soient faitz par garrant de prive seal ordeigne par le Grant Conseil a eux direct. Et qe mesmes les coillours et commissioners rendront lour accomptz devaunt les tresorers et nient en vostre Escheqer. Et qe les ditz commissioners, coillours, et contrerollours soient guerdonez pur lour travaill solonc la discrecion des ditz tresorers ; et les ditz tresorers soient guerdonez solonc la discrecion del Counseil le roi. Et qe apres laccomptz des ditz commissioners, coillours, tresorers, ou autres ministres qeconqes del dit subside oiez et resceux, qe toutz lour inquisicions, remembrances, et countrollementz touchantz le leve del dit subside ove lour accomptz deslors ne soient trehez en ensample, ne gardez en vostre tresorie ou en Escheqer en remembrance, mes soient toutoutrementz arz, destruitz, et cassez pour toutz jours. Et enoutre, qe apres la leve del dit subside par les coillours et commissioners avauntditz et chescun de eux, devaunt ou apres lour accompt, ne soient issantz nulles commissions de melius inquirendo sur lour faitz. . . .

191. CASE OF THOMAS THORPE

[*Rot. Parl.*, III, 530.]*

This episode occurred in the first parliament of 1404.

38. Item, porce qe le brief de somons de parlement retourne par le viscont de Roteland ne feust pas sufficientement ne duement retournee, come les ditz Communes avoient entenduz, mesmes les Communes prierent a nostre seignur le roy et as seignurs en parlement qe celle matire purra estre duement examinee en parlement, et qen cas qe defaut y serra trovez en celle matire, qe tiel punissement ent serroit fait qe purroit tournir en ensample as autres de trespasser autre foitz en tiel manere. Sur qoy nostre dit seignur le roy en plein parlement comanda as seignurs du parlement dexaminer la dite matire et dent faire come mieltz leur sembleroit par leur discrecions. Et sur ce les ditz seignurs firent venir devant eux en parlement, si bien le dit viscont, come William Oudeby qi feust retourne par le dit viscont pur un des chivalers du dit countee, et Thomas de Thorp qi feust esluz en plein countee destre un des chivalers de mesme le countee pur le dit parlement, et nient retourne par le dit viscont. Et mesmes les parties duement examinez, et leur raisons bien entenduz en dit parlement, agardez est par mesmes les seignurs qe porce qe le dit viscont nad fait sufficientement soun retourne du dit brief, qil amende mesme le retourne, et qil retourne le dit Thomas pur un des ditz chivalers come il feust eslu en le dit countee pur le parlement. Et outre ceo, qe le dit viscont pur cel defaut soit dischargiez de soun office, et qil soit commys a la prisone de Flete, et qil face fyn et raunceoun a la volentee du roy.

192. CASE OF RICHARD CHEDDER

[*Rot. Parl.*, III, 542.]*

This episode occurred in the first parliament of 1404.

78. Item, priont les Communes qe come toutz les seignurs, chivalers, citezeins, et burgeis, ove lour servantz, venantz a parlement par brief le roy, en venant, demurant, et retournant, ils sont soutz vostre protecioun roiall, et plusours meschiefs et diseases sovent aveignont as ditz seignurs, chivalers, citeins, burgeys, et lour servantz meynales en temps avandit, come par murdre, maheymes, et bateries par gentz gisantz en agaite, ou autrement, dount due remedie nest unqore purveu ; et noment en especial en cest present parlement de le orrible baterie et malfait qest fait a Richard Cheddre, esquier, qi fuist venuz a y cest present parlement ovesqe sire Thomas Brook, chivaler, un des chivalers pur le counte de Somerset, et meynall ove luy, par Johan Salage, autrement appelle Savage, dount lavantdit Richard Cheddre est emblemiz et mahemiz, et tout sur le peril de mort ; qe pleise ordeiner remedie sur ceste matire, suffisant remedie, et pur autres tieux cases semblables, ensi qe le punissement de luy purra doner ensample et terrour a autres densi malefaire en temps avenir ; cestassaver qe si ascune tue ou murdre ascun qest venuz ency soutz vostre proteccioun al parlement, qil soit ajugge tresoun, et si ascun maheyme ou disfigure ascun tiel ensi venuz south proteccioun qil perde sa mayn. Et si aucun naufre ou bate ascun de tieux ensy venuz qil eit la prisone dun an et fyn et raunsoun a roy. Et qe vous pleise de vostre grace especial desore enavant de vous abstiner des chartres de pardoun en tiel cas saunz ceo qe les parties soient pleinement accordez.

Responsio. Pur ceo qe le fait feust fait deinz le temps de cest parlement, soit fait proclamacioun la ou le dit fait se fist qe Johan Sallage deinzescript appierge et soi rende en Bank le roy deinz un quarter dun an apres la proclamacioun faite. Et sil ne le face, soit le dit Johan atteint de le fait suisdit et paie au partie endamagee ses damages, au double, a taxer par discrecioun des juges du dit Bank pur le temps esteantz, ou par enquest sil embosoigne, et face fyn et raunceoun a volunte du roy. Et semblablement soit fait en temps avener en cas semblable.

193. THE COMMONS' FINANCIAL PROPOSALS, 28 OCTOBER

[*Rot. Parl.*, III, 547-549.]*

13. . . . Item, une peticione contenante certeines articles feust baillee en parlement par les Communes Dengleterre en les parols qenseuent :

Pleise a tresexcellent et tresredoute seignour, nostre seignour le roy, pur profit du roy, et encresse de sa corone, et supportacione des povers communes de vostre roiaume Dengleterre, grauntier les peticions qensuent.

14. Purceo qe la corone del roiaume Dengleterre est graundement

emblemisez et anientisez par graundes et outrageouses douns faitz as diverses persones, sibien espirituelx come temporelx, des terres, tenementz, fee fermes, fraunchises, libertees, et autres possessions dicelle, soit ordeigne en cest present parlement, pur profit du roy et du roiaume, et supportacione des Communes . . . [that all grants and annuities made since 40 Edward III be resumed into the king's hands]. . . .

19. . . . La response fait par le roy de ladvys et assent des seignurs espirituelx et temporelx a les peticions dessuisescriptz, les queux le roy voet mettre en execucioun en tout le hast possible.

20. And for als muche that the Comunes desiren that the kyng shulde leve up on his owne, as gode reson asketh, and alle estates thynken the same, the kyng thanketh hem of here gode desire, willyng put it in execucion als sone as he wel may. And by cause the Comunes desiren that al that longed un to the coroune the fourty yere of Kyng Edward, and sithe hath be departed, shulde be resumed, to that entent that the kyng myght better leve of his owne; and for als muche that it may noght be knowen un to the kyng whiche is of the corowne, and whiche is not, with oute more examinacion, ne what hath be graunted sithe the fourty yere of Kyng Edward un to this tyme, the kynges entent is, to assigne certeyn lordes spirituell, and certeyne lordes temporell, and alle his justices, and his sergeantz, and othir suche as hym lust name, for to put in execucion, als ferre as he may by the lawe of his land, or by his prerogatif or libertee, alle the articles contened in the peticion of the Comune, in all hast that he may, in discharge of his poeple.

21. [It would not be honest or expedient to repeal grants under the great seal; but it is accorded that all having grants of annuities, fees, or wages from Richard II or Henry IV shall allow the king to have and enjoy them from Easter last until the morrow of next Easter, saving those of certain royal officers.]

22. [A similar concession, with several exemptions, is to be made of the profits of lands, etc. granted by Richard II or Henry IV.]

23. [Proclamation is to be made that all those who have such grants of annuities, lands, etc. by patent since 40 Edward III shall bring copies of their patents before the king and the council before the Purification] . . . au fyn qe nostre dit seignur le roy par advys de soun conseil purra ordeigner qe ceux qont fait bon service aient et enjoient lour dites lettres patentes, et les autres qi nont deserviez soient toutoutrement oustez de lour dites lettres patentes, et auxint de ceux qount pluis qe ne ount deserviez, qe le dit roy par advys de soun dit conseil purra faire moderacioun, come meulx luy semblera.

194. GRANT OF TAXATION ON CONDITION OF ITS RECEIPT AND ACCOUNT BY TREASURERS OF THE WAR, 12 NOVEMBER

[*Rot. Parl.*, III, 546.]*

9. [The Commons, with the assent of the lords spiritual and temporal, make a grant of taxation to the King] . . . Sur condicioun qe

les avantditz deux quinzismes et deux dismes, et les subsides des leins, quirs, et peaux lanutz, et trois souldz de tonell, et xii deniers de la livre, soient en especial expenduz en defens du roialme solonqe la forme et entent de cest graunt, en le manere avantdit, et en nulle autre oeps, come Thomas, sire de Furnyvall, et Johan Pelham, chivaler, tresorers de guerre assignez et ordeignez en cest present parlement, qi receiveront les ditz quinzismes et dismes, et subsides, responderont et accompt rendront a le commune du roialme a proschein parlement. Et qe les ditz tresorers ne facent liverer ne paier aucuns deniers des ditz subsides, quinzismes, et dismes, a nulle autre oeps forsqe pur defens du roiaume en temps avenir, ne nulles persones, de quel estate ou condicioun qils soient, demandent, receivent, ou portent aucune garrant, brief, lettres patentes, ou lettres de prive seal, ou lettres soutz le signet du roy, ou tailles hors de Receit de Lescheqer, et receivent, par vertue et auctorite de mesmes les lettres, maundementz, ou tailles, aucuns deniers des ditz quinzismes, dismes, et subsides, ou daucune parcell dicell, pur guerres, ou qeconqes dettes duez par le roi nostre seignour devaunt le jour de cest present parlement, forsqe soulement pur la defens du roialme affaire en temps avenir, qils, et chescun deux, encourgent la peyne de tresoun.

PROCEEDINGS IN THE PARLIAMENT OF 1406

Writs were issued on 21 December, 1405, for a parliament to meet at Coventry on 15 February, 1406 ; writs of *supersedeas* were issued on 1 January transferring the meeting to Gloucester ; further writs of *supersedeas* were issued on 9 February transferring the meeting to Westminster and postponing its opening until 1 March. Its first session lasted until 3 April ; its second session lasted from 25 April to 19 June ; its third session from 13 October to 22 December.

195. THE COMMONS DECLARE THAT THEY HAVE NOT SPOKEN IMPROPERLY OF THE KING, 3 APRIL

[*Rot. Parl.*, III, 569.]*

17. Item, porce qe sinistre report avoit este fait par ascuns a nostre dit seignur le roy, qe les ditz Communes deussent avoir parlez de la persone roial nostre seignur le roy autrement qils ne deussent, paront mesme nostre seignur le roy deust avoir poisant coer envers ses ditz Communes, a ceo qils avoient entenduz, le dit monsire Johan [Tiptoft, the Speaker], en noun des ditz Communes, moustra, mesme le jour, qils navoient riens fait ne dit touchant sa dite persone roiale autrement qe ses loialx lieges ne deussent faire et parler pur lonur et profit de nostre dit seignur le roy et de tout soun roialme. Et par tant ils prierent a mesme nostre seignur le roy, qil les vorroit ent avoir pur excusez, et eux reputer et tenir pur ses loialx lieges. Et le roy les avoit bien

excusez, et eux tient et repute come ses loialx lieges, en manere come ils ont mesmes declarez.

196. THE KING'S CONCESSIONS, 22 AND 24 MAY

[*Rot. Parl.*, III, 572-573.]†

31. Item, Samady le xxii jour de May, les Communes viendrent devant le roy et les seignurs en parlement, et illoeqes le dit monsire Johan [Tiptoft, the Speaker] rehercea coment il avoit priez au roy, au commencement de parlement, et puis encea, de governance habundante ; et pria a mesme nostre seignur le roy de le mettre en execucioun. Et rehercea outre, coment lercevesqe de Canterbirs lour avoit fait report qe le roi vorroit estre conseillez par les pluis sages seignurs du roialme, les queux deussent avoir survieu de tout ceo qe serroit fait pur la bone governance de soun roialme. A quel chose faire le roy sagrea, et rehercea par soun bouche propre qil feust sa voluntee entier. Et sur ceo feust lue une bille faite par le roy mesmes, et de sa volunte propre, de les nouns des seignurs qi serront de soun Conseil. De quelle bille la tenure cy ensuit.

Fait arememberer, qe nostre sovereign seignur le roy considerant les grauntz labours, occupacions, et diligences, les quelles il faut necessairement mettre entour la bone governance de soun roiaume, et dautres ses possessions, sibien decea la meer come delea ; primerement, pur la conservacioun des droitz de nostre dit seignur le roi, et de sa corone, et qe les revenues dicelle soient meulx coillez a soun profit, et encrecez en tant come homme poet justement le faire, au fyn qil en poet le meulz soun honurable estat sustenir. Et secondement, pur la conservacioun de les loies et estatutz du roialme, au fyn qe ovel droit poet estre fait a chescuny, sibien as povres come as riches, nostre dit seignur le roy, de sa propre et bone volunte, desirant destre supportez en les suisdites causes porceo qil ne poet bien vaquer a icelles en sa propre persone ne tant come il voldroit, pur la grand amour et bone affiance qil ad, entre les autres, au tresreverent et reverentz piers en Dieu, et treshonures seignurs, lercevesqe de Canterbirs, levesqe de Wyncestre, levesqe Dexcestre, le duk Deverwyk, le count de Somersete, le sire de Roos, le sire de Burnell, le sire de Lovell, le sire de Wilughby, les chaunceller, tresorer, gardein du prive seal, les seneschall et chamberleyn, monsire Hugh Waterton, monsire Johan Cheyne, et monsire Arnaut Savage, yceux ad esluz, chargez destre de soun Conseil, en lour priant et commandant, qen toutz les suisdites causes ils veullent mettre lour entiers diligences pur le profit mesme nostre seignur le roy, et pur la conservacioun de les loies et estatutz suisditz. Parensi toutes voies, qe parmy lour bones labours et diligences il puisse le meulx estre desportez en sa roiale persone de les occupations suis ditz. Et aufyn qe les suisditz reverentz piers et autres seignurs doient le pluis voluntiers estre de son Conseil, le suis dit nostre seignur le roy lad fait estre dit en soun parlement publique qils soient de soun Conseil. Et lour voet supporter en toutz les suis ditz choses, et chescune dicelles, en aiant tout dis affiance qils ferront pur le bien et profit de luy et de soun roialme, sanz faire ne soeffrer estre fait chose en empeschement de bone conclusioun qe purra avenir par lour bones labours et diligences. Et qe billes a endorserz par le chamberleyns, et lettres dessoutz le signet de nostre dit seignur le roy a adressers, et autres mandementz a doner, as chanceller, tresorer, et gardeyn du prive seal, et autres officers queconqes, desore en avaunt, en tielx causes come desuis, serront endorsez ou faites par advis du Consail. Et, qe les ditz chanceller, tresorer, et gardeyn du prive seal, et autres officers, ne facent en celles causes sinoun par advis du dit Consail; toutes voies de chartres de pardoun de cryme, et de collacioun de benefices qe serront voides de fait, et des offices, voet nostre dit seignur le roy faire soun plaisir. Et voet nostre dit seignur le roy, qe si ceux de soun suisdit Conseil soient destourbez qils ne purront faire le profit de nostre dit seignur le roy, ne faire estre gardez les suis ditz loyes et estatuitz, qil bien lirra a ceux de soun dit Conseil, et chescun de eux, en departir saunz indignacioun du roy nostre seignur suisdit. Et est auxi la volunte du roy, qe si nul de leur, qe Dieu defende, fist chose acontraire du bien, honur, et profit du roy, ses loyes, ou soun roiaume, qe cele persone qi ensi serroit trouvez, soit corrigez duement, ou mys hors de Conseil. Entre quelles nouns ensi assignez de Conseil du roy nostre dit seignur, le sire de Louvell fuist un; mes le chanceller Dengleterre rehercea illeoqes coment le dit sire de Louvell avoit sovent foitz pursuy au roy pur luy avoir excusez de soun dit Conseil, purce qe certeines plees furent pendantz es courtes du roy qe luy toucherent; par quoy il ne purroit honestement occupier celle charge. Pur queux causes le roy luy avoit bonement pur excusez pendantz mesmes les plees. Et les autres seignurs ensi esluz pur estre du dit Counseil prierent au roy destre excusez de mesme le Conseil, et le roy leur pria destre de soun Conseil, come il lour avoit priez pardevaunt; et ensi ils obeierent le mandement du roy. Et surce les ditz seignurs prierent au roy, qe depuis ceste bille fuist la volunte du roy et de sa mocioun propre, et nemye a lour seute, qe mesme la bille purroit estre entrez de recorde en rolle de parlement. Et auxint prierent, qe toute la matere comprise el dite bille purroit estre execute solonc la contenue dicell; le quel le roy granta. Et auxint le roy commanda, qe sibien la dite bille come la request des ditz seignurs serroient enactez et enrollez en mesme le rolle de parlement. Et prierent auxi les ditz seignurs du Counseil, qe durant le temps du dit parlement tout ce dont mesmes les seignurs se purroient remembrer ou estre advisez pur lonur et profit du roy et de soun roiaume, purra estre adjoustez au dite bille, et qe ceo serroit auxi entrez de record en rolle de parlement. A quoy le roy sagrea bien.

32. Item, Lundy le xxiiii jour de May, les Comunes vindrent devaunt le roy et les seignurs en parlement, et illeoqes le dit monsire Johan rehercea coment, Samady darrein passe, le roy sagrea et desira

la bone governance, et pur execucioun et esploit dicelle il avoit esluz lercevesqe de Cantirbirs et autres seignurs pur estre de soun Counseil; et pria le dit monsire Johan, qe les Communes purroient avoir conussance si mesmes les seignurs vouldroient prendre sur eux destre du dit Counseil, ou noun. A quoy le dit ercevesqe respondy, sibien pur luy mesmes come pur les autres seignurs esluz du dit Counseil, qe si sufficiantie de biens purroit estre trovez sur quel bone governance purra estre fait, ils vouldroient prendre sur eux destre du dit Counseil, et sur ce faire lour poaire et diligence pur profit du roy et de roiaume; et autrement nemye.

197. APPOINTMENT OF AUDITORS TO AUDIT THE ACCOUNTS OF THE TREASURERS OF THE WAR, 19 JUNE

[*Rot. Parl.*, III, 577.]*

44. . . . [On 19 June the Speaker in full parliament recalled the appointment of treasurers of war in the Coventry Parliament of 1404, and that they were now seeking to be discharged from office. He asked that they be finally discharged, and that this request be entered of record on the parliament roll] . . . queux prier et request nostre dit seignur le roy graciousement ottroia. Et par tant qil ad pleu a nostre dit seignur le roy qe les ditz tresorers soient dischargiez de lour dit office, et dassigner certeines auditours, cestassaver, le seignur de Roos, et le chief baron de Lescheqer; et qil est la voluntee du roy, a ceo qe les ditz Communes ont entenduz, qe mesmes les Communes deussent nommer autres auditours doier et terminer les accomptes des ditz tresorers du temps passe; mesmes yceux Communes ont nommez certeines persones, comprises en une cedule livere par les ditz Communes en parlement, tielx come leur semble necessaires en ceo cas, pur le povere estate de les Communes dessuisditz, cestassaver, monsire Hugh Lutrell, monsire Richard Redeman, Laurence Drewe, Thomas Chelrey, David Holbeche, William Staundon, cynk, quatre, trois, ou deux de eux. . . .

198. ACCEPTANCE UNDER OATH OF THIRTY-ONE ARTICLES FOR THE COUNCIL, 22 DECEMBER

[*Rot. Parl.*, III, 585-589.]*

66. Item, mesme le jour [22 December], le dit monsire Johan Tibetot myst avaunt en parlement une rolle contenant plusours diverses articles faitz par advys et assent du roy et des seignurs et Communes suisditz, et pria qe mesmes les articles purront estre enactez et entrez de record en rolle de parlement. Au quele prier fuist responduz, "Le roy le voet, sauvant toutesfoitz a luy soun estat et prerogative de soun Corone". Et outre ceo, pria le dit monsire Johan, en noun des ditz Communes, qe toutes les seignurs de Conseil soient jurrez devaunt le roy et toutes les estates de parlement, qils garderont toutes les articles

contenuz en le dit rolle. A quoy lercevesqe de Canterbirs pur luy mesmes, et les autres seignurs du Conseil pur eux mesmes, fierent protestacioun severalment, qils ne vorroient en nulle manere enprendre celle charge sur eux, si ne soit qe le roy de ses propre volunte et mocioun leur vorroit charger en especial de ceo faire. Et auxi qils, ne null de eux, soient, ne soit, chargez, artez, ne reportez par null homme qils ont enpris celle charge, ne de la perfourner en nulle manere; mes qils voillent faire lour diligence et labour de la faire et perfourner solonc leur discrecions et poair, auxi avant come ils purront avoir des biens ou de monoie de ce faire; et en especial, siavaunt come la grant ore fait en parlement purra suffire. Et surce le roy, de ses volunte et mocioun propre, comanda les ditz seignurs du Conseil de ce faire; et leur chargea illoeqes de jurrer de la perfourner en manere come devaunt est dit. Sur quoy mesmes les seignurs du Conseil illoeqes presentz, cestassaver, lercevesqe de Canterbirs, le duc Deverwyk, levesqe de Loundres, levesqe de Wyncestre, levesqe de Duresme, chaunceller, le counte de Somersete, le seignur de Furnyvale, tresorer, le seignur de Burnell, le gardein de prive seal, le seignur de Grey, chaumberlein, et les seneschall et tresorer del Hostiel nostre seignur le roy, furent jurrez et serementez severalment sur les Seintz Evangelx, de garder et observer bien, loialment, et fermement les articles contenuz en le dit rolle, a lour poair et esciente. Et en outre, quant a le seignur de Roos nommez du dit Conseil, purce qe alors il fue absent, le dit monsire Johan Tibetot pria a mesme nostre seignur le roy, qil, et toutes les jugges du roy, et le clerc de rolles, purroient estre jurrez semblablement a leur venu, de garder et observer mesmes les articles en manere come les autres seignurs illoeqes presentz avoient este jurrez. Et auxi, qe les autres officers du roy de meindre estate soient chargez de faire bien et loialment ce qe appartient a eux, au fyn qe null persone porte blame pur auteri mesfait.

As queux priers le roy sagrea bien, et chargea le clerc du parlement dentrer les articles suisditz de record en rolle de parlement. Des queux articles les tenures sensuent.

67. Primerment, pur tant qil ad pleu a nostre tressoverain seignur le roy deslier et nommer ses conseillers et officers plesantz a Dieu, et agreables a soun poeple, es queux il se voet bien affier, pur luy conseiller et estre de soun Conseil continuel tanqal proschein parlement, et a resonable nombre dez queux ascuns puissent continuelment demurrer entour sa persone roial; et qe ascuns de eux du dit Conseil qensy demureront entour sa persone facent report de la volunte de nostre dit seignur le roy de temps en temps a les autres du dit Conseil, des matiers qapparteignent au Conseil, et nemy autres; et qe ceux qi serront ensy du Conseil puissent avoir covenables regardes par advys du roy solonc lour estates, pur lour travailles, coustages, et despensez; qe please a nostre dit seignur le roy pleinement governer en toutes cases par lour advys, et a ce confier. Et si aucune report, autre qe bon, soit a luy fait de ascune des ditz conseillers, par aucune du dit

Conseil, ou autres, qe ne luy please ce croier jusqes a ceo qe celuy qest accusez serra appellez. Et sil soit excusable, qil poet estre excusez, et son accusour puniz solom son desert, qe autres y preignent ensample. Et en cas qil soit convict, soit il puniz et deschargez du Conseil, et qe autres loialx du dit Conseil ne soient pur soun defaute mys en suspicione.

68. [The chancellor and the keeper of the privy seal are not to allow anything to pass under the seals in their custody contrary to the law, and they are not to delay any matters.]

69. [Those around the king must not support matters before him, under pain of specified punishments. Such matters are to be referred to the Council.]

70. [Sheriffs, escheators, and other officers are to be appointed according to law, and not at their own request.]

71. Item, qe please a nostre dit seignur le roy doner en charge a ses dites conseillers davoir plein conisance et notice de lestate et governance de ses treshonurables Hostiell, Chambre, et Garderobe, et de toutes autres places et offices es queux les revenuz du roialme sont despenduz, et pur y ordeiner le meulx qils purront pur le profit nostre dit seignur le roy, sibien dedeins come dehors, sanz offense de ley, de ce qe remaint nient donez, ou qe cherrait es mains nostre dit seignur le roi puis le primer jour de cest present parlement. Issint qe les lettres patentes dascunes dounes, grantz, ou pardons, faitz devaunt le commencement de cest present parlement ne soient repellez, mes qils estoisent en lour force et effect.

72. Et pur les expenses del Hostiel, Chambre, et Garderobe du roy, y please a nostre dit seignur le roi grantier qe toutes les deniers provenantz des gardes, mariages, voidances des temporaltees des erceveschees, eveschees, eschetes, forfaitures, priories aliens, custumes, et toutes autres commoditees, profitz, revenuz, et emolumentz du roiaume, certeins et casuels, nient donez ne grantez devant le primere jour de commencement de cest present parlement ; et auxi de toutz tielx gardes, mariages, temporaltees, eschetes, forfaitures, priories aliens, commoditees, revenuz, custumez, et emolumentz, nient donez come desuis, qe parentre cy et la fyn du proschein parlement cherront es mains nostre dit seignur le roi, soient entierment resceuz a la Resceit de Lescheker nostre dit seignur le roy, sanz estre assignez par tailles hors de Resceit ou auterement, du darrein jour de cest present parlement enavant, et dilloeqes deliverez et paiez pur les despenses Dostiell, Chambre, et Garderobe suisditz, et pur les dettes dicelles. Et qe null dounn, grant, ne pardoun soit fait a nully par patent nautere garrant, des avauntditz gardez, mariages, voidances des temporaltees, eschetes, forfaitures, priories aliens, commodites, profitz, revenuz, custumez, et emolumentz du dit roialme Dengleterre, ne de les deniers ent provenantz paiables a la dit Resceit, come desuis, ne de nulle parcelle dicelles ; ne auxi null dounn, grant, ne pardoun soit fait a nulluy par patent nautre garrant, des revenuz ou profitz provenantz des terres Dirland, Gales, Guyenne, Caleys et Marches dicelles, nient donez, come desuis,

qi ount este es mains du roy, ou cheux puis le primere jour de cest present parlement, ou qi cherront desore tanqal fin du proschein parlement. Et si ascuns tielx douns, grantz, ou pardouns soient, ou serront, faitz du dit commencement du cest present parlement tanqal fin du proschein parlement a contraire, qils soient revokes, repellez, et adnullez, et de nulle effect.

[Some general and particular exceptions are then made to these rules.]

73. Item, qe nulle homme ne femme ne preigne ne resceive de doun le roy, de le xviime jour de Decembre lan du regne nostre dit seignur le roy viiime tanqal fyn du proschein parlement, des revenuz, profitz, et autres commodites du roialme suisditz, ou ascune parcelle dicelles, nient donez a devaunt le commencement de cest present parlement, sur peine de perdre et paier la double value de ceo qe la chose ensy pris ou receu countre la fourme suisdit samountera, a Lescheqer du roy, pur ent paier les gages de Caleys et des Marches illeoqes, et a null autre oeps, saunz mitigacioun avoir, ou ent estre respitz ou pardonez en aucun manere. Et si ascun doun, grant, ou pardoun soit fait, ou serra fait, a contraire, qe ceo soit voide, disalowable et disalowez en chescun court et place du roy.

74. Item, purce qil est chose moultz honest et necessarie qe ceux de les lieges nostre dit tressoverain seignur le roi queux a luy pursuir voillent soient oiez en lour peticions, si please a mesme nostre seignur le roy considerer la sage governance dautres princes Cristiens bien governez, et soi enconfourmant a tiel governance, luy pleise assigner deux jours le semaine pur la recepcione des tielx peticions, cestassaver, le Mesqerdy, et Venderdy, et qe de ce soit fait intimacion as toutes les estates du roialme en cest present parlement, au fin qe les ditz autres jours de la semayne nostre dit seignur le roy se puisse le meulx desporter, sanz estre distourbez par tielx suytes ; et qe, les jours de la recepcion de tielx peticions, soient entour nostre dit seignur le roy ceux du dit Conseil assignez destre entour sa persone, ou aucunes de eux au meyns, pur mesmes les peticions resceiver, et apres les examiner et departier. Et celles peticions par les queles hommes demaunde offices, corrodes, benefices voidez de fait, ou autere chose ou profit qe nostre dit seignur le roy ne puisse reteiner a soun oeps demesne, puisse yceluy nostre seignur le roy grantier a son pleiser. Purveux toutesfoitz, qe les custumers, contrerollours des custumes du roy, sercheours, trovours, poisours, pakkers de draps, et autres ministres al office de tresorer Dengleterre regardantz, soient nommez et faitz par le tresorer Dengleterre qi pur le temps serra, par advys du Conseil, solonc la fourme de les estatutz ent faitz. Et qe les ditz officers occupient lour offices en lour propres persones sanz depute ou substitut faire, et nient autrement, et sanz les lesser a ferme. Et qe null tiel office soit grante a nulle persone a terme de vie, ou a terme dans ; et qe si aucun tiel officer ou ministre soit fait a contraire, par patent du roi ou autrement, qil soit remuez, et les patents ent faitz repellez et revokez. En mesme le

manere face le chaunceller, officers, et ministres desoutz luy a soun office regardantz. Et en mesme la manere facent les seneschal, chamberlein, et tresorer del Hostiel, officers et ministres desoutz eux a lour offices regardantz, siavant come a lour office appartient.

75. [Those around the king must not present petitions to the king on days other than those specified in the preceding article.]

76. Item, qe pleise a nostre dit seignur le roy commaunder ceux de soun Conseil, qils ne traient devaunt eux pur y estre determinez, aucunes matiers ne querelles determinables a la commune ley, si ce ne soit pur cause resonable, et par advys des justices.

77. [Statutes and ordinances for the Household are to be obeyed and household officers are to be sworn to do so.]

78. Item, touchantz toutes matiers qi serront pursutes au Counseil, ou par ycelle determinez, null de mesme le Counseil, ne null des officers, face comfort apart a le pursuyant davoir esploit de sa demande, ne luy done aucun enformacioun tanqe ce soit determinez par mesme le Conseil. Et qe apres tiel determinacioun null des ditz conseillers et officers se excuse, nauteri accuse, de la dit determinacioun, en tant come a dit Conseil appartient.

79. Item, qe toutes les choses et matiers qi serront par le Counseil desore passez, serront passez par toutes yceux de Counseil en leur propres persones, si ce ne soit qe la cause demande grant hast, et en tiel cas doient eux du Conseil qi serront presents signifier la matier, ovesqe la circumstances, ovesqe lour advys, a ceux du Conseil qi serront absentz, les queux en doient rescrier, ou suffisiantement signifier lour advys as ditz du Counseil qi serrontz presentz, au fyn toutes voies, qe par la consent de toutes, les choses et matiers soient passez. Purveux toutesfoitz, qe les presentes, ne les certificatz de monsire le prince, ne de null autre seignur du Counseil, esteant pur le temps hors de roiaume, ne aillours en les marches de guerre, ne serront attenduz, si ne soit en grandez et chargeantz matiers, en les quelles il semble as autres du Counseil presentz necessaire davoir lavys de toutz.

Item, sil aviegne qe ascun singuler persone du dit Counseil eit a pursuir aucune chose pur luy mesmes, ou aucune autere persone devers luy, qe ne poet estre determinez par la commune ley, dont il coviendra avoir lavys de tout le Counseil, qadonqes soit celle chose determine par mesme le Counseil, en absence du dit seignur du Counseil.

80. Item, qe le chaunceller et tresorer Dengleterre, et gardein du prive seal, qore sont, ou pur le temps serront, facent duement et diligialment lour offices, sanz riens faire pur carnel affecioun, encountre ley et resoun, ou riens prendre pur lour ditz offices faire ou executer, de nulluy, forsqe du roy ; et ce fees et regardez a lour ditz offices appurtenantz de droit, et accustumez.

[The same rules are then applied to a comprehensive list of the officers of central royal offices, the courts, and the Household.]

81. [The queen is to pay for the days she stays in the royal Household.]

82. [Specified household officials are to act lawfully.]

83. Item, purce qe les viscountz retornent chivalers du countees pur venir au parlement nounduement esluz, qe ordeine soit, qen toutes tielx briefs qi isseront desore hors de la Chauncellerie direct as viscountz pur tielx chivalers eslire pur venir au parlement, soit contenuz, qe proclamacioun soit fait en toutes les villes marches du countee du jour et lieu ou les ditz chivalers serront esluz xv jour devaunt le jour deleccion ; au fin qe les suffisiantz persones enhabitantz en le dit countee y puissent estre, pur faire eleccioun suisdit en due manere. Et qe les ditz visacontz qore sont, et qi pur le temps serront, soient serementez a ce tenir et executer, sanz fraude ou affecioun de nulluy.

84. [The counsellors and the principal officers are to be sworn in parliament to observe the common law, statutes, and ordinances.]

85. [Aliens remaining in England contrary to the recent proclamation are to pay fines.]

86. [The steward and treasurer of the Household are to have power to discharge household officers for their offences.]

87. [The chamberlain, steward, and treasurer of the Household are to hold their offices according to the statutes.]

88. [Officials of the Household and the courts are in future to hold their offices during pleasure.]

89. Item, qe le chaunceller et tresorer Dengleterre, seneschal et tresorer Doustiel le roy, justice dun Banc et dautre, et les barouns del Escheqer, soient jurrez de faire plein et loial serche, chescun en soun place et office, de toutes maners mesprisions, tortes, oppressions, et defautes, faitz au poeple qont ewe affaire es courtes, Hostiel, et places suisditz, sibien sur colour de lour fees come autrement par les officers et ministres des mesmes les courtz, Hostiel, et places suisditz, et de toutz tielx mesprisions, tortes, oppressions, et defautes, de certifier la Grand Counseil nostre dit seignur le roy, au fin qe le dit Counseil face plein et due correcioun parentre cy et le fest de Pasqe proschein avenir, qe au proschein parlement la report soit fait au roy, et si luy pleise ycell report poet estre declarez a toutes les estates du parlement.

90. [Concerning special assizes.]

91. Item, ordeine soit et assentuz, qe toutes les suisditz articles, et les contenuz en ycelles, en la fourme et par manere come ils sount declarez, estoisent et teignent lour force et effect, de commencement de cest present parlement jusqes au fin du proschein parlement tantsoulement.

199. STATUTE DECLARING THE INHERITANCE OF THE CROWN (7 Henry IV, c. 2)

[*Stat. R.*, II, 151.]*

Item, de la request et de lassent des ditz seignurs et Communes en dit parlement, ordeignez est et establiz qe lenheritement de la corone, et de les roialmes Dengleterre et de Fraunce, et de toutz les autres seignuries nostre dit seignur le roy pardelea la meer, oveqqe toutz les appurtenaunces, soit mys et demoerge en la persone mesme nostre seignur le roy, et en les heirs de soun corps issantz; et en especial, a la request et de lassent suisditz, ordeignez est et establiz, prononciez, descernez, et declarrez, qe moun seignur le prince Henry, eisne fitz nostre dit seignur le roy, soit heir apparant mesme nostre seignur le roy, pur luy succeder en les suisditz corone, roialmes, et seignuries, pur les avoir ove toutz les appurtenances apres le deces dicell nostre seignur le roy a luy et a ses heirs de soun corps issantz. Et sil devie sanz heir de soun corps issant, qadonqes toutez les suisditez corone, roialmes, et seignuries, ove toutz les appurtinances, remaignent a moun seignur Thomas, secunde fitz nostre dit seignur le roy, et a les heirs de soun corps issantz. Et sil devie sanz issue de soun corps issant, qadonqes toutz les suisditz corone, roialmes, et seignuries, ove toutz les appurtenances, remaignent a moun seignur Johan, tierce fitz mesme nostre seignur le roy, et a ses heirs de soun corps issantz. Et sil devie sanz heir de soun corps issant, qadonqes toutz les suisditz corone, roialmes, et seignuries, ove toutz les appurtenances, remaygnent a moun seignur Umfrey, quart fitz nostre dit seignur le roy, et a ses heirs de soun corps issantz.

200. STATUTE REGULATING PARLIAMENTARY ELECTIONS (7 Henry IV, c. 15)

[*Stat. R.*, II, 156.]*

Item, nostre seignur le roy al grevouse compleint de sa Commune del noun dewe eleccioun des chivalres des countees pur le parlement, queux aucune foitz sont faitz de affeccioun des viscountz, et autrement encountre la forme des briefs as ditz viscountz directe, a grand esclaundre des countees et retardacioun des busoignes del communalte du dit countee; nostre soverein seignur le roy vuillant a ceo purveier de remedie, de lassent des seignurs espirituelx et temporelx et de tout la Commune en cest present parlement, ad ordeignez et establiz qe desore enavaunt les eleccions des tielx chivalers soient faitz en la forme qenseute. Cestassavoir, qe al proschien countee a tenir apres la livere du brief du parlement, proclamacioun soit fait en plein countee de le jour et lieu de parlement, et qe toutz ceux qi illeoqes sont presentz, sibien suturez duement somoines par cele cause, come autres, attendent la eleccioun de lours chivalers pur le parlement; et adonqes en plein counte aillent al eleccioun liberalment et endifferentement, non obstant aucune prier ou comaundement au contrarie; et apres qils soient esluz, soient les persones esluz presentz ou absentz, soient lour nouns escriptz en endenture dessoutz les sealx de toutz ceux qi eux eslisent et tacchez au dit brief du parlement; quele endenture issint ensealez et tacchez soit tenuz pur retourne du dit brief qant as chivalers des countees; et qe en briefs de parlement affairs en temps advenir soit mys cest clause, et eleccionem tuam in pleno comitatu tuo factam distincte et aperte sub sigillo tuo et sigillis eorum qui eleccioni illi interfuerint nos in Cancellaria nostra ad diem et locum in brevi contenta certifices indilate.

PROCEEDINGS IN THE PARLIAMENT OF 1407

Writs were issued on 26 August for a parliament to meet at Gloucester on 20 October ; its session lasted until 2 December.

201. RELEASE OF THE COUNCILLORS FROM THE OATH OF 1406, 9 NOVEMBER

[*Rot. Parl.*, III, 609.]*

13. [On 9 November, the Speaker, Thomas Chaucer, came before the king and the lords in parliament and made the usual speaker's protestation.] Et outrece, moustra le dit Thomas coment mesme nostre seignur le roy et toutz les seignurs espirituelx et temporelx ont bien en memoire qa darreine parlement tenuz a Westmouster suppliez estoit par les Comunes lors illeosqes esteantz, qe bone governance purroit estre, et meillour et pluis habundante qe navoit este pardevaunt, paront mesme nostre seignur le roy vuillant surce purvoir de remedie, ordeigna et assigna certeins seignurs de soun Counseil. Et les ditz Communes confiantz en les grandes sens et discrecions de mesmes les seignurs, granterent en dit parlement une disme et une quinzisme alever de les laies gentz, ensemblement ove les subside des lains, quirs, et peaulx lanutz, et les tonage et poundage, a supporter certeines charges pur la rebellioun de Gales, et pur la saufe garde du meer, et autrement, come en la grante ent faite, et enrollez en rolle du parlement, y purra apparoir. As quelles materes le chaunceller Dengleterre respondi et dist coment, touchant toutes cestes materes mesme le chaunceller en le Freitour, qest lieu assigne pur les ditz Comunes a cest foitz, il leur avoit responduz, primerement par bouche, et puis apres par escript dune cedule baille as mesmes les Communes, de la voluntee des ditz seignurs du Counseil et nient al instance ne request des ditz Communes, coment, et en quele manere, les ditz disme et quinzisme, ove le subside, tonage et poundage furent dispenduz ; et coment mesme le chaunceller et toutz les seignurs du Counseil avoient bien et loialment faitz leur labours et diligences, et outrece faitz grandes creances par leur obligacions propres, qe sextendent as grandes sommes, pur les communes bien et profit du roialme, supposantz davoir ent eue grant gree et mercie. Et par taunt qil semble a mesme le chaunceller et les autres seignurs suisditz, qils nont pluis de gree ne de mercie pur leur ditz labours et diligences, ne pur leur ditz creances, mesmes les chaunceller et seignurs du Counseil, en presence du roy et des seignurs et Communes en plein parlement, sexcuserent, qils ne vorroient de celle heure enavaunt unqes estre artez ne compellez a la

serement fait par eux en darrein parlement. Et surce prierent a nostre dit seignur le roy, de leur avoir ent toutoutrement pur excusez ; et qils ne soient ascunement endamagez ou empeschiez en ascun temps advenir pur cel encheasoun. Quele prier le roy graciousement leur ottroia, et sagrea bien a ycelle.

202. AGREEMENT ON THE PROCEDURE FOR MAKING MONEY GRANTS, 2 DECEMBER

[*Rot. Parl.*, III, 611.]*

21. Item, Vendredy le second jour de Decembre, qe feust le darrein jour de parlement, les Communes viendrent devaunt le roy et les seignurs en parlement, et illeosqes par mandement du roy une cedule de indempnitee sur certein altercacioun moeve parentre les seignurs et les Communes feust lue ; et surce commande feust par mesme nostre seignur le roy, qe mesme la cedule soit entrez de record en rolle de parlement ; de quele cedule le tenure senseute. Fait a remembrer, qe le Lundy le xxi jour de Novembre, le roy nostre seignur soveraigne esteant en la chaumbre du Counseil deinz labbacie de Gloucestre, y esteantz en sa presence les seignurs espirituelx et temporelx a cest present parlement assemblez, comunez estoit entre eux de lestate du roialme, et la defence dicell pur resister la malice des esnemyes, qi de chescun coust soi apparaillent de grever mesme le roialme et les foialx subgitz dicell, et qe homme ne poet resistre a ycelle malice, sinoun qe pur la saufe garde et defence de soun dit roialme nostre soverein seignur le roy suisdit ait en cest present parlement ascune notable aide et subsidie a luy grauntez. Et surce, des suisditz seignurs demandez feust par voie de questioun, quele aide purroit suffisre et serroit busoignable en ce cas. A la quelle demande et questioun feust par mesmes les seignurs severalement responduz, qe consideree la necessite du roy dune parte, et la poverte de soun poeple dautre parte, meindre aide suffisre ne purroit, qe davoir une disme et demy des citees et burghs, et une quinzisme et demy des autres laies gentz, et outre, de graunter prorogacioun du subsidie des lains, quirs, et pealx lanutz, et de trois souldz de tonell, et dusze deniers de la livre, de le fest de Seint Michell proschein venaunt tanqe a la fest de Seint Michell en deux ans lors proschein ensuantz. Sur quoy, par commandement du roy nostre dit seignur, feust envoiez au Commune de cest present parlement, de faire venir devaunt mesme nostre seignur le roy et les ditz seignurs ascune certein noumbre des persones de leur compaignie, pur oier et reporter a lour compaignons ce qils averoient en commandement de nostre seignur le roy suisdit. Et surce les ditz Communes envoierent a la presence du roy nostre dit seignur et des ditz seignurs, dusze de lour compaignons, as queux, par commandement de mesme celuy nostre seignur le roy, feust declare la questioun suisdite, et la responce des suisditz seignurs a ycelle severalement donee. Quele responce la volunte dicelui nostre

seignur le roy estoit qils ferroient reporter a les autres de lour compaignons, au fin qils soy vorroient prendre le pluis pres pur lour conformer a lentent des seignurs avauntditz. Quele report ensi fait as ditz Communes, ils ent furent grandement destourbez, endisant et affermant ce estre en grant prejudice et derogacioun de lour libertees ; et depuis qe nostre dit seignur le roy ce avoit entenduz, nientveullant qe riens soit fait a present, nen temps advenir, qe tournir purroit ascunement encontre la libertee de lestate pur quelle ils sont venuz au parlement, nencountre les libertees de les seignurs suisditz, voet, et graunte, et declare, de ladvis et assent de mesmes les seignurs, en la manere qenseute ; cestassaver, qe bien lise as seignurs de comuner entre eux ensemble en cest present parlement, et en chescun autre en temps advenir, en absence du roy, de lestate du roialme, et de le remedie a ce busoignable ; et qe par semblable manere bien lise as Communes de lour part, de comuner ensemble de lestate et remedie suisditz. Purveux toutesfoitz, qe les seignurs de lour part, ne les Communes de la leur, ne facent ascun report a nostre dit seignur le roy dascun grant par les Communes grantez, et par les seignurs assentuz, ne de les communicacions du dit graunt, avaunt ce qe mesmes les seignurs et Communes soient dun assent et dun accord en celle partie, et adonqes en manere et forme come il est accustumez, cestassaver, par bouche de purparlour de la dite Commune pur le temps esteant, au fin qe mesmes les seignurs et Communes avoir puissent lour gree de nostre dit seignur le roy. Vuillant outrece nostre dit seignur le roy, de lassent des seignurs avauntditz, qe la communicacioun en cest present parlement eue come desuis, ne soit traihez en ensample en temps advenir, ne se tourne a prejudice ou derogacioun de la libertee de lestate pur quell mesmes les Communes sont presentement venuz, ne en cest present parlement, ne en null autre en temps advenir. Mais voet, qe luy mesmes, et toutz les autres estates, soient auxi franks come ils feurent pardevaunt.

PROCEEDINGS IN THE PARLIAMENT OF 1410

Writs were issued on 26 October, 1409, for a parliament to meet at Bristol on 27 January, 1410 ; writs of *supersedeas* were issued on 18 December transferring the meeting to Westminster ; its first session lasted until 15 March ; its second from 7 April to 9 May.

203. PETITIONS FOR A WISE COUNCIL AND GOOD GOVERNMENT, 23 APRIL

[*Rot. Parl.*, III, 623-627.]*

14. Item, Mesquardy le xxiii jour de Marce [*recte* 23 April], les Communes baillerent en parlement certeines articles ; les queux, ove lour responses, cy enseuent.

Plese a notre tresredoute et tresgracious seignur le roy, pur le bien et profit de roy et de roialme, en descharge et supportacioun de ses poveres lieges Dengleterre, grantier les peticions qensuent.

Primerement, qe plese a nostre dit seignur le roy ordeigner et assigner en cest present parlement les pluis vaillantz, sages, et discretes seignurs espirituelx et temporelx de soun roialme, pur estre de soun Counseill, en eide et supportacioun del bone et substanciall gouvernance, et la bien de roy et de roialme ; et qe les ditz seignurs de Counseill, et les justices de roy, soient overtement sermentez en ycest present parlement de eux bien et loialment en lour counseill et faitz acquiter pur le bien de roy et de roialme en toutz pointz, sanz favour pur affecioun ou affinite faire a ascun manere de persone. Et qe plese a nostre dit seignur le roy, en presence de toutz les estates de parlement, comander les ditz seignurs et justices, sur lour foy et ligeance qe luy devont, qils ferront pleyne justice et droit ovelment a chescuny sanz tariance, si bonement come ils purront, sanz ascun comandement ou charge de qeconqe persone a contrarie.

Responsio. Le roy le voet.

15. [Petition against those who have recently brought about indictments improperly.]

16. Item, qe plese a nostre dit seignur le roy considerer les grandes grevez qe voz ditz Communes emportent par prises de lour biens a vostre Hostiell, Chambre, et Garderobe, par voz purveiours, officers, et autres ministres, sanz paiement a voz ditz Communes ent faitz, encontre les ordeinances et estatuitz avaunt ces heures ent purveux ; et sur ceo, par advys de vostre dit Counseill, ordeiner et establier, de vostre bone grace, tieux voies et remedies qe vous poiez vivre de voz biens propres, en ease de vostre poeple ; et ceo qe a vous aviendra de les vostres, qe vous plese de les garder pur vostre sustenance, et pur mayntenance de vostre Hostiell, Chambre, et Garderobe avauntditz.

Responsio. Le roy vorroit volunters vivre de seons, et voet si tost come il poet ; et voet qe les revenuz et profitz de roialme, a quel temps qils escherront as mayns du roy, soient gardez pur les expenses del Hostiell du roy, et de ses Chambre, et Garderobe.

17. [Petition for commissions of oyer and terminer to deal with disturbances, in particular in certain named counties.]

18. [Petition that the laws, statutes, and ordinances be observed by the king's officers.]

19-22. [Petitions for the good governance of the Scottish Marches, Wales, the sea, and Calais, Gascony, and Ireland.]

23. Item, qe nulles chastelx, honoures, seignuries, manoirs, villes, terres, tenementz, franchises, reversions, libertees, forestes, fees, advowesons, eschetes, forfaitures, gardes, mariages, ou autres revenuz queconqes, ove lour appurtenances, forspris offices et baillies en temps ensuant as mayns nostre dit seignur le roy, ou a ses heirs roys Dengleterre a escheiers ou aveners, ne soient en nulle manere donez ne grantez a ascune persone, sy ne soit al profit et oeps nostre dit seignur le roy pur la sustenance de soun Hostiell, Chambre, et Garderobe, tanqe

toutz ses dettes a ses liges a present duez soient pleynement parpaiez. Et delors enavant continuelment resonable substance remaynant es mayns nostre dit seignur le roy, et ses heirs roys Dengleterre, pur la sustenance et supportacioun del Hostiell, Chambre, et Garderobe suisditz, devant ascun doune ou grant fait al contrarie dicell, en discharge de nostre dit seignur le roy et de soun roialme en temps avenir. Et si ascun manere de persone, de quell estat ou condicioun qil soit, eit ou resceyve en temps avenir, de doune ou de grant nostre dit seignur le roy, ou de ses heirs roys Dengleterre, ascuns des revenuz desuys nomez, a contrarie de cest peticioun, qe lavauntdit doune ou grant soient outrement voidez, et come nulles tenuz, et le roy respondu en soun Escheqer des issues en le mesne temps dicells provenants, et en temps ensuant a proveners. Parissint qe le chanceller Dengleterre qi pur le temps serra soit tenuz a certifier en Lescheqer nostre dit seignur le roy les dounes et grantes avantditz, atant de foitz come il bosoigne.

Responsio. Le roy voet qe toutz les chastelx, honoures, seignuries, manoirs, villes, terres, tenementz, fraunchises, reversions, libertees, forestes, fees, advoesons, eschetes, forfaitures, gardes, mariages, ou autres revenuz qeconqes, ove lour appurtenances, forspris offices et baillies qe escherront decyenavaunt es mayns nostre dit seignur le roy, ne soient en nulle manere donez ne grantez a ascunc persone, sil ne soit al oeps et profit nostre dit seignur le roy pur la sustenance de soun Hostiell, Chambre, et Garderobe. Et si ascune manere persone, de quell estat ou condicioun qil soit, eit ou resceyve, de iceste xxvi jour Dapril en temps avenir, ascun tiel doune ou graunt au contraire de ceste ordinance, qe lavauntdit doune et grant soient outrement voidez et tenuz pur null. Forspris qe recompensacioun soit fait au roigne, solonc la tenure de ses lettres patentes ; et forspris les fitz du roy. Et auxint forspris qe recompensacioun soit fait a duc Deverwyk, et a sire de Grey, solonc la fourme de lour lettres patentes.

24. [Petition that the courts of the constable and marshall, and of the Admiralty should not exceed their jurisdiction.]

25. [Petition concerning the appointment and service of the officers who deal with customs and subsidies.]

26. [Petition concerning the frauds committed by alien merchants to avoid paying customs and subsidies.]

27. [Petition against the export of gold and silver for the payment of services to the Curia.]

28. Item, qe null chanceller, tresorer, gardein de prive seal, counseiller du roy serementez a Counseill du roy, ne null autre officer, jugge, ne ministre du roy, pernant fees ou gages de roy pur lour ditz offices ou services, preigne en nulle manere en temps avenir ascun manere de doune ou brocage de nully pur lour ditz offices et services affaire, sur peyn de respondre a roy de la treble de ceo qe issi preignont, et de satisfier la partie, et punys al voluntee de roy, et soit dischargez de soun office, service, et Counseill pur toutz jours. Et qe chescun qi vorra pursuer en la dite matire, eit la suit sibien pur le roy come pur

luy mesmes, et eit la tierce partie del somme de qi la partie soit duement convict.

Responsio. Le roy le voet.

29. [Petition relating to arrests made under the Statute *De Haeretico Comburendo.*]

30. Item, qe plese au roy nostre seignur soveraigne de considerer, qe en temps passe en diverses parlementz ont diverses appointementz et ordinances estez faites, par advys de roy et des seignurs espirituelx et temporelx, ove lassent des Communes en les ditz parlementz esteantz, sibien pur le bien et bonn governance de roialme, come pur les subsides a roy grauntez en mesmes les parlementz, sur certeyns condicions, destre despenduz pur la defence de roialme, nient observez ou gardez ; de ordeigner, par advis des seignurs espirituelx et temporelx, et assent des Communes en cest present parlement, appointementz et ordinances de bone et seure governance de toutz les matires desuys declarez, et dautres matires bosoignables pur le profit et bone governance de roialme, destre seurement tenuz et gardez. Et si aveigne qe en cest present parlement ascun chose a roy serra grante pur la defence de roialme, qe tiel appointement soit fait, tenuz, et gardez, qe les Communes avauntditz soient seurez qe les deniers ent provenantz ne soient autrement dispenduz, ne autry oeps mys, mais tantsoulement a leffect et entent qe la chose serra grantee.

Responsio. Le roy le voet.

31. [Petition against aliens.]

204. NOMINATION OF THE KING'S COUNCIL, 2 AND 9 MAY

[*Rot. Parl.*, III, 632, 634.]*

39. Item, Vendredy le seconde jour de May, les Communes vindrent devant le roy et les seignurs en parlement, et illeoqes prierent davoir conussance des nouns des seignurs qi serront de soun Consail continuel pur executer les bons appointements et ordinances faitz en cest present parlement. A quoy le roy respondi qe certeins des seignurs queux il avoit esluz et nomez destre de soun dit Consail soy avoient excusez par diverses causes raisonables ; pur queles causes il lour avoit pur bien excusez. Et quant a les autres seignurs queux il avoit ordeignez destre de soun dit Consail, les nouns cy ensuent ; monsire le prince, levesqe de Wyncestre, levesqe de Duresme, levesqe de Bathe, le count Darundell, le count de Westmerland, et le seignur de Burnell. Et sur ceo moun dit seignur le prince, en noun de luy et de les autres seignurs suisditz, pria de lour avoir pur excusez en cas qe ne purroit estre trovez de quoi pur supporter les charges necessairs ; et qe nonobstant aucun charge par eux apprendre en cest parlement, qils purroient estre deschargiez au fin de parlement, en cas qeriens ne soit grantez pur supporter les charges dessuisdites. Et porce qe moun dit seignur le prince ne serroit jurrez a cause del hautesse et excellence de soun honurable persone, les autres seignurs et les officers feurent

jurrez et serementez sur la condicioun suisdite, de eux governer et acquiter en lour consail bien et loialment, solonc la tenure del primere article entre les autres articles baillez par les ditz Communes. Et semblablement feurent jurrez et serementez les justices de lun Banc et de lautre, de garder les loies, et de faire justice et droit owelment solonc le purport de mesme le primer article.

44. Item, Vendredy le ixme jour de May, qe feust le darrein jour de parlement, les Communes vindrent devaunt le roy et les seignurs en parlement, et illeoqes le parlour pur les Communes, en nouns de mesmes les Communes, pria au roy davoir pleine conussance des nouns des seignurs de soun Consail ; et par tant qe les seignurs qi feurent nomez pardevant destre de mesme le Consail avoient fait lour serements sur certeine condicione, come devant est declarrez, qe mesmes les seignurs de Consail soient ore de novel chargiez et serementez sanz condicione. Et sur ceo monsire le prince pria a mesme nostre seignur le roy, sibien pur luy mesmes come pur les autres seignurs de Consail, qe par tant qy covient qe levesqe de Duresme et le cont de Westmerland, queux sont ordeinez destre de mesme le Consail, ne purront continuelement entendre a ycell, sibien pur pleuseurs diverses causes quelx sont bien semblables advenires en les Marches Descoce, come pur lenforcement dicelles Marches, qe pleaise a mesme nostre seignur le roy dassigner autres seignurs destre de mesme le Consail ovesqe les seignurs pardevant assignez. Et sur ceo mesme nostre seignur le roy en plein parlement assigna levesqe de Seint David et le cont de Warrewyk destre de mesme soun Consail ovesqe les autres seignurs dessuisnomez ; et qils soient chargiez semblablement come les autres seignurs sanz aucune condicione.

205. STATUTE REGULATING PARLIAMENTARY ELECTIONS (11 Henry IV, c. 1)

[*Stat. R.*, II, 162.]*

Primerement, come en le parlement tenuz a Westmouster lan du regne nostre dit seignur le roy seoptisme ordennez fuit et establiez par estatut, en conservacioun de les franchises et libertees del eleccioun des chivalers de countees usez par my le roialme, certeine forme et manere de la eleccioun de tielx chivalers come en le dit estatut pluis pleinement est contenuz. Et partant qe en mesme lestatut nul peine fuit ordeigne ne mys en especiale sur les viscontz des contees sils ferroient ascuns retournes a contrair de mesme lestatut, ordeigne est et establie qe les justices as assises prendre aient poair denquer en lour sessions des assises de tielx retournes faitz, et si par enquest et due examinacioun trovee soit devaunt mesmes les justices qe ascun tiel viscont ait fait ou face enapres ascun retourne encontre la tenure du dit estatut, qe mesme le viscont encourge la peyne de c livres a paiers a nostre dit seignur le roy. Et outre ceo qe les chivalers des countees ensi nient duement retournez perdent lour gages du parlement dancien temps acustumez.

PROCEEDINGS IN THE PARLIAMENT OF 1411

Writs were issued on 21 September for a parliament to meet at Westminster on 3 November; its session lasted until 19 December.

206. THE KING'S WISH FOR NO NOVELTY IN THE PRESENT PARLIAMENT, 5-7 NOVEMBER

[*Rot. Parl.*, III, 648.]*

9. Item, Joedy le quint jour de Novembre viendrent les Communes devant le roy et les seignurs en parlement, et presenterent Thomas Chaucer pur leur commune parlour. Et le dit parlour pria au roy de luy avoir pur excusez de celle occupacioun pur diverses causes. Et le roy respondi qil sagrea bien a ce qe les Communes avoient fait touchant leur eleccioun. Et puis apres pria le dit parlour qil purroit parler dessoutz protestacioun. A quoy le roy graunta qil parleroit dessoutz tiele protestacioun come autres parlours avoient fait devaunt luy en temps de ses nobles progenitours et auncestres, et en soun temps demesne, mais nemye autrement, qar il ne vorroit aucunement avoir nulle manere de novellerie en cest parlement, mais qil vorroit estre et esteer en ses libertee et fraunchise auxi entierment et a large come aucunes de ses ditz progenitours ou auncestres avoient estee en ascun temps passe. Et sur ce pria le dit parlour depar les ditz Communes qil pleust au roy qils purront ent estre advisez tanqal Vendredy enseuant pur mettre en escript leur dite protestacioun plus en especial, et de le moustrer a mesme nostre seignur le roy le Vendredy suisdit. A quoy le roy sagrea bien. Et partant qa cell Vendredy le roy ne purroit entendre doir les ditz Communes pur diverses graundes et chargeantes matires moevez et moustrez a cel Vendredy, Samady proschein enseuant, qe feust le vime jour de Novembre, les Communes viendrent devaunt le roy et les seignurs en parlement, et illeoqes le dit parlour, en noun des ditz Communes, pria au roy qil purroit parler dessoutz tiele protestacioun come autres parlours avoient faitz devaunt soun temps, sibien en temps de mesme nostre seignur le roy come en temps de ses nobles progenitours. Et si riens serroit parlez par le dit parlour qe serroit en desplesance du roy nostre seignur, ou encontre ses regalie et prerogatif, qe Dieu defende, qe pleust a roy de laccepter come chose faite de negligence, et pur defaut de seen et esciente, et pur nule autre malvoise volentee nentencioun, et dent avoir le dit parlour et les Communes pur excusez. A quoy le roy sagrea bien.

207. THE KING'S COUNCILLORS RECEIVE THE THANKS OF THE KING AND THE COMMONS, 30 NOVEMBER

[*Rot. Parl.*, III, 649.]*

11. Item, Lundy le darrein jour de Novembre, le dit parlour, en noun des ditz Communes, pria au roy de remercier monsire le prince,

levesqe de Wyncestre, levesqe de Duresme, levesqe de Bathe, levesqe de Seint David, le count Darundell, le count de Warrewyk, le count de Westmerland, et le seignur de Burnell, et toutz les autres seignurs et officers qi feurent assignez par le roy destre de soun Counsail au darrein parlement, de leur graundes labours et diligence. Qar come y semble es ditz Communes, moun dit seignur le prince et les autres seignurs suisditz ont bien et loialment fait leur devoir, solonc leur promesse fait en dit parlement. Et sur ceo, engenulantz monsire le prince et les autres seignurs dessuisditz, declarez feust en noun des ditz seignurs par le bouche de moun dit seignur le prince, coment ils avoient fait leur peine, diligence, et labour, solonc leur dite promesse, et la charge a eux donez en parlement, a leur seens et esciente ; le quel le roy recorda bien, et leur remercia molt graciousement. Et dist outre, qil savoit bien qe sils eussent eue pluis de quoy qils navoient, en manere come il feust parlez par bouche de moun dit seignur le prince au temps qe le roy leur chargea destre de soun Counsail en dit parlement, ils vorroient avoir fait leur devoir pur avoir fait pluis de bien qe ne feust fait en diverses parties pur les defense, honour, bien, et profit de luy et tout soun roialme. Et dist auxi mesme nostre seignur le roy qil se tient pur bien content de leur bonn et loial diligence, counsail, et devoir, pur le temps qils estoient de soun Counsail, come dessuis est dit.

208. THE KING'S WISH TO SAVE HIS PREROGATIVE, 19 DECEMBER

[*Rot. Parl.*, III, 658.]*

25. Item, Samady le xixme jour de Decembre, qe feust le darrein jour de parlement, les Communes viendrent devaunt le roy et les seignurs en parlement, et illeoqes le parlour pur les ditz Communes rehercea coment le roy avoit envoiez le chaunceller Dengleterre pur moustrer ad ditz Communes un certein article qe feust fait a darrein parlement, et le dit parlour en noun des ditz Communes pria qe pleust a mesme nostre seignur le roy defaire declaracioun de soun entent touchant le dit article. A quoy mesme nostre seignur le roy respondi et dist coment il desirra davoir et garder ses libertee et prerogatif en toutz pointz auxi entierment come aucuns de ses nobles progenitours ou predecessours avoit fait, eu, ou usez devaunt soun temps. A quoy le dit parlour, en noun des ditz Communes, et auxi mesmes les Communes de leur commune assent sagreerent bien ; de quoy le roy leur remercia et dist qil vorroit estre et esteer en auxi graunde libertee, prerogatif, et fraunchise come aucun de ses progenitours avoit este devaunt luy en aucun temps passe. Et sur ceo mesme nostre seignur le roy en plein parlement adnulla le dit article et toutz les circumstances et dependences dicell, en toutz pointz.

REIGN OF HENRY V
1413–1422

PROCEEDINGS IN THE PARLIAMENT OF 1413

Writs were issued on 22 March, 1413, for a parliament to meet at Westminster on 14 May; its session lasted until 9 June.

209. PROTESTATION OF WILLIAM STOURTON AS SPEAKER, 18 MAY

[*Rot. Parl.*, IV, 4.]*

7. Jeody, le xviii[e] jour de May, les Communes viendrent devaunt le roy et les seignurs en parlement et presenterent William Stourton pur lour commune parlour, a qi le roy sagrea bien. Et sur ce le dit parlour pria au roy de luy avoir excusez pur trois choses; cestassavoir, a cause de soun petit estat, noun sufficiantie de science, et infirmitee de corps. Et le dit roy disoit qe par taunt qe ses compaignons luy avoient esluz il vorroit bien qe lour eleccioun estoise en sa force, et luy commanda de ce prendre sur luy. Et apres ce, le dit parlour pria qil purra parler dessoutz tiele protestacioun come autres parlours avoient fait pardevaunt. Et le roy luy ottroia qil averoit tiele protestacioun come autres qavoient este parlours devaunt ces heures ont eue el temps de les nobles progenitours mesme nostre seignur le roy. Et outre ce, pria le dit parlour a nostre seignur le roy qe sil parleroit riens autrement qe nestoit accordez par ses ditz compaignons, qil se purroit corriger et refourmer par lour bonn advis. Et pria auxi qe sil parleroit riens, ou si ascun parol luy eschaperoit, par ignorance, en desplesance du roy, qe Dieux defende, qe mesme nostre seignur le roy de sa benigne grace luy vorroit ent tenir excusez, et de laccepter come chose faite de negligence, et de nulle malvoise voluntee ne entencioun. A quoy le roy sagrea bien.

210. DISSOLUTION OF PARLIAMENT BY DEMISE OF THE CROWN

[*Rot. Parl.*, IV, 9.]*

26. [The Commons petition that whereas knights, citizens, and burgesses were at a parliament at Westminster from 3 February, 1413] . . . tanqe mesme le parlement par la mort du dit tresnoble roy et pier, qe Dieu assoille, fuist dissolve . . . [and that they have received no costs and expenses. They ask for writs *de expensis*].

Responsio. Le roy voet qe les recordes en cas semblable en temps de ses nobles progenitours, si aucuns y soient, soient serchez. Et sur ce le roy, par advys de soun counsaill, voet ent ordiner ce qe mieulx luy semblera en le cas.

211. STATUTE FOR THE PARLIAMENTARY FRANCHISE (1 Henry V, c. 1)
[*Stat. R.*, II, 170.]*

Primerement, qe les estatuts faitz de la eleccioun des chivalers des countees pur venir au parlement soient tenuz et gardez en toutz pointz, adjoustant a ycelles qe les chivalers des countees qe desores serrount esluz en chescun countee ne soient esluz sils ne soient receauntz deinz les countees ou ils serrount issint esluz le jour de la date du brief de somons de parlement ; et qe les chivalers et esquiers et autres qi serrount eslisours des tielx chivalers des countees soient auxi receauntz deins mesmes les countees en manere et fourme come dessus est dit. Et outre ceo ordeignez est et establiz qe les citeins et burgeises des citees et burghs soient esluz hommes, citeins, et burgeises receauntz, demurrauntz, et enfraunchises en mesmes les cites et burghs, et nulles autres en nulle manere.

PROCEEDINGS IN THE PARLIAMENT OF 1414

Writs were issued on 1 December, 1413, for a parliament to meet at Leicester on 29 January, 1414 ; writs of *supersedeas* were issued on 24 December postponing the meeting until 30 April ; its session lasted until 29 May.

212. PETITION BY THE COMMONS CONCERNING LEGISLATIVE PROCEDURE
[*Rot. Parl.*, IV, 22.]*

For discussion see S. B. Chrimes, *English Constitutional Ideas in the Fifteenth Century* (1936), ch. II, excursus IV, 159-164.

22. Item, fait aremembrer qe les Communes baillerent a roi nostre seignur tressoverain en cest present parlement une peticioun, dont le tenure ensuyt de mote a mote.

Oure soverain lord, youre humble and trewe lieges that ben come for the commune of youre lond by sechyn on to youre rizt riztwesnesse, that so as hit hath evere be thair liberte and fredom that thar sholde no statut no lawe be made of lasse than they yaf ther to their assent ; consideringe that the commune of youre lond, the whiche that is, and evere hath be a membre of youre parlement, ben as well assentirs as peticioners, that fro this tyme foreward, by compleynte of the Commune of eny myschief, axkynge remedie by mouthe of their speker for the Commune, other ellys by peticion writen, that ther never be no lawe made ther uppon, and engrosed as statut and lawe, nother by addicions, nother by diminucions, by no maner of terme ne termes, the whiche that sholde chaunge the sentence and the entente axked by the spekeres mouthe, or the peticions biforesaid yeven up yn writyng by the manere forsaid, withoute assent of the forsaid Commune. Consideringe oure soverain lord, that it is not in no wyse the entente of youre Communes, zif hit be so that they axke you by spekyng or by writyng too thynges or three, or as manye as theym lust, but that evere it stande yn the fredom of youre hie regalie to graunte whiche of thoo that you luste, and to werune the remanent.

Responsio. The kyng of his grace especial graunteth that fro hens forth no thyng be enacted to the peticions of his Comune that be contrarie of hir askyng, whar by they shuld be bounde withoute their assent; savyng alwey to our liege lord his real prerogatif to graunte and denye what him lust of their peticions and askynges a foresaide.

213. AUTHORITY GIVEN FOR AN ORDINANCE TO BE MADE BY KING AND COUNCIL

[*Rot. Parl.*, IV, 35.]*

12. Pur ouster les damages, meschiefs, et deceites qe se habundent dedeinz le roialme parmy les lavours, tonsours, et contrefaitours del moneie de la terre, accorde est et assentuz par toutz les seignurs espirituelx et temporelx, et les Communes assemblez en ceste parlement, qe le roy, par plein auctorite de mesme le parlement, face tiele remedie, ordinance, et purveance ceste partie, par advis de soun Conseil, come luy semblera multz profitables et expedientz pur luy et soun poeple; les queux ordinance et purveiance tiendrent lour force et effect tanqe a le parlement procheinement a tenir par lauctorite suisdite; issint qe sil semblera a roy et as seignurs et Communes a cele proschein parlement avenirz et assemblerz, qe mesmes les ordinance et purveiance soient sufficeantz al entente suisdite, alors soient establiez en ycell proschein parlement come estatut perpetuelment adurer; et sinoun, qadonqes purra estre ent due reformacioun fait illoeqes come semblera a roy le pluis profitable et necessarie celle partie, par advis, conseill, et assent de ceux qi par somons viendrent a mesme cell proschein parlement.

214. PETITION BY THE COMMONS REGARDING THE WAGES OF KNIGHTS OF THE SHIRE OF KENT

[*Rot. Parl.*, IV, 49-50.]*

32. Item, supplient les gentils et autres gentz qi teignent lour terres par les services de chivaler deins le Gyldable en le countee de Kent, que come les gages du chivalers qi veignent as parlementz pur le dit countee ne sont pas levables de autres gentz deins le dit countee, solonc la custume illoeqes de tout temps dount memorie ne court use, sinoun de ceux qi teignont lour terres deins le dit countee par les services de chivaler, sibien deins fraunchise come dehors. Et ore tarde les viscountes du dit countee facent lever les ditz gages de chivalers tantsoulement de ceux qi teignont lour terres par les services de chivalers deins le dit Gyldable en le dit countee, et nemy de ceux qi teignent lour terres par les services du chivalers deins les ditz

fraunchises en le countee suisdit, encountre launcien custume et usage avauntdit, a graunt anientisment et damages du dit suppliantz. Que pleise a nostre seignur le roi ordeiner qe les ditz gages du chivalers soient desore enavaunt levez par les viscountes du dit countee generalment de toutz ceux qi teignent lour terres par les services de chivaler, sibien deins fraunchise come dehors, deins le dit counte, forspris de les fees des chivalers qi sount en les mayns de le honurable pier en Dieu lerchevesqe de Canterbirs, et de les fees des chivalers qi sont en les mayns de toutz autres seignurs spirituelx et temporelx deins mesme le countee qi veignent as parlementz par auctorite des briefs nostre dit tressoverain seignur le roi.

Responsio. Soit lestatuit ent fait mys en due execucioun.

215. STATUTE AGAINST HERETICS (2 Henry V, st. 1, c. 7)

[*Stat. R.*, II, 181-183.]*

Item, pur ceo qe grandes rumours, congregacions, et insurreccions cy en Engleterre par diverses lieges le roy, sibien par ceux qi furent del secte de heresie appelle Lollardrie come par autres de lour confederacie, excitacioun, et abbettement, se firent jatard al entent de adnuller et subverter la foy Christiene et la leie Dieu dedeins mesme le roialme, et auxi a destruer nostre tressoverain seignur le roy mesmes et toutz maners estates dicell roialme, sibien espirituelx come temporelx, et auxi toute manere policie et les leies de la terre finalment; mesme nostre seignur le roy, al honour de Dieu, et en conservacioun et fortificacioun de la foie Christiene, et auxi en salvacioun de soun estat roiale et de lestat de tout soun roialme, voillant encontre la malice de tieux heretiks et Lollardes mettre pluis overte remedie et pluis due punissement qe nont estee euz et usez en le cas pardevant, issint qe pur poure de mesmes les leie et punissement tieux heresies et Lollardries purront le pluis tost cesser en temps avenir; del advis et assent suisditz, et a la priere des ditz Communes, ad ordeigne et establie, qen primes soient les chaunceller, tresorer, justices de lun Banc et de lautre, justices dassises, justices du pees, viscontz, mairs, et baillifs des citees et villes, et toutz autres officers eiantz governance du poeple qore sont et qi pur le temps serront, facent serement, en prises de lour charges et occupacions, de mettre lour entiere peine et diligence doustier et faire oustier, cesser, et destruir toutz maners heresiez et errours appellez vulgairement Lollardries, deinz les lieux es queux ils excercent lour offices et occupacions de temps en temps, a tout lour poair; et qils assistent a les ordinairs et lour commissairs, et les favorent et meinteignent a tantz de foitz come a ceo faire ils ou ascun de eux a ceo serra ou serront requysez ou requys par mesmes les ordinaries ou lour commissaries; issint qe les ditz officers et ministres qant ils travaillent ou chivachent pur arreste dascun Lollard ou faire assistence al instance et request des ordinaries ou lour commissairies par vertue dicest estatut, qe mesmes les ordinaries ou commissaries paient pur lour costages resonablement ; et qe les services du roy, a qi mesmes les officers sont primerement serementz, soient preferrez ; toutz autres estatuitz pour la libertee de Seinte Esglise et les ministres dicelle, et en especiale pur la correcioun et punicioun des heretiks et Lollardes faitz devaunt ces heures et nient repelles esteiantz en lour force. Et auxi qe toutz persones convictez de heresie, de qeconqe estat, condicioun, ou degree qils soient, par les ditz ordinaries ou lour commissaries, relinquez a seculer main solonc les leies de Seinte Esglise perdent et forfacent toutz lour terres et tenementz queux ont en fee simple en manere qensuit ; cestassavoir, qe le roy eit toutz les terres et tenementz queux les ditz convictes ount en fee simple et queux sont tenuz de luy immediate, come forfaitz ; et qe les autres seignurs des queux les terres et tenementz de tieux convictz soient tenuz immediate, apres ceo qe le roy soit ent seisi et respondu del an, jour, et gast, eient liveree hors de main le roy des terres et tenementz avauntditz issint de eux tenuz, come ad este usee en cas datteindre des felonies ; forspris les terres et tenementz queux sont tenuz des ordinaries ou lour commissaries devaunt queux ascuns tieux empechez de heresie soient convictz, les queux terres et tenementz entierment remaindrent a roy come forfaitz ; et outre ceo qe toutz les biens et chateux de tieux convictz soient forfaitz a nostre tressoverain seignur le roy ; parissint qe nulle persone convict de heresie, et relinquez a seculer main solonc les leies de Seinte Eglise, forface ses terres avaunt qil soit mort. Et si ascun tiele persone issint convict soit enfeoffe, soit il par fyn, par fait, ou sanz fait, en terres ou tenementz, rentes ou services, en fee ou autrement en queconqe manere, ou eit ascuns autres possessions ou chateux par dounn ou graunte dascuny persone ou persones a autri oeps qe al oeps de tielx convictz, qe mesmes les terres, tenementz, rentz, ne services, nautres tieux possessions ne chateux ne soient forfaitz a nostre soverain seignur le roy en nully manere. Et outre ceo qe les justices du Bank le roy, et justices de pees, et justices dassises prendre eient pleine poair denquerer de toutz yceux qi teignent ascuns errours ou heresies come Lollardes, et queux sount lour maintenours, recettours, fautours, susteignours, communes escrivers de tieux livres, sibien de lour sermons come de lour escoles, conventicles, congregacions, et confederacies, et qe ceste clause soit mys es commissions des justices de la pees ; et si ascuns persones soient enditez dascuns des pointz suisditz, eient les ditz justices poair de agarder vers eux capias, et soit le viscount tenuz darrester la persone ou persones ensy endite ou enditeez si tost come il les purra trover par luy ou par ses officers.

Et pur tant qe la conusance des heresies, errours, ou Lollardries apparteignent as juges de Seinte Esglise, et nemye as juges seculers, soient tieux enditees liverez as ordinaries des lieux ou a lour commissaries par endentures entre eux affairez dedeinz x jours apres lour arest ou pluis tost si ceo purra estre fait pur ent estre acquitez ou convictz par les leies de Seinte Esglise en cas qe yceux persones ne soient enditez dautre chose dount la conusance appartient as juges et officers seculers . . . [in such cases they shall answer the secular judges first]. Purveu qe les ditz enditementz ne soient prisez en evidence si noun pur enformacioun devaunt les juges espirituelx encountre tieux enditez, mes qe les ordinaries commencent lour proces envers tieux enditez en mesme la manere come null enditement y fuisse, eiantz null regarde a tielx enditementz. . . .

---

216. GRANT OF CUSTOMS FOR LIFE, 12 NOVEMBER, 1415

[*Rot. Parl.*, IV, 63-64.]*

Writs were issued on 12 August, 1415, for a parliament to meet at Westminster on 21 October; writs of *supersedeas* tested by John, duke of Bedford, lieutenant of the king, on 29 September postponed the meeting until 4 November; its session lasted until 17 November.

5. La commune du roialme en cest present parlement assemblee, considerant qe le roy nostre soverain seignur, a loneur de Dieu, et pur eschuer leffusioun du sang Cristien, ad fait faire a soun adversaire de France diverses requestes pur avoir eu restitucioun de soun heritage solonc droit et justice; et coment qe sur ceo aient estee diverses traitees, sibien decea come dela le meer, as graundes coustages de nostre dit tressoverain seignur le roy, nientmains le roy nostre dit soverain seignur pur les ditz requestes et traitees nad peu obtiner ses ditz heritages ne nulles notables parcelles dicelles. Et purce le roy nostre dit soverain seignur, combien qe les revenues de soun roialme, ne de nulle graunt du subside a luy graunte pardevaunt, il navoit assez de quoy de pursuyer soun droit par voie de fait, toutesvoies espoirant en Dieu qen sa juste querele il se verroit sustiner et supporter, nostre dit seignur le roy de soun bonn courage ad nadgairs enpris un voiage as parties pardela, engageant ses joialx pur en avoir provisioun de moneie, et en sa propre persone ad passez et arrivez devant la ville de Harfleu, et y mys lassiege, tielle force ad fait a la dite ville quil lad pris et obtenu, et tient de present, et pur la garde dicelle ville y ad mys ascuns seignurs et plusours autres gentz darmes et archers a ses graundes coustages et despenses; et tiele ordenaunce faite pur la save garde de la dite ville, nostre dit seignur le roy de sa excellente courage, ovesqe poy de gentz eue regarde au poair de France, soy ad transporte de la dite ville de Harfleu par terre vers ses marches de Caleys, ou sur soun chemyn plusieurs ducs, countes, et autres seignurs, ovesqe la poair du roialme de France a nombre excessive, luy encontrerent et combaterent, tanqe Dieu par sa grace done avoit la victorie au roy nostre dit seignur, a loneur et exaltacioun de sa corone, de sa bone fame, et au comfort singuler de ses foialx lieges, et a paour de toutz ses enemys, et vrasemblement au profit perpetuel de tout soun roialme, a loneur et reverence de Dieu, et pur les graunt affeccioun et entier coer qe les communes du roialme Dengleterre ount a nostre dit soverain seignur le roy, par assent des seignurs espirituelx

et temporelx assemblez a le parlement tenuz a Westmouster le Lundy proschein apres le feste de Toutz Seints [4 November], lan du regne nostre dit soverain seignur le roy tierce, grauntont a mesme nostre soverain seignur le roy, le xii jour de Novembre, en mesme le parlement, pur defens du roialme, la subside des leyns, quirs, et peaux lanutz, pur estre levez des marchantz denizeins, pur la subside de chescun sak de leyn xliii souldz quatre deniers, et de chescun ccxl peaux lanutz xliii souldz iiii deniers, et de chescun last des quirs c souldz; et des marchauntz aliens, de chescun sak de leyn sessant souldz, et de chescun ccxl peaux lanutz sessant souldz, et de chescun last des quirs cvi souldz viii deniers, aprendre et receiver de le fest de Seint Michel [29 September] proschein avenir, a tout la vie nostre dit soverain seignur le roy, pur ent despoiser et ordeiner a sez tresgracious volunte et discrecione pur la defens suisdite; purveux toutesfoitz qe nulle graunte soit fait a nully par nostre dit soverain seignur le roy par ses lettres patentz, a terme de vie, ou des ans, de la subside avauntdite ne parcelle dicelle. Et si ascun tiel graunt soit fait, soit voidez, et tenuz pur null, et qe ceste graunte ne soit pris en ensample as roys Dengleterre en temps avenir. [Tunnage and poundage at the rate of 3s. and 12d. was also granted for life.]

217. STATUTE OF TREASON (4 Henry V, c. 6), 1416

[*Stat. R.*, II, 195.]*

Item, pur ceo qe devaunt ces heures grande doute et awereuste ad este le quell la tonsure, loture, et fylynge de la moneie de la terre duissent estre adjuggez tresoun, ou nient, a cause qe nulle mencioun ent est fait en la declaracioun des articles de traisoun faitz en le parlement tenu lan vingt et quint del noble Roi Edward, besaiel a nostre dit tressoverain seignur le roi, mesme nostre seignur le roi, voillant ouster tiele doute et le mettre en certein, ad declaree en cest present parlement qe tieux tonsure, loture, et filer soient adjuggez pur traisoun; et qe ceux qi tondent, lavent, et filent la moneie de la terre soient adjuggez traitours a roi et a le roialme, et encourgent la peine du traisoun.

PROCEEDINGS IN THE PARLIAMENT OF 1420

Writs were issued on 21 October, tested by Humphrey, duke of Gloucester, lieutenant of the king, for a parliament to meet at Westminster on 2 December; its session lasted until 10 or 18 December.

218. RE-AFFIRMATION OF 14 EDWARD III, ST. 3

[*Rot. Parl.*, IV, 127.]* See no. 48 above.

25. [The Commons rehearse the provisions of the statute 14 Edw. III, st. 3]. . . . Et come ore soit ensy, qe nostre tressovereyn seignur

le roy, par la grace et puissant aide de Dieux, et par soun chevalrouse, diligent, et penyble labour, est a present heir et regent de dit roialme de Fraunce ; et qe apres la mort de Charles, roy de Fraunce, nostre dit sovereyn seignur le roy et sez heirs serrount roys de Fraunce a toutz jours, la Dieux mercye ; qe please a tresnoble et trespuissant prince le duc de Gloucestre, gardeyn Dengleterre, de ordeigner et establier par auctoritee de ceste present parlement, qe lez ditz graunt et establissement de dit nadgairs Roy Edward, come desuis est dit, soit afferme et gardez en toutz pointz, et outre ceo, de ordener par lauctorite suisdit, qe par cause qe nostre dit seignur le roy est heir et regent del roialme de Fraunce, et qil et sez heirs, apres la mort de dit Charles, roy de Fraunce, serrount roys de Fraunce, qe par maundement qe nostre dit seignur le roy ad fait, ou il ou sez heirs et successours ferrount desore enavaunt, come heir et regent de royalme de Fraunce, ou roy de Fraunce, qe le dit royalme Dengleterre, ne lez gentz dicell, de quell estat ou condicioun qils soient, ne soient en null temps avenir mys en subjecioun nen obeisaunce de luy, sez heirs, et successours, come heir, regent, ou roy de Fraunce, ne a luy, sez heirs, et successours, come heir, regent, ou roy de Fraunce, soient subgitz ne obeisauntz ; einz qils soient fraunches et quites de toutz maners subjeccions et obeisaunces suisditz, a toutz jours.

Responsio. Soit lestatut ent fait, tenuz, et gardez.

219. PARLIAMENT NOT TO BE DISSOLVED BY THE KING'S RETURN FROM ABROAD (8 Henry V, c. 1)

[*Stat. R.*, II, 203.]*

Primerement, pur ceo qe par la grace de Dieu final pees se prist nadgairs parentre nostre soverain seignur le roy et le roy de France soun pier, en tiel fourme qe nostre dit seignour le roy serra nomee heir et regent du roialme de France durant la vie de soun dit pier, et avera la governance dicell ; et apres la mort de mesme soun pier le dit roialme et le corone de France remaindront a nostre soverain seignur le roy, et a ses heirs pur toutz jours ; si est verraisemblable qe pur la bonn governance sibien du dit roialme de France come de cest roialme Dengleterre, le dit nostre soverain seignur ascun foitz serra decea et ascun foitz dela le meer, selonc ceo qe meulx semblara a sa sage discrecioun pur la meillour governance de lun et lautre roialme ; pur tant ordeinez est et establiz qe si en temps avenir nostre dit soverain seignur le roy esteant es parties pardela face summoner soun parlement en cest roialme par ses brieves desoutz le teste de soun lieutenant qore est ou qi pur le temps serra, et apres lez summons de tieux parlements hors du Chauncellarie le roy issuez, nostre dit seignur le roy arrive en cest roialme, qe par tiel arrivaille de mesme nostre seignur le roy tiel parlement ne serra dissolvee, mes en ycell puisse le roy nostre soverain seignur proceder sanz novell sommons dicell.

220. APPROVAL OF THE TREATY OF TROYES, 2 MAY, 1421

[*Rot. Parl.*, IV, 135.]*

The Treaty of Troyes was sealed on 21 May, 1420. Henry V and Queen Katherine arrived in England on 2 February, 1421. Writs were issued on 26 February for a parliament to meet at Westminster on 2 May; its session lasted until 23 May.

18. [The Treaty of Troyes required not only the oaths of the two kings, but also the approval of the three estates of both realms. French approval had been given in December, 1420]. . . . Volensque idem serenissimus dominus noster, pro parte sua, dictam pacem et omnia et singula contenta in eadem, modo consimili, per ipsum et tres status regni sui jurari, firmari, et roborari, prout ex dicte pacis tenore astringitur et obligatur, dictam pacem bene et fideliter in omnibus se observaturum, in verbo regio, et ad sancta Dei Evangelia, per ipsum corporaliter tacta, juravit, et promisit, ac dictos tres status, videlicet, prelatos et clerum, nobiles et magnates, necnon communitates dicti regni sui, ad secundum diem mensis Maii, anno regni sui nono, ad palacium suum Westmonasterii Londoniis, ad majora firmitatem et robur pacis predicte, necnon propter alias causas suum statum, regnum, et dicti regni utilitatem concernentes, juxta morem et consuetudinem eiusdem, fecerat congregari; coram quibus quidem tribus statibus, idem serenissimus dominus noster rex per venerabilem in Christo patrem, dominum Thomam, Dei gracia Dunolmensem episcopum, suum cancellarium, tenorem dicte pacis et omnes et singulos articulos eiusdem, seriose exponi fecit, et specifice declarari. Mandavit insuper idem dominus noster rex eidem cancellario suo, quod dicti tres status tenorem dicte pacis inspicerent et visitarent; quibus sic diligenter et mature peractis, ipsi tres status considerantes, censentes, et reputantes dictam pacem laudabilem, necessariam, et utilem utrisque regnis et subditis eorumdem, ymmo et toti Christianitati, ipsam pacem et omnia et singula contenta in eadem, ipsius domini nostri regis, ut prefertur, mandato, velud tres status dicti regni sui, approbarunt, laudarunt, autorizarunt, et acceptarunt, ac eandem se et eorum quemlibet pro se, suisque heredibus, et successoribus, bene et fideliter perpetuis futuris temporibus, quantum ad eos et singulos eorum pertinet, observaturos et impleturos promiserunt.

REIGN OF HENRY VI
1422–1461

221. LETTER FROM JOHN, DUKE OF BEDFORD, TO THE CITY OF LONDON, 26 OCTOBER, 1422

[R. H. Sharp, *London and the Kingdom* (1898), III, 367-368.]

By the death of Henry V on 31 August, 1422, John, duke of Bedford, became heir-presumptive to the crowns of England and France. French and English accounts of Henry V's last wishes for the carrying on of the government of England during the minority of Henry VI differ materially. The ultimate decisions in this matter were determined in the light of the fact that John, duke of Bedford, resolved to carry on in person the Regency of France.

Right trusty and welbeloved we grete yow wel with al oure herte. And for asmuche as hit liked our lord but late a goo to calle the kyng our souverain lord that was from this present world un to his pardurable blisse as we truste fermely by whos deces during the tendre age of the king oure souverain lord that is nowe the gouvernance of the Reaume of England after the lawes and ancien usage and custume of þe same Reaume as we be enfourmed belongeth un to us as to þe elder brother of our saide souverain lord that was. And as next unto þe coroune of England and havyng chief interesse after the king þat is oure souverain lord whom god for his mercy preserve and kepe. We praye yow as hertely and entirely as we can and may and also requere yow by þe faithe and ligeance that ye owe to god and to þe saide coroune that ye ne yeve in noo wyse assent conseil ne confort to any thing that myght be ordenned pourposed or advised in derogacion of þe saide lawes usage and custume yif any suche be or in prejudice of us. Lattyng you faithfully wite that our saide prayer and requeste procedeth not of ambicion ner of desir that we might have of worldly worship other of any singuler comodite or prouffit that we might resceyve thereby but of entier desir and entente that we have that the forsaide lawes usage and custume ne shulde be blemysshed or hurt by oure lachesse negligence or deffaulte ner any prejudice be engendred to any personne souffisant and able to þe whiche the saide gouvernance myght in cas semblable be longyng in tyme comyng. Making pleine protestacion that it is in no wise oure entente any thing to desire that were ayenst the lawes and custumes of the saide lande ner also ayenst the ordonnance or wil of oure saide souverain lorde that was savyng our right to þe whiche as we trowe and truste fully that hit was not oure saide souverain lordes entente to deroge or doo prejudice. And god have you in his keping Written under oure signet at Rouen þe xxvj day of Octobre.

222. THE MAGNATES DECIDE ON A COMMISSION FOR HUMPHREY, DUKE OF GLOUCESTER, 5 NOVEMBER, 1422

[*Procs. and Ords.*, III, 6-7.]*

v° die Novembris anno primo in camera Consilii juxta cameram parliamenti apud Westmonasterium, pridie ante primum parliamentum domini regis nunc tenendum, sedentibus dominis regni tam spiritualibus quam temporalibus infrascriptis, videlicet . . . [the archbishop of Canterbury, the bishops of Winchester, Durham, Norwich, Exeter, Worcester, Lincoln, and Rochester, the duke of Exeter, the earl of Warwick, the earl Marshall, and the earl of Northumberland, and the lords Ferrers, Talbot, Botreaux, Clynton, Audley, Fitzhugh, Poynings, Berkeley, and Cromwell, barons] . . . communicatus fuit super tenore cujusdam commissionis faciende illustrissimo principi domino Humfrido, duci Gloucestrie, avunculo prefati domini regis nunc, auctoritate cujusdam idem illustrissimus princeps inchoaret et finiret dictum parliamentum de assensu consilii, ac alia faceret secundum quod in quadam minuta ibidem lecta continebatur, cujus tenor sequitur, et est talis. Henricus, Dei gracia rex Anglie et Francie, et dominus Hibernie, custodi magni sigilli nostri, salutem. Cum de avisamento Consilii nostri, pro quibusdam arduis et urgentibus negociis nos, statum, et defensionem regni nostri Anglie ac ecclesie Anglicane contingentibus, quoddam parliamentum nostrum apud Westmonasterium die Lune proximo ante festum Sancti Martini proximo futurum [9 November] teneri ordinaverimus, et quia vero propter certas causas ad parliamentum predictum personaliter non poterimus interesse, ac de industria et circumspeccione carissimi avunculi nostri Humfridi, ducis Gloucestrie, plenam fiduciam reportantes, eidem avunculo nostro ad parliamentum predictum nomine nostro inchoandum, et in eo procedendum, et ad faciendum omnia et singula que pro nobis, et per nos, pro bono regimine et gubernacione regni nostri predicti ac aliorum dominiorum nostrorum eidem regno nostro pertinencium ibidem fuerit faciendum, necnon ad parliamentum illud finiendum et dissolvendum de assensu consilii nostri, plenam commiserimus potestatem. [All attending parliament are to obey his commands. Make letters under the great seal in this form.] Datum sub privato sigillo nostro apud Westmonasterium vi° die Novembris anno regni nostri primo. Super quibus termis, videlicet 'de assensu consilii', objiciebat prefatus dominus dux Gloucestrie inter cetera, quod videbatur sibi illos terminos posse cedere in prejudicium status sui et propter plura videre suo, pro quod fuerunt termini insoliti in hujusmodi commissionibus cum ipsemet sepius nomine domini et fratris sui regis defuncti presidebat in diversis parliamentis auctoritate litterarum commissionum suarum et semper sine hujusmodi termis aut consimilibus. Quoque per hos nunquam poterat ipse solvere parliamentum si ipsi domini in aliquo reclamassent et sic poterant tenere ipsum si voluissent per unum annum quod erat contra libertatem suam, ut ibi dixit; quare videbatur sibi illa verba nullatenus fore inserenda. Ad que per alios dominos singillatim interogatos de dicendis sentire eorum; respondebatur quod, considerata etate regis nunc, non poterant, ymmo nec debebant, nec volebant aliter consentire quin quod dicta verba vel consimilem vim habencia inserentur, et hoc maxime propter securitatem prefati domini ducis et securitatem eciam eorum omnium infuturo; et hoc propter plura ibidem ceriose alligatur et prefato domino duci pro eorum parte declarata, et sic tandem consenciit idem dux eorum peticioni et consilio, et quod ingrossentur littere predicte ut dictum est.

PROCEEDINGS IN THE PARLIAMENT OF 1422

Writs were issued on 29 September, tested by the king, warranted *per ipsum regem et consilium*, for a parliament to meet at Westminster on 9 November; its session lasted until 18 December.

For discussion of this parliament see J. S. Roskell, *The Commons in the Parliament of 1422* (1954).

223. CONFIRMATION OF THE ACTS OF THE MAGNATES, NOVEMBER

[*Rot. Parl.*, IV, 170.]*

12. Fait assavoir qe, conuz la verite cy en Engleterre de la passement le tresnoble Roi Henry quint puis le conqueste, qe Dieu de sa haute mercie pardoine, et considerez la tendre age de soun tresbeau fitz et heir, nostre tressoverain seignur qorest, assemblerent pleuseurs honurables seignurs de ceste roialme, sibien espirituelx come temporelx, pur la iminent necessite de governance de le mesme, sibien pur conservacioun de la paix et exhibicioun de justice, come pur lexcercice des offices au roi regardantz. Sur qoy diverses commissions, de lour bone advis, ont issuez desoutz le grande seal du roi as mentz persones, sibien as justices, come as visconts, eschetours, et autres de ses officers, et auxi ont brieves du roi, par ladvis suisdit, issuez a somondre ceste parlement, al entente qe par la commune assemble de toutz estates du roialme, et lour sages conseilles et discrecions, la meillour governance pur la tresexcellente persone et estat de nostre dit soverain seignur, et pur tout le dit roialme, purroit estre purveu en le dit parlement, sibien pur la salvacioun del roialme, come pur defense de le mesme; ordeinez est et assentuz en ceo mesme parlement, et par lauctorite dicell, qe sibien les commissions qeconqes, come toutz les ditz brieves de somons de parlement issint issuez desoutz le dit seal, et lissues et lexecucions de trestoutz les mesmes, soient affermez, auctorisez, et approvez come bones et effectuelx, et qe pur autielx soient tenuz et reputez envers toutz persones perpetuelment.

224. THE NEW ROYAL STYLE

[*Rot. Parl.*, IV, 171.]*

15. Fait assavoir, qe considerez coment lenheritance, sibien de le roialme et la corone de France, come de le roialme et la corone Dengleterre, sont ore descenduz droiturelment a nostre tressoverain seignur le roi, Henry sisme puis le conquest, purtant qe le stile del scripture eu en les sealx a ses officers pur lour offices excercer et executer tanqe encea liverez et assignez, naccorde pas a soun dit title denheritance, et grande peril au roi ent sourder purroit sy mesmes les sealx ne fuissent le pluis tost refourmez ; ordeinez est et assentuz en ceo mesme parlement par le puissant prince duc de Gloucestre, commissair au roi a ceste parlement tenir, et par toutz les seignurs espirituelx et temporelx eteantz en le mesme, qen les sealx du roi qeconqes, sibien en Engleterre come en Irland, Guyen, et Gales, soit ceste novell stile escript ou gravez, cestassavoir, Henricus dei gracia rex Francie et Anglie, et dominus Hibernie, selonc leffect de les enheritances avantditz, ousteez en ycelles pardevant tout ceo qest contrarie ou superfluant au dit novell stile. Et qe a chescun de ceux officers du roi qi ascun des ditz sealx eit en garde par cause de soun office, et bosoigne garant avoir ceste partie, soit commandez depart le roi qil mesme le seal face refourmer sanz delaie, selonc les fourme et effect del novell stile avauntdit.

225. MEMORANDUM BY HUMPHREY, DUKE OF GLOUCESTER, NOVEMBER–DECEMBER

[Printed by S. B. Chrimes, *sub tit.* 'The Pretensions of the duke of Gloucester in 1422', in *E.H.R.*, XLV (1930), 102-103.]

ffirst for as muche as it is desired and asked by the commune who shuld haue the gouernance of this Reme undre our souverain lord bi his high auctorite, It semeth to my lord that by the word Defensor the peticion of the commune nys nat satisfied. Wherfor it semeth hym that, lesse than he haue the name of governour undre the kyng or an othir name equivalent therto, the seid peticion nys nat answered.

Also for as meche as bi vertue of the codicill my lord shuld haue *tutelam et defensionem principales* of the kyng, the wiche codicill was redde declared and assented bi al the lordis and bi tham my lord was required and preyde to take upon hym therein behetyng hym help and assistence, neuertheles because that aftirwards as it was declared that tutela was suche a terme of lawe civile that they derst nat agree to for diuers causes, but for to agree therin to the seid codicill as ny as they myght goodly, they haue assented for to call my lord Defensor of this Reme and chief counseiller of the kyng natwithstanding that they coude fynde no recordis but of kyng Richardis tyme where that my lord of lancastre hadde no such name of gouernor but oonly hadde his bretheren my lord of York and Gloucestre associed to hym for to surveye and correcte the defautes of them that were appointed for to be of the kingis counseil, and if they coude better recordis haue founde or ellys if my lord coude any better fynde thei shuld be accepted, Whereuppon my lord willyng that by his negl . . . brother of Bedford ne he be nat harmed in his default hath do for to serche olde recordis and hathe founde that in kyng henri is tyme the thridde William Mareschall erle of Pembroke that was nat so nygh to the kyng as my lord is to our liege lord *as it is seid* was called Rector Regis et Regni Anglie, and so for to conclude hym wolde thenke of reson that outhir he shuld in accordyng to the desir of the commune be called gouernour or accordyng to this record Rector Regni but nat Regis for that he vil nat desire ne to make his seel of suche auctorite as the seid William Mareschall didde, and this maner charge he desireth for to take uppon hym bi assent of the counseil with addicion of this word *defensor* after the desir and appointment of the lordis :

Item he desireth that it shuld be enacted that like as he shall no grete thing do but by thavys of counseil except certain specialtes, so be it ordeined that the counseil do nothing but that longeth of cours and of commune lawe without my lord is advis like as it hath be p'metted and declared bi the lordis afor this tyme, and that it nede not for to haue thassent of all but the more partie beyng in counseil and that in a matere ther as be like many on both sides the more partie be demed there as my lord is.

Item that my lord of Bedford be nat bounde by this aggreyng of my lord, for it nat his entent to bynde his brothir in his absence but for to condescend to this conclusion as for his owen personne at this tyme to the plesir of the lordis for thexploit of this parlement unto his brothir is comyng home and thenne bothe his brothir and he for to stonde at large if them like or to accepte the seid thing forthe uppon hem and take . . . mission to them bothe in suche forme as thay both will be avised.

226. APPOINTMENT OF A PROTECTOR AND DEFENDER OF THE REALM AND PRINCIPAL COUNCILLOR, 5 DECEMBER

[*Rot. Parl.*, IV, 174.]*

For discussion see J. S. Roskell, 'The Office and Dignity of Protector of England', in *E.H.R.*, LXVIII (1953), 193-233.

24. Memorandum, quod vicesimo septimo die hujus parliamenti [5 December], considerata etate tenera metuendissimi domini nostri Regis Henrici Sexti post conquestum, quod ipse circa proteccionem et defensionem regni sui Anglie, ac Ecclesie Anglicane personaliter intendere non possit hiis diebus. Idem dominus rex, de circumspeccionibus et industriis carissimorum avunculorum suorum Johannis, ducis Bedfordie, et Humfridi, ducis Gloucestrie, plenarie confidens, de assensu et avisamento dominorum tam spiritualium quam tem-

poralium in presenti parliamento existencium; necnon de assensu communitatis regni Anglie existentis in eodem; ordinavit et constituit dictum avunculum suum ducem Bedfordie, in partibus exteris jam existentem, regni sui et Ecclesie Anglicane predictorum protectorem et defensorem, ac consiliarium ipsius domini regis principalem, et quod ipse dux ejusdem regni protector et defensor, ac ipsius regis principalis consiliarius sit et nominetur postquam redierit in Angliam et ad presenciam prefati domini regis venerit, et quamdiu extunc in eodem regno moram fecerit, et eidem domino nostro regi placuerit. Et ulterius, idem dominus rex, de assensu et avisamento predictis, ordinavit et constituit, in absencia prefati avunculi sui ducis Bedfordie, prefatum avunculum suum ducem Gloucestrie, jam in regno suo Anglie existentem, ejusdem regni sui et Ecclesie Anglicane protectorem et defensorem, ac consiliarium dicti domini regis principalem; et quod idem dux Gloucestrie ejusdem regni Anglie et Ecclesie predicte, protector et defensor, ac principalis consiliarius ipsius domini regis sit et nominetur quamdiu regi placuerit.

227. DEFINITION OF THE PERSONAL POWERS OF THE PROTECTOR, 5 DECEMBER

[*Rot. Parl.*, IV, 175.]*

25. [The king having appointed the duke of Bedford, and in his absence abroad, the duke of Gloucester as protector, etc.] . . . prefatus dominus rex, considerans varios labores quos prefatos duces occasionibus premissis subire oportebit, et volens proinde personas suas honoribus et favoribus prosequi graciosis, de avisamento et assensu predictis [i.e. of the lords and Commons in parliament], voluit, concessit et ordinavit, quod tam prefatus dux Bedfordie, quociens et quando onus predictum super se assumpserit et realiter exercuerit et occupaverit, quam prefatus dux Gloucestrie, quociens et quando ipse onus illud habuerit et exercuerit, vacantibus officiis forestariorum, parcariorum, ac custodum warennarum, infra regnum Anglie et partes Wallie, ad donacionem predicti domini regis, ut ad coronam suam pertinencibus, de eisdem officiis disponere possint, sub forma subsequenti, videlicet, quod quandocumque aliquod officiorum predictorum vacare contigerit infuturo, uterque ducum predictorum onus occupacionis proteccionis et defensionis hujusmodi habens et excercens, personam idoneam ad idem officium nominare, et inde sub signeto suo custodi privati sigilli dicti domini regis, qui pro tempore fuerit, significare possit; qui super hoc tenebitur cancellario Anglie, vel custodi magni sigilli pro tempore existenti, litteras sub privato sigillo pro hujusmodi officio quamdiu regi placuerit optinendo in forma debita conficere; proviso semper, quod quelibet persona aliquod hujusmodi officium, ad nominacionem alicujus ducum predictorum virtute acti presentis per litteras domini regis patentes optinens in futuro, stet in officio illo pacifice, juxta effectum literarum illarum,

absque amocione ejusdem, nisi per dominum regem per avisamentum dominorum consilii sui, ex causa racionabili coram eis monstrata et probata, ammoventur de eodem. Item, idem dominus rex, ex avisamento, consensu, et causa predictis, voluit, concessit, et ordinavit, quod uterque ducum predictorum, pro tempore quo onus proteccionis et defensionis predictarum habuerit et exercuerit, ad quascumque ecclesias parochiales ultra taxam viginti marcarum usque ad taxam triginta marcarum inclusive, aceciam, ad omnes prebendas in capellis regiis ad donacionem domini regis jure corone sue spectantes, cum vacaverint, exceptis decanatibus in hujusmodi capellis regiis, durante vigore litterarum eis de proteccione et defensione regni predicti ut premittitur confectarum, idoneas personas nominare, et inde sub signeto suo prefato custodi privati sigilli dicti domini regis significare possit; qui super hoc tenebitur cancellario Anglie, vel custodi magni sigilli pro tempore existenti, litteras sub privato sigillo pro hujusmodi ecclesiis et prebendis optinendo in forma predicta conficere; una cum nominacionibus in, et de permutacionibus et ratificacionibus ecclesiarum et prebendarum predictarum; cetera autem officia, prebende, et beneficia superius non specificata, ac decanatus predicti, and donacionem sive presentacionem domini regis spectantes, sive spectancia, ad disposicionem predicti domini regis, de avisamento dicti protectoris et defensoris pro tempore existentis, et ceterorum dominorum de Consilio dicti domini regis, de tempore in tempus cum vacaverint, sint, cedant, et pertineant; exceptis beneficiis ad disposicionem, tam cancellarii Anglie racione officii sui, quam thesaurarii Anglie racione officii sui, spectantibus.

228. APPOINTMENT OF A COUNCIL AND ARTICLES FOR THE COUNCIL, 9 DECEMBER

[*Rot. Parl.*, IV, 175-176.]*

26. Fait assavoir, qe apres ceo qe le roi nostre soverain seignur, del assent et advis de les seignurs espirituelx et temporelx esteantz en ceste parlement, et auxi de la commune Dengleterre assemblez en la mesme, avoit ordeinez et constitut le puissant prince Humfrey, duc de Gloucestre, soun uncle, protectour et defensour de les roialme et Esglise Dengleterre, et soun principal conseillour en labsence del excellent prince Johan, duc de Bedeford, uncle auxi a nostre dit soverain seignur, a avoir et occupier tielx proteccioun et defens, soutz certein fourme en ceste secounde proschein acte precedent especifiez, a la requeste de la dite commune furent, par ladvis et assent de trestoutz les seignurs avantditz, nomez et eslutz certeins persones destate sibien espirituelx come temporelx pur conseillers assistentz a la governance, les nons des queux persones escriptz en une petit cedule lueez overtement en ceste parlement cy ensuent. [The persons are the duke of Gloucester, the archbishop of Canterbury, the bishops of London, Winchester, Norwich, and Worcester, the duke of Exeter,

the earls of March, Warwick, Northumberland, Westmorland, and the earl Marshall, lord FitzHugh, and masters Ralph Cromwell, Walter Hungerford, John Tiptoft, and Walter Beauchamp].

27. Et fait auxi assavoir, qe mesmes les persones issint nomez et eslutz conseillers assistentz, puis celle nominacioun et eleccioun condescenderent emprendre tiele assistence a la governance en manere et fourme contenuz en une cedule de papire escript en Englois contenaunt sibien toutz lours nons, come cynk especialx articles baillee en ceo mesme parlement par mesmes les persones nomez conseillers assistentz, de la quelle cedule le tenure cy ensuit.

28. The which lordis abovesaid ben condescended to take it up on hem in the manere and fourme that sueth. First, for asmuche as execucion of lawe and kepyng of pees stant miche in justice of pees, shirrefs, and eschetours, the profits of the kyng and the revenuz of the roialme ben greetly encresced or anientisched by coustumers, countroullours, poisours, sercheours, and all suche other officers, therfore the same lordes wol and desireth that suche officers, and all othre, be maad by advys and denominacion of the said lordes, saved alweys and reserved to my lordes of Bedford and of Gloucestre all that longeth un to hem by a special act maad in parlement, and to the busschop of Wynchestre that, that he hath graunted hym by oure souverein lord that last was, of whois soule God have mercy, and by auctorite of parlement confermed.

[The Commons added to this a provision safeguarding the rights of those persons who had authority to appoint to such offices.]

29. Item, that all maner wardes, mariages, fermes, and other casueltees that longeth to the coroune, whan thei falle, be leeten, sold, and disposed by the said lordis of the Counseill, and that indifferently atte the derrest, with oute favour or eny maner parcialtee or fraude.

30. Item, that if eny thyng shold be enact doon by Counseill, that six, or foure at the lest, withoute officers of the said Counseill, be present; and in all grete maters that shall passe by Counseill, that all be present, or ellys the more partie; and yf it be suche matere that the kyng hath been accustumed to be conseilled of, that than the said lordes procede not ther ynne withoute thadvise of my lordys of Bedford or of Gloucestre.

31. Item, for asmiche as the two chaumberlains of Thescheqer ben ordenned of old tyme to countrolle the receptes and the paiements in eny maner wyse maad, the lordys desireth that the tresourer of England beyng for the tyme, and either of the chamburlains have a keye of that that shold come in to the receit, and that they be sworne to fore my lord of Gloucetre and all the lordis of the Counseill that for no frendship they schul make noman privee but the lordis of the Counseill what the kyng hath withynne his tresour.

32. Item, that the clerc of the Counseill be charged and sworn to treuly enacte and write daylich the names of all the lordis that shul

be present fro tyme to tyme to see what, howe, and by whom, eny thyng passeth.

---

229. ORDER FOR THE PUBLICATION AND RECORDING OF THE ACTS OF THE LAST PARLIAMENT, 26 JANUARY, 1423

[*Procs. and Ords.*, III, 22.]*

[At a council meeting at the Friars Preachers, London, present the dukes of Gloucester and Exeter; the archbishop of Canterbury; the earls of Worcester, March, and Warwick; lord Tiptoft; the chancellor, treasurer, and keeper of the privy seal; and Sir Walter Hungerford.]

Eodem die lecti fuerunt per clericum parliamenti coram dominis actus habiti et facti in ultimo parliamento; qui ibidem habuit in mandatis de ostendendo dictos actus justiciariis regis utriusque banci ad effectum quod illi actus qui erunt statuti regni per ipsos videantur et redigantur in mundum, et postea quod ostendantur dominis et proclamentur; et quod aliorum actuum tangencium gubernacionem dominorum de Consilio et regni dimittantur copie cum clerico Consilii regis, et quod simul omnes redacti in scripto irrotulentur in Cancellaria, ut moris est.

PROCEEDINGS IN THE PARLIAMENT OF 1423–1424

Writs were issued on 1 September, 1423, for a parliament to meet at Westminster on 20 October; its first session lasted from 20 October to 17 December; its second session from 15 January to 28 February, 1424.

230. APPOINTMENT OF A COUNCIL AND ARTICLES FOR THE COUNCIL, 1423

[*Rot. Parl.*, IV, 201.]*

15. Item, faitessavoir qe depuis diverses especiales requests par les communes du roialme esteantz en icest parlement faitz a moun seignur de Gloucestre, commissair du roy, et as autres seignurs espirituelx et temporelx dicell pur avoir notice et conisance de les persones assignez et esluz destre du Counsaill du roy, a lour tresgrande ease et consolacioun, par advys et assent de trestoutz les seignurs espirituelx et temporelx avauntditz, furent esluz et nomez certeins persones, sibien espirituelx come temporelx, pur estre conseillers assistens a la goverance du roialme, les nouns des queux cy ensuent. [Twenty-three names follow; the duke of Gloucester, the archbishop of Canterbury, the bishops of London, Winchester, Norwich, and Worcester, the chancellor, treasurer, and keeper of the privy seal, the

duke of Exeter, the earls of March, Warwick, Northumberland, Westmorland, and the earl Marshall, lords Cromwell, FitzHugh, Bourghchier, and Scrop, Walter Hungerford, John Tiptoft, Thomas Chaucer, and William Alyngton.]

Des queux persones ceux qi furent presentz puis celle nominacion et eleccioun condescenderent demprendre sur eux assistence a la governance suisdite, desirantz certeins provisiones en une cedule de papire contenuz et baillez en mesme le parlement pur les ditz conseillers presentz destre gardez et observez, le tenure de quelle cedule cy ensuit.

Thise ben certein provisions for the good of the gouvernance of this land that the lordes which ben of the kynges counsaill desireth.

Frost [*sic*], that my lord of Gloucestre ne noon othir man of the Counsaill in no suyte that shal be maad unto hem shal no favour graunte nethir in billes of right, ne of office, ne of benefice that loongeth to the Counsaill, but oonly to ansuere that the bille shal be seen by al the Counsaill and the partie suyng so to have ansuere.

Item, that alle the billes that shul be putt unto the counsail shuld be onys in the weke att the lest, that is to seie on the Wednesday redd by fore the Counsaill and there ansueres endoced by the same Counsaill, and on the Friday next folwyng declared to the partie suyng.

Item, that alle the billes that comprehende materes terminable atte the commune lawe that semeth nought fenyed be remitted there to be determined, but if so be that the discrecion of the Counsaill feele to greet myght on that oo syde and unmyght oo that othir [or ellus other cause resonable that shul moeve hem].[1]

Item, if so be that eny matere suyd in the Counsail falle in to diverse opinions, that oo lesse than the more partie of the Counsaill beyng present in the tyme of discord falle to that oo part, that it be nought enacted as assented, and the names of the both parties enact by the clerk of the Counsaill wyth here assent or disassent.

Item, that in alle suytes that shuld be maad to the Counsaill in materes whois determinacion loongeth unto the Counsaill, but if it so be that thay touche the weell of the kyng oure souverein lord or of his reaume hastily to be sped, ellys that they be nought enact doon by the counsaill oo lesse than to the nombre of vi or foure atte the lest of the Counsaill, and the officers that ben present be of oon assent, and atte alle tymes the names of thassenteurs to be wryten of thar owen hand in the same bille.

[No member shall write to foreign countries, letters which are contrary to those written by the Council in the king's name.]

Item, that the clerc of the Counsail be sworn that every day that the Counseill sitteth on ony billes bitwyx partie and partie, that he

[1] These words are included in a copy of these Articles in B.M. Cott. MS. Cleopatra F. iv.

shall as fer as he can aspye which is the porest suyturs bille, and that first to be redd and answered, and the kynges sergeant to be sworne trewly and plainly to yeve the poor man that for suche is accept to the Counsail, assistense and trewe counsaill in his matere so to be suyd, wyth oute eny good takyng of hym on peyne of discharge of ther office.

Item, for asmuch that it is likly that many materes shull be treted a fore the Counsaill the whiche toucheth the kynges prerogatif and freehold, o that o partie and othir of his sougets, o that othir, in the whiche materes the Counsaill is not lerned to kepe the kynges ryghts and the parties both withoute thadvise of the kynges justices, whiche be lerned both in his prerogatifs and his commune lawe. That in alle suche materes his juges be called therto, and their advise, wyth thair namys also to be entred of record, what and howe thei determyne and advise therinne.

[For the preservation of peace the lords spiritual and temporal promised that they would submit all disputes among them to the Council and would obey its decision, and the counsellors promised to deal with such matters impartially. Gloucester and fifteen members of the Council, the archbishop of Canterbury, the bishops of Winchester, Norwich, Worcester, Rochester, Durham, and Carlisle, the earl Marshall, and the earl of Stafford, lords Cromwell, and Scrop, Walter Hungerford, John Tiptoft, the treasurer, and the keeper of the privy seal agreed to this.]

231. STATUTE OF TREASON (2 Henry VI, c. 21)

[*Stat. R.*, II, 226-227.]*

Item, come en le temps le noble Roy Edward tiers apres le conquest, lan de soun regne xxv, a soun parlement tenuz a Westmouster, furent declarez par estatut en le dit parlement quelles choses duissent estre ditz traisoun, entre queux si homm fuist enditez, appellez, ou pris par suspecioun de graund traisoun, et pur ceste cause commise et detenuz en prisoun du roy, et puis tiel prisone eschape hors de prisoun de roy, declaracioun ne fuist faite avaunt ces heurs le quele tiel eschape serront adjugge traisoun ou nient; ordeinez est et declarez par auctorite dicest present parlement par estatut, qe si ascune persone soit endite, appelle, ou pris par suspecioun de graunt traisoun, come avaunt est dit, et soit commys et detenuz en prisone du roy pur celle cause, et eschape volunterement hors du dit prisone, qe tiel eschape soit adjugge et declare traisoun si tiel persone ent soit duement atteint solonc le ley de ceste terre; et eient les seignurs du fee en tiel cas les eschetes et forfaitures des terres et tenementz de eux tenuz de tielx persones issint atteintz, come de ceux qi sont atteintz de petite traisoun; et teignent cest ordinance et declaracioun lieu et effect del xx jour Doctobre darrein passe tanqe au parlement proscheinement avenir.

232. ARTICLES FOR THE COUNCIL, 24 NOVEMBER, 1426

[*Procs. and Ords.*, III, 213-221.]*

[The names of the lords of the Council are listed as the dukes of Bedford and Gloucester, the archbishops of Canterbury and York (the chancellor), the dukes of Exeter and Norfolk, the bishops of London, Winchester, Durham, Ely, Bath, and Norwich (the keeper of the privy seal), the earls of Huntingdon, Warwick, Stafford, Salisbury, and Northumberland, lords Cromwell, Scrop, Bourghchier, Hungerford (the treasurer), and Tiptoft.]

The whiche lordes abovesaid been condescended to take it upon hem in manere and fourme of certain articles maad and conceyved by hem for the rule and goode governance of the said Counsail in wise as foloweth.

[The first three articles are similar to the first three of 1423, save that Bedford's name as well as Gloucester's is used in the first, and to the second is added the sentence 'but if greet and notable causes touching the kinges reaumes and his lordships lette hit.' The third article is the longer version of 1423.]

Item, that no man of the said Counsail take upon him to be partie in eny matere to be sped in the said Counsail but if it touche him self; in the whiche case, he whom the said matere toucheth be not present whiles that the saide matiere that toucheth him is in comunyng.

[Every man is to have freedom to speak as he will on matters before the Council, and no other is to be indignant with him for doing so.]

[Because council matters have been published about, and this had led to suspicions among members, only sworn members and those specially called there are to be present at meetings.]

Item, that in alle thinges that owen to passe and be agreed by the said counsail there be vi or iiii at the leste present of the said Counsail withouten thofficers, assembled in fourme of Counsail, and in place appoynted therfore; and if thei be suche thinges that the king hath be accustumed to be conseilled of, that than the said lordes procede not therinne without thadvis of the protectour and defensour for the tyme, or ellus by his assent; so alwayes that no matere be take as assented but at the lest ther assente therto iiii consaillers and an officer, whos assent nevere the lesse shal not suffise but if they make the more partie of the nombre that is than present in Consail.

Item, that no bille be sped but in the place ordeyned for Counsail, the Counsail beyng there assembled in fourme of Counsail, and the bille furst rad there before hem alle; and that ecche man singulerly say his advis therto; and after that subscribed by the lordes, be it in the same place or other where the clerc of the Counsail shal brynge hit him self unto hem.

Item, that the correccion, punicion, or remoevyng of any consailler or greet officer of the kynges procede of thassent and advis of the more part of all thoo that been appoynted of the kynges Counsail.

Item, that alle the matiers that touchen the kyng be preferred alle other, aswel in parlement as in Counsail.

[Servants of the king and his ancestors are to be preferred in filling benefices and offices.]

[Nothing is to be sped out of term unless it is for the good of the king and his land, and cannot wait until term-time.]

Item, if so be that any matere sued in the Counsail falle into divers opinions, if my lordes of Bedford or of Gloucestre haldyng that oo partie, though it be the lesse, wol sture that other partie by reson to falle unto hem, their resons beyng herd o lesse than the resons of that other partie cause hem to condescende forthwith unto hem, the matere shal dwelle in deliberacion tyl the next day of Counsail, at the whiche day after communicacion had, finally shal be stonde to thoppinion of the more partie in nombre, and if the nombre be egal at any tyme, that part in the whiche my said lord of Bedford or of Gloucester is inne shal be holden the more partie.

[The next two articles are the same as articles eight and seven of 1423.]

[A long article to the effect that no lord shall be a maintainer.]

[If Bedford or Gloucester hear that any lord is suspected of extortion, maintenance, taking of goods, or any other misgovernance, they shall warn him to cease it and make amends; if he does not do so, the Council shall be told and he will be made to do so.]

[If the suspected person is far off, Bedford or Gloucester will send him word or write to him to amend.]

[If any of the lords of the Council hear ill of Bedford or Gloucester, he shall inform him in a friendly way so that he amend.]

Item, that no man be of the kinges Counsail but suche as be barely of his Counsail, and entendyng upon noon others counsail in especiale.

[No lord is to believe a report against another without hearing his account or unless it is evident.]

Item, that for no sodayn report of any persone neither prive seal ne writ of rigour be not to soon passed ayenst any persone in preiudice of the partie without that he be furst herd, save oonly to calle hym to here suche thinges as shal be said unto him.

[The remaining seven articles deal with local officers. True and impartial men and no men of law are to be sheriffs; sheriffs must come to Chancery to take their oaths; under-sheriffs and baillifs are to be changed annually; justices of the peace and clerks of the peace are to be changed or reappointed each year; those of the quorum are to be able to do their work; an enquiry is to be made into the concealments and misgovernance of escheators, and they are not to be given quittance in the Exchequer until an enquiry is held; and that no steward of a lord be sheriff or escheator in a shire where he has office. These articles were read and agreed by the Council at Reading on 24 November, 1426.]

233. DECLARATION BY THE COUNCILLORS AND ANSWERS THERETO BY JOHN, DUKE OF BEDFORD, AND HUMPHREY, DUKE OF GLOUCESTER, 28-29 JANUARY, 1427

[*Procs. and Ords.*, III, 231-242.]*

John, duke of Bedford, returned to England on 20 December, 1425, and remained until 19 March, 1427.

Memorandum, that the xxviii^e day of Januer, the yeer of oure soverain lord the kyng the v^te, in the Sterred Chambre at Westmynster hit was said and declared unto my lord of Bedford by my lord chaunceller in the name of the remenant of my lordes of the kinges Counsail that tyme being there present, that is to wete tharchebisshop of Canterbury, tharchebisshop of York, the bisshop of Ely, the bisshop of Bathe, the bisshop of Norwych, therle of Huntyngdon, therle of Stafford, the lord Cromewell, the lord Scroop, the lord Hungerford, the lord Tiptot, in substance this that foloweth.

Furst, after protestacion maad that it is in no wise thentent of my said lordes of the Counsail to withdrawe from my said lord of Bedford worship, reverence, or eny other thing that thei owe unto him, considering his birth and thestat that God hath set him in, but to do him al worship, reverence, and plesur. . . . [They reminded him of his exhortations to them on his last visit].

Item, after this it was seid an the behalf as before, how that my said lordes of the Counseil understande that thei have a king whom and noon other thei knowe, and alleways as longe as it shal lyke to God to graunte him lyf, wol and owe to knowe, under God, for their soverain lord here upon erthe.

Overe this thei understande that alle other that be in and of this land, from the hieghest to the lowest, of what evere estat, condicion, or degree that he be, been his lige men and his subgittes, and owe to obeye unto him and to his lawes.

Item, the said lordes understande that how be it that the king as now be of tendre eage, nevere the lesse the same autoritee resteth and is at this day in his persone that shal be in him at eny tyme hereafter whan he shal come with Goddes grace to yeers of discrecion.

Item, that for asmuche as the king is nowe in suche tendrenesse of age that by possibilitee of nature he may not in dede rule ne governe in his oune persone, and that God ne reson ne wol that this land stande without governance, for somuche thexecucion of the kinges said auctoritee as toward that that belongeth unto the pollitique rule and governaille of his land, and to thobservance and keping of his lawes, belongeth unto the lordes spirituel and temporel of his land at suche tyme as thei be assembled in parlement or in greet counsail, and ellus hem nought beyng so assembled, unto the lordes chosen and named to be of his continuel Counsail, of the whiche my lord of Bedford is chief as longe as he his in this land, and him not being therinne, my lord of Gloucestre if he be therinne; the whiche Counsail, the king being in suche tendrenesse of age, represente his persone as toward execucion of the saide pollitique rule and governaille of his land and observance and keping of his said lawes, without that any oo persone may or owe ascribe unto him self the said rule and governaille, savyng alweyes unto my said lord of Bedford and of Gloucestre that that is in especiale reserved and applied unto hem by act of parlement, namely, considering the greet daungeres and perils that my said lord of Bedford hath as it is before said declared, and thexperience of tyme passed hath also shewed that the said lordes may for default of the said rule and governaille falle in ayenst the king, and rekenyng that thei may be called unto an other day the whiche God ne reson ne wolde that thei so shulde o lesse than thai had fredom of consaillyng and of the saide execucion and rule. . . . [Having said this, they asked Bedford to come to the Council to state his intentions regarding these matters. Bedford thanked them.] . . . And after it liked him to say unto hem that he knoweth the king for his soverain lord, and himself for his liege man, and subgit to hym and to his lawes according to that that was before rehersed; how be it that God hath by way of birthe maad him nerre him than any other, and that in al thing that belangeth unto the rule of the land and to thobservance and keping of the kinges lawes, and generally in al thing that belangeth to the king and to his estat, he wolde be advised, demesned, and ruled by the lordes of the Counsail, and obeye unto the king and to theim as for the king as lowely as the leest and poverest subgit that the king had in his land. . . . [he promised to submit to their discipline and to assist them as they wished; and he voluntarily swore to observe these things]. . . .

[On the following day, 29 January, the lords of the Council visited Gloucester, who was ill. They repeated what they had said to Bedford, and also certain earlier answers of Gloucester.] . . . Rehercyng ferther, that my said lordes of the Consail durst not, ne coude not take upon hem to sit as thei do in the kinges Counsail, and under suche peril as thei do, as is above reherced. My said lord of Gloucestre sayng and answeryng as he had doon at divers tymes afore, that is to say, if he had doon eny thing that touched the king his soverain lordes estat, therof wolde he not answere unto no persone on lyve, save oonly unto the king whan he come to his eage. And also suche wordes, 'Lat my brother governe as hym lust whiles he is in this land, for after his going overe into Fraunce I wol governe as me semeth good'. . . . [But, after Bedford's example had again been cited, Gloucester did give a promise in similar terms to that of Bedford on the previous day.]

PROCEEDINGS IN THE PARLIAMENT OF 1427–1428

Writs were issued on 15 July, 1427, for a parliament to meet at Westminster on 13 October; its first session lasted from 13 October to 8 December; its second session from 27 January to 25 March, 1428.

234. THE POWERS OF THE PROTECTOR RE-DEFINED, 3 MARCH, 1428

[*Rot. Parl.*, IV, 326-327.]*

[On 3 March Gloucester asked the lords spiritual and temporal in parliament for a definition of his powers as protector because he had heard differing opinions of them, and he announced that he would remain away from the parliament chamber until he had an answer. The lords then considered the relevant documents and gave this reply by the mouth of the archbishop of Canterbury.]

25. Hiegh and mighty prince, my lord of Gloucestre, we lordes spirituell and temporell assembled by the commaundement of the kyng oure soverain lord in this his present parlement be wel remembred howe that sone after the begynnyng of this parlement hit lyked you to moeve un to us and to say that ye be protectour and defendour of this lond, and so named and called, willing therfore and desiring to wete of us what auctorite and povoir belanged unto you, the whiche youre desire ye semblably repeted the thridde day of this present moneth of March, saying that we myzt wel comune matiers of parlement in youre absence, but we schuld non conclude witht outen you; affermyng also that ye ne wolde in eny wyse come in to the house accustumed for the kyng and the lordes in parlement unto the tyme that ye knewe what youre auctorite and pouoir were ther ynne. And for somuche, and to thende that ye have no cause to absente you fro this said parlement for lak of oure answere to youre said desire, we lordes above said calle to mynde howe that in the first parlement halden by the kyng oure soverain lord that nowe is, at Westmoustier, ye desired to have had the governaunce of this land, affermyng that hit belanged unto you of rygzt, as wel be the mene of your birth, as by the lastewylle of the kyng that was, your brother, whome God assoille, alleggyng for you such groundes and motyves as it was thought to youre discrecion maad for youre entent. Whereuppon the lordes spirituel and temporel assembled tho in parlement, among the which were tho my lordes youre uncles, the bysshop of Wynchestre that now lyveth, and the duc of Excetre, and youre cousyn therle of March that be goon to God, and of Warrewyk, and other in gret nombre that nowe lyven, had grete and long deliberacion and advis, serched precydentes of the governaill of the land in tyme and cas semblable whan kynges of this land have be tendre of age, toke also informacion of the lawes of the land of suche persones as be notably lerned therynne, and finally fond youre said desire nought caused nor grounded in

precedent nor in the lawe of the land, the whiche the kyng that ded ys, in his lyf, ne migzt by his last will nor otherwyse altre, change, nor abroge with oute thassent of the thre estates, nor committe or graunte to any persone governaunce or rule of this land lenger thanne he lyved; but on that other behalf the said lordes fond youre saide desire not accordyng with the lawes of this land and ayenst the [26.] rigzt and fredome of thestates of the same land. Howe were it, that it be not thought that any such thing wetyngly proceded of your entent. And never the lesse, to kepe pees and tranquillite and to thentent to ese and appese you, hit was avised and appointed by auctorite of the kyng, assentyng the thre estatys of this lond, that ye in absence of my lord youre brother of Bedford schulde be chief of the kynges Counsail, and devised therfore un to you a name different from other counsaillers, nought the name of tutour, lieutenant, governour, nor of regent, nor no name that shuld emporte auctorite of governaunce of the lond, but the name of protectour and defensour, the which emporteth a personell duetee of entendance to the actuell defense of the land, as well ayenst thenemys utward yf cas required, as ayenst rebelles inward yf any were, that God forbede; grauntyng you therwith certain pouoir the wich is specified and conteined in an act of the said parlement, hit to endure as long as it liked the kyng. In the which if thentent of the said estates had be that ye more pouoir or auctorite shuld have had, more shuld have be expressed therynne; to the wich appointement ordinance and act ye thoo agreed you as for youre persone, makyng never the lesse protestacion that it was nought youre entent in any wyse to deroge or do prejudice unto my lord youre brother of Bedford by youre said agrement, as toward any right that he wolde pretende or clayme in the governance of this land, and as toward any preeminence that ye might have or belang un to you as chief of Counseill, hit is playnly declared in the saide act and articules, subscribed by my said lord of Bedford, by youre self and the other lordes of the Counseill. But as in parlement to wich ye be called upon youre faith and ligeance as duc of Gloucestre as other lordes be, and non otherwise, we knowe no powar nor auctorite that ye have other thenne ye as duc of Gloucestre sholde have, the kyng beyng in parlement at yeres of mest discrecion. We merveillyng with al oure hertes that consideryng the open declaracion of thauctorite and pouoir belangyng to my lord of Bedford, and to you in his absence, and also to the kynges Counseill, subscribed pureli and simply by my said lord of Bedford and by you, that ye shuld in any wise be steryd or moeved noght to contente yow ther with, other to pretende you any other. Namely consideryng that the kyng, blissyd be oure Lord, is sethe the tyme of the saide pouoir graunted unto yow fer goon and growen in persone, in wit and understandyng, and lik with the grace of God to occupie his owne riall power with ynne fewe yeres.

And forsomuch consideryng the thinges and causes abovesaid, and other many that long where to write, we lordes aforesaid pray, exhorte, and require you to contente you with the pouoir abovesaid and declared, of the wich my lord youre brother of Bedford, the kynges eldest uncle, contented him; and that ye non larger power desire, wille, nor use; yevying you this that is aboven writen for our answere to youre forsaide demaunde, the wich we wolle duelle and abide with withouten variaunce or changyng. Over this besechyng and praying you in oure most humble and lowly wyse, and also requiryng you in the kynges name, that ye accordyng to the kynges commaundement, conteyned in his writ sent unto you in that behalf, come to this his present parlement and entende to the gode effect and spede of matiers to be demesned and treted in the same, lyk as of right ye owe to do.

[The two archbishops, nine bishops, four abbots, the duke of Norfolk, the earls of Huntingdon, Stafford, and Salisbury, and eight lay lords subscribed this answer.]

235. DETERMINATION OF PETITIONS BY THE COUNCIL AND THE JUSTICES, 25 MARCH, 1428

[*Rot. Parl.*, IV, 334.]*

45. Item, le xxv jour de Marce, qe feust le darrein jour de cest present parlement, une autre peticioun feust baillez a nostre seignur le roi en mesme le parlement par les Communes dicell; le tenour de quelle peticioun cy ensuyt.

Please au roi nostre soverain seignur considerer coment plusours peticions ount estez baillez et exhibitez a vostre tresnoble hautesse par les Communes de cest present parlement pur ent avoir covenable remedie, et unquore nient determinees, dordeiner par advys des seignurs espirituelx et temporelx, et assent dez Communes avauntditz, que les dites peticions purront estre deliverez a les seignurs de vostre tressage Conseill; les queux, appellez a eux lez justices et autres gentz aprisez en vostre ley si bosigne y soit, aiaunt poair par auctorite du dit parlement, parentre cy et la feste del Nativite du Seint Johan Baptiste prouchein avenir [24 June], doier et terminer lez ditz peticions; et que ycelles ensi terminez de ladvys et assent suisditz, purront estre enactez, enrollez, et mys de recorde en le rolle de mesme vostre parlement.

Responsio. Le roi le voet.

---

236. A GREAT COUNCIL, 15-18 APRIL, 1429

[*Procs. and Ords.*, III, 322-324.]*

Xv° die Aprilis anno vii° apud Westmonasterium in Magno Consilio specialiter convocato dominus Eboracensis, cancellarius, proposuit causas congregacionis dicti Consilii. Primo, quod dominus Bedfordie per litteras suas alias Consilio privato regis directas declarantes desiderium Consilii Francie ac aliorum subditorum ibidem de habendo regem ibidem coronatum, ad effectum ut proceres dicti regni et alii possint eidem facere hoc facto homagium et fidelitatem. In qua materia domini de privato Consilio communicarunt, sed quia materia est satis ardua et gravis et indiget consilio et advisamento saniorum que fieri poterunt, domini ordinarunt dictum Consilium convocandum in quo quilibet dominorum spiritualium et temporalium et alii ad illud convocati poterunt super premissis eorum dare advisamentum et consilium.

Secundo, quia per dominum thesaurarium termino Hillarii proximo preterito monstratus fuit privato Consilio status regni per quem evidenter apparet quod omnes revenciones regni non suppetunt ad onera ipsius necessaria supportanda per summam xx mille marcarum per annum. Et attento quod dominus rex etc. de verisimili necessario exiget majores sumptus et expensas quam prius petebat, quod quilibet dominorum super isto eciam articulo plene et mature deliberatus suum daret responsum.

[Thirdly, John, duke of Bedford, asked for more troops for France.]

[On 17 April, in the presence of the king, the duke of Gloucester, two archbishops, twelve bishops, three earls, nine lay lords, four abbots, "et aliis", the right of Cardinal Beaufort as bishop of Winchester to officiate at Windsor on St. George's day was discussed. This discussion was resumed on the 18th, and a decision was taken to send reinforcements to France, and to put a fleet to sea against the Scots.]

PROCEEDINGS IN THE PARLIAMENT OF 1429–1430

Writs were issued on 12 July for a parliament to meet at Westminster on 13 October; writs of *supersedeas* issued on 3 August brought forward the date of meeting to 22 September; its first session lasted from 22 September until 20 December; its second session from 16 January to 23 February, 1430.

237. TERMINATION OF THE PROTECTORATE, 15 NOVEMBER, 1429

[*Rot. Parl.*, IV, 337.]*

13. [A recital of the appointment of a protector, defender, and chief counsellor in 1422.] . . . Quia tamen prefatus dominus noster rex sexto die Novembris, anno presenti, proteccionem et defensionem regni et ecclesie predictorum in coronacione sua suscepit, atque ad eadem ecclesiam et regnum protegendum et defendendum in dicta sua coronacione sacramentum prestitit corporale; pro eo eciam quod avisamento diligenti et deliberacione matura habitis inter dominos spirituales et temporales in presenti parliamento existentes utrum dictum nomen protectoris et defensoris ex causa predicta cessare

deberet, necne; auditisque et intellectis nonnullis notabilibus racionibus et allegacionibus in hac parte factis; tandem videbatur dominis spiritualibus et temporalibus quod dictum nomen protectoris et defensoris a tempore coronacionis predicte, ex causa predicta, specialiter cessare deberet; nomine tamen principalis consiliarii dicti domini nostri regis prefatis ducibus, et eorum alteri, quamdiu eidem domino regi placuerit, juxta formam et effectum acti et litterarum patencium predictorum in omnibus semper salvo. Prefatus dux Gloucestrie, notificatis sibi hujusmodi avisamento et deliberacione dominorum predictorum, predictum nomen protectoris et defensoris ecclesie et regni predictorum tantum quintodecimo die Novembris, dicto anno presenti, in presenti parliamento, quantum ad personam suam tantum pertinuit, realiter dimisit et relaxavit. Protestando tamen quod dimissio et resignacio sua hujusmodi prefato fratri suo duci Bedfordie non cederent in prejudicium quoquo modo, quin idem frater suus ad libitum suum nomen illud dimittere vel non dimittere deliberare se possit et avisare, dimissione et resignacione predictis in aliquo non obstantibus.

238. PETITIONS BY THE COMMONS REGARDING THE WAGES OF KNIGHTS OF THE SHIRES AND BURGESSES

[*Rot. Parl.*, IV, 350, 352.]*

41. Item, priont les Communes de cest present parleament, qe la ou citezeins et burgeis eslus de venir a vostre parleament par les eleccions dez gentz des citees et burghs deinz vostre roialme, ount ewe, et dauncìene temps accustume de droit devoient avoir, pur lour gages et expenses chescun jour duraunt vostre parleament, ii s.; cestassavoir, chescun dieux ii s. pur chescun jour duraunt vostre dit parleament; dez qeux gages lez ditz citezeins et burgeis, et chescun deux, dauncien temps ount ewe, et de droit dusent avoir, lour brief al viscont del countee ou tiells citees et burghs sont, pur lour ditz gages lever et a eux deliverer come les chivalers des countees veignauntz a vostre parleament ount ewe et use; les qeux gages en diverses citees et burghs, a maveis ensample, sont ore de novell sustretes, par issint qe la ou divers notables persones et sages devaunt till sustrete des gages veignent a vostre dit parlement pur le bien de vous et tout la roialme, ore ne sont eslus ne veignont si noun lez gentz pluis febleez, pluis poverez, et impotentes, et la duraunt vostre dit parleament gisont a lour propre costages, a lour perpetuell anientisment, si noun qe due remedie soit purveu en cest cas. Que please a vostre roial mageste . . . [to consider and grant that the said citizens and burgesses have their wages and their writ as above, nothing withstanding. And that this statute apply to citizens and burgesses in this parliament and those in the future.]

Responsio. Le roi sadvisera.

46. Item, priount les Communes, qe toutz les citees, burghs, villes, et hamelettes, et les resceantz deinz iceux, forspris seignurs espirituelx et temporelx veignauntz a parlement, et gentz de Seint Esglise, et ceux cittees et burghs qi trovent citezeins ou burgeis a parlement, soient desore enavaunt contributoriez a toutz jours as expenses des chivalers eslus ou esliers a les parlementz.

Responsio. Le roi sadvisera.

239. CASE OF WILLIAM LARKE

[*Rot. Parl.*, IV, 357-358.]*

57. Priount les Communes, qe la ou un William Larke, servaunt a William Milrede, venant al vostre court de icest parlement pur la citee de Londrez, en le service le dit William Milrede alors esteant, par sotielle ymaginacion et conjecture de un Margerie Janyns fuist arestez en le courte labbe de Westmouster de pipoudrez par sez officers illoeqes, et dilloeqes remoeve en vostre Commune Bank par brief de corpus cum causa al suyte de dit Margerie, et par voz justicez de vostre dit Bank comaundez a vostre prisone de Flete ; et la en prison detenez a present par force dun juggement donez envers le dit William Larke en vostre dit Bank par voz ditz justicez, sibien au cause qe le dit William Larke fuist condempne al suyte de dit Margerie en vostre dit Bank en un accioun de trespas au cez damagez de ccviii li. vi s. viii d. devaunt le jour de summonez de icest vostre parlement, come pur fyne a vous affaire pur ceo qe le trespas fuist trovez ove force et armes. Please a vostre roial majeste de considerer coment le dit William Larke al temps de dit areste fuist en la service le dit William Milrede, supposant verraiment par la previlege de vostre court de parlement destre quietez de toutz arestez durant vostre dit courte, forprise pur tresoun, felonie, ou suerte de pees ; dordeigner par auctorite de mesme vostre parlement qe le dit William Larke purra estre deliverez hors de vostre dit prisoun de Flete, le dit condempnacioun, juggement, et execucioun, ou ascun dependantz sur icells envers et sur luy nient obstant ; salvant toutz foitz au dit Margerie et a cez executours lour execucioun hors de dit juggement envers le dit William Larke apres le fyne de dit parlement ; et auxi de grauntier par auctorite suisdite qe null de voz ditz lieges, cest assavoir, seignurs, chivalers pur voz countees, citezeins, burgeys, au voz parlementz desore avenirs, lours servauntz et familiers, ne soient ascunement arestez, ne en prisoun deteynez, durant le temps de voz parlementz, sil ne soit pur tresoun, felonie, ou suerte de pees, come desuis est dit.

Responsio. Le roi, par advys des seignurs espirituelx et temporelx, et a les especeales requestes des Communes esteantz en cest present parlement, et auxint del assent du conseill du Margerie Janyns nomez en cest peticioun voet et graunte par auctorite du dit parlement qe William Larke nomez en la dite peticioun soit deliverez au present hors de la prisoun de Flete. Et qe la dit Margerie apres le fyne de cest parlement ait sa execucioun del juggement qele avoit envers le dit William en le Commune Bank, sicome il est continuz en mesme la peticioun, en mesme la forme come ele deust avoir eu si soun dit juggement unqes ne feust execut. Et qe les juges del dit Bank facent au dite Margerie apres la fyn de cest parlement execucioun du dit juggement par capias ad satisfaciendum et par exigent ; et auxint facent processe pur nostre seignur le roi pur soun fyne envers le dit William par capias et exigent sicome eux ferroient si le dit William unqes nust este pris ne emprisone par cause du juggement suisdit. Et outre, le roi voet, par auctorite de mesme parlement, qe le chaunceller Dengleterre pur le temps esteant depuis le fyn du dit parlement face commissions as divers persones par sa discrecioun assigners de prendre le dit William et luy deliverer au gardein de Flete qi soit tenuz de luy receiver et garder tanqe gree soit fait alavauntdite Margerie de la somme par luy recovere par le juggement desuisdit, et au roi de ceo qe a luy appartient celle partie. Et qe icelle deliverance au dit gardein soit de mesme leffect pur la dite Margerie come serroit execucioun pur luy fait per capias ad satisfaciendum, ascune variance par la dite peticioun, ou lendorsement dicelle, et le recorde du dit recoverer, ou ascun autre chose nient contresteant. Et qant a la remanent de la peticioun ; le roi sadvisera.

240. STATUTE OF TREASON (8 Henry VI, c. 6)

[*Stat. R.*, II, 242-243.]*

Item, purceo qe nostre seignur le roi, a la grevouse compleint a luy fait par les Communes de soun roialme en cest parlement, ad entendu qe diverses graundes meschiefs et subtielx felonies ou robberies ore tarde sont avenuz et faitz en la ville de Cantebrigge et aillours en lez countees de Cantebrigge et Essex, et en autres lieux Dengleterre, par gents, malefesours desconuz, queux fount diverses billes directz as diverses gents de mesmes les ville, countees, et autres lieux Dengleterre, lour comaundant de mettre diverses graundes sommes dargent en certeins lieux ou lez ditz mesfaisours se purront legierment emporter sanz estre prisez ou aperceux, certifiantz en les ditz billes qe sils ne mettent lez deniers en les lieux par lez ditz billes assignez as certein jour, qe lez ditz mesfaisours ferrount le pluis graunde et outrageous vengeaunce qils poient a toutz iceux qi ne voudrent my tielx sommes illoeqes mettre ; et purceo qe tielx sommes nount pas este mys en diverses lieux solonc le purport de mesmes les billes, plusours measons, biens, et chateux de diverses persones ount estee felonousement et traiterousement, au Cantebrigge et aillours en les countees et lieux suisditz, arcz et toutoutrement anientez, parount le poeple de les ville, countees, et autres lieux suisditz sount graundement empoeverez et en point destre finalment destruitz ; mesme nostre seignur le roi, voillant en ceo cas purvoier de remedie, ad ordinee par auctorite de cest parlement, qe toutz tielx arsures dez measons de qiqe persone soient adjuggez haut tresoun. Et qe ceste ordinance sextende auxibien a tielx arsures faitz puis le primer jour du regne de nostre seignur le roi tanqe en cea, come as arsures affairz en temps avenir ; salvant toutz foitz as toutz seignurs et autres persones lour libertees et fraunchises sicome ad este fait et use devaunt ces heures en cas de forfaiture de felonie.

241. STATUTE FOR THE PARLIAMENTARY FRANCHISE (8 Henry VI, c. 7)

[*Stat. R.*, II, 243-244.]*

Item, come lez eleccions dez chivalers dez countees esluz a venir as parlements du roi en plusours countees Dengleterre ore tarde ount este faitz par trop graunde et excessive nombre dez gents demurrantz deinz mesmes les countes, dount la greindre partie estoit par gentz sinoun de petit avoir ou de nulle valu, dount chescun pretende davoir voice equivalent quant a tielx eleccions faire ove les pluis valantz chivalers ou esquiers demurrantz deins mesmes les countes, dount homicides, riotes, bateries, et devisions entre les gentiles et autres gentz de mesmes les countes verisemblablement sourdront et serront si covenable remedie ne soit purveu en celle partie ; nostre seignur le roy, considerant les premisses, ad purveu et ordene par auctorite de cest parlement qe les chivalers des countes deins le roialme Dengleterre a esliers a venir a les parlementz en apres atenirs soient esluz en chescun counte par gentz demurrantz et receantz en icelles, dount chescun ait frank tenement a le valu de xl s. par an al meins outre les reprises ; et qe ceux qi serront ensy esluz soient demurantz et receantz deins mesmes les countes ; et ceux qi ount le greindre nombre de yceulx qi poient expendre par an xl s. et outre come desuis est dit, soient retournez par les viscontz de chescun countee chivalers pur le parlement par indentures ensealles parentre les ditz viscountz et les ditz eslisours ent affaires ; et eit chescun viscont Dengleterre poair par auctorite suisdite dexaminer sur les seintz Evaungelies chescun tiel elisour comebien il poet expendre par an ; et si ascun viscount retourne chivalers pur venir au parlement au contrarie de ycest ordinaunce, qe les justices des assises en lour sessions des assises aient poar par auctorite suisdite de ceo enquerer. Et si par inquest ceo soit trove devaunt mesmes les justices, et le viscount de ceo duement atteint, qadonqs le dit viscount encourge la peine de c li. apaiers a nostre seignur le roy. Et auxi qil ait imprisonement par un an saunz estre lessez au baille ou mainprise. Et qe les chivalers pur le parlement au contrarie la dite ordinance retournez perdent lour gages. Purveu toutfoitz qe celluy qi ne poet expendre xl s. par an come desuis est dit ne soit en ascun manere eslisour des chivalers pur le parlement. Et qe en chescun brief qe issera en apres as viscount pur eslier chivalers pur le parlement soit mencioun fait des ditz ordinances.

PROCEEDINGS IN THE PARLIAMENT OF 1433

Writs were issued on 24 May for a parliament to meet at Westminster on 8 July; its first session lasted from 8 July until 13 August; its second session lasted from 13 October to 21 December.

242. AGREEMENT OF JOHN, DUKE OF BEDFORD, TO REMAIN IN ENGLAND, ON CONDITIONS, 24 NOVEMBER–18 DECEMBER

[*Rot. Parl.*, IV, 423-425.]*

John, duke of Bedford's second return to England lasted from 23 June 1433 (London) to 1 or 2 July, 1434.

17. [On 24 November the Commons appeared before the king in parliament, and their Speaker related the great services of the duke of Bedford in France] . . . over this the said Communys considerith that the presence and beyng of my saide lorde of Bedford in this lande sith his comyng into hit hath bee full fructuous, and that the restfull rule and governaile of this lande hath greetly growyn and been encressid there by, as well by the noble myrrour and ensample that he hath yevyen to other, restfully governyng hym self and alle his kepyng, and obeyyng the kynges peas and his lawes, and makyng tho that beth toward hym to do the same, bryngyng hem in his owen persone to the lawe to be punysshid when any of hem hath offendid; payng also trewly for his vitailys and all maner of thing that he hath had of any of the kynges sugetes; as in assistyng with his grete wisdome and prudence be way of advis and counseill to the kyng and to the saide rule and governaile; for the which thinges the poeple of this lande, thowe they rejoise hem in my saide lorde for his birth and nynesse of blood that he standith ynne to the kyng, yit moche the more for his saide goodly governaille, so that it is thought to the saide Communes that the abidyng of my saide lorde of Bedford in this lande so blessidly and so well disposid, as thankid be God he is, shulde bee oon the grettest seurte that coude be thought to the welfare of the kynges noble persone and also to the good and restfull governaile and kepyng aswell of this lande inward as of the kynges landes outward; and for these causes and consideracions, and also to putte and make to be putte in execucion and in dede an article late assurid in the kynges hande for the good and peisible rule of the lande, the saide Communes besekith the kyng in the moost humble wise that thei kan and may, that it like his hynesse to wollc, praye, and desire my saide lorde of Bedforde to abide stille in this lande as ferforth as he in any wise goodly may, to thentent to assiste the kyng, namely with his noble advis and counseill, to the kepyng and to the encresse of the saide good and restfull rule and governaile alway, with that doyng his devoir and duytee to the good kepyng and rule of the kynges landes utward . . . [By the king's command the chancellor then called together the duke of Gloucester, Cardinal Beaufort, the archbishops of Canterbury

and York, and certain other lords to discuss the request. The lords as a whole were then consulted, and for the same reasons as the Commons, and for others, they agreed with the request; the chancellor on behalf of the king then asked Bedford to remain, and he agreed to do so. On 18 December Bedford presented a series of articles which, by the advice of the lords, were accepted.]

18. Thees bee the articles whiche I Johan, duc of Bedford, the kynges furst uncle, shewe and desire in this present parlement for the good of my lorde.

Sithen hit hath liked my lorde, atte the requeste of his Commune, and by the assent and advis of the lordes spirituel and temporell assembled in this present parlement, for suche causes as moeved thaym therunto, of his grace to praye me and wylle me, whoos prayer and wille is unto me a commaundement, to contynue me in his service in this his reaume more thanne Y have doon of many dayes passed, as fer as hit may goodly bee with the wele of his landes and lordshippes beyonde the see. I willyng, as Y have ever willed and ever shall, to obeye my lordes commaundementz and desires to my power, graunted and graunte so for to doo, desiryng to be putte in certainete of certain articles that folwen, and thay to abide enacted as thinges of recorde, fully assented and accorded in this present parlement; makyng protestacion that myn entent is nought that the saide articles stande or have force but unto the tyme that hit shall like my lorde to take the exercise of the governaunce of this his reaume in his owen persone.

Furst, to knowe what lordes and estates wol and shall take uppon thaym for to bee my lordes conseillers and to contynue in his continuell Conseil.

Responsio. It is thought resonable.

Item, that suche as shall take uppon thaym the charge of office or of Conseil bee nought discharged of office ner of Conseil, ner noon other taken in, withoute the commune assent of the saide Counseil, and myn advis also hadde, where that ever I bee in my lordis service.

Responsio. It is graunted as it is desired touchyng thoo that will agree hem to be counseillours, standyng also the first articles subscribed and sworne be all the Counseill in here strength.

Item, in cas that my cousin of Warrewyk, or any other greet officier of Household, as steward, chamberlein, tresorer, or compterolleur, or any other of the grete officiers of this lande, as chaunceller, tresorer, prive seel, the chief justices of bothe places, the chief baron of Thescheqer, or any of my lordes Counseil, or also any of his greet officiers of his duchie of Lancastre, for maladie or for any other resonable cause, myght not, or wolde not occupie no lenger, that before that any other bee ordeined or charged in any of thaire places, I be certified, where that ever Y bee in my lordis service, of the oppinion of my lordes Counseill beyng in this lande whom that thei thenke behovefull to be sette in suche office or occupacion; and thay also to bee certified from me uppon the same, to that entente that with Goddis grace thay and I may condescende to that that may bee to the beste of my lord and of his landes.

Responsio. It is acordyng to that other, and is thought resonable, and so graunted.

Item, howe bee hit that I knowe well that hit is in my lordes fredom to calle his parlement where and whanne he wol, neverlees in this his tendre age he calleth noon withoute advis of his Conseil. Wherfore I desire that whiles and as longe as hit is or shall bee soo, that aforn that any day or place of parlement bee concluded here, that I be certified from the saide Conseill, where that ever I bee in my lordes service, of thaire entent and purpos in that matier. And Y to certifie thaym uppon the same of myn opinion and advis, to that eende that if hit be thought amonges us alle expedient the callyng of a parlement, that I may dispose me to bee there as the parlement shall bee, to procure the wele of my lord and of his landes as fer as God woll yeve me grace.

Responsio. It is graunted and thought resonable.

[In the same way the Council and he should conclude about letters to the pope or to a cathedral chapter concerning the filling of a bishopric.]

Item, for asmuche as there bee many olde servantz and feble that have dispended thaire yougthe in the service of my lordes, my grant sire, fader, and brother, whoos soules God assoille, and also with my lorde that nowe is, whom God yeve good lyf and longe, some withoute any liflode or guerdon so that they bee nowe in grete myschief and necessite, and some but esily guerdonned and nought like to thaire desert and service. Wherfore I desire that there myght bee a book made of all the names of suche as have so served and be unguerdonned, or nought guerdonned like to hir desert, to that entent that whanne offices or corrodies falle, that they myght bee yeven to suche persones, havyng consideracion to the habilite of thaym, and to the tyme that thay have served, and in the same wise of benefices to clerkes.

Responsio. It is graunted.

19. [On 25 November Bedford asked the lords of the Council assembled in the Star Chamber what his annual salary would be, and finally offered to serve for £1,000 a year while in England, and £500 for each passage or repassage to France. The Council accepted the offer, and so did the lords in parliament on the following day.]

243. LORD CROMWELL'S ESTIMATES OF ROYAL REVENUE AND EXPENDITURE

[Summarised from *Rot. Parl.*, IV, 432-439.]

For discussion see J. L. Kirby, 'The Issues of the Lancastrian Exchequer and lord Cromwell's Estimates of 1433', in *Bull. Inst. Hist. Res.*, XXIV (1951), 121-151.

Ralph, Lord Cromwell (1403–1455), was treasurer 1433–1443.

Revenues

	£	s.	d.	*Net* £	s.	d.
1. Farms of the shires and other small farms	4,476	10	8¼			
Estimate of green wax	1,200					
Less allowances, fees, & annuities	3,773	2	5¼	1,903	8	3
2. Estimate of escheats, apart from wards & marriages				500		
3. Farms of towns & manors	3,612	11	3			
Less fees & annuities	2,978	1		634	10	3
4. Farms of lands in the king's hands during minorities—except of the duke of Norfolk—& other farms	1,604	19	11			
Less maintenance of the heir of Robert de la Mare	6	13	4	1,598	6	7
5. Farm of lands of duke of Norfolk				1,333	6	8
6. Diverse other farms in the king's hands	983	7	5¾			
Less annuities	79	10		903	17	5¾
7. Farm of subsidy & aulnage of cloth	720	10	1			
Less annuities	542	6		178	4	1
8. Hanaper, 1 Sept., 1431–1432	1,668	3	4			
Less expenses, etc., of Chancery, and annuities	1,530	10	8½	137	12	7½
9. Mint in the Tower, 31 March, 1430–29 Sept., 1431	465	19	9¼			
Less fees, wages, & payments	378	11	5	87	8	4¼
10. Exchange in London				66	13	4
11. Estimate of Exchange for Roman Curia				13	6	8
12. Coroner & marshal of the Household, 29 Sept., 1430–1431	26	5				
Less assignment for John Norfolk	8			18	5	
13. Alien priories in the king's hands	277	5	0			
Less annuities	72			205	5	0
14. Custom on wines paid by aliens, annual average, 30 Sept., 1429–1431				76	17	
15. Duchy of Cornwall	2,788	13	3¾			
Less fees, etc., & repairs & expenses	2,637	12	6½	151	0	9¼
16. South Wales	1,139	13	11			
Less fees, etc., & repairs & expenses	669	8	6½	470	5	4½

		Revenues £			Net £		
17.	North Wales	1,097	17	3			
	Less fees, etc., & repairs & expenses	506	18	11½	590	18	4
	Md. Next year some £350 more must be deducted for soldiers' wages				[*sic*]		
	Md. £7,029 7 1½ is assigned to John Radclyf by letters-patent						
18.	Chester	764	10	2¾			
	Less fees, etc., & repairs & expenses	719	19	6¾	44	10	8
	Md. Sir William Porter has the manor of Shotwick valued at 50 m. a year						
19.	Ireland	2,339	18	6			
	Less fees, etc., & repairs & expenses	2,358	15	11½			
20.	Duchy of Lancaster	4,952	13	3¼			
	Less annual expenses: £586 11 6⅝						
	minister's fees & wages: £671 13 11½						
	annuities: £866 1 1						
	repairs: £326 11 7¾						
	Queen Catherine: £78 4 6						
	Justices of the peace: £15 2 0						
		2,544	4	8⅞	2,408	8	6⅜
21.	Duchy of Aquitaine	808	2	2¼			
	Less fees, repairs & expenses, etc.	731	1	5½	77	0	8¾
22.	Calais	2,866	1	0¾			
	Less wages, fees, etc.	11,930	16	7¼			
23.	Fines, reliefs, & amercements in the Exchequer				100		
24.	Windsor castle	207	17	5¼			
	Less wages, fees, repairs, etc.	280	5	10½			
	Total of the above revenues, apart from those of the Duchy of Lancaster & the manor of Shotwick	8,990	17	6			
	Less £590 18 4 paid to John Radclyf by his letter-patent	Total			8,399	19	2

Md. Chirk and Chirk lands, vacant bishoprics, searchers, reliefs and fines:

	Revenues £			*Net* £		
25. Customs & Subsidies, Michaelmas, 1430–1433:						
1430–1431 Wool custom & parva custuma	7,780	3	1½			
Subsidy on wool	20,151	13	3¼			
Tunnage & poundage	6,920	14	5	34,852	10	9¾
1431–1432 Wool custom & parva custuma	6,996	16	0¾			
Subsidy on wool	16,808	7	9½			
Tunnage & poundage	6,998	17	10	30,804	1	8¼
1432–1433 Wool custom & parva custuma	6,048	0	8			
Subsidy on wool	14,259	2	3¼			
Tunnage & poundage	6,203	1	6	26,510	4	5¼
Average annual total	30,722	5	7¾			
Less fees, costs, annuities, etc.	3,756	2	9¼	26,966	2	10½

Expenses

	£			£		
A. Household, etc.						
1. Estimate by the Treasurer of the Household for Household—except choice wine estimated at £95	10,978	12	11			
2. Chamber	666	13	4			
3. Wardrobe	1,300					
4. Royal works	666	13	4			
5. Repairs at Windsor Castle	66	13	4	13,678	12	11
B. Annuities, etc., paid in the Exchequer						
6. Annuities	7,556	2	11			
7. Rewards to custumers & controllers	582	6	8			
8. Fee of earl of Huntingdon, constable of the Tower	100					
9. Wages of treasurer, keeper of the privy seal, justices, & other officers, etc.	2,914	2	5	11,152	12	0
C. Ireland, Scotland, etc.						
10. Ireland	2,666	13	4			
11. East March, Scotland, in peace—double in wartime	2,566	13	4			
12. West March, Scotland, in peace—double in wartime	1,250					

	Expenses			Net		
	£			£		
13. Roxburgh, in peace—double in wartime	1,000					
14. Wages of the Seneschal of Aquitaine and 200 archers	2,739	13	4			
15. Castle of Fronsak	666	13	4	10,889	13	4
D. Rewards, etc.						
16. Humphrey, duke of Gloucester	3,333	6	8			
17. Counsellors	1,800					
18. Giles, son of the duke of Brittany	166	13	4			
19. John, earl of Warwick, attending the king's person	166	13	4			
20. Three lions and their keepers	36	10	0	5,503	3	4
E. Prisoners, etc.						
21. Royal ships	100					
22. Dukes of Orleans & Bourbon, & count of Eu	670					
23. Grooms & pages of Household	100					
24. Ambassadors to & from the king	2,626	13	4			
25. Estimate for messengers	200					
26. Grooms & pages of Chamber	26	13	4	3,723	6	8
27. Expenses of Calais & the March				11,930	16	7¼
Md. To provide for the kingdom of France, Aquitaine, the custody of the sea, & repair of Nywenham bridge						
	Total			56,878	13	10¼

Expenses thus exceed revenues other than customs and subsidies by £47,887 7 4¼.

There remain debts to be provided for

	£		
1. Household, Wardrobe, & clerk of works	11,101	0	7
2. Annuities & fees	19,224	11	9½
3. Loans	19,861	6	5½
4. Rewards and grants	2,889	5	
5. Costs & expenses of prisoners	1,154	4	9½
6. Calais, Scotland, Aquitaine, etc.	110,584	2	6
Total	164,814	11	1½

Md. of further debts of £3,622 0 8¼ & more due to the bishop of Rochester, the duke of Bedford, & the duchess of Clarence.

---

244. A GREAT COUNCIL, 21 OCTOBER, 1437

[*Procs. and Ords.*, v, 64-66.]*

The xxi day of Octobre, the yere of the kyng the xvi, at his manoir of Shene there appiered before him of persones called to his Grete

Consail the persones that folowe. [No names are given, but another version gives the names of the duke of Gloucester, Cardinal Beaufort, two archbishops, two bishops, five earls, five lay lords, the chancellor, treasurer, and keeper of the privy seal, and four knights.]

By fore whom the chaunceller of England purposed iii causes touching the gaderyng of the said Consail, reservyng other to the tyme that the kyng wolde commande to shewe hem. [First, the king asked advice about the warning given to the pope by the Council of Basle; and secondly, about the release of the duke of Orleans.]

The iii[de] cause was consideryng that the kynges progenitoures and predecessoures had of lawdable coustumes and usages at the begynnyng of the yere to purveie by thassent of his Greet Counsail for all necessaires and charges longyng unto him and to his lordship that were lykly to falle and sue all the yere after; folowyng therinne the steppes of his said progenitoures and predecessoures hath at this tyme called hem togidre for to have their good counsailx and advises how the charges of the which fro day to day falle unto him un to the governance of his landes and lordshippes may best purveied and ordeined for.

245. APPOINTMENT OF COUNCILLORS AND DEFINITION OF THEIR POWERS, 13 NOVEMBER, 1437

[*Procs. and Ords.*, VI, 312-315.]*

The Wednysday, xiii day of Novembre, the yere of the regne of Kyng Henri the vi[ti] the xvi, at thospital of Saint Johan of Jerusalem fast by London, the kyng in his grete counseil beyng there present, considering the grete labours, occupacions, and diligences the whiche falle unto hym fro tyme to tyme aboute the gouvernance of his reaumes of England and of Fraunce and other his lordships, for the conservacion of his rightz in the same, and that the revenues of hem be better gadred to his proufit and encresed asferforth as man justely may, and the better to kepe and susteigne his honurable estate. And also for the conservacion of lawes, custumes, and statutes of his reaume of England, to thentent that even right and justice be doon to every persone, as wel to povere as to riche, of his owen good wil, desiryng to be supported in all suche matiers by the labours of wyse and discrete persones, for asmuche as he shal not mowe attende to hem in his owne persone as oft as he wold, for the grete love and trust that he hath amonge other to his uncle Humfrey, duc of Gloucestre, his grete uncle Henri, cardinal of England, the full worshipfull and worshipful fadres in God and right worthi and noble lordes and other of his said reaume of England suche as foloweth, that is to say, Henri, archiebysshop of Canterbury, Johan, archiebysshop of York, William, bysshop of Lincoln, Thomas, bysshop of Saint David, Johan, erle of Huntyngdon, Humfrey, erle of Stafford, Richard, erle of Sarum, Henri, erle of Northumberland, William, erle of Suffolk, Waultier, lord Hungerford, Johan, lord Typtot, Johan, bysshop of Bath, chaunceller of England, Rauf, lord Cromwell, tresorer of England, William Lyndewode, keper of the prive seal, William Phelip, knyght, chamberlein, Johan Sturton, knyght, and Robert Rolleston, clerc, keper of the Grete Warderobe, hath chosen and deputed the said persones and every of hem to be of his prive Counseill, willyng and commandyng hem that in the matiers to be moved in his said Counseil thei put tentiflye their hole labours and diligences for his worchip and profit, and namely for the conservacion of the lawes, custumes, and statutes aboveseid, yevyng hem poair to here, trete, common, appoynt, conclude, and determine suche matiers as shal happen for to be moved among hem; alweys forseen that chartiers of pardon of cryme, collacions of benefices that shal voide in dede, and offices and other thynges that stond in grace be reserved unto the kyng for to do and dispose for hem as hym good semeth. And also yf it happen any matere or materes of grete weght and charge to be moved among hem, the kyng woll that thei common the matiers, but not conclude fully therynne withouten his advis. And in cas that in maticrs to be comoned and treted amonge hem, the whiche may be determined and concluded by the said Counsail, ther fall amonge hem variance in opinions, paraventre half ayenst half or ii° parties ayenst the thirdde, the kyng woll in all suche cas be informed as well of the matieres so moved as of the diversitee of thopinions of the seid Counseil, he therynne to conclude and to dispose aftir his goode plesir . . . [Provision is then made for annual payments for life for their attendance to Gloucester, Stafford, Northumberland, Huntingdon, Salisbury, Suffolk, Hungerford, Cromwell, Typtot, and Stourton.]

246. PRIVILEGE OF PEERESSES ACCUSED OF TREASON OR FELONY, 1442

[*Rot. Parl.*, IV, 56.]*

Writs were issued on 3 December for a parliament to meet at Westminster on 25 January, 1442; its session lasted until 27 March.

28. Item, priont les Communes, qe come contenue soit en la graunde chartre entre autres en la fourme qensuist;

Nullus liber homo capiatur, aut imprisonetur, aut disseisiatur de libero tenemento suo, aut libertatibus, aut liberis consuetudinibus suis, aut utlagetur, aut exulet, aut aliquo modo destruatur, nec super eum mittemus, nec super eum ibimus, nisi per legale judicium parium suorum, vel per legem terre.

En quele estatuit nest mye mencioun fait coment femmes, dames de graunde estate, par cause de lour barouns, peres de la terre, covertez ou soulez, cestassaver, duchesses, countesses, ou baronesses, serront mys a respoundre, ou devaunt qeux juges ils serroient juggez, sur enditementz de tresouns ou felonies par eux faitz; a cause de quell il est une ambiguite et doute en la ley, devaunt queux, et par queux, tielx dames, issint enditez, serront mysez a respoundre et estre ajuggez; et sur ceo, pur oustier tielx ambiguitees et doutes, que vous please, par advis et assent des seignurs espirituelx et temporelx en cest present parlement assemblez, declarer qe tielx dames issint enditez, ou en apres a enditierz, de ascun tresoun ou felonie par eux faitz, ou en apres affairez, coment qe eles soient covertez de baroun, ou soulez, qe eles ent soient mesnez en respoundre, et mys a respoundre et adjuggez, devaunt tielx juges et peres de le roialme si come autres peres de le roialme serroient sils fuissent enditez ou empeschez de tielx tresouns ou felonies faitz, ou en apres affairez, et en autiel manere et fourme, et en null autre.

Responsio. Le roy le voet.

247. ARTICLES BY THE COUNCIL, *c.* 1444

[*Procs. and Ords.*, VI, 316-320.]†

R. H.

. . . souverain lord the kyng is . . . and importante sutes . . . upon for the graunte of diverse and many peticions and billes and sometyme as it is supposed, not advertised clerely of that that is conteigned in the said billes, and of that that may sewe therof not verily enfourmed, of the . . . the which sholde . . . his good grace to graunte the said billes or moeve his highnesse to lay theime by, to thentent that such besy and importune sutes be laide a side, and to eschewe thinconvenientes that now sewe therof, it is thought to my lordes of the kynges Counsail, if it plese the kyng, undre his noble coreccion, that the reule and ordre in grauntyng and spedyng of billes directed to his highnesse myght be such as folowen; humbly protestyng that thei . . . before his said grace oonly by wey of advertisment, and noon otherwise; for thei in no wise thinke, nor have will to do, or . . . any thing but that the kynges good grace do at all tymes as it shall plese him, and use his power and wille as it perteyneth to his roial estate.

Furst, of any lorde of his Counsaill or othir, or any man aboute his persone sewe and be immediat labor or to the kyng for thexpedicion of any bille for any othir persone, that he subscribe himselfe in the said bille, so that it may be knowen at all tymes by whoos meanes and labour everi bille is, and if he that sueth the bille canne nat write him selfe, that thanne summe man for him that canne write, write the said suters name upon the said bille to thentente abovesaid.

Item, that all billes so subscribed and receyved by the kyng be delivered to such persone or persones as it shall plese his highnesse to assigne and depute therto, and that the saide persone or persones visite and see the continue of every bille.

Item, if thar be billes of justice and conteyne matere of commune lawe, that they whitoute any more advertyse the kinges good grace therof, to thentent that it may like the kyng, yf it plese him, to commaunde theime to be sent to his Counsail that thei may by thadvis of his said Counsail be remitted to the commune lawe and to such places where the matier is terminable, but yf it so be that the party suing the bille be of nonne power to suwe the commune lawe.

Item, if the matier conteined in the said billes be matere of grace, thanne the saide persone or persones shall clerely and trewely put shortly in writing on the bakside of the saide billes, what, by whome, and howe many thinges been asked therinne, and subscribe the saide writinges with his owne hande, so that his highnesse may verily understande what is desired and why, and so to use his grace or noo, or commaunde it to be sent to his Counsaill to have their advis as it shall please him. And yf it please his highnesse to shewe his grace and graunte the bille or part therof, the saide persone, or oon of the saide persones with his owne hande shall write upon the said bille forthwith ther as the scripture of the bille endeth, in what manere and fourme it hath pleased the king to shewe his grace, that is to say, if the king graunte all the hole bille, that it be so writen, and if he graunte part therof, and not all, or otherwise modefie it, that clerely be made mencion therof in the sayd writing, with the day and place where the saide bille or part therof is graunted, and in whoos presence, and specially in the presence of what lord or lordes as is there at that tyme, if any be, thanne the kinges goodenesse if it please him to put therto his hande and signe the bille immediatly after the saide writinges, or commaunde his chamberlain to subscribe it, or take it to his secretary commaundyng him therwith, so that fro that teryme that it be in manere and fourme abovesaide signed, noo man shall mowe adde thereto or mynussh.

Item, that in all letters by the which the king graunteth and yeveth any thinge to any persone, this clause be put inne, 'provided alway that the kyng hath not graunted the thinges asked to any othir persone afore that tyme'.

Item, that the warrantes to the signet, and also the copies of all that shall passe the signet, be it lettres missives or other, be truely and redily kept to thentent that as ofte as the kinge wol commaunde, it may be seen what thinges be passed him, and also that no thinge be writen contrary to that that passeth before.

Item, that for asmuch as it is like that suche thinge as passeth the handes of many persones shal the more redily and sadely passe, and any hurte that shulde elles mowe growe to the king or to prejudice of any othir persone the more to be eschewed, it is thought that all billes whanne the king of his goode grace hath graunted theim, be delivered to his secretary, and lettres to be conceyved upon theim directed undre the signet to the keper of the prive seal, and from thens under the prive seel to the chaunceller of Englande.

Item, that the keper of the prive seal what tyme he receyveth lettres under the signet shall, if it be thought to him that the matere conteyned in the same be of greet charge, have recours to the lordes of the Counsaill and open to theim the matere, to thentente that if it be thought necessarie to theim the king be advertised therof, or it passe.

Item, if thadvisamentes beforesaide pleese the king, and be acceptable to his highnesse, that the persone or persones abovesaide deputed and ordeyned to visette billes be sworn in fourme that foloweth.

Ye shall swere that as ferforth as in you shall be, ye, aswell in visityng and overseeing as in writing and subscribing of billes, the articles abovesaide and everiche of theim that touche ye, shall trewely, justely, and faithfully observe and kepe withoute any parcialtee or accepcion of persone or persones, not leving nor eschewing so to doo for affeccion, love, mede, doubte, or drede of any persone or persones, and that ye shall no yifte, mede, goode, ne promisse of gode, by you nor by noone meane persone, receyve nor admitte for promocion favoring, nor for declaringe, speding, letting, or hindering of any bille to be graunted by the king or to be laide aparte.

Item, in eschuying of riottes, excesses, misgouvernance, and disobeisauns ayens the kinges estate, and for the pesible gouvernable of his lawes, and in example yeving of restful rule and goode gouvernable her after to all his subgittes, yif it like unto the kinge, and undre his correccion and grace, it is semith right be hooful and expedient that it be ordeined that noo lord of what estate, degre, or condicion that he be of, wittingly receive, cherissh, holde in householde, ne maintene pilours, robbours, oppressours of the people, mansleers, felons, outelawes, ravisshours of women, or any other open misdoers, wherby the partes greved by him sholl not darr mowe pursue ayens theim lawfully by cause of suche supportacion of lordship, and also that nother be coloure ne occasion of feoffament nor otherwise, any of the saide lordes shall take noone othir mennes cause or quarel in mayntenaunce, ne conceyve ayens any juge or officer indignacion or displesaince for doing of his offices in fourme of lawe, nor lette by worde, writing, or elles the kinges commune lawe to have his cours, and that thei kepe this to their power not oonly in their awne persones, but that they see that all other in their countre, their servauntes, and othir suche as beethe undre hem of lesse estate do the same. And yf any counsailler of the kinges, lorde or other, be founde by due examinacion doo the contrary of any of the thinges abovesaide in the same article, to be put oute of the kinges Counsaill. And if any lorde or manne that is not of the kinges Counseill do the contrary of the thinges abovesaide conteyned in the saide articles, that from hens forward he be not made justice of the peax, ne noon other officer.

248. HENRY VI'S INSTRUCTIONS TO THE CHANCELLOR, 7 NOVEMBER, 1444

[*Cal. Pat. R., Henry VI, 1441–1446*, 312-313.]

Herry by the grace of God kynge of England and of Fraunce and lord of Irlande to our chaunceller of England, gretyng. All such grauntes as that sith the xth yere of our regne unto this tyme ye by force and vertue of billes with our own hond and by lettres undre our signetes of the Egle and armes and also by billes endoced by our chaumberleyn handes and clerk of our counsail, have made our lettres patentes under our grete seel, we hold theym ferme and stable, and of as grete strength and valewe and to yowe as sufficeant warrant as though ye had had for theime our lettres of prive seel, any statut, charge, restraint, act or commaundement to yowe made in to the contrarie notwithstondyng. Yeven undre our prive seel at our manoir within our park of Wyndesore the vij. day of Novembre, the yere of our regne xxiij.

249. STATUTE FOR THE PARLIAMENTARY FRANCHISE (23 Henry VI, c. 14), 1445

[*Stat. R.*, II, 340-342, printed from B.M. Cotton MS. Nero CI.]*

Writs were issued on 13 January, 1445, for a parliament to meet at Westminster on 25 February; its first session lasted until 15 March; its second from 29 April until 5 June; its third from 20 October until 15 December; its fourth from 24 January until 9 April, 1446.

[The statutes of 1413 and 1430 are recalled] . . . par force de quele estatut eleccions dez chivalerz a venir a parlement ascun foitz ount estez duement faitz et loialment retournez, tanqe a ore tarde qe diversez viscontz dez counteez du roialme Dengleterre pur lour singuler availl et lucre, ne ount faitz due eleccions dez chivalers ne en temps covenable, ne bons et verroiez retournez, et ascun foitz null retournez dez chivalers, citezeins, et burgeisez loialment esluz pur venir as parlementz, mez ount retournez tielx chivalers, citezeins, et burgeisez qi ne furent unquez duement eslieux, et autres citezeins et burgeisez qi ne furent unqes qe ceux qi par mairs et baillifs as ditz viscontz furent retournez. Et ascun foitz lez visconts ne ount retournez par briefs qe ils avoient pur faire eleccions dez chivalers a venir as parlementz, einz lez ditz briefs ount embesillez, et oustre null precept as mair et baillifs, ou as baillifs ou baillif ou mair nest, dez citezeins et burgeisez [*recte* citeez et burghs] pur eleccions dez citezeins et burgeisez de venir as parlementz furent par colour de cestz parolx contenuz en lez ditz briefs: 'quod in pleno comitatu tuo elegi facias pro comitatu tuo duos milites, et pro qualibet civitate in comitatu tuo duos cives, et pro quolibet burgo in comitatu tuo duos burgenses'. Et auxint pur ceo qe sufficeant peyne et covenable remedie pur la partie en tiel cas greve ne sount pre ordeignez en lez ditz estatutz vers lez viscontz, et mairs, et baillifs qi facent en countre la fourme dez ditz estatutz, le roi, considerant lez premissez, ad ordeigne par auctorite suisdit qe lez ditz estatutz soient duement gardez et observez en toutz pointz. Et oustre ceo, qe chescune viscont, apres la livere de chescune tiel brief a luy fait, faire et delivera saunz fraude un sufficeant precept desouth soun seal a chescune mair et baillifs, ou as baillifs ou baillif ou mair nest, deinz citeez et burghs deinz soun countee, recitant le dit brief, eux commaundant par mesme le precept deslier, si soit citee, par citezeins de mesme la citee deux citezeins, et en mesme la fourme si soit burgh, burgeisez, de venir al parlement. Et qe mesmez lez mair et baillifs, [ou baillifs] ou baillif et [*recte* ou] mair nest, dez citeez et burghs retournent ou retourne loialment le dit precept a mesme le viscont par endenturez entre mesme le viscont et eux affaire de lez ditz eleccions et dez nouns dez ditz citezeins et burgeisez issint par eux eslutz. Et sur ceo, qe chescune viscont face bon et droit retourne de chescune tiel brief et de chescune retourne par mair et baillifs, [ou baillifs] ou baillif ou mair nest, a luy fait. Et qe chescune viscount, a chescune foitz qe il face le contrarie dicest estatut, ou dascun autre estatut pur eleccion dez chivalers, citezeins, et burgeisez de venir al parlement devaunt sez hoeurez fait, encourge la peyne contenu en le dit estatut fait le dit an oeptisme ; et oustre ceo, forface et paie a chescune persone en apres eslieu chivaler, citezein, ou burgeis en soun counte de venir a ascun parlement, et nemye par luy duement retourne, ou a ascune autre persone qi endefaute de tiel chivaler, citezein, burgeis suer le voet, c li., dount chescun chivaler, citezein, et burgeis issint greve severalment, ou ascune autre persone qi en lour defaulte suer voet, eit sa accioun de dette envers le dit viscont ou sez executours ou administratours ademaunder et aver lez ditz c li. ove sez costagez en cest cas despenduz. Et qe en tiel accioun pris par vertue dicest estatut, le defendaunt ne gagera sa ley de la demaunde suisdit en nulle manere ; et qe null defendaunt en tiel accion avera ascun essoyn. Et en mesme le manere, a chescune foitz qe ascune mair et baillifs, ou baillifs ou baillif ou mair nest, retournent ou retourne autres qe ceux qi sount esluz par lez citezeins et burgeisez dez citeez et burghs ou tielx eleccions sount ou serront faitz, encourge et forface a roi xl li. ; et enoustre forface et paie a chescune persone en apres eslieu citezein ou burgeis a venir al parlement, et nemye par mesmez lez mair et baillifs, ou baillifs ou baillif ou mair nest, retourne, ou [a] autre persone qi en defaulte de tiel citezein ou burgeis issint eslieu suer voet, xl li., dount chescune dez citezeins et burgeysez issint greve severalment, ou ascune autre persone qi en lour defaute suer voet, ait sa accioun de dette envers chescune dez ditz mair et baillifs, ou baillifs ou baillif ou mair nest, envers lour executours ou administratours, a demaunder et aver de chescune dez ditz mair et baillifs, [ou baillifs] ou baillif ou mair nest, xl li. ove sez costagez en cest cas expenduz ; et qe en tiel accioun de dette pris par force dicest estatut null defendaunt gagera sa ley de la dit demaunde en nulle manere, ne avera ascun essoin. Et qe chescune viscont qi ne face due eleccion dez chivalers pur venir al parlement en temps covenable, scilicet chescune viscont en soun pleyne counte parentre le houre de viii^{e} et le hoeur de x^{e} devaunt le none, saunz collusioun en ceste partie, et chescune viscont qi ne face bon et verray retourne dez tielx eleccions dez chivalers de venir al parlement en temps avenir, come a eux appartient en manere et fourme suisditz, forface envers le roi c li. et encourge la peyne de c li. a paier a celluy qi voet suer envers luy, sez executours, ou administratours pur [cest] cause par voie daccion de dette ove sez costagez en celle partie expenduz, [saunz] gager de ley de celle demaunde ou aver essoin come devaunt est dit. Purveu toutz foitz qe chescun chivaler, citezein, et burgeis pur venir a ascun parlement en temps aveignir a tenir, en due fourme eslieu et noun pas retourne come desuis est dit, commence sa accioun de dette suisdit deinz trois mois apres mesme le parlement commence, a proceder en le dit suite effectuelment saunz fraude ; et si issint ne face, eit un autre qi suer le voet le dit accion de dette come devaunt est dit, de aver et recoverer mesme la somme ove sez costages en cest partie dispenduz, en manere et fourme avauntdit, issint qe null defendaunt en tiel accioun gagera sa ley ne soit essoin en nulle manere, come desuis est dit. Et si ascune chivaler, citezein, ou burgeis en temps aveignir retourne par le viscont de venir al parlement en la manere suisdit, apres tiel retourne par ascun persone soit ouste et un autre mys en soun lieu, qe tiel persone issint mys en le lieu cestuy qi est ouste, sil accepte sur luy destre chivaler, citezein, ou burgeis a ascun parlement en temps avenir, forface devers le roy c li. ; et c li. al chivaler, citezein, ou burgeis issint retourne par le viscont et apres come devaunt est dit ouste. Et qe cest chivaler, citezein, ou burgeis qi est issint ouste avera accion de dette dez mesmez c li. vers tiel persone issint mys en soun lieu, sez executours, ou administratours ; purveu toutz foitz qe il commence sa suite deinz trois moys apres le parlement commence ; et si il ne face, qe celluy qi voet suer avera accion de dette dez mesmez lez c li. envers cestuy qi est mys en le lieu cestuy qi est issint apres tiel retourne ouste, sez executours, ou administratours ; et qe null defendaunt en tiel accioun gagera sa ley ne soit essoin, et qe au tiel processe soit en lez accions avauntditz come est en brief de transpass [*sic*] fait encountre la peas de la commune ley. Issint qe lez chivalers dez counteez pur le parlement en apres a esliers soient notablez chivalers dez mesmez lez counteez pur lez queux ils serrount issint esluz, ou autrement tielx notablez esquiers gentils hommez del nativite dez mesmez lez counteez come soient ablez destre chivalers ; et null homme destre tiel chivaler qi estoise en la degree de vadlet et desouth.

250. PROTESTATIONS OF JOHN SAY, JOHN POPHAM, AND WILLIAM TRESHAM AS SPEAKERS, 1449

[*Rot. Parl.*, V, 141-142, 171-172.]*

Writs were issued on 2 January, 1449, for a parliament to meet at Westminster on 12 February ; its first session lasted until 4 April ; its second from 7 to 30 May ; its third at Winchester from 16 June to 16 July.

The second part of the present extract is from the records of the parliament of 1449–1450, for which see no. 251 below.

7. Item, die Lune, videlicet quintodecimo die Februarii, prefati Communes, coram domino rege ac dominis in pleno parliamento comparentes, presentarunt eidem domino regi predictum Johannem Say pro communi prelocutore suo in eodem parliamento, de quo idem dominus rex se bene contentavit ; qui quidem Johannes Say, se de onere occupacionis predicte excusare volens, plura de sui insufficiencia reportans prefato domino regi, instanter deprecabatur de tam magno

onere expediri; que quidem excusacio ex parte dicti domini regis admitti non potuit. Super quo idem Johannes celsitudini regie humillime supplicavit, quatinus omnia et singula per ipsum in parliamento predicto nomine dicte communitatis proferenda et declaranda, sub tali posset protestacione proferre et declarare, quod si aliqua verba, per negligenciam vel ignoranciam, aut aliter quam per socios suos concordata fuerint, vel que eidem domino regi, quod absit, displicerent, ab ipso procederent, idem dominus rex ipsum inde excusatum habere vellet; et quod idem Johannes, ea sic prolata per predictos socios suos corrigere posset et emendare; et quod protestacio sua hujusmodi in rotulo parliamenti inactitaretur. Cui, de mandato dicti domini regis, per prefatum dominum cancellarium respondebatur, quod idem Johannes tali protestacione frueretur et gauderet quali alii prelocutores hujusmodi ante ea tempora uti et gaudere consueverunt.

[pp. 171-172]. 6. Item, die Sabbati, videlicet octavo die Novembris, prefati Communes coram domino rege in pleno parliamento comparentes, presentarunt Johannem Popham militem pro suo communi prelocutore; qui quidem Johannes dicto domino regi humillime supplicavit, quatinus ipsum Johannem, debilitate sui corporis guerrarum fremitibus ipsius domini regis et patris sui obsequiis, ac diversarum infirmitatum vexacionibus, necnon senii gravitate multipliciter depressi considerata, de onere occupacionis predicte eidem celsitudini regie plenius excusatum habere placeret. Cui per cancellarium Anglie ex parte dicti domini regis extitit responsum, qualiter idem dominus rex, ea per ipsum Johannem pro sua excusacione proposita fore vera considerans, ipsam suam excusacionem admisit, et ipsum de occupacione predicta exoneravit; ac subsequenter, prefatus cancellarius ex parte regia prefatis Communibus ad domum suam redire, et unum alium prelocutorem suum eligere, ipsumque eidem domino regi eadem die presentare injunxit et mandavit.

7. Item, eodem die, prefati Communes, coram dicto domino rege in pleno parliamento comparentes, presentarunt eidem domino regi Willelmum Tresham prelocutorem suum in eodem parliamento, de quo idem dominus rex se bene contentavit; qui quidem Willelmus celsitudini regie humillime supplicavit, quatinus ipse talibus libertate et protestacione in omnibus et singulis per ipsum in parliamento predicto nomine dicte communitatis proferendis et declarandis frueretur et gauderet, qualibet alii prelocutores hujusmodi ante ea tempora uti et gaudere consueverunt; quod ei extitit concessum.

PROCEEDINGS IN THE PARLIAMENT OF 1449–1450

Writs were issued on 23 September, 1449, for a parliament to meet at Westminster on 6 November; its first session lasted until 17 December; its second from 22 January to 30 March, 1450; its third at Leicester from 29 April to 30 May or later.

See also no. 250.

251. GRANT OF INCOME TAX AND APPOINTMENT OF TREASURERS OF THE WAR

[*Rot. Parl.*, v, 172-174.]*

12. [The Commons came before the king in full parliament and, through their speaker, announced their grant made in an indenture, as follows] . . .

To the honoure of God we yowre trewe poure Communes commen by yowre comaundement to this youre high courte of parlement, graunte to yowe oure soverain lord by this present endenture, by thassent of the lordes spirituelx and temporelx in this same parlement assembled, for the defence of this yowre roialme, a certain subsidie to be had and levyed in maner and fourme folowyng. That is to say, of every persone havyng soole estate of frehold to his owne use, or to whos use eny persone or persones have such estate in eny londes, tenementes, rentes, services, annuitees, offices, fees, profites, or commoditees temporelx withyn yowre said royalme, to the yerely value of xx s. over the yerely charge therof, vi d. And of every persone havyng estate terme of lyf in eny annuitee not to be taken in eny place certaine to the yerely value of xx s., vi d. And of all persones [havyng] estate of frehold to theire owne use and behove, joyntely or in commen, in eny of the premisses, to the seide yerely value, over the yerely charge therof, vi d., so that they of such vi d. be not severally charged. And of every persone havyng possession or occupacion in eny of the premisses, aswell in auncienne demene as elleswhere, to the said yerely value of xx s. over the yerely charges therof, by eny graunte made to hym or to eny of his auncestres, by copie of courte rolle or otherwyse by custume of maner, by whiche graunte he shuld occupie or rejoys eny of the premisses terme of lyf, or to hym, or to eny of his heirs, after the custume of maner, vi d. And soo for every hoole xx s. ascendyng fro the seid yerely value of xx s. of eny of the premisses, over the yerely charges therof, to and at the summe of xx li., vi d. [And in the same way, on values from £20 to £200, 12d. in the pound; and over £200, 2 s. in the pound. Other conditions follow] . . . And that the graunte of the seid subsidie extende to charge aswell all persones spirituelx as temporelx for every of the premisses, eny exempcions, privileges, immunitees, libertees, franchises, grauntes, hadd or usid, statutes or ordenaunces in dischargyng of eny of the premisses, or eny partie of theym, afore this tyme made, hadde, used, or graunted, notwithstondyng. And that every persone havyng eny office, wages, fee or fees, terme of yeres, or otherwyse than of thestate of freeholde, to the yerely value of xl s., xii d. [And on the same scale as freehold] . . . And that Sir William Lucy, knyght, Thomas Tyrell, knyght, James Strangways, knyght, and Richard Waller, squyer, by the auctorite aforeseid, be tresorers and receyvours of the said subsidie, by endentures to be made betwene theym and the collectours of the same subsidie for the tyme beyng. The same tresorers to pay and delyver it to such capiteynes and soudeours as shall be assigned by yowe soverain lord to be witholden and waged for the defence of this yowre royalme, takyng endentures of such paiementes of all such capiteynes and soudeoures. [The treasurers will account without fee in the Exchequer, and will retain such wages and rewards as the king decides and announces in parliament.] . . . And that the tresorers and resceivours aforeseid, and eche of theym, make theire payment as hit is aforesaid, eny warant or comaundement to theym or to eny of theym made incontrarie thereof not withstondyng. [Various other details are laid down about the tax.]

252. IMPEACHMENT OF WILLIAM DE LA POLE, DUKE OF SUFFOLK, 22 JANUARY–17 MARCH, 1450

[*Rot. Parl.*, v, 176-183.]*

For discussion see C. L. Kingsford, 'The Policy and Fall of Suffolk', in *Prejudice and Promise in XV century England* (1925), 146-176. For impeachment generally see nos. 93 and 120 above.

William de la Pole (1396–1450), earl and first duke of Suffolk, fought in the French wars, and became a member of the Council from 1431. He was connected by marriage with the Beauforts and was the chief opponent of Humphrey, duke of Gloucester, after the death of Bedford. He negotiated the marriage of Henry VI and Margaret of Anjou. He was murdered at sea, 2 May, 1450, whilst going into exile in consequence of the present proceedings.

14-15. [On 22 January Suffolk presented a protest to the king about the accusations of disloyalty which were being made against him. He recounted his own services and those of his family, protested his loyalty, and offered to answer any charges that anyone would bring against him.]

16. Afterward, that is to sey, the Monday the xxvi day of January, the Commens of this present parlement sent unto the chaunceller of Englond certeyn of their felawes praiyng hym that where the duke of Suffolk in his owne declaracion beforne theym the same day said and confessed that there was an hevy rumour and noyse of sclaundre and infamie uppon hym, wheruppon they desired that he wold lette the kyng have knowlech of this mater on her behalf, and that it like the kyng to committe hym to warde after the cours of the lawe, in eschuyng of inconveniencez that may sue theruppon hereafter. The which mater uppon Tuesday, the xxvii day of January then next folowyng, shewed to the kyng and the lordes in the counseill chambre by the seid chaunceller, the same chaunceller axed of the lordes what shuld be doon uppon the Commens request and desire, and wheder the seid duke shuld be put to warde or noo. And it was axed of the juges what the lawe wold in this mater that the kyng and the lordes myght have knowlech of the lawe. And the chief justice of the Kynges Benche declared for all his felawes and seid that in thiese generall termes, rumoir and noyse of sclaundre and infamie, may many thinges be

understand; that is for to sey, mesprisions or trespasses, for which causes it nedeth not by the lawe to committe hym to warde; or elles felonyes or tresons. And for asmoche as the wordes been generall and noo thing in speciall declared, he wold common with his felawes and bryng an answere what the lawe therein will after her conceytes. And afterward all the lordes from the lowest to the highest held in maner oon opinion, that for cause ther was noo speciall mater of sclaundre and infamie putte uppon hym, that he shuld not be committed to warde till the specialte were declared and shewed.

17. Item, the xxviii day of Januar next folowyng, the speker of the parlement opened and declared in the commen hous before the chaunceller of England and other lordes with hym accompanied, to theym sent doun by the kynges commaundement, and at here owen request, howe that the kynges pore commens of his reame been as lovyngly, as hertely, and as tenderly sette to the good welfare and prosperite of his persone and of his roialme as ever were eny commens sette to the welfare of her soveraigne lord . . . [they rehearsed the events of the two days previous and declared that it was everywhere rumoured that by the efforts of Suffolk the French were about to invade the country] and in profe hereof, where the kyng hath committed to the seid duke the kepyng of the castell of Walyngford, he hath fortified it and repaired it, and also stuffed it with gunnes, gunepowder, and other habilimentez of werre, and with sufficiant vitaill, as it is seid, to thentent that if this puyssaunce come into this reame, they may have there a place of refute and of socour unto the tyme they may acheve her malicious purpose; which mater the seid speker in name of all his felawes prayed the seid chaunceller and lordes to open to the kyng, and that it liketh his highnesse to committe the seid duke unto the Toure duryng this said court of parlement, unto the tyme that he may declare hym self of the seid mater and of other thinges that shall be putte uppon hym, for it is thought by all their wisdomes that they have declared speciall mater y nough of suspecion of treason ayenst the seid duke for to committe hym to warde; uppon which desire the seid duke was committed to the Toure to warde.

18. Memorandum, quod septimo die Februarii, cardinalis Eboracensis, cancellarius Anglie, ac quamplures alii domini tam spirituales quam temporales in notabili numero, de mandato regis missi fuerunt ad Communes in presenti parliamento existentes; et iidem Communes per Willelmum Tresham prelocutorem suum coram prefatis dominis accusaverunt et impetiti fuerunt Willelmum de la Pole, ducem Suffolcie, nuper de Ewelme in comitatu Oxonie, de quibusdam altis prodicionibus, necnon offensis, et mesprisionibus per ipsum ducem contra regiam magestatem factis et perpetratis, prout in quadam billa certos articulos continente magis evidenter apparebit; quam quidem billam iidem Communes per prefatum prelocutorem suum prefato cancellario et dominis deliberaverunt, supplicantes eisdem, ut pro eis prefate regie magestati instarent, ut dicta billa in presenti parliamento

inactitaretur, quodque contra prefatum ducem super articulis predictis in eodem parliamento secundum legem et consuetudinem regni Anglie procederetur; cujus quidem bille tenor sequitur in hec verba.

To the kyng oure soverayn lord, sheweth and piteously compleyneth youre humble and true obeisauntes commens of this your noble reame in this your present parlement by your high auctorite assembled, for the suerte of your moost high and roiall persone and the welfare of this your noble reame and of your true liege people of the same, that William de la Pole, duke of Suffolk, late of Ewelme in the countee of Oxonford, falsely and traiterously hath ymagined, compassed, purposed, forethought, doon, and committed dyvers high, grete, heynous, and horrible treasons ayenst your moost roiall persone, youre corones of youre reames of Englond and Fraunce, youre duchies of Guyan and Normandie, and youre olde enheritaunce of your countees of Anjoye and Mayne, the estate and dignite of the same, and the universall wele and prosperite of all your true subgettes of your seid reames, duchies, and countee, in maner and fourme ensuyng.

19. [Suffolk is accused of encouraging the French ambassadors in 1447 to urge the French king to invade England with the object of making Suffolk's son John king; he was to be married to Margaret, daughter of the late John, duke of Somerset.]

20. [He is accused of counselling in 1439 the release of Charles, duke of Orleans, so that the French possessions might be conquered by the French, and of advising the duke to urge the king of France to invade Normandy.]

21. [He is accused of promising the surrender of Maunce and Maine when he was an ambassador, solely on his own authority and for his own profit.]

22. [He is accused of disclosing the secrets of the king's councils to the French in 1447 and at other times.]

23. [He is accused of often giving military information to the French.]

24. [He is accused of betraying information about embassies to the French] . . . in profe of which treason, the seid duke of Suffolk, sittying in your Counseill in the Sterre Chambre in your paleis of Westmynster, seid and declared openly bifore the lordes of your Counseill there beyng, that he had his place in the counseill hous of the Frenssh kyng as he had there, and was there as well trusted as he was here, and coude remeve fro the seid Frenssh kyng the pryvyest man of his Counseill yf he wold.

25. [He is accused of preventing the dispatch of armies to France because he was bribed to do so.]

26. [He is accused of causing the duke of Brittany to go over to the French side.]

27. . . . Memorandum, that the xii day of February than next folowyng, the seid bille putte uppe to the kyng by his Commons ayenst the duke of Suffolk, which comprehended many articles of

grete and horrible treasons by the seid duke committed and doon, was redde and declared; and it was thought by all the lordes that the justices shuld have a copye therof to reporte her advise what shuld be doon to the articles comprised in the said bille. But the kyng woll that it be respited unto tyme he be otherwise advised.

28. Item, the vii day of Marche than next folowyng, it was thought and assented by the moost parte of the lordes in the parlement then beyng present that the seid duke of Suffolk shuld come to his answere.

Memorandum, that the ix day of Marche, the lordes were with the Commens of the parlement at the request of the seid Commens, and there by theym was delyvered to the seid lordes a bille . . . [containing articles of offences committed by Suffolk which they wished to be enacted in this high court of parliament and to be proceeded with. They wished it to be read before all and then presented to the king. This new bill contained eighteen further charges; that as a counsellor and steward of the Household in the sixteenth year of the reign he had caused grants to be made that diminished the king's possessions; that he caused privileges to be granted which prevented the proper execution of the laws; that he had caused the king to create and enrich the earl of Kendal; that he caused too many grants to be made in Guienne; that he disclosed diplomatic secrets to the French; that he caused grants of possessions in Normandy to be made to unsuitable persons; that without the assent of the other lords he persuaded the king to have a secret meeting with the French ambassadors with only himself present, and persuaded the king to promise to meet the king of France; that he caused taxation to be misapplied, some to be given to the queen of France and other enemies, and that he has misspent £60,000 which Lord Sudeley left in the Treasury when he gave up the office of treasurer; that he obtained many grants himself; that he substituted forged obligations of the duke of Orleans for true ones; that he caused justice to be delayed in the case of William Tailboys and of others and procured pardons for them; that he caused sheriffs to be appointed either for bribes or to further his own interests in the counties; and that he caused the king to make war on his German friends.]

48. [On the same day, 9 March, Suffolk was brought from the Tower before the king and the lords in the parliament chamber; the accusation was shown to him; and he asked for copies to make his reply. He was then put in custody in Westminster palace.]

49. [On 13 March, kneeling before the king and the lords, Suffolk answered each of the eight articles of treasons.]

The xiiii day of Marche then next folowyng, the chief justice rehersed to all the lordes by the kynges commaundement, saiyng that it is well in youre remembraunce in what wyse the duke of Suffolk demeaned hym here yesterday, and uppon that he axed a question, what advise the lordes wold geve to the kyng, what is nowe to doo furthermore in this mater, which advis was differred unto Monday then next commyng, on the which Monday was noo thyng doon in that matier.

50. Memorandum, that on Tuesday the xvii day of Marche, the kyng sent for all his lordes both spirituell and temporell thenne beyng in towne, that is for to sey, the cardynall of Yorke, the archebisshop of Caunterbury, the duke of Bukingham, the bisshoppes of London, Wynchestre, Lincoln, Ely, Sarum, Bathe, Worcestre, Seint Assaphs, Norwych, Chestre, Seint Davies, Bangore, and Hereford, erles Warrewyk, Devonshire, Oxenford, Northumberland, Wilteshire and Worcestre, viscountes Beamond, Bourgchier, abbottes Westmynster and Gloucestre, priour of Seint Jones, barons Roos, Grey de Ruthyn, Wellys, Scales, Cromwell, Lisle, Ferrers de Groby, Cobham, Dudley, Sudeley, Beauchamp, Say, Seintamond, Hastynges, Moleyns, Stourton, Ryvers, and Vessy, into his innest chambre with a gabill wyndowe over a cloyster within his paleys of Westmynster; and whenne they were all assembled, the kyng sent for the duke of Suffolk; the which duke when he cam into the kynges presence he kneled doun, and so he kneled contynuelly stille unto the tyme the chaunceller of Englond had said to hym the kynges commaundement in fourme that foloweth.

Sire, ye be well remembred when ye were last in the kynges presence and his lordes, of youre answers and declaracions uppon certein articles touchyng accusacions and empechementes of grete and horrible thinges put uppon you by the commons of this lande assembled in this present parlement, in her first bille presented by theym to the kynges highnes; and howe at that tyme ye putte you not uppon your parage; what woll ye sey nowe furthermore in that mater? And the seid duke answered and seid, they were to horrible to speke more of theym, and seid openly to the kyng and all the lordes, that all the articles comprehended in the seid bille touchyng the kynges high persone and thastate of his roialme, he trusteth to God he hath answered hem sufficiently, for he hath denyed the dayes, the yeres, the places, and the communicacions hadde, which were never thought nor wrought, seiyng utterly they been fals and untrue, and in manere impossible, for he seid so grete thinges coude not be doon nor brought aboute by hym self alone onlesse that other persones had doon her parte and be pryvy therto aswell as he, and he toke his soule to perpetuell dampnacion yf ever he knewe more of thoo maters then the childe in the moders wombe. And soo he not departyng from his seid answers and declaracions, submytted hym holy to the kynges rule and governaunce to doo with hym as hym list; wheruppon the seid chaunceller, by the kynges commaundement, seid unto hym ageyne in this fourme.

51. Sire, Y conceyve you that ye, not departyng from youre answers and declaracions in the maters aforeseid, not puttyng you uppon youre parage, submitte you hooly to the kynges rule and governaunce. Wherfore the kyng commaundeth me to sey you, that as touchyng the grete and horrible thinges in the seid first bille comprised, the kyng holdeth you neither declared nor charged. And as touchyng the

secund bille putte ayenst you, touchyng mesprisions which be not crymynall, the kyng by force of youre submission, by his owne advis, and not reportyng hym to thadvis of his lordes, nor by wey of jugement, for he is not in place of jugement, putteth you to his rule and governaunce; that is to say, that ye, before the first day of Maii next commyng, shull absente youre self oute of his reame of Englond; and also, from the seid first day of Maii unto the ende of v yere next folowyng and fully complete, ye shull absente you to abyde in his roialme of Fraunce, or in any other lordshippes or places beyng under his obeysaunce, whersoever they be. And that ye shall not shewe nor wayte, nor noman for you, as ferforth as ye may lette it, noo malice, evill wille, harme, ne hurt, to any persone of what degree he be of, or to eny of the Commens of this parlement, in noo maner of wise, for any thing doon to you in this said parlement or elles where. And forthwith the viscount Beammont, on the behalf of the seid lordes both spirituelx and temporelx, and by their advis, assent, and desire, recited, said, and declared to the kynges hignes, that this that so was decreid and doon by his excellence concernyng the persone of the seid duke, proceded not by their advis and counseill, but was doon by the kynges owne demeanaunce and rule; wherfore they besought the kyng that this their saiyng might be enacted in the parlement rolle for their more declaracion hereafter, with this protestacion, that it shuld not be, nor tourne in prejudice nor derogacion of theym, their heires, ne of their successours in tyme commyng, but that they may have and enjoy their libertee and fredome in case of their parage hereafter, as frely and as largely as every they or eny of their auncestres or predecessours had and enjoyed before this tyme.

---

253. THE COMPLAINT OF THE COMMONS OF KENT, JUNE, 1450

[John Stow, *Annales or a General Chronicle of England* (ed. 1631), 388-389.]

John Stow (?1525–1605) incorporated in his *Annals* (first enlarged edition 1592) a number of documents for the last ten years of Henry VI's reign, and for this period at least his work resembles an original authority, especially for Cade's rebellion. See Kingsford, *E.H.L.*, 266-271.

The complaint of the commons of Kent, and causes of the assembly on the Blackheath.

Inprimis, it is openly noysed that Kent stould be destroyed with a royall power, and made a wilde Forrest, for the death of the Duke of Suffolke, of which the commons of Kent were never guiltie.

Item, the king is stirred to live onely on his commons, and other men to have revenewes of the crowne, the which hath caused poverty in his excellency, and great payments of the people, now late to the king granted in his Parliament.

Item, that the Lords of his royall bloud have bin put from his daily presence, and other meane persons of lower nature exalted and made chiefe of his privy counsell, the which stoppeth matters of wrongs done in the realme from his excellent audience, and may not bee redressed as law will, but if bribes and gifts be messengers to the hands of the said counsell.

Item, the people of his realme be not paid of debts owing for stuffe and purveiance taken to the use of the kings houshould, in undoeing of the saide people, and the poore commons of this Realme.

Item, the kings meniall servants of houshould, and other persons, asked daily goods and lands, of empeached or indited of treason the which the king graunteth anon, ere they so endaungered, be convict. The which causeth the receivers thereof to enforge labours and meanes applied to the death of such people so appeached, or indited, by subtile meanes, for covetise of the said grants: and the people so impeached or indited, though it be untrue, may not be committed to the law for their deliverance, but held still in prison to their uttermost undoeing and destruction for covetise of goods.

Item, though divers of the poore people and commons of the Realme, have never so great right, truth and perfect title to their Land, yet by untrue claime of infeffment, made unto divers states, gentiles, and the Kings meniall servants in maintenances against the right, the true owners dare not hold claime, nor pursue their right.

[It is rumoured that the king's lands in France have been alienated from the crown and his people there destroyed by treason. It is desired that there be an enquiry into this.]

[The remaining articles concern local grievances, the difficulties of subsidy collectors in the Exchequer; the letting to farm of the offices of sheriff and under-sheriff; and extortions by local officers.]

Item, the people of the said shire of Kent, may not have their fre election in the choosing Knights of the Shire, but letters have beene sent from divers estates to the great rulers of all the Countrey, the whiche enforceth their tenants and other people by force to choose other persons than the common will is.

[The appointment of collectors has been made by bribery.]

[Sessions of the peace are too burdensome when held in only one place; they should be divided into two parts.]

254. THE PARLIAMENTARY ELECTION IN NORFOLK, 1450

For discussion see K. B. McFarlane, 'Parliament and "Bastard Feudalism"', in *Trans. R.H.S.*, 4th ser., XXVI (1944), 56-59.

(*a*) Letter from the duke of Norfolk to John Paston, 16 October.

[*Paston Letters*, ed. J. Gairdner (Library ed. 1904), II, 184.]*

John Mowbray, third duke of Norfolk of the Mowbray family (1415–1461), married Eleanor, daughter of William Bourchier, earl of Eu, a great-granddaughter of Edward III. Her brother Henry, earl of Essex, married Isabel, daughter of Richard, earl of Cambridge, the father of Richard, duke of York.

John Paston (1421–1466) was the eldest son of William Paston, J.

To oure trusti and welbelovid John Paston, squier.

The duc of Norffolk.

Right trusti and welbelovid, we grete you well. And forasmoche as oure unkill of York and we have fully appoynted and agreed of such ii. persones for to be knightes of shire of Norffolk as oure said unkill and we thinke convenient and necessarie for the welfare of the said shire, we therfor pray you, in oure said unkill name and oures bothe, as ye list to stonde in the favour of oure good lordshipp, that ye make no laboure contrarie to oure desire. And God have you in his keping. Wreten at Bury Seynt Edmondis, the xvj. day of October.

(*b*) Letter from the earl of Oxford to John Paston, 18 October.

[*Ibid.* II, 184-185.]*

At this date the earl of Oxford was John de Vere (1405–1462).

The successful candidates were Sir Miles Stapleton and Henry Grey. See J. C. Wedgwood, *History of Parliament, 1439–1509, Biographies.*

To owr welbeloved John Paston.

Right welbeloved, I grete yow well. And as towchyng for tydynges, I can none, savyng that my lord of Norffolk met with my lord of York at Bury on Thursday, and there were togedre til Friday, ix of the clokke, and than they departed. And there a gentilman of my lord of York toke unto a yeman of myn, John Deye, a tokene and a sedell of my lordes entent, whom he wold have knyghttes of the shyre, and I sende yow a sedell closed of their names in this same letter, wherfore me thynkith wel do to performe my lordes entent etc.

Wretyn the xviii° day of October, at Wynche.

OXENFORD

Com. Norff', {Sir William Chambirlayn. / Henry Grey.}

255. PETITION FOR THE REMOVAL OF EDMUND, DUKE OF SOMERSET, AND OTHERS FROM THE KING'S PRESENCE, DECEMBER, 1450–JANUARY, 1451

[*Rot. Parl.*, v, 216-217.]*

Writs were issued on 5 September, 1450, for a parliament to meet at Westminster on 6 November ; its first session lasted until 18 December ; its second from 20 January to 29 March, 1451 ; its third from 5 to 24 May or later.

Edmund Beaufort, second duke of Somerset, d. 1455, was a younger brother of John Beaufort, first duke of Somerset, the eldest grandson of John of Gaunt, duke of Lancaster, and Catherine Swynford. He was killed at the first battle of St. Albans, 22 May, 1455.

16. Item, quedam alia peticio exhibita fuit prefato domino regi in

parliamento predicto per Communes regni Anglie in eodem parliamento existentes, in hec verba.

Prayen the Commons, for asmoche as the persones hereafter in this bille named hath been of mysbehavyng aboute youre roiall persone and in other places, by whos undue meanes youre possessions have been gretely amenused, youre lawes not executed, and the peas of this youre reame not observed nother kept, to youre grete hurt and trouble of the liege people of this youre reame, and likely subversion of the same withoute youre good and gracious advertisment in all goodely hast in this behalf.

Please youre highnes, the premisses considered, and howe universall noyse and claymour of the seid mysbehavyng renneth openly thorough all this youre reame uppon these same persones . . . [namely, Edmund, duke of Somerset, Alice, widow of the duke of Suffolk, the bishop of Chester, lord Dudley, Thomas Danyell, John Trevilian and Edward Grymston, squires, Thomas Kent, clerk of the council, John Say, squire, the abbot of St. Peters, Gloucester, Thomas Pulford, John Hampton, William Myners, John Blakeney, John Penycoke, and John Gargrave, squires, Stephen Slegge, Thomas Stacy, Thomas Hoo, Lord Hastings, Edmund Hungerford, and Thomas Stanley, knights, John of Stanley, ussher of the Chamber, Bartholomew Halley, Rauf Babthorp, squire, Edmund Hampden, knight, master John Somerset, master Gervays le Volore, one of your secretaries, John Newport, squire, and Robert Wyngfeld, knight] to ordeigne by auctorite of this your present parlement . . . [that these be removed from your presence for life, and do not come within twelve miles of your person under pain of forfeiture, save if they are compelled to do so by true course of the law; and that they forfeit all their offices and profits from you from 1 December, 1449].

Qua quidem peticione in parliamento predicto lecta, audita, et plenius intellecta, de avisamento et assensu predictis, respondebatur eidem in forma sequenti.

Responsio. As it hath bee declared by the kynges commaundement by the mouth of his chaunceller dyvers tymes, the entent of his highnes is, and shall be, to be accompanyed by vertues persones, and of noon other; and that also as toward the persones named in this peticion, his highnes is not sufficiently lerned of eny cause why they shuld be removed frome the presence of his highnes. Nevertheles, his highnes, of his owne mere movyng, and by noon other auctorite, is agreed that except the persone of any lord named in the seid peticion, and except also certein persones which shall be right fewe in nombre, the which have be accustumed contynuelly to waite uppon his persone, and knowen howe and in what wise they shall mowe beste serve hym to his pleasure, his highnes is agreed that the remnaunte shall absente theym frome his high presence and from his court for the space of an hoole yere, within the which any man that can and woll any thyng object ayenst any of hem, for the which it shall mowe be thought resonable that he shuld be straunged from his high presence and service, and from his court, he that soo wolle object shall be patiently harde and entended to; savyng alwey that if it happen the kyng to take the felde ayenst his ennemyes or rebelles, that than it shall be lefull to hym to use the service of any of his liege people, this notwithstondyng.

256. CLAIM OF QUEEN MARGARET TO THE REGENCY, 1453–1454

[*Paston Letters*, ed. J. Gairdner (Library ed. 1904), II, 297.]*

This extract is not from Paston Correspondence proper, but from a newsletter of John Stodeley, dated 19 January, 1454.

Henry VI lost his mental faculties in July, 1453, and remained incapacitated until late December, 1454. His son, Edward, was born on 13 October, 1453.

As touchyng tythynges, please it you to wite that at the princes comyng to Wyndesore, the duc of Buk' toke hym in his armes and presented hym to the kyng in godely wise, besechyng the kyng to blisse hym; and the kyng yave nomaner answere. Natheles the duk abode stille with the prince by the kyng; and whan he coude no maner answere have, the queene come in, and toke the prince in hir armes and presented hym in like fourme as the duke hade done, desiryng that he shuld blisse it; but all their labour was in veyn, for they departed thens without any answere or countenaunce savyng onely that ones he loked on the prince and caste doun his eyen ayen, without any more.

. . . Item, the queene hath made a bille of v articles, desiryng those articles to be graunted; wherof the first is that she desireth to have the hole reule of this land; the second is that she may make the chaunceller, the tresorer, the prive seell, and all other officers of this land, with shireves and all other officers that the kyng shuld make; the third is, that she may yeve all the bisshopriches of this land, and all other benefices longyng to the kynges yift; the iiijth is that she may have suffisant lyvelode assigned hir for the kyng and the prince and hir self. But as for the vth article, I kan nat yit knowe what it is.

PROCEEDINGS IN THE PARLIAMENT OF 1453–1454

Writs were issued on 21 January, 1453, for a parliament to meet at Reading on 6 March; its first session lasted until 28 March; its second from 25 April to 2 July and on 12 November at Westminster; its third at Westminster from 14 February to 17 April, 1454.

257. A POLL-TAX ON FOREIGNERS, MARCH, 1453

[*Rot. Parl.*, v, 230.]*

A precedent for this form of tax was set in 1440, and it had been re-granted and extended in 1442 and 1449.

10. Also we youre seid pore Commons, by thassent abovesaid [of the lords spiritual and temporal], graunte by this present indenture to you oure said soverain lord, for the tuicion and defense of this youre said reaume, a subsidie to be paied and levied in manere and forme that foloweth. That is to sey, of every persone not borne within this youre said reaume, londes of Irlond and Wales, people born in youre duchies of Gascoigne, Guyen, and Normandie, nowe beyng, and that hereafter shall be under youre obeisaunce, except and forprised, housholdyng withinne this youre said reaume, xvi d.; and of every persone not borne within youre said reaume, landes, duchies, and isles, nor under youre obeisaunce, beyng within youre said reaume, and not housholdyng withinne the same, vi d., except before except; to have and to perceive the seid subsidie yerely, to be paied to you oure said soveraine lord for terme of youre lyf. And also we youre said Communes, for the said defense, graunte unto you oure said soveraine lord another subsidie to be paide in manere and forme folowyng. That is to sey, of every Venician, Esterlyng, Italian, Januay, Florentyne, Milener, Lucan, Cateloner, Albertyn, Lumbard, Hansard, Prucier, beyng merchauntz, brokers, or factours, or theire attourneys, not beyng denisins within this youre said reaume, and all other merchauntz straungers borne out of youre said lordshippes, duchies, and isles aforesaid, nor under youre obeisaunce, and dwellyng within this youre reaume, or shal dwelle duryng youre naturell lyfe, housholdyng within the same, xl s.; [similarly, those not householding, but remaining six weeks, shall pay 20s., in equal portions at Easter and Michaelmas; and if they depart without paying, those with whom they are residing or resorting must pay the 20s. If any of them are made denizens by letter-patent or otherwise, they must pay 10 marcs a year, in equal portions at Easter and Michaelmas]. . . .

258. CASE OF SPEAKER THOMAS THORPE, 14–15 FEBRUARY, 1454

[*Rot. Parl.*, v, 239-240.]*

25. Fait a remembrer, qe le dit quatorzisme jour de Feverer, lan suisdit, les Communes par certeyns de lour compaignons firent request au roy et les seignurs espirituelx et temporelx en le dit parlement esteantz, queux peussent avoir et ensjoier toutz tielx libertees et privileges come ount este accustumes et dauncien temps usez pur venantz au parlement; et concordaunt a mesmes les libertees et privileges, qe Thomas Thorp lour commune parlour, et Walter Rayle, membres de le dit parlement, adonqes esteantz en prisoun, peussent aler a lour large et libertee, pur le boon esploit du dit parlement.

26. Item, the Friday the xv day of Feverer, it was opened and declared to the lordes spirituelx and temporelx beyng in the Parlement Chambre by the counsaill of the duke of York . . . [that in 31 Henry VI Thomas Thorpe had seized goods belonging to the duke in the 'place' of the bishop of Durham. Because Thorpe was one of the

court of the Exchequer the duke had taken an action by bill against him there in the last Michaelmas term. A jury found Thorpe guilty of trespass and assessed the damages at £1,000 and the duke's costs at £10] . . . and thereupon juggement was yeven in the seid Eschequer, and the said Thomas accordyng to the cours of the lawe was committe to the Flete for the fyne belongyng to the kyng in that behalve. And therupon it was praied humbly of the behalve of the seid duke, that it shuld like theire goode lordships, consideryng that the said trespas was doon and committe by the said Thomas sith the begynnyng of this present parlement, and also the said bille and accion were take and camed, and by processe of lawe juggement therupon yeven agayn the said Thomas, in tyme of vacacion of the same parlement, and not in parlement tyme; and also that if the said Thomas shuld be relessed by privelegge of parlement or the tyme that the seid duke be satisfied of his said dampmages and costes, the same duke shuld be withoute remedie in that behalve; that the seid Thomas, accordyng to the lawe, be kepte in warde to the tyme that he have fully content and satisfied the said duke of his said dampmages and costes. The seid lordes spirituelx and temporelx, not entendyng to empeche or hurt the libertees and privelegges of theym that were common for the commune of this lande to this present parlement, but egally after the cours of lawe to mynystre justice, and to have knowlegge what the lawe will wey in that behalve, opened and declared to the justices the premissez, and axed of theym whether the seid Thomas ought to be delivered from prison by force and vertue of the privelegge of parlement or noo. To the which question the chefe justicez in the name of all the justicez, after sadde communicacion and mature deliberacion hadde amonge theim, aunswered and said, that they ought not to aunswere to that question, for it hath not be used afore tyme that the justicez shuld in eny wyse determine the privelegge of this high court of parlement; for it is so high and so mighty in his nature that it may make lawe, and that that is lawe it may make noo lawe; and the determinacion and knowlegge of that privelegge belongeth to the lordes of the parlement, and not to the justices. But as for declaracion of procedyng in the lower courtes in suche cases as writtes of supersedeas of privelegge of parlement be brought and delivered, the said chief justice said that ther be many and diverse supersedeas of privelegge of parlement brought in to the courtes, but ther ys no generall supersedeas brought to surcesse of all processes; for if ther shuld be, it shuld seeme that this high court of parlement, that ministreth all justice and equitee, shuld lette the processe of the commune lawe, and so it shuld put the partie compleynaunt withoute remedie, for somuche as accions atte commune lawe be not determined in this high court of parlement; and if any persone that is a membre of this high court of parlement be arested in suche cases as be not for treason or felony, or suerte of the peeas, or for a condempnacion hadde before the parlement, it is used that all such persones shuld be relessed of such arestes and make an attourney, so that they may have theire fredom and libertee, frely to entende upon the parlement. After which aunswere and declaracion it was thorowly agreed, assentid, and concluded by the lordes spirituelx and temporelx that the seid Thomas, accordyng to the lawe, shuld remayne stille in prison for the causes aboveseid, the privelegge of the parlement, or that that the same Thomas was speker of the parlement, notwithstondyng ; and that the premisses shuld be opened and declared to theym that were commen for the commune of this land, and that they shuld be charged and commaunded in the kynges name that they with all goodly hast and spede procede to theleccion of an other speker. The which premisses, for asmoche as they were materes in lawe, by the commaundement of the lordes were opened and declared to the Commons by the mouthe of Walter Moyle, oon of the kynges sergeauntz atte lawe, in the presence of the bisshop of Ely, accompanyed with other lordes in notable nombre ; and there it was commaunded and charged to the said Commons by the seid bisshop of Ely in the kynges name, that they shuld procede to theleccion of an other speker with all goodly hast and spede, so that the materes for the which the kyng called this his parlement might be proceded yn, and this parlement take goode and effectuell conclusion and ende.

259. PETITION FOR THE IMPOSITION OF FINES UPON PEERS FAILING TO ATTEND PARLIAMENT, 28 FEBRUARY

[*Rot. Parl.*, v, 248.]*

46. Memorandum, quod ultimo die Februarii, anno regni dicti domini regis tricesimo secundo, quedam alia peticio exhibita fuit eidem domino regi in presenti parliamento, hanc seriem verborum continens ;

Please it the kyng our soveraigne lord, that for asmoche as dyvers and mony lordes of this lande, aswell spirituell and temporell, the whiche have be sommoned and commaunded by your writtes directed unto everyche of theim severally, to have come and be at this your present parlement, the whiche in no wyse be come, nor have be at your seid parlement at your paleys of Westmynster sith the xiiii day of Feverer last passed unto this day, that is to sey, the last day of Feverer the yere of your reigne xxxii[ti], but have absented hem sith the seid xiiii day of Feverer of commyng to the seid parlement, wherto they have be called, sommoned, or warned ; to ordeyne and establissh by auctorite of this present parlement, that every of the seid lordes so not commen, but beyng absent, be charged to yeve and paie unto you and to your use, suche sommes of money, and in suche manere as folowith. That is to sey, every archebisshop and every duke, c li. ; every bisshop and every erle, c marcs ; every abbot and every baron, xl li. ; to be leevede uppon ther londes and godes wheresoever they be within this your roialme ; and that by all meanes and processe to be made out of your Eschequyer suche as hath be accustumed to be had for the leeve of othir grauntes made unto you in your parlementes.

Provided alwey, that that the bisshops of Bangour, Saint Asse, and Landaff, that be not come to this seid parlement as above, be not charged but oonly eche of theim in xx li.

Provided also, that suche lordes that for feblenesse or sekenesse be not able to come nor may come to the said parlement at this tyme, be forprised of this acte; so that suche feblenesse or sekenesse be sufficiently and duely proved by juste and indifferent examinacion before the lordes of the kynges Counseill, and by none othir triall to be therof hadde; and that it be ordeigned and establisshed by the seid auctorite, that everyche lord as for suche feblenesse or sekenesse mowe not come as above, make suche fyne unto you as shalbe thought reasonable by the discrecion of the seid lordes of your Counseill, so alwey that the seid fyne excede not the somme in this acte charged uppon the seid lord for his absence, as it is afore declared.

Provided also, that this acte extende not to the duke of Somerset, nor to the Lord Cobham beyng in pryson, nor to the Lord Revers, the Lord Welles, ne the Lord Moleyns, beyng beyonde the see by the kynges commaundement.

Provided also, that this act extende not, ne be prejudiciall to the Lordes Beauchamp and Saintamande, beyng abought the kynges persone in the tyme of his infirmitee.

Provided also, that this acte atteigne not to eny hurt, prejudice, burdon, or charge of the seid lordes so absente, or eny of hem, savyng onely of paiement of the seid sommes or fynes; and the seid sommes to be appliede to the saufgarde of your toun of Cales, your castell of Guysnes, and your marches ther, and to none othir use; this present acte to extende to suche lordes oonly as be not come as above for this tyme, and no lenger.

Qua quidem peticione, in parliamento predicto lecta, audita, et plenius intellecta, eidem peticioni, de avisamento et assensu predictis, respondebatur sub hiis verbis: Le roy le voet.

260. PETITION FOR THE APPOINTMENT OF A COUNCIL, 19 MARCH

[*Rot. Parl.*, v, 240.]*

30. Memorandum, that on Tuesday the xix day of Marche, the Communes were before the duke of York, the kynges lyeutenaunt in this present parlement, and the lordes spirituelx and temporelx in the parlement chambre . . . [and the Speaker reminded them that on the previous Wednesday the chancellor had told them that £40,000 or more was required for the defence of Calais and the marches. But the great grants they had already made in this parliament were sufficient for defence, and he begged that they be excused from making any further grants, for they could not, and dare not make them in view of the poverty of the commons]. And also where in the begynnyng of this present parlement at Redyng it was opened and shewed

by the mouth of the seid chaunceler of Englond, that ther shuld be ordeigned and establisshed a sadde and a wyse Counsaill of the right discrete and wise lordes and othir of this land, to whom all people myght have recours for mynistryng of justice, equite, and rightwesnesse, wherof they have noo knoweleche as yit, and desired the lordes that therof they mowe have notice and knowelege for the grete joy and comfort of all theym that they be come fore. And also that it shuld lyke the seid lieutenaunt and lordes to have specially and tenderly recommended the peas of this land accordyng to theire request made before tyme, the whiche shuld be right ioyus and comfortable to theym and to all the commune of this land, for whom they be come at this tyme. And therto it was aunswered be my lord cardinal, chaunceler of Englond, that they shuld have good and comfortable aunswere without eny grete delay or tariyng.

261. ACCEPTANCE BY RICHARD, DUKE OF YORK, OF APPOINTMENT AS PROTECTOR, ON CONDITIONS, 23 MARCH–3 APRIL

[*Rot. Parl.*, v, 240-244.]*

Richard, duke of York (1411–1460), was the paternal grandson of Edmund, fifth son of Edward III and maternal great-great grandson of Lionel, third son of Edward III. He succeeded his uncle Edward in the dukedom of York, and inherited the possessions of his uncle Edmund Mortimer, earl of March.

31. [On 23 March, because it was necessary to fill the office of chancellor, vacant by the death of Cardinal Kemp, the duke of York and the lords spiritual and temporal in parliament agreed that certain lords, three bishops, three earls, two viscounts, the prior of St. Johns, and three lords, should be sent to Windsor to declare this and other matters to the king. They were given detailed instructions on what they should say; they were to ask the king's wishes about the appointment of an archbishop, a chancellor, and the members of a Council.]

32. [On 25 March these lords reported to the others in the parliament chamber. They had visited the king and carried out their instructions] . . . to the whiche maters ne to eny of theim they cowede gete noo answere ne signe, for no prayer ne desire, lamentable chere ne exhortacion, ne eny thyng that they or eny of theim cowede do or sey, to theire grete sorowe and discomfort . . . [They tried twice more to obtain some sign, but they obtained none.]

33. Item, pro eo quod vicesimo septimo die Marcii, domini spirituales et temporales in presenti parliamento congregati, certis de causis ipsos moventibus, elegerunt et nominarunt Ricardum, ducem Eboraci, fore protectorem et defensorem regni Anglie quamdiu regi placeret, idem dux in crastino detulit quandam cedulam in papiro certos articulos continentem quos in rotulo ejusdem parliamenti inactitari affectabat, quorum tenores cum suis responsionibus hic sequntur.

34. Howe be it that Y am not sufficiant of my selfe, of wysdome, connyng, nor habilite, to take uppon me that wurthy name of protectour and defensour of this land, ner the charge therto apperteinyng, wherunto hit hath liked you my lordes to calle, name, and desire me, unwurthy therunto, under protestacion if Y shall applie me to the parfourmyng of your said desire, and at your instance take uppon me, with your supportacion, the seid name and charge, I desire and pray you, that in this present parlement, and by auctorite therof, hit be enacted that of your selfe, and of your free and mere disposicion, ye desire, name, and calle me to the seid name and charge, and that of eny presumpcion of my self I take thaym not uppon me, but onely of the due and humble obeissaunce that I owe to doo unto the kyng, our most dradde and souveraine lord, and to you the perage of this lande, in whom, by thoccasion of thenfirmite of our said souveraine lord, restethe thexcercice of his auctoritee, whoos noble commaundementes Y am as redy to parfourme and obey as eny his liege man olyve; and that at suche tyme as it shall please our blessed Creatour to restore his most noble persone to helthfull disposicion, hit shall lyke you so to declare and notifie unto his good grace.

Responsio. As to this article, it is thought by the lordes that the seid duke desireth that of his grete wysdome for his discharge. And it is thought also by all the lordes, that for theire discharge in this behalfe there shuld be suche an acte made in this parlement for hem accordyng to an acte made in the tendre age of the kyng our soveraine lord, that they in semblable case of necessite be compelled and coarted so to chose and name a protectour and defendour.

35. Also that it shall lyke you lovyngly, diligently, duely, and effectuelly to assiste me of your harty favours, tendre zele, and sad advises to thexecucion and expedicion of that that may be to the honour, prosperite, and welfare of thestate and dignite of our said soveraine lord, to the rest and tranquillite of his people, and to the observacion of his lawes, wherunto I shall employe my persone with you to the uttermust perrell or jupardy therof, whan so ever hit shall nede that so Y shall doo.

Responsio. It is agreed as for all due, lawefull, and resonable assistence within the lande, for the wele of the kyng and of his said land.

36. Also that suche auctorite and power as it shall lyke you that Y shall have for thexecucion of the seid charge, and also the fredome and libertee that shall therunto belong, be to me declared; and that Y mowe knowe howe ferre the said power and auctorite, and also the fredame and libertee shall extende duryng the tyme that it shall plaise our said souveraine lord that Y shall have hit; and that the same auctorite, power, fredame, and libertee be also in the seid parlement, and by thauctorite therof, enacted, ratified, and confermed.

Responsio. As to this article, it is advysed by the seid lordes that the seid duke shalbe chief of the kynges Counsaill, and devysed therfor to the seid duke a name different from othir counsaillours, nought the name of tutour, lieutenaunt, governour, nor of regent, nor noo name that shall emporte auctorite of governaunce of the lande, but the seid name of protectour and defensour, the which emporteth a personell duete of entendaunce to the actuell defence of this land, aswell ayenst thenemyes outward if case require, as ayenst rebelles inward if eny happe to be, that God for bede, duryng the kynges pleaser, and so that it be not prejudice to my lord prince; and theruppon an acte to be made by auctorite of this present parlement.

37. Also that it be ordeigned, appointed, and stablisshed in this seid parlement, and by auctorite therof, howe muche Y shall take and resceyve of our said souveraine lord to susteyn, maynteyn, and supporte the seid name and charge, for the honour of hym and this his land, that must of necessite belonge to the same charge, for the pollitique and restfull rule of this said londe, for the tyme that it shall please his highnesse that Y shall accept and use the same name and charge; praiyng and desiryng you that thees my protestacion and desires mowe bee in the seid parlement enacted.

Responsio. As to this article, it was thought that precedentes were to be seyn; and also the seid duke to be communed with, to wyte, what somme hit shall lyke hym to agree to, consideryng the tyme that was in the daies of lyke precedentes, and the tyme that nowe is; and theruppon an acte to be made by auctorite of the seid parlement.

Also that suche lordes spirituel and temporel as be named and chosyn of the kynges Counsaill take uppon theym so to bee, and also accept and admit the charge therof, aswell as at theire instance, exhortacion, and desire, I, thogh unhable, take uppon me under theire supportacion the seid name and the charge therto belongyng.

Responsio. As to this article, it was thought that the lordes that be named to be of the kynges Counsaill shuld have communicacion to gedre, and to be avised theruppon.

38. Memorandum, quod tercio die Aprilis, anno regni metuendissimi domini nostri Regis Henrici sexti post conquestum tricesimo secundo, infirmitate qua altissimo Salvatori nostro personam suppremi dicti domini nostri regis placuit visitare considerata, sibi et Consilio suo videtur, si ad ea que ad actualem execucionem, proteccionis, et defensionis regni sui Anglie ac Ecclesie Anglicane requiruntur, personaliter intenderet, quod persone sue nimis tediosum ac celeris recuperacionis sanitatis ejusdem impediosum existeret. Idem dominus noster rex, de industria et circumspeccione carissimi consanguinei sui Ricardi, ducis Eboraci, plenarie confidens, de assensu et avisamento dominorum tam spiritualium quam temporalium in presenti parliamento existencium, necnon de assensu communitatis regni Anglie existencis in eodem, ordinavit et constituit dictum consanguineum suum, regni sui et Ecclesie Anglicane predictorum protectorem et defensorem ac consiliarium ipsius domini regis principalem; et quod ipse dux ejusdem

regni protector et defensor ac ipsius regis principalis consiliarius sit et nominetur quamdiu eidem domino regi placuerit; auctoritate dicti ducis quo ad excercicium et occupacionem oneris protectoris et defensoris predictorum omnino cessante cum sive quando Edwardum dicti domini regis filium primogenitum contigerit ad annos discrescionis pervenire, si idem Edwardus onus protectoris et defensoris predictorum super se adtunc assumere voluerit; et quod super hoc littere domini regis patentes fierent sub forma subsequenti.

[The letters-patent to York follow, and it is recorded that he agreed to undertake the office. His personal powers are then recorded and are in the same terms as those given to Humphrey, duke of Gloucester, in 1422.]

---

262. PARLIAMENTARY PROCEDURE, ACCORDING TO THOMAS KIRKBY, 1455

[*Y.B. 33 Henry VI, Pas. pl. 8*, printed in part in S. B. Chrimes, *English Constitutional Ideas in the Fifteenth Century* (1936), 361-362.]

Thomas Kirkby was at this time clerk of the rolls of parliament, and from 1458 became keeper of the rolls of Chancery.

For further discussion see *The Fane Fragment of the 1461 Lords' Journal*, ed. W. H. Dunham, Jr. (1935), 80-84, and App. D.

Kirkby: Sir, le cours del Parlement est tiel, etc. Mes si ascun bill soit particuler ou autre bille qe soit primerment delivre a les Communes et sil passe eux ils usent endosser la bille en tiel forme, cestassavoir, "Soit baille as Seigniours", et si le roy et les Seigniours agreent a meme le bill et ne voilloit alterer ne changer la bill, adonque ils ne ussent endosser la bill, mes est baille al clerk del Parlement pour estre enrolle; et si soit un commune bill il sera enrolle et enacte; mes si soit un particuler bill, il ne sera enrolle, mes sera file sur le filacion et est assez bien; mes si la party veut suir pur l'entre pour estre le mieux suer, il purroit estre enrolle, etc. Et si les Seigniours voillant alterer le bille, ceo qe puit estre ove le grant des Communs ceo ne sera delivre as Communes. Come si les Comuns grantent pondage ou tonnage pour quatre ans, etc., et les Seigniors grantent mes pur deux ans, ceo ne serra relivre a Communs pource qe ceo puit estre ove lour grant, mes *via versa* si les Comuns grantent lour tonnage et pondage ou tiel, etc., a durer pur ij ans; et les Seigniors grantent a durer pur quatre ans; en cest cas le bill covient etre relivre as Communs et en cest cas les Seigniors doivent faire un Scedule de lour entent, ou autrement endosser le Bill comme adire issint "Les Seigniors sont assentus a durer pour quatre ans, etc." Et quand les Comuns ont le bill arreremain et ne voillent assentir a ce, ceo ne puit estre enacte, mes si les Comuns voillent assentir a Seigniors adonque les Comuns endosseront lour respouns sur le marge de bas deins de bill en tiel forme "Les Comuns sont assentus al sedule les Seigniors a mesme cel bille annexe" et donque serra baille al Clarke du Parlement *ut supra*. Et si un bill soit primerment livrer as Seigniors et la bille passe eux, etc., donque en cest cas ils ne usent de faire nul manner d'endossement, mes de mettre le bill a les Comuns. Et dit en cest cas si la bille passe les Comuns est endosse par eux en tiel form "Les Comuns sont assentus", et par ce prove qe la bil ad passe les Seigniors a devant. Purquei en vostre cas pur ce que les Comuns granterent cest bill, et que la proclamacion donna un certein jour, et appert par l'endossement que les Seigniours ont varie, et auxint enlarge le jour, et nul mencion fait en la bill del assent des Comuns apres, purquei semble qe cest Acte n'est my bone, etc.

263. THE PARLIAMENTARY ELECTION IN NORFOLK, 1455

See also no. 254 above.

(*a*) Letter from the duchess of Norfolk to John Paston, 8 June.
[*Paston Letters* ed. J. Gairdner (Library ed. 1904), III, 34.]*

Sir Roger Chamberlain and John Howard (later the first duke of Norfolk of the Howard family) were both elected. For biographies see reference in no. 254 (*b*) above.

To oure right trusti and welbelovid John Paston, esquier.
The duchesse of Norffolk

Right trusti and welbelovid, we grete you hertiliweel. And for as muche as it is thought right necessarie for divers causes that my lord have at this tyme in the Parlement suche persones as longe unto him, and be of his menyall servauntz, wherin we conceyve your good will and diligence shal be right expedient, we hertili desire and pray you that at the contemplacion of thise oure lettres, as our special trust is in you, ye wil geve and applie your voice unto our right welbelovid cosin and servauntz, John Howard and sere Roger Chambirlayn, to be knyghtes of the shire, exorting alle suche othir as be your wisdam shal mow be behovefull to the good exployte and conclusion of the same.

And in your faithful attendaunce and trewe devoyre in this partie, ye shal do unto my lord and us a singlere pleasir, and cause us heraftir to thanke you therfore, as ye shal holde you right weel content and agreid, with the grace of God, who have you ever in his keping.

Wreten in Framlyngham Castel, the viii. day of June.

(*b*) Letter from John Jenny to John Paston, 24 June.
[*Ibid.*, III, 38-39.]*
For biographies see reference to no. 254 (*b*) above.

To my wurshipfull maister, John Paston, esquier.

Mi Maister Paston, I recomaunde me to you. And wher ye shulde be enformed that I shulde sey to Howard that ye labored to be knyght of the shire, I seid never soo to hym. I tolde my lord of Norffolk atte London that I labored diverse men for sir Roger Chaumberleyn, and they seid to me they wolde have hym, but not Howard, in asmeche as he hadde no lyvelode in the shire, nor co[n]versaunt; and I asked them hom they wolde have, and they seid they wolde have you, and thus I tolde hym. And he seid on avysely, as he kan doo full well, I myght not sey ye labored therfor. I herde never sey ye labored therfor, be the feithe I howe to God.

As for this writ of the parlement of Norwich, I thanke you that ye will labour ther in; as for my frendys ther, I truste right well all the aldermen, except Broun and sech as be in his dawnger. I prey you spekith to Walter Jeffrey and Herry Wilton, and maketh them to labour to your entent. I prey you that yf ye thenke that it wull not be, that it not like you to sey that ye meve it of your selff, and not be my desire. Sum men holde it right straunge to be in this parlement, and me thenkith they be wyse men that soo doo. Wreten atte Intewode, on Sceint John day, in hast.

Your servaunt,

John Jenney.

(*c*) Letter from John Jenny to John Paston, 25 June.
[*Ibid.*, III, 39.]*

To my wurshipfull maister, John Paston, squier.

Mi wurshipfull maister, I recomaunde me to you; and I thanke you that it plesith you to take seche labour for me as ye doo. My servaunt tolde me ye desired to knowe what my lord of Norffolk seid to me whan I spake of you; and he seid in asmeche as Howard myght not be, he wolde write a lettre to the under-shreve that the shire shulde have fre eleccion, soo that sir Thomas Tudenham wer not, nor none that was toward the Duc of Suffolk; he seid he knewe ye wer never to hym ward. Ye may sende to the under-shreve, and see my lord lettre. Howard was as wode as a wilde bullok; God sende hym seche wurshipp as he deservith. It is a evill precedent for the shire that a straunge man shulde be chosyn, and no wurshipp to my lord of Yorke, nor to my Lord of Norffolk to write for hym; for yf the jentilmen of the shire will suffre sech inconvenyens, in good feithe, the shire shall not be called of seche wurshipp as it hathe be. Wreten atte Intewode, this Wednesday next after Sceint John, in hast.

Your servaunt,

John Jenney.

PROCEEDINGS IN THE PARLIAMENT OF 1455–1456

Writs were issued on 26 May, 1455, for a parliament to meet at Westminster on 9 July; its first session lasted until 31 July; its second from 12 November to 13 December; its third from 14 January until 12 March, 1456.

264. ACCEPTANCE BY RICHARD, DUKE OF YORK, OF APPOINTMENT AS PROTECTOR, ON CONDITIONS, 13-22 NOVEMBER, 1455

[*Rot. Parl.*, v, 284-290.]*

The first battle of St. Albans was fought on 22 May, 1455. In July of this year Henry VI again lost his mental faculties, and remained incapacitated until February, 1456.

31. Memorandum, that the xiii day of the said moneth of Novembre it was shewed to the duke of York, the kynges lieutenaunt in this present parlement, and to the lordes spirituell and temporell, by the mouthe of Burley accompanyed with notable nombre of the Communes in name of all the Communes, that howe it had liked the kynges highnesse for certayn causes hym moevyng to assigne the said duk of York to be his lieutenaunt in this present parlement, and to procede in matiers of parliament, as in the kynges letters theruppon made and late radde before the said Communes it is playnly conteyned, and that the said duke of York had taken uppon hym so to procede. Wherfore it was thought by theym that were commen for the communes of this lande that if for suche causes the kyng heraftre myght not entende to the proteccion and defence of this lande, that it shuld like the kyng by thadvis of his said lieutenaunt and the lordes to ordeigne and purvey suche an hable persone as shuld mowe entende to the defence and proteccion of the said lande, and this to be doon as sone as it myght be, and they to have knowelege therof, to that entent that they myght sende to theym for whom they were commen to this present parlement knowelege who shuld be protectour and defensour of this lande, and to whom they shuld mowe have recours to sue for remedie of injuries and wronges done to theym. And also where there ben grete and grevous riotes doon in the weste countrey betwene therle of Devonshire and the lord Bonevile, by the whiche som men have be murdred, som robbed, and children and wymen taken, it is thought that if suche protectour and defensour were had, that suche riotes and injuries shuld be souner punysshed, justice largely ministred, and the lawe more duely to procede. Wherfore it myght lyke the said lieutenaunte and all the lordes to be goode meanes unto the kynges highnesse that suche a persone myght be purveide fore and had. And theruppon it was answered by the archebisshop of Caunterbury, chaunceler of Englond, that the said lieutenaunt and all the lordes wolde comon and delibre uppon theire desire, and they shuld have suche aunswere as shuld be pleasyng to God and profitte to the land.

[On 15 November Burley accompanied by a great number of the Commons again came before the lords and repeated his request.]

33. Item, this same day, aftre the voidyng of the said Burley and of theym accompanied with hym out of the parliament chambre, this question was axed by the said chaunceler of the lordes, seying, my lordes for asmoche as the Communes have made twies theire desire

and request, and that it is understoud that they woll not ferther procede in matiers of parliament to the tyme that they have answere of theire desire and request, what is thought to your wysdomes that shuld be done in this behalfe? To the whiche question it was aunswered by all the lordes, that for the causes above meoved by the said Communes, it were right expedient and behovefull that suche a protector and defensor shuld be had as the Communes desired. And than the said chaunceler seide to all the lordes, sith it is expedient and behovefull that suche protector and defensor shuld be had, asked who that persone shuld be, and that it shuld lyke theym to name hym. And there it was aggreed by all the lordes spirituelx and temporelx, every lord severally yevyng his voice and assent, considered the grete noblenesse, sadnesse, and wysdome of the duc of York, the sad governaunce and polletique rule had in this lande the tyme that he was last protectour and defensour of the land, that he shuld nowe take the charge uppon hym ayen, aftre semblable presidences as he had it before; to the whiche the said duc of York aunswered, praiyng and desiryng all the lordes that for asmoche as he knewe well that he was no persone hable, neithir in wisdome ne in governaunce, to take so grete and chargefull occupacion uppon hym, to name and take a nothir persone more able to so grete charge than he was, and be fully therof to be discharged. The whiche desire the lordes in no wyse wold admitte. And than the said duc of York seyde that if so were that he shuld nedes take that occupacion uppon hym, but onely for the grete trust that he had in the lordes that he wuld have of theym in that behalfe supportacion, good assistence, counseill, and aide, and also certeyn protestacions, and that he myght theruppon be advised.

[On Monday, 17 November, Burley accompanied by a great number of the Commons again came before the lords and repeated his request more strongly, telling of further news of disorder in the west country, and suggesting that since Christmas was approaching parliament might be prorogued, adjourned, or dissolved.]

35. Item, this same day, the said chaunceler, by thassent of the said lieutenaunt and all the lordes, shewed and declared unto the Communes beyng in theire house accustumed, that where as the said Communes had made dyverse desires and requestes to the said lordes to be good meanes to the kyng our soverayn lord, that, for causes meoved by theym, ther myght be had a protectour and defensour of this land, the kyng our said soveraigne lord, by thadvis and assent of his lordes spirituell and temporell beyng in this present parliament, had named and desired the duc of York to be protectour and defensour of this land, the said lordes trustyng verily that he wuld take it uppon hym. And that as for the subduyng and resistence of the grete riottes and inconveniences that were done and committed, as it is seide, in the west countrey, the said lieutenaunt and all the lordes have be and wull be as diligent, as desirous, and as coragious to the subduyng and

resistence therof as they can or may be, and thonked the Communes of theire grete diligences and desires made by theym in that behalfe. And as for the adjornyng, prorogyng, or dissolvyng of this parliament, the said lieutenaunt by thadvis of all the lordes wull procede theryn as the case shall require and be most behovefull and expedient.

[On 17 November the duke of York delivered certain articles in parliament. He protested his insufficiency for the task and asked that certain things be enacted by the authority of parliament.]

I. First, where that aftre request made unto you by the Commons beyng in this present parliament to be moyen unto the kynges highnesse to ordeyne and name a persone to be protectour and defensour of this lande, it lyked you of your self and of your free and mere disposicion to desire, name, and calle me to the said name and charge; and that of eny presumpcion of my self I ne take theym uppon me, but onely of thobeisaunce that Y awe to do, to the kyng our most dradde soverain lord, and to you as the parage of this lande, the lordes spirituelx and temporelx beyng in this present parliament, takyng uppon you thexercise of his auctorite for suche urgent, necessary, and resonable causes as move you so to take uppon you, for the good and honour of his highnesse, the politique and restfull rule and governance of this his lande, and thobservacion and entreteygnyng of his lawes and peas, wheryn restith the joy, consolacion, and suretie of you and all his liege people, and of my self specially, whiche with Goddes grace entende not to take, ner not wull presume to take uppon my self to procede to thexecucion or determinacion of eny thyng touchyng or concernyng thestate, honoure, or dignite of our said soverain lord, either els the seid politique rule and governance, without your advis and assent in the parlement, eithir els thadvis and assent of thaym that it shall please the kynges highnesse to name of his prive Conseill, to whoos advis, conseill, and assent I wull obey and applie my self as Y knowe it accordeth to my duete to do.

Responsio. It is agreed. . . .

[The duke asked also for a definition of his powers; for the assistance of the lords; for the appointment of counsellors, and for payment to be made to them to ensure their attendance; for his own salary, and for the payment of the salary due to him from the time he was last protector. He agreed to accept the same powers as on his previous protectorate, and his other requests were accepted.]

39. [Considering the requests of the Commons] . . . idem dominus noster rex . . . decimo nono die Novembris, anno regni sui tricesimo quarto, de industria et circumspeccione carissimi consanguinei sui Ricardi, ducis Eboraci, plenarie confidens, de avisamento et assensu dominorum tam spiritualium quam temporalium in parliamento predicto existentium, necnon de assensu communitatis predicte in eodem parliamento existentis, ordinavit et constituit dictum

consanguineum suum regni sui et ecclesie Anglicane predictorum protectorem et defensorem ac consiliarium ipsius domini regis principalem; et quod ipse dux ejusdem regni protector et defensor ac ipsius domini regis principalis consiliarius sit et nominetur quousque idem consanguineus ipsius domini regis de occupacione sive onere et nomine hujusmodi, per prefatum dominum regem in parliamento, de avisamento et assensu dominorum spiritualium et temporalium in parliamento existentium, exoneretur. Auctoritate tamen dicti ducis quo ad excercicium et occupacionem oneris protectoris et defensoris predicti omnino cessante cum sive quando Edwardum dicti domini regis filium primogenitum contigerit ad annos discrecionis pervenire, si idem Edwardus onus protectoris et defensoris predicti super se adtunc assumere voluerit. [The text of the letters-patent for the duke then follow.]

40. [The powers of the protector are a repetition of those given to him in 1454.]

41. The xxii^ti day of Novembre, the yere of oure seid soverayne lord xxxiiii^ti, the moost Cristen prince the kyng oure moost drad soverayne lord, at his paleys of Westminster, remembryng that to the politique governaunce and restfull reule of this his realme apperteneth grete diligence and actuell laboure, the which is to his moost noble persone full tedious and grete to suffre and bere. Also that every prince must of verray necessitee have counsaillers to helpe hym in his charges, to whome he muste trust and leene. For thees causes and other such as moeve his high wisedome, consideryng that God hath endued such as been of his Counsaill with grete wisedome, cunnyng, and experience, and knowe the direccion to be had moost expedient for the sadde and politique reule of this his land, whoos trouthes, love, and good zele that they bere to his welfare, suertee of his high astate and roiall persone, been to hym approved and knowen, openyng his gracious disposicion, ordeyned and graunted that his Counsaill shuld provyde, commyne, ordeyne, spede, and conclude all such matiers as touche and concerne the good and politique rule and governaunce of this his land and lawes therof, and directe thayme as it shalbe thought to theire wisdomes and discrecions behovefull and expedient; soo alwaye that in all such matiers as touchen the honour, wurship and suertee of his moost noble persone, they shall late his hignes have knowelech what direccion they take in theym; desiryng his said Counsaill hertely, for the wele and ease of his said persone, and kepyng and beryng up his roiall astate, to take this his wille and ordenaunce upon thaym. The which lordes protestyng that the high prerogative, preemynence, and auctorite of his mageste roiall, and also the soverauntee of thaym and all this lande, is, and alwey mot reste and shall reste in his moost excellent persone, offre thayme of humble obeissaunce to put thaym in as grete diligence and devoir, to doo all that that mowe preferre or avaunce the said high prerogatyve, preemynence, and auctorite of his moost excellence, and also his high regalie, and

honorable astate and welfare, and the felicitee and suertee of his moost noble persone, and also to the politique reule and governaunce of his lande, and the good publique, reste, and tranquillite of his subgettes, as ever did eny counsaillers or subgettes to theire moost drad soverayne lord, and therunto at all tymes to be redy, not sparyng therfore at eny tyme that it shall nede to putte theire bodyes in jeopardie.

265. CASE OF THOMAS YOUNG

[*Rot. Parl.*, v, 337.]*

Soit baille as seignurs

To the right wise and discret Comons in this present parlement assembled, bisechith humbly Thomas Yong, that where as he late beyng oon of the knyghtes for the shire and towne of Bristowe in dyvers parlementes holden afore this, demened him in his saiyng in the same as wele, faithfully, and with alle suche trewe diligent labour as his symplenesse couthe or myght, for the wele of the kyng oure soverain lorde, and this his noble realme; and notwithstonding that by the olde liberte and fredom of the comyn of this londe, had, enjoyed, and prescribed fro the tyme that no mynde is, alle suche persones as for the tyme been assembled in eny parlement for the same comyn, ought to have theire fredom to speke and sey in the hous of their assemble, as to theym is thought convenyent or resonable, withoute eny maner chalenge, charge, or punycion therefore to be leyde to theym in eny wyse. Neverthelesse, by yntrewe sinistre reportes made to the kinges highnesse of your said bisecher, for matiers by him shewed in the hous accustumed for the Comyns in the said parlementes, he was therefore taken, arrested, and rigorously in open wise led to the Toure of London, and there grevously in grete duresse long tyme emprisoned, ayenst the said fredom and liberte, and was there put in grete fere of ymportable punycion of his body, and drede of losse of his lif, withoute eny enditement, presentement, appele, due originall, accusement, or cause laufull, had or sued ayenst him, as it is openly knowen, he not mowyng come to eny answere or declaracion in that partie; whereby he not oonly suffered grete hurt, payn, and disese in his body, but was by the occasion therof put to over grete excessyve losses and expenses of his goodes, amountyng to the somme of mille marks and muche more. Please hit your grete wisedoms tenderly to consider the premisses, and therupon to pray the kyng oure soverain lorde that hit like his highnesse of his most noble grace to graunte and provide by thavice of the lordes spirituell and temporell in this present parlement assembled, that for the said losses, costes, damages, and imprisonement, your said bisecher have sufficient and resonable recompense as good feith, trouthe, and conscience requiren.

Responsio. The kyng wolle that the lordes of his Counseill do and provyde in this partie for the seid suppliant as by theire discrecions shalbe thought convenyent and resonable.

PROCEEDINGS IN THE PARLIAMENT OF 1459

Writs were issued on 9 October for a parliament to meet at Coventry on 20 November ; its session lasted until 20 December. The attendance of lords spiritual and temporal at this parliament was exceptionally large. See J. S. Roskell, 'The Problem of the Attendance of the Lords in Medieval Parliaments', in *Bull. Inst. Hist. Res.*, XXIX (1956), 153-204.

266. THE LORDS' OATH OF ALLEGIANCE, 11 DECEMBER

[*Rot. Parl.*, v, 351.]*

The battles of Blore Heath and Ludlow (or Ludford Bridge) were fought on 23 September and 12 October, 1459, respectively.

26. Memorandum, that the xi day of Decembre, the yere of the moost noble reigne of Kyng Herry the sexte oure soveraigne lord xxxviii[tl], a cedule of a forme of an oth was radde in the kynges high presence and the lordes spirituell and temporell beyng in the parlement chambre at Coventre ; and after the redyng of the same cedule, the bysshop of Wynchestre, chaunceller of Englond, by the kynges high commaundement made question to every lord in his persone, by hym self, yf he wolde make such oth as was radde in the said cedule ; and theruppon all the lordes whos names been here underwritten, with their owen handes and theire seales putte to these presentes.

Fyrst, the Lord Stourton, and so every lord in his persone, and by hym self, agreed to make such oth as was radde. And than and there in the same chambre, in the kynges high presence, all the lordes spirituell and temporell, and every of theym by hym self, in his persone, made the said oth uppon the holy evaungelies, settyng therto his seale and signe manuell, as here under apperith, accordyng to the tenure of the forseid oth and cedule. The tenure of which oth and cedule foloweth in thees wordes.

I A.B. etc., knouleche you, moost high and myghty, and moost Cristen prynce, Kyng Herry the vi[te], to be my moost redouted soverayne lord, and rightwesly by succession borne to reigne uppon me and all youre liege people. Wheruppon Y voluntariely, withoute cohercion, promitte and oblyssh me, by the feith and trouth that Y owe unto God, and by the faith, trouth, and liegeaunce that Y owe unto you, my moost redouted soverayne lord, that Y shall be, withoute eny variaunce, true, feithfull, humble, and obeisaunt subgiet and liegeman unto you, my moost redouted soveraigne lord ; and that Y shall be unto my lyves ende, at all tymes and places, redy and attendyng at youre callyng, in my moost herty wise and manere, as eny true liegeman oweth to be unto his soverayne lord, puttyng me in my true undelaied devoir to doo all that that may be unto the wele and suerte of youre moost roiall persone, of youre moost noble estate, and the veray conservacion and contynuaunce of youre moost high auctorite, preemynence, and prerogatyf ; to the wele, suerte, and preservyng of the persone of the moost high and benigne Princesse Margaret, the quene, my soverayne lady, and of her moost high and noble estate, she beyng youre wyf; and also to the wele, suerte, and honour of the persone of the right high and myghty Prynce Edward, my right redouted lord, the prynce youre first begoten sonne, and of the right high and noble estate of the same; and feithfully, truly, and obeisauntly, in my moost humble wise and manere, honour, serve, obeye, and bere myne aligeaunce unto you, my moost redouted soverayne lord, duryng youre lyf, which God Fader of mercy for my moost singuler recomfort preserve long in prosperite to endure. And yf God of his infynite power take you from this transitorie lyf, me beryng lyf here in this world, that than I shall take and accept my said redouted lord the Prynce Edward, youre said first begoten sonne, for my soverayne lord, and bere my trouth, faith, and liegeaunce unto hym as my naturall borne soveraigne lord; and after hym, unto his succession of his body lawefully begoten; and in defaute of his succession, which God defende, unto eny other succession of youre body lawefully commyng. And that I shall never at eny tyme, for eny manere occasion, colour, affinitee, or cause, consent, geve ayde, assistence, or favoir, or agre to eny thyng that I may understond or knowe by ony mean, that may be prejudiciall or contrarie to the premisses or eny of theym; but that Y shall, as sone as Y may soo have knoulech, putte me in my due undelayed devoir, in my moost herty and effectuous wise and manere, withoute colour or fayntise, with my body, goodes, myght, power, counsaill, and advertisment, to resiste, withstond, and subdue all theym that wold in any wise presume to do contrarie to the premisses, or eny of theym. So God me helpe, and thiese holy evaungelistes. In witnes wherof, Y sette to thiese presentes my seal and myne signe manuell. [The names of two archbishops, three dukes, sixteen bishops, five earls, two viscounts, fourteen abbots, two priors, and twenty two lay lords follow.]

267. PETITION BY THE SHERIFFS REGARDING THE LAST PARLIAMENTARY ELECTION

[*Rot. Parl.*, v, 367.]*

35. To the kyng oure soveraigne lord, mekely bisechen youre true liegemen, sherrefs of the shires of this youre noble realme that were of the yere last passed. Where it pleased youre highnes to commaunde dyvers of your seid besechers by your honourable letters of pryvie seall to procede to eleccion in their severall shires of knyghtes for shires for this your present parlement for the good and hasty spede therof; please it youre noble grace to ordeyne and to graunt, by the assent of youre lordes spirituell and temporell, and by the Commens assembled in this present parlement, and by auctorite of the same, that all eleccions of knyghtes for youre seid shires in suche wise chosen, and by youre seid besechers retourned, be as good and effectuell as

eny eleccion of knyghtes for eny of youre seid shires made or doon by vertue of youre writte or writtes to eny of youre seid besechers direct; and that youre seid besechers and their undersherefs and clerkes, and everyche of theym, be quyte and discharged ageynst youre highnes, and all your liege people, of the penaltees and forfaitures that they or eny of theym be fall yn or may be chargeable by force of a statute made the xxiii[th] yere of youre noble reigne, as for occupiyng or excercisyng their seid offices lenger than ayere, for eny maner eleccions of knyghtes, aswele by force of youre writtes as by force of youre letters of pryve seall as other wise, and for retournes of the same, and for almaner retournes of citezeyns and burgeyses in their severall shires for this present parlement by eny of theym retourned bifore the last day of this present parlement. Provided alwey that by this acte they nor noon of theym be excused or discharged of eny other offence or thing doon by theym, or any of theym, in their seid office. Alwey forseyn that no man be amerced for any suyte bigon by hym ayenst eny of youre seid besechers to recovere the seid penaltees for eny occupacion of their seid office for the premisses.

Responsio. Le roy le voet.

PROCEEDINGS IN THE PARLIAMENT OF 1460

Writs were issued on 30 July for a parliament to meet at Westminster on 7 October; its session lasted until December.

268. ACCORDING TO JOHN WHETHAMSTEDE

[*Registrum Abbatiae Johannis Whethamstede*, ed. H. T. Riley (R.S., 1872), I, 376-378.]

John Whethamstede was abbot of St. Alban's; his *Register* was probably written between 1465 and 1476, and is of substantial contemporary value.

Richard, duke of York, returned from Ireland, where he was the king's lieutenant, in the second week of September. He landed near Chester, and proceeded by Ludlow and Hereford, and reached London on 10 October, three days after the parliament had been opened.

Revertenti dicto Duce Eboracensi ab Hiberniae partibus iterum ad regnum Angliae, applicantique apud littus rubeum prope urbem Cestriae, fiebat rumor in plebe grandis, sed varius et contrarius, super reditu et reventu illius; quibusdam opinantibus ipsum adventum esse pacificum, nihilque aliud per illum intendere, nisi ut proceres regni, in se discordes, concordes redderet, pacemque in virtute sua faceret utrobique per universum regnum, et reformaret. Aliis vero, quibus sanior seniorque inerat prudentiae spiritus, suspicantibus illum fore litigiosum, ipsumque contra Dominum Regem, pro jure coronae regiae, litigiose agere, ac ipsam coronam titulo haereditarii juris sibi vendicare.

Dum autem populus fluctuaret taliter sub dubio, staretque Dominus Rex cum Praelatis, Proceribus, et Communibus, in Parliamento apud Westmonasterium, pro bono regimine sui regni, congregato, mox, et Parliamenti quasi in principio, supervenit dictus Dominus Dux Eboracensis, cum pompa apparatus magni, in non parvaque exultatione spiritus, quia cum tubis et bucinis, cum hominibusque armorum, ac familia multa nimis; ingrediensque Palatium ibidem, perrexit recto itinere per aulam majorem, quousque veniret ad cameram illam solemnem, ubi Rex, cum Communibus, tenere solet Parliamentum suum. Illuc utique veniens, perrexit passu recto, quousque veniret ad solium Regis, super cujus centonem, sive culcitram, manum suam ponens, in eo facto similis homini sumpturo possessionem sui juris, tenuit illam super ipsam per morulam temporis parvulam. Demum tamen eam inde retrahens, vertit faciem suam ad populum, stansque in pace sub panno status regii, intuebatur concurrentiam contuentiamque illorum.

Dum autem sic staret, vultumque deflecteret ad populum, et ipsum sibi applaudentem aestimaret, supervenit Magister Thomas Boucher, Archiepiscopus Cantuariae, praemissaque salutatione congrua, petiit an vellet venire, et Dominum Regem videre. De qua petitione ipse quasi stomachatus in animo, respondebat iterum breviter satis, sub isto modo,—"Non memini me nosse aliquem infra regnum, quin deceret eum citius venire ad me, et videre personam meam, quam me accedere, et visitare suam."

Archiepiscopus, audito hoc responso, recessit festinus, nunciavitque Regi responsum, quod audierat ab ore Ducis. Recedente utique Archipraesule, recessit etiam et ipse, (Rege jacente in hospitio Reginae), ad principaliorem hospitationem totius Palatii, effractisque seris, ac ostiis apertis, more regio potius quam ducali, hospitabatur per non paucum tempus ibidem. Publicato quippe in plebe tam elato dicti Domini Ducis regimine, et quomodo ex propria indigestaque praesumptione sic intraverat, et nullatenus ex aliqua solida sensatave deliberatione, coepit protinus status omnis, et gradus, aetas et sexus, ordo et conditio, contra eum murmuranter agere, dicereque per viam improperii. . . .

269. CLAIM OF RICHARD, DUKE OF YORK, TO THE CROWN, 16-31 OCTOBER

[*Rot. Parl.*, v, 375-379.]*

10. Memorandum, that the xvi day of Octobre, the ixth daye of this present parlement, the counseill of the right high and myghty prynce, Richard, duc of York, brought in to the parlement chambre a writyng conteignyng the clayme and title of the right that the seid duc pretended unto the corones of Englond and of Fraunce, and lordship of Ireland, and the same writyng delyvered to the right reverent fader in God, George, bisshop of Excestre, chaunceller of

Englond, desiryng hym that the same writyng myght be opened to the lordes spirituelx and temporelx assembled in this present parlement, and that the seid duc myght have brief and expedient answere therof; wheruppon the seid chaunceller opened and shewed the seid desire to the lordes spirituelx and temporelx, askyng the question of theym whither they wold the seid writyng shuld be openly radde before theym or noo? To the which question it was answered and agreed by all the seid lordes, in asmuche as every persone high and lowe, suying to this high court of parlement, of right must be herd, and his desire and peticion understande, that the said writyng shuld be radde and herd, not to be answered without the kynges commaundement for so moche as the mater is so high, and of soo grete wyght and poyse. Which writyng there than was radde, the tenour wherof foloweth in these wordes:

[In this writing Richard, duke of York, claims the throne on the grounds of his descent from Lionel, duke of Clarence, third son of Edward III, which gives him preference over any descendant of John of Gaunt, fourth son of Edward III. At the same time Edward III is stated to be the true descendant of Edward I, the eldest son of Henry III.]

12. And afterward, the xvii day of October, the xth day of this present parlement, the seid chaunceller shewed and declared to the seid lordes spirituelx and temporelx beyng in the same parlement, howe that the counseill of the seid duc of York gretely desired to have answere of such writyng as uppon the xvi day of Octobre last passed was put in to this present parlement on the behalf of the seid duc; and theruppon asked the seid lordes what they thought was to be doon in that matier? To the which question it was answered and thought by all the seid lordes, that the matier was so high, and of such wyght that it was not to eny of the kynges subgettes to enter into communicacion therof withoute his high commaundement, agreement, and assent had therto. And ferthermore, for asmoch as the seid duc desired and required bref and undelaied answere of the seid writyng, and in eschuyng and avoidyng of grete and manyfold inconveniences that weren lykly to ensue yf hasty provision of good answere in that behalf were not had, it was thought and agreed by all the lordes, that they all shuld goo unto the kyng to declare and open the seid mater unto his highness, and to understond what his good grace wuld to be doon ferther therin. And theruppon incontynent all the seid lordes spirituelx and temporelx went to the kynges high presence, and therunto opened and declared the seid mater by the mouth of his said chaunceller of Englond. And the same matier by the kynges highnes herd and conceyved, it pleased hym to pray and commaunde all the seid lordes that they shuld serche for to fynde, in asmuch as in them was, all such thynges as myght be objecte and leyde ayenst the cleyme and title of the seid duc. And the seid lordes besaught the kyng that

he wuld remember hym yf he myght fynde any resonable mater that myght be objected ayenst the seid cleyme and title, in so moche as his seid highnes had seen and understonden many dyvers writyngs and cronicles. Wheruppon, on the morn the xviii day of Octobre, the xi[th] day of this present parlement, the forseid lordes sent for the kynges justices in to the parlement chambre to have their avis and counsell in this behalf, and there delyvered to theym the writyng of the cleyme of the seid duc, and in the kynges name gave theym straitely in commaundement sadly to take avisament therin, and to serche and fynde all such objections as myght be leyde ayenst the same, in fortefying of the kynges right.

Wherunto the same justices, the Monday the xx day of Octobre then next ensuyng, for their answere uppon the seid writyng to theym delyvered, seiden that they were the kynges justices, and have to determyne such maters as com before theym in the lawe betwene partie and partie, and in such maters as been betwene partie and partie they may not be of counseill, and sith this mater was betwene the kyng and the seid duc of York as two parties, and also it hath not be accustomed to calle the justices to counseill in such maters, and in especiall the mater was so high and touched the kynges high estate and regalie, which is above the lawe and passed ther lernyng, wherfore they durst not enter in to eny communicacion therof, for it perteyned to the lordes of the kynges blode, and thapparage of this his lond to have communicacion and medle in such maters; and therfore they humble bysought all the lordes to have theym utterly excused of eny avyce or counseill by theym to be yeven in that matier.

And then the seid lordes, consideryng the answere of the said juges, and entendyng to have the advice and good counseill of all the kynges counseillers, sent for all the kynges sergeauntes and attourney and gave theym straight commaundement in the kynges name that they sadly and avisely shuld serche and seke all such thinges as myght be best and strengest to be alegged for the kynges availe, in objeccion and defetyng of the seid title and clayme of the seid duc.

Wherunto the seid sergeauntes and attourney, the Wensday than next ensuyng, answered and seiden that the seid mater was put unto the kynges justices, and howe the Monday then last passed the same justices seiden and declared to the seid lordes that the seid mater was soo high, and of soo grete wight that it passed their lernyng, and also they durst not entre eny communicacion in that matier to yeve eny avyce or counseill therin, and sith that the seid matier was soo high that it passed the lernyng of the justices, it must nedes excede their lernying, and also they durst not entre eny communicacion in that matier, and prayed and besought all the lordes to have theym excused of yevying eny avice or counsaill therin.

To whome it was answered, by thavis of all the lordes, by the seid chaunceller, that they myght not so be excused for they were the kynges particuler counseillers, and therfore they had their fees and wages. And as to that the seid sergeauntes and attourney seiden that they were the kynges counseillers in the lawe in such thinges as were under his auctorite or by commission, but this mater was above his auctorite wherin they myght not medle, and humbly besought the said lordes to have theym excused of yevyng eny counseill in that matier; and it was answered agayn that the lordes wuld not hold theym excused, but let the kynges highnes have knowleche what they seid. And theruppon the seid chaunceller remembred the lordes spirituelx and temporelx of the seiynges and excuses of the justices and the seying and excuses of the sergeauntes and attourney, and also the grete commaundement of the kynges highnes that they had, to fynde all such objecions as myght be moost myghty to defend the kynges right and title, and to defete the title and clayme of the seid duc of York; and also that the kyng myght understond that the seid lordes diden their true and feithfull devoire and acquitaille in the seid mater, desired all the lordes that every of theym shuld sey what he cowede sey in fortefiyng the kynges title, and in defetyng of the clayme of the seid duc. And than it was agreed by all the lordes that every lord shuld have his fredome to sey what he wuld sey withoute eny reportyng or magre to be had for his seiyng. And theruppon, after the seiyng of all the lordes, every after other, it was concluded that thes maters and articles hereunder writen shuld be alegged and objecte ayenst the seid clayme and title of the seid duc.

[Five heads of objections were then presented to the duke of York's claim, the oaths taken to the king, the acts made in divers parliaments, the various entails of the crown made to heirs male, the arms borne by the duke which were those of Edmund Langley, late duke of York, and the claim of Henry IV to the throne, not by conquest, but by right of descent from Henry III. The duke of York then gave answers in writing to each of these objections.]

18. Item, the Saturday, the xvii day of this present parlement [25 October], it was shewed unto the lordes spirituelx and temporelx beyng in this present parlement, by the mouth of the seid chaunceller, that the seid duc of York called besily to have hasty and spedy answere of such maters as touched his title abovesaid, and howe that for asmoche as it is thought by all the lordes that the title of the seid duc can not be defeted, and in eschuying of the grete inconvenientes that may ensue, a meane was founde to save the kynges honour and astate, and to apease the seid duc, yf he wuld, which is this. That the kyng shall kepe the corones, and his astate and dignite roiall duryng his lyf, and the seid duc and his heires to succede hym in the same, exhortyng and steryng all the seid lordes that yf eny of theym cowde fynde eny other or better meane, that it myght be shewed. Wheruppon, after sad and ripe communicacion in this matere had, it was concluded and agreed by all the seid lordes that sith it was soo, that the title of the seid duc of York can not be defeted, and in eschuyng the grete incon-

venientes that myght ensue, to take the mean above rehersed, the othes that the seid lordes had made unto the kynges highnes at Coventre and other places saved, and their consciences therin clered. And over that, it was agreed by the seid lordes that the seid meane shuld be opened and declared to the kynges highnes. And forthwith they went towardes the kyng where he was in his chambre within his palice of Westmynster. And in their goyng oute of the parlement chambre, the seid chaunceller asked of the seid lordes that sith it was soo, that the seid meane shuld be opened by his mouth to the kynges good grace, yf they wuld abyde by hym howe so ever that the kyng toke the mater, and all they answered and seid yee.

All these premisses thus shewed and opened to the kynges highnes, he, inspired with the grace of the Holy Goost, and in eschuying of effusion of Christen blode, by good and sad deliberacion and avyce had with all his lordes spirituelx and temporelx, condescended to accord to be made betwene hym and the seid duc, and to be auctorized by thauctorite of this present parlement. The tenour of which accord hereafter ensueth in manere and fourme folowyng . . .

[First, the claim of Richard, duke of York, to the throne by descent from Edward I and Edward III is recited.]

20. The said title natheles natwithstandyng, and withoute prejudice of the same, the seid Richard, duc of York, tenderly desiryng the wele, rest, and prosperite of this lande, and to set apart all that that myght be trouble to the same, and consideryng the possession of the seid Kyng Herry the sixt, and that he hath for his tyme bee named, taken, and reputed kyng of Englond and of Fraunce, and lord of Ireland, is content, agreed, and consenteth that he be had, reputed, and taken kyng of Englond and of Fraunce, with the roiall estate, dignitee, and preemynence belongyng therto, and lord of Irelond duryng his lyf naturall, and for that tyme the said duc, withoute hurte or prejudice of his said right and title, shall take, wurship, and honour hym for his soverayn lord.

21. Item, the said Richard, duc of York, shall promitte and bynde hym by his solempne othe in manere and fourme as foloweth;

In the name of God, Amen. I, Richard, duc of York, promitte and swere by the feith and trouth that I owe to Almyghty God, that I shall never doo, consente, procure, or stirre, directly or indirectly, in prive or appert, ner asmuch as in me is and shall be, suffre to bee doo, consented, procured, or stirred any thing that may bee or sowne to the abriggement of the naturall lyf of Kyng Herry the sixt, or to the hurt or amenusyng of his reigne or dignite roiall, by violence or eny other wise, ayenst his fredome and libertee. But that yf any persone or persones wold doo or presume any thyng to the contrary, I shall with all my power and myght withstonde it, and make it to bee withstoude as ferre as my power will strecche therunto; soo helpe me God and thees holy evangelies.

Item, Edward, erle of Marche, and Edmund, erle of Ruthlond, the sonnes of the seid Richard, duc of York, shall make lyke ooth. . . .

[It was agreed that Richard, duke of York, should be regarded as heir to the crown and that he should succeed to it immediately on the death of Henry VI; that castles, lands, etc. to the annual value of 5,000 marks over all charges should be given to the duke, and similar grants to the value of 3,500 marks to his son Edward, earl of March, and of £1,000 to his second son Edmund, earl of Rutland; that it should be high treason to 'ymagine or compasse' the death of the said duke; and that the lords spiritual and temporal should take oaths to the duke and his heirs, and to this settlement, and that the duke and his two sons should take oaths to assist the lords in any quarrel arising out of their agreement to this settlement. The king himself then gave his assent to this settlement.]

28. And ferthermore (the king) ordenneth, graunteth, and stablissheth, by the seid advis and auctorite, that all statutez, ordynaunces, and actes of parlement made in the tyme of the seid Kyng Herry the fourth, by the which he and the heires of his body commyng, or Herry, late kyng of Englond the fyft, the son and heire of the said Kyng Herry the fourth, and the heires of the body of the same Kyng Herry the fyft commyng, were, or be enheritable to the said corones and reaumes, or to the heritage or enheritement of the same, be adnulled, repelled, revoked, dampned, cancelled, voide, and of noo force or effect. . . .

29. Memorandum, that after the agrement of the seid acte of accord by the kyng and three estates in this present parlement assembled, the seid duc of York and erles of Marche and Rutlonde, in the vigill of All Halowes [31 October], come personelly in to the chambre of the same parlement before the kyng, in the presence of the lordes spirituelx and temporelx, and there and then everyche of the seid duc and erles severally made promesse and ooth accordyng to the seid agrement and accord, with protestacion that if the kyng for his partie duely kept and observed the same accord and acte theruppon made, which the kyng at that tyme promysed so to doo. And then the seid duc and erles instantely desired that this her protestacion, and also the seid promesse made by the kyng myght be entred of record. . . .

---

270. RICHARD, DUKE OF YORK, PROCLAIMED HEIR APPARENT AND PROTECTOR (ACCORDING TO EDWARD HALL), 8 NOVEMBER

[Edward Hall, *Chronicle*, ed. H. Ellis (1809), 249.]

Edward Hall's (d. 1537) *Chronicle* (1st ed. 1542) is a useful authority for this period. His ancestor Davy Hall was in the service of Richard, duke of York, and was killed at the battle of Wakefield, 1460. Family traditions may have contributed to Edward Hall's account of the events of this time.

After long argumentes made, and deliberate consultacion had emong the peeres, prelates, and commons of the realme: vpon the vigile of all sainctes [31 October], it was condescended and agreed, by the three estates, for so muche as kyng Henry had been taken as kyng, by the space of xxxviii. yeres and more, that he should inioye the name and title of Kyng, and haue possession of the realme, duryng his life naturall: And if he either died or resigned, or forfeted thesame for infringing any poynt of this concorde, then the saied Croune and aucthoritie royal, should immediatly bee diuoluted to the Duke of Yorke, if he then liued, or els to the next heire of his line or linage, and that the duke from thensefurth, should be Protector and Regent of the lande. Prouided allwaie, that if the kyng did closely or apertly, studie or go aboute to breake or alter this agrement, or to compesse or imagine the death or destruccion, of the saiede Duke or his bloud, then he to forfet the croun, and the duke of York to take it. These articles with many other, were not onely written, sealed, and sworne by the twoo parties: but also wer enacted, in the high court of Parliament. For ioye whereof, the kynge hauyng in his company the saied Duke, rode to the Cathedrall Churche of sainct Paule, within the citee of London, and there on the daie of all Sainctes, went solempnely with the diademe on his hed, in procession, and was lodged a good space after, in the bishoppes Palace, nere to thesaied Churche. And vpon the Saturdaie next insuyng, Richard Duke of Yorke, was by the sounde of a trumpet, solempnely proclaimed heire apparant to the Croune of Englande, and Protector of the realme.

REIGN OF EDWARD IV
1461–1483

ACCESSION OF EDWARD IV, 1461

271. ACCORDING TO A LONDON CHRONICLE

[*Six Town Chronicles of England*, ed. R. Flenley (1911), 161-162.]

This Chronicle was probably written by a chamberlain of the City of London during the later years of the Yorkist period.

The battle of Wakefield, in which Richard, duke of York, was killed, was fought on 30 December, 1460. His son Edward, earl of March, won the battle of Mortimer's Cross on 2 February, 1461, and notwithstanding the Lancastrian victory at the second battle of St. Albans on 17 February, he entered London on 26 February. He assumed the crown on 4 March, won the battle of Towton on 29 March, and was crowned on 28 June, 1461.

And the Thursday after [26 February] the Erle of Marche and the Erle of Warwik come to london wyth a grett puisshaunce and on Sonday after all the host mustred in Seynt Johannis ffelde and there was redde among theym certeyne articles and poyntys that kyng harry the vi hadde offended in ayenst the realme. And then it was demanded of the people whether the said harry were worthy to regne still and the peopill cried nay: and than was axed iff they wolde have the Erle of Marche to theire kyng and they cryed yee: and then certeyne capitaynes went to the Erle of Marches place at Baynardis Castell and muche people w[t] hem and tolde hym that the people had chosen hym for kyng and he thanked theym and by the advyce of the bisshop of Countorbury the Bisshop of Excestre and the Erle of Warwik w[t] other graunt it to take it upon hym: and on tewesday after made cryes that all maner people shulde mete him on the morn that was the iiij day of Marche at powles at ix of the clokk and so they did: and thidder come the Erle of Marche w[t] the lordis in goodly array and there went on procession þurgh the toune w[t] thee letanye: and after procession doon the bisshop of Excestre Chaunceler made a sermon: and at the Ende of the Sermon he declared the Erle of Marches right and title to the crowne and demaunded the people yff they wolde have hym to her kyng as his right axed and they cryed yee: than all the people were prayed to goo w[t] hym to Westmynster to see hym taake his possession and so the people did: and than the Erle of Marche w[t] the lordis spirituell and temporell roode thidder and whan he come at the halle he alighted and went in and so up to the chauncery and there he was Sworn afore the bisshop of Caunterbury and the Chanceller off Englond and the lordis that he shulde truly and justly kepe the realme and the lawes there of maynteyne as a true and Juste kyng:

and than they did on hym kynges roobis and the cappe of Estate and than he went and satt in the See as kyng: and than it was axed of the people yff they wolde have hym to kyng and hym maynteyne supporte and obeye as true kyng and the people cried yee: and then he wente thorowe the paleys to Westymnster chirche: and the abbot w[t] procession boode hym in the chirche hawe w[t] Seynt Edwardis Septure and there tooke it hym and so went into the Chirche and offered at the high awter w[t] grett Solempnitee and after at Seynt Edwardis shryne: and than cam doune into the Quere and satt there in the see whiles Te Deum was songe solemply: and thanne went into the paleys ayene and chaunged his array: and after com doune by water and went to poules to the paleys and there logged and dyned . . .

[In Westminster Hall the mayor, aldermen, and commons of London then asked for a confirmation of their privileges; which was conceded.] And the said kyng Edward the iiij[th] beganne his reigne the seid wedenysday that was the iiij[th] day of marche the yere of oure lorde god MCCCC[o]lxj.

272. ACCORDING TO A LATIN CHRONICLE

[*Three Fifteenth-Century Chronicles*, ed. J. Gairdner (Camden Soc., new ser. XXVIII, 1880), 173.]

This Chronicle was written as the concluding portion of the *Compillatio de Gestis Britonum et Anglorum* and has contemporary value for the years 1460–1464.

Edwardus autem predictus ij[o] die Marcii proclamari fecit London. articulos concernentes jus suum ad coronam regni Anglie; et sequenti die, convocatis dominis spiritualibus et temporalibus illic presentibus, expressi sunt predicti articuli coram eis et approbati. Quarto autem die ejusdem mensis post processionem generalem London. solenniter factam, episcopus Excestrensis ad crucem Sancti Pauli sermonem fecit satis laudabilem, titulumque dicti Edwardi ad regnum Anglie multiplici evidencia patefecit; objeccionibus que in ejus oppositum fieri possent patulo respondit, et eas excussit. Completo sermone isto eximio, dominus Edwardus cum dominis spiritualibus et temporalibus et magna populi frequencia eodem die ad Westmonasterium equitavit; ubi in Westmonaster hall sedis regalis possessionem suscepit. A monachis quoque ibi cum processione sibi occurrentibus honorifice receptus est. Commendato eidem per eosdem sceptro regali, possessionem in regis palacio obtinuit. Nec dum tamen inunctus est aut regio diademate insignitus; sed his decentissime peractis, ad locum suum London., congaudentibus populis, remeavit.

PROCEEDINGS IN THE PARLIAMENT OF 1461

Writs were issued on 23 May, 1461 for a parliament to meet at Westminster on 6 July; writs of *supersedeas* were issued on 13 June postponing the meeting until 4 November; its first session lasted until 21 December; it was prorogued until 6 May, when it met and was then dissolved.

273. THE ACCESSION ACCORDING TO THE ROLLS OF PARLIAMENT

[*Rot. Parl.*, v, 463-464.]*

8. Memorandum, quod quedam peticio exhibita fuit prefato domino regi in presenti parliamento per prefatos Communes sub eo qui sequitur tenore verborum.

[The petition begins by reciting at length Edward IV's title by descent from Henry III and Edward III through Lionel, duke of Clarence, third son of Edward III. Richard II lawfully possessed the Crown until he was captured and imprisoned] . . . and the same Kyng Richard soo beyng in prison and lyvyng, [Henry, earl of Derby] usurped and intruded upon the roiall power, estate, dignite, preemynence, possessions, and lordships aforeseid, takyng upon hym usurpously the coroune and name of kyng and lord of the same reame and lordship; and not therwith satisfyed or content, but more grevous thyng attemptyng, wykidly of unnaturall, unmanly, and cruell tyranny, the same Kyng Richard, kyng enoynted, coroned, and consecrate, and his liege and moost high lord in the erth, ayenst Goddes lawe, mannes liegeaunce, and oth of fidelite, with uttermost punicion attormentyng, murdred and destroied, with moost vyle, heynous, and lamentable deth; wherof the heavy exclamacion in the dome of every Cristen man soundeth into Goddes heryng in heven, not forgoten in the erth, specially in this reame of Englond which therfore hath suffred the charge of intollerable persecucion, punicion, and tribulacion, wherof the lyke hath not been seen or herde in any other Cristen reame by any memorie or recorde; then beyng on lyve the seid Edmund Mortymer, erle of Marche, son and heire of the seid Roger, son and heire of the seid Philipa, doughter and heire to the seid Leonell, the third son of the seid Kyng Edward the third.

9. . . . to the which Edmund, after the decesse of the seid Kyng Richard, the right and title of the same coroune and lordship then by lawe, custume, and conscience descended and belonged, and of right bilongeth at this tyme unto oure seid liege and soverayne lord Kyng Edward the fourth as cousyn and heire to the seid Kyng Richard in maner and fourme abovesaid.

10. Oure seid soverayne and liege lord Kyng Edward the fourth, accordyng to his right and title of the seid coroune and lordship, after the decesse of the seid right noble and famous prynce, Richard, duc of York, his fader, in the name of Jeshu, to his pleasure and lovyng, the fourth day of the moneth of Marche last past, toke upon hym to use his right and title to the seid reame of Englond and lordship, and entred into thexercice of the roiall estate, dignite, preemynence, and power of the same coroune, and to the reigne and governaunce of the seid reame of Englond and lordship; and the same fourth day of March

amoeved Henry, late called Kyng Henry the sixt, son to Henry, son to the seid Henry, late erle of Derby, son to the seid John of Gaunt, from the occupacion, usurpacion, intrusion, reigne, and governaunce of the same reame of Englond and lordship to the universall comfort and consolacion of all his subgettes and liegemen, plenteuously joyed to be amoeved and departed from the obeysaunce and governaunce of the unrightwise usurpour in whos tyme not plentie, pees, justice, good governaunce, pollicie, and vertuouse conversacion, but unrest, inward werre and trouble, unrightwisnes, shedyng and effusion of innocent blode, abusion of the lawes, partialte, riotte, extorcion, murdre, rape, and viciouse lyvyng, have been the gyders and leders of the noble reame of Englond, in auncien tyme among all Cristen reames laudably reputed of grete honoure, worship, and nobley, drad of all outeward landes, then beyng the laurier of honoure, prowesse, and worthynes of all other reames; in the tyme of the seid usurpacion, fallen from that renommee unto miserie, wrechednesse, desolacion, shamefull and soroufull declyne, and to lyve under the obeysaunce, governaunce, and tuicion of their true, rightwise, and naturall liege and soverayne lord. The Commyns beyng in this present parlement, havyng sufficient and evident knowlege of the seid unrightwise usurpacion and intrusion by the seid Henry, late erle of Derby, upon the seid coroune of Englond, knowyng also certaynly, withoute doute or ambiguite, the right and title of oure seid soverayne lord therunto true, and that by Goddes lawe, mannys lawe, and lawe of nature he, and noon other is, and owe to be their true, rightwise, and naturall liege and soverayne lord, and that he was in right from the deth of the seid noble and famous prynce his fader, veray just kyng of the seid reame of Englond, and the seid iiiith day of March in lawfull possession of the same reame, with the roiall power, preemynence, estate, and dignite longyng to the coroune therof, and of the seid lordship, take, accept, and repute, and woll for ever take, accepte, and repute, the seid Edward the fourth their soverayne and liege lord, and hym and his heires to be kynges of Englond, and noon other, accordyng to his seid right and title; and besech the same their seid liege and soverayne lord Kyng Edward the fourth, that by thavis and assent of the lordes spirituellex and temporelx beyng in this present parlement, and by auctorite of the same, his right and title to the seid coroune afore specifyed, be declared, taken, accepted, and reputed true and rightwise; the same right and title to abyde and remayne of recorde perpetuelly by the seid advis, assent, and auctorite. . . .

[They ask for the condemnation of the usurpation of Henry IV, Henry V, and Henry VI, and declaration that the entry of Edward IV into governance, and the removal of Henry VI was lawful and rightful.] . . .

11. And over that, that oure seid soverayne and liege lord Kyng Edward the fourth, the seid iiiith day of March, was lawfully seased

and possessed of the seid coroune of Englond in his seid right and title, and from thensforth have to hym, and his heires kynges of Englond, all such maners, castelles, lordships, honoures, landes, tenementes, rentes, services, fees, feefermes, rentes, knyghtes fees, avousons, yiftes of officez to yeve at his pleasure, feires, markettes, issuez, fynes and amerciamentes, libertees, fraunchises, prerogatyfes, eschetes, custumes, reversions, remeyndres, and all other heridatmentes, with her appurtenauncez, whatsoever they be, in Englond, Wales, and Irlond, and in Caleys and the Marches therof, as the seid Kyng Richard had in the fest of Seint Mathewe the Apostle [21 September], the xxiii yere of his reigne, in the right and title of the seid coroune of Englond and lordship of Ireland . . . The seid Commens besechyng oure seid liege lord to have and take all oonly the issues and revenuez of all the seid castellis, maners, lordships, honoures, landes, tenementes, rentes, services, and of other the premisses aforesid, with their appurtenauncez, except afore except, from the seid iiii^th^ day of the seid moneth of Marche and not afore; savyng to every of the liegemen and subgettes of oure seid soverayne and liege lord Kyng Edward the fourth, such lawfull title and right as he or any other to his use had in any of the premisses the seid third day of March, other than he had either of the graunt of the seid Henry, late erle of Derby, called Kyng Henry the fourth, the seid Henry his son, or the seid Henry late called Kyng Henry the sixt, or by auctorite of any pretensed parlement holden in any of their dayes. And that it be ordeyned, declared, and stablisshed, by the assent, advis, and auctorite aforeseid, that all statutes, actes, and ordenaunces heretofore made in and for the hurt, destruccion, and avoidyng of the seid right and title of the seid Kyng Richard, or of his heires, to aske, clayme, or have the coroune, roiall power, estate, dignitee, preemynence, governaunce, exercice, possessions, and lordship abovesaid, be voide, and be taken, holden, and reputed voide and for nought, adnulled, repeeled, revoked, and of noo force, value, or effect.

274. ATTAINDER OF HENRY VI; FORFEITURE AND INCORPORATION OF THE DUCHY OF LANCASTER

[*Rot. Parl.*, v, 478.]*

For discussion of the forfeiture of the duchy of Lancaster see R. W. Somerville, *History of the Duchy of Lancaster*, I (1953), 230-231.

26. It be declared and adjuged, by thassent and advis of the lordes spirituelx and temporelx and Commyns beyng in this present parlement, and by auctorite of the same, that the seid Henry, late called Kyng Henry the sixt, for the consideracions of the grete, haynouse, and detestable malice and offenses afore specifyed, by hym committed ayenst his feith and liegeaunce to oure seid liege lord, Kyng Edward the fourth, his true, rightwisse and naturall liege lord, offended and hurte, unjustely and unlawfully, the roiall mageste of oure seid

soverayne lord, stand and be, by the seid advise and assent, convicted and atteinted of high treason. And that it be ordeyned and stablisshed by the seid advis, assent, and auctorite, that the same Henry forfet unto the same oure liege lord, Kyng Edward the fourth, and to the seid coroune of Englond, all castelx, maners, lordships, tounes, touneships, honours, landes, tenementes, rentes, services, feefermes, knyghtes fees, advousons, hereditamentes, and possessions, with their appurtenauncez, which he, or any other to his use, had the third day of Marche last past, beyng of the duchie of Lancastre, or that were any parcell or membre of the same duchie, or therunto unyed or annexed in the first yere of the reigne of Henry, late called Kyng Henry the fyft, or at any tyme sith. And that it be ordeyned and stablisshed by the seid advis, assent, and auctorite, that the same maners, castelles, lordships, honours, tounes, touneships, landes, tenementes, rentes, services, feefermes, knyghtes fees, advousons, hereditamentes, and possessions, with their appurtenaunces, in Englond, Wales, and Caleis, and the marches therof, make, and from the seid fourth day of Marche be, the seid duchie of Lancastre corporat, and be called the duchie of Lancastre. And that oure seid soverayne lord Kyng Edward the fourth have, sease, take, hold, enjoy and enherit all the same manoirs, castelles, and other premisses, with their appurtenauncez, by the same name of duchie, fro all other his enheritauncez seperate, fro the seid fourth day of Marche, to hym and to his heires kynges of Englond perpetuelly. And that the counte of Lancastre be a counte palatyne. . . .

275. EDWARD IV'S PROROGATION SPEECH, 21 DECEMBER

[*Rot. Parl.*, v, 487.]*

38 . . . [On 21 December the Commons with their speaker, James Strangways, came before the king in full parliament.] Quo ut predictum est peracto, illustrissimus dominus noster rex prefatis Communibus ore suo proprio taliter est allocutus.

James Stranways and ye that be commyn for the common of this my lond, for the true hertes and tender consideracions that ye have had to my right and title that Y and my auncestres have had unto the coroune of this reame, the which from us have been longe tyme witholde, and nowe, thanked be Almyghty God of whos grace groweth all victory, by youre true hertes and grete assistens, Y am restored unto that that is my right and title, wherfore Y thanke you as hertely as Y can. Also for the tender and true hertes that ye have shewed unto me in that ye have tenderly had in remembraunce the correccion of the horrible murdre and cruell deth of my lord my fader, my brother Rutlond, and my cosyn of Salysbury, and other, Y thanke you right hertely, and Y shall be unto you, with the grace of Almyghty God, as good and gracious soverayn lord as ever was eny of my noble progenitours to their subgettes and liegemen. And for the feithfull and lovyng hertes, and also the grete labours that ye have born and susteyned towardes me in the recoveryng of my seid right and title which Y nowe possede, Y thanke you with all my herte; and yf Y had eny better good to reward you with all then my body ye shuld have it, the which shall alwey be redy for youre defence, never sparyng nor lettyng for noo jeopardie; praying you all of youre herty assistens and good contynuaunce as Y shall be unto you youre veray rightwisse and lovyng liege lord.

276. PROCEDURE ACCORDING TO A LORDS' JOURNAL

[*The Fane Fragment of the 1461 Lords' Journal*, ed. W. H. Dunham (1935), 16-20.]

Memorandum quod die Mercurie. Nono die Decembris . xxxi° die Parliamenti . presentes fuerunt Domini subscripti et totati. [There follow the king, and the names of two archbishops, 15 bishops, 6 earls, 21 abbots, 1 prior, and 33 lay lords.]

Memorandum that this daye the bill of confirmacion for my Lady of Yorke was put in by my Lord Chauncellor. And red. And also agreed by all the Lordes. Item this day the bill made against Shirrefs was red. but not agreed. without there be a provicion made that the Lordes take no hurte therby in their Leetes and ffranchises.

Item an other bill was red for the ease of Shirrefs.

Item this day. the bill conteyning the hurtes and remedies of marchaundises made by the marchauntes of London was put in by the kings owne hande and red.

Item this day there come up from the lower house a notable nomber of the substans of the same house. And in the parliament chamber without the barr, had communicacion with my Lords the Chauncellor, Archbysshops of Cant' and Ebor', therles of Warr' and Worcester and other Lords spirituelx and temporelx. Comes Wigorn, Comes Essex, Dominus de Audley, Petrus Ardern bene assigned to ouer se the bill made for the ease of Shirriffs. And therupon to make report to the Kinge.

[The names of 2 bishops, 2 earls, 1 prior, and 4 lords follow.]

Memorandum that this Lords above written byn assigned to have communicacion with the marchaunts of the Staple.

277. STATUTE TRANSFERRING CRIMINAL JURISDICTION OF THE SHERIFF'S TOURN TO JUSTICES OF THE PEACE (1 Edward IV, c. 2)

[*Stat. R.*, II, 389-391.]*
For references see no. 28 above.

Item, qe come plusours del foiall liege people du roi, sibien espirituelx come temporelx, par les enordinez et desmesurablez enditementz et presentementz, sibien de felonie, trespassez, et offensez, come dautres chosez, queux de long temps ount este prisez, euez, et usez deinz les counteez de ceste roialme, et prisez devaunt viscountez pur le temps esteantz es counteez severalment, lours suthviscountez, lours clerkes, baillifs, et lour ministrez, al lour tournes ou lawedaies tenuz devaunt eux severalment en les counteez, les quelx enditementz et presentementz sount soventfoitz affermez par jurrours nulle concience eiantz, ne franc tenement, et petit des biens, et souvent foitz par servauntez menialx et baillifs de lez ditz viscountez et lours suthviscountez, par quelx enditementz et presentementz le dit foiall liege people, par lez ditz viscountez, suthviscountez, lour clerkes, baillifs, et lour ministres, sont attachez, arestutz par lour corps, et misez en prisoun, au graund duresse de leurs persones ; et ceux issint esteantz en prison, par lez ditz viscountez, suthviscountez, clerkes, baillifs, et lours ministres, le dit foiall liege people ensi en prisoun constreignont et fount ceux de faire oveqs eux graund fines et raunsons, et auxi de ceux levent graundz fines et amerciamentez pur les ditz enditementz et presentementz, en graund prejudice et anientesment du liege people avauntdit. Apres quelx fines, raunsons, et amerciamentez ensi par lez ditz viscountez, suthviscountez, clerkes, baillifs, et lour ministrez issint faitz, euez, et levez, le people avauntdit est enlarge hors del prisoun, et lez ditz enditementz et presentementz sont aloignez, embesiles, et sustreitz. Nostre dit soverayn seignur le roi, les premissez considerez, par ladvis [et] assent des seignurs espirituelx et temporelx, et a la request dez Communes en la dit parlement assemblez, et par auctorite dicell, ad ordeigne et establie qe toutz manerez denditementez et presentementz quelx serront prisez en apres devaunt ascun des ses viscountez de sez counteez pur le temps esteantz, lour suthviscountz, clerkes, baillifs, ou ministres, a lour turnez ou lawedaies desuis especifiez, naient ne null de ceux ait poair ne auctorite darester, attacher, ou mettre en prisoun, ou lever ascuns fines ou amerciamentz dascune persone ou persones issint enditez ou presentez par resoun ou colour dascun tiel enditement ou presentement devaunt ceux ou ascun deux prise. Ne de faire ou prendre dascune tiel persone ou persones issint enditez ou presentez ascun fine ou raunsome ; mes qe les viscountez suisditz, lour suthviscountz, clerkes, ou baillifs, et lours ministres, toutz autielx enditementz et presentementz prisez devaunt eux ou ascun deux en lours tournes ou lawedaies desuis nommez, amesnent, presentent, et deliverent a les justicez du peax au leur proschein cessioun de peax qe serra tenuz en le counte ou counteez lou autielx enditementz et presentementz serront prisez, devaunt lez ditz justices dautiel counte ou counteez pur le temps esteantz. [A penalty is prescribed for failure to deliver such indictments] . . . Et qe les ditz justices de peas aient poair et auctorite dagarder processe sur toutz tielx enditementz et presentementz come la ley requiert, et en fourme semblable si come les ditz enditementz et presentementz feussent prisez devaunt lez ditz justicez de peax en le dit counte ou counteez ; et auxi darrainer et deliverer toutz tielx persones ou persone issint enditez et presentez devaunt les ditz viscountez, suthviscountez, lour clerkes, et baillifs e.

lour ministrez ou ascun deux en lour ditz tournes ou lawedaies ; et toutz tielx persones ou persone qi sount ou est enditez ou presentez, endite ou presente de trespas, de faire oveqs eux et chescun deux tiel fine come loialment par leurs discrecions semblera . . . [further penalties are prescribed for breaches of the statute by sheriffs, etc. ; the statute not to prejudice the sheriffs of London ; the ordinance to take effect forty days after 6 May, the date of dissolution of the parliament].

278. CONFIRMATION OF THE JUDICIAL ACTS OF THE LANCASTRIANS (1 Edward IV, c. 11).

[*Stat. R.*, II, 380.]*

Primerement, qe en eschuer des ambiguitees, doutes, et diversiteez des oppinions quels purroient surdre, ensuer, ou estre prisez de et sur actes judicielx et exemplificacions dicelx, faitz ou euez en le temps de Henry le quart, Henry le quynt, soun fitz, et Henry le sisme, soun fitz, nadgairs en fait et nient en droit successivement roies Dengleterre, ou dascun de ceux ; nostre dit seignur le roi, del advis et assent des seignurs espirituelx et temporelx, et a la request des ditz Communes en le dit parlement assemblez, et par auctorite dicelles, ad declare, establie, et enacte en le dit parlement, qe toutz finez et finalls concordes levez ou faitz dascuns terres, tenementez, possessions, rentes, enheritementez, ou autres choses, et toutz actes judicielx, recoverez, et processez determinez ou commencez, nient revoques, reversez, ou adnullez, faitz ou euez en ascun courte ou courtz de recorde, ou ascun court ou courtes tenuz en ascun des temps de lez pretensez reignez dascun de lez ditz nadgairs roies en fait et nient de droit, autres qe par auctorite dascun parlement tenuz en ascun de leur temps, et exemplificacions de lez ditz finez, actez judicielx, et recoverez hors dascun de lez ditz parlementes, et chescun deux, soient de tout autiel force, vertue, et effect sicome lez ditz finez, finalx concordes, actes, recoveres, processez, et autres premissez euez ou faitz hors dascun de lez ditz parlementz, et exemplificacions diceux, feussent commencez, suez, euez, ou terminez en temps dascun roi loialment reignant en cest roialme, et par just title la corone del mesme opteignant.

---

279. EDWARD IV'S ADDRESS TO THE COMMONS, 6 JUNE, 1467

[*Rot. Parl.*, V, 572.]*

Writs were issued on 28 February for a parliament to meet at Westminster on 3 June ; its first session lasted until 1 July ; it was prorogued to Reading until 6 November and again to 5 May, 1468 ; it met again at Westminster from 12 May to 7 June.

7. . . . [After the presentation of the speaker, John Say, the king personally addressed the Commons.]

John Say, and ye sirs comyn to this my court of parlement for the comon of this my lond. The cause why Y have called and sommoned this my present parlement is that Y purpose to lyve uppon my nowne, and not to charge my subgettes but in grete and urgent causes concernyng more the wele of theym self, and also the defence of theym and of this my reame, rather then my nowne pleasir as here tofore by commons of this londe hath been doon and born unto my progenitours in tyme of nede ; wheryn Y trust that ye sirs, and all the common of this my lond woll be as tender and kynde unto me in suche cases as here tofore eny Commons have been to eny of my seid progenitours. And for the good willes, kyndnes, and true hertes that ye have born, contynued, and shewed unto me at all tymes here tofore Y thank you as hertely as Y can, as so Y trust ye wille contynue in tyme commyng ; for the whiche, by the grace of God, Y shall be to you as good and gracious kyng, and reigne as rightwissely uppon you as ever did eny of my progenitours uppon commons of this my reame in dayes past, and shall also in tyme of nede applie my persone for the wele and defence of you and of this my reame, not sparyng my body nor lyfe for eny jeoparde that mought happen to the same.

280. STATUTE REGULATING LIVERY (8 Edward IV, c. 2), 1468

[*Stat. R.*, II, 426-429.]*

Item, nostre seignur le roy, remembrant qe parcy devaunt diverses estatuitz pur punicioun dautielx persones quelles donent ou resceivent liveres, ovesqe diverses peines et forfaitures en iceux comprisez, ont este faitz, et qe encore diverses persones en graund nombre, nient aiantz paour de les peienes ne forfaitures, journelment offendent encontre la fourme diceux, ad par ladvis et assent des seignurs espirituelx et temporelx et de les Communez de cest roialme en son dit parlement esteantz, et par lauctorite dicell, ordeigne et establie qe toutz statutes et ordenauncez devaunt cest temps faitz encountre ascuns persones pur donacioun ou recepcioun des liveres et signes soient pleinement observez et gardez. Et outre ceo, qe nulle persone de quell estate, degre, ou condicioun qil soit, par soy mesme ou ascun autre pur luy, a le fest del Nativite Seint Johan Baptist qi serra en lan nostre seignur Dieu Mille CCCC lxviii, done ascun tiel livere ou signe, ou reteigne ascune persone autre qe soun meniall servaunt, officer, ou homme appris en lune ley ou autre, par ascun escript, serement, ou promes. Et si ascun face le contrarie, qe lors il encourge peine et forfaiture pur chescun autiel liveree ou signe donez, c s. ; et le reteignour ou acceptour dautiel serement, escript, ou promes, ou reteignour par endenture, pur chescun autiel reteignaunce ou acceptance dascun tiel serement ou promes, ou reteignance par endenture, encourge peine et forfeiture de c s. pur chescun moys qe ascune persone est ensi reteignez oveqe luy par serement, escript, endenture, ou promes ; et auxi qe chescun persone ensi reteignez par escript, endenture, serement, ou promes, pur chescun autiel moys pur quel il est ensi reteignez forface et perde c s. . . . [The courts where such cases may be brought, and the procedure to be used are defined.] Et qe toutz reteindres et chescun reteindre par endenture ou autre escript, serement, ou promes dascune persone devaunt le dit fest fait, autre qe destre meniall servant ou officer, ou de son Counseill, ou pur loiall service fait ou affaire, soient et soit a mesme le fest voidez et de null force neffect. [The king will have all such pains and forfeitures, save where others have this privilege.] . . . Purveue toutz foitz qe cest act nextende pas, ne ne soit prejudiciall au ascun doun, graunt, ou confirmacioun, fait ou affaire, dascun fee, annuitee, pensioun, rent, terres, ou tenementes par le roy ou ascune autre persone ou persones pur lour counseill done ou a doner et leur loiall service fait ou affaire, et pur nulle autre cause desloiall ne a nulle autre entent desloiall; tout soit qe la persone ou persones a quel ou quelles autiel don, graunt, ou confirmacioun est ou serra fait ne soit ou soient appris ou apprisez en lune ley nen lautre. Et ordeignez est par ladvis, assent, et auctorite suisditz, qe chescun autiel don, graunt, et confirmacioun soient de semblables force et effect, et si bons, effectuelx, et availlables come ceux et chescun deux fuissent si cest act neusset este fait. . . . [Exceptions are provided for liveries given at certain ceremonies, or for defence of the realm, etc.]

281. SIR JOHN FORTESCUE'S VIEWS ON THE ENGLISH MONARCHY, *c.* 1470

Sir John Fortescue became chief justice of king's bench in 1442. In 1461 he went into exile with King Henry VI and Queen Margaret, first to Scotland and subsequently with Queen Margaret and her son Prince Edward to the castle of Kœur near St. Mihiel in Barrois. He participated in the negotiations which led to the alliance between Queen Margaret and the earl of Warwick in 1470. After the defeat of the Lancastrians at Barnet and Tewkesbury he was eventually pardoned by Edward IV, and was still alive in 1479.

(*a*) [*The Governance of England*, ed. C. Plummer (1885), 127.]

Ffor though his [the king's] estate be þe highest estate temporall in þe erthe, yet it is an office, in wich he mynestrith to his reaume defence and justice. And therfore he mey say off hym selfe and off his reaume, as the pope saith off hym selfe and off the churche, in þat he writithe, *seruus seruorum Dei.*

(*b*) [*De Laudibus Legum Anglie*, ed. S. B. Chrimes (1942), 86.]

Nam non potest rex Anglie ad libitum suum leges mutare regni sui, principatu namque nedum regali, sed et politico ipse suo populo dominatur . . . Neque rex ibidem per se, aut ministros suos, tallagia, subsidia, aut quevis onera alia imponit legiis suis, aut leges eorum mutat, vel novas condit, sine concessione vel assensu tocius regni sui in parliamento suo expresso. . . .

(*c*) [*De Natura Legis Nature* etc., I, c. xvi, in *Works*, ed. Lord Clermont (1869).]

In regno namque Anglie, reges sine Trium Statuum regni illius consensu leges non condunt, nec subsidia imponunt subditis suis; sed et iudices regni illius ne ipsi contra leges terre, quamvis mandata principis ad contrarium audierint, iudicia reddant, omnes suis astringuntur sacramentis.

282. SIR JOHN FORTESCUE'S ADVICE ON THE KING'S COUNCIL

[Sir John Fortescue, *Articles sent from the Prince of Wales to Richard Neville, earl of Warwick*, printed in *The Governance of England*, ed. C. Plummer (1885), 349-351.]

These articles appear to have been drawn up by Fortescue, 1470–1471, on behalf of Edward, prince of Wales, to advise the earl of Warwick and the restored Lancastrian government of that date. The advice here given was elaborated in Fortescue's larger tract, commonly called *The Governance of England.*

It is thoughte good that it shulde please the king testablysshe a counseill of Spirituel men xij, and of temporel men xij, of the mooste wise and indifferente that can be chosen in alle the londe. And that ther be chosen to theime yerly iiij lordis spirituelx, and iiij lordis temporelx, or in lasse numbre. And that the king do no grete thing towching the rewle of his reaume, nor geve lande, ffee, office, or benefice, but that firste his intente therinne be communed and disputed in that counseill, and that he haue herde their advises ther upon; whiche may in no thing restreyne his power, libertee, or prerogatiff. And thanne shall the king not be counseled by menne of his Chambre, of his housholde, nor other which can not counsele hym; but the good publique shal by wise men be condute to the prosperite and honoure of the land, to the suretie and welfare of the kyng, and to the suretie of alle theyme that shal be aboute his persone, whome the peopull haue oftyn tymes slayne for the myscounceling of theire Souveraigne lorde. But the forsaide xxiiij[tI] counseyllours may take noo fee, clothing, nor rewardis, or be in any manes seruice, otherwyse thanne as the Justices of the lawe may doo. Many other articles neden to be addid hereto whiche now were to longe to be remembred hereinne. Neverthelesse it is thoughte that the grete officeres, as Chaunceller, Thresorer, and prive seale, the Juges, baron[s] of theschequer, and the Clerke of the Rolles, may be of this Counseill whanne they wil come therto, or whan the seyde xxiiij[tI] and viij[te] lordis will desire them to be with theyme.

And for asmoche as it may be thoughte that thestablisshemente of suche a counsele shalbe a newe and a grete charge to the kyng, hit is to be considered, how that the olde counsell in Englonde, whiche was mooste of grete lordis that more attended to their owne matieres thanne to the good universall profute, and therfore procured hemselfe to be of the counsell, whiche was nere hand of as grette charge to the king as this counsell shalbe, and no thing of suche profute. Ffor this counsell shall almost contynuelly studye and labour upon the good politike wele of the londe, as to prouide that the money be not borne oute of the reaume, and how bolyon may be broughte inne, how merchandizes and comoditees of the londe may kepe theire prices and valiwe, how estraungeres caste not downe the price of the commodites growing in the londe, and suche other poyntys of policee. And also how the lawe may be fourmely kepte and refourmed ther as it is defectife, to the grettest good and surete of the welthe of the londe that hathe bene sene in any lande. And trewly ther hath bene gevun in late daies to somme oon lorde temporell much mor lyuelode in yerly value than woll paye the wages of alle the newe counseill. And also the spirituell menne of this newe counsele shal not nede to have so grete wages as the temporell menne, whiche whanne they come to the counseill muste leve in their cuntrees oon housholde for their wyfes, children, and servauntes, or ellis carye theim with hem ; whiche the spirituel men nede no[t] to do. . . .

283. LETTER FROM RALPH, EARL OF WESTMORLAND, TO THE MAYOR AND BURGESSES OF GRIMSBY, 16 SEPTEMBER, *c.* 1470

[*Hist. MSS. Com., 14th Report, App. 8*, 252.]

Ralph Neville, grandson of the first earl of Westmorland, succeeded to the earldom in 1425, and died *s.p.* 1485.

Right welbeloved, I recommaunde me unto yowe. And whereas I understonde that youre towne of Grymesbye must send up to the Parliament two Burgessis of the same, wheche if ye do so wolle be to you no littill charge in susteanyng ther costis and expensis ; wherefor, aswell for the welle of youre seid towne as other speciall causys, I advise and hartely requyre you to send unto my hondes youre wrytte directed for the electionne of the seid Burgessis, wheche I shall cause to be substauncially retoorned, and appoynt ij of my counsale to be Burgessis for youre seid towne, who shall not only regarde and set forward the welle of the same in suche causis, if ye have any, as ye shall advertise me and theym upon, but for dymmynysshe yor chargis of olde tyme conswete and used for the sustentacioune of there seid costes. And in this doyng ye shall shewe unto me a singuler pleasure, and unto yor selffis convenient proffit ; wherof I efftsons hartely requyre yowe not to faile as ye intend to have my goode wylle and favor in lyke maner shewed accordingly. Thus hartely fare ye welle. At my Castell of Brauncepath, this xvjth day of September.

Yowrs assured
Rauff Westmorland

RE-ADEPTION OF HENRY VI, 1470–1471

The agreement between Richard Neville, earl of Warwick, and Queen Margaret was reached in July, 1470. Warwick landed in Devonshire on 13 September, and Edward IV fled the realm on 3 October. Henry VI was restored on 6 October. Edward IV returned to the realm on 14 March, 1471, re-entered London on 11 April and dated his restoration from that day. The battles of Barnet and Tewkesbury were fought on 14 April and 4 May respectively.

284. ACCORDING TO JOHN WARKWORTH

[*Warkworth's Chronicle*, ed. J. O. Halliwell (Camden Soc., x, 1839), 11-12.]

This Chronicle was written by or for John Warkworth, Master of Peterhouse, Cambridge, 1473–1500. It has contemporary value, especially from 1469 onwards. It shows hostility to the earls of Warwick and Clarence, but is critical of Yorkist policies rather than giving much support for the Lancastrians. See Kingsford, *E.H.L.*, 171-173.

Here is to knowe, that in the begynnynge of the moneth of Octobre, the yere of oure Lorde a M.CCCC.lxx, the Bisshoppe of Wynchestere, be the assent of the Duke of Clarence and the Erle of Warwyke, went to the toure of Londone, where Kynge Herry was in presone by Kynge Edwardes commawndement, and there toke hyme from his kepers, whiche was nozt worschipfully arayed as a prince, and nozt so clenly kepte as schuld seme suche a Prynce; thei hade hym oute, and newe arayed hym, and dyde to hyme grete reverens, and brought hyme to the palys of Westmynster, and so he was restorede to the crowne ageyne, and wrott in alle his lettres, wryttes, and other recordes, the yere of his regne, *Anno regni Regis Henrici Sexti quadragesimo nono, et readempcionis sue regie potestatis primo.* Whereof alle his goode lovers were fulle gladde, and the more parte of peple. Nevere the lattere, before that, at he was putt oute of his reame by Kynge Edwarde, alle Englonde for the more partye hatyed hym, and were fulle gladde to have a chounge; and the cause was, the good Duke of Glouceter was put to dethe, and Jhon Holonde, Duke of Excetre, poysond, and that the Duke of Suffolke, the Lorde Say, Danyelle, Trevyliane, and other myscheves peple that were aboute the Kynge, were so covetouse towarde them selff, and dyde no force of the Kynges honoure, ne of his wele, ne of the comone wele of the londe, where Kynge Herry trusted to them that thei schuld do, and labour in tyme of innocence evere for the comone wele, whiche thei dyde contrary to his wille; and also Fraunce, Normandy, Gasgoyne, and Guyane was lost in his tyme. And these were the causes, withe other, that made the peple to gruge ageyns hym, and alle bycause of his fals lordes, and nevere of hym; and the comon peple seyde, yf thei myghte have another Kynge, he schulde gett alle ageyne and amende alle manere of thynges that was amysse, and brynge the reame of Englond in grete prosperite and reste. Nevere the lattere, whenne Kynge Edwarde iiij[th] regnede, the peple looked after alle the forseide prosperytes and peece, but it came not; but one batayle aftere another, and moche troble and grett losse of goodes amonge the comone peple; as fyrste, the xv. of alle there goodes, and thanne ane hole xv., at yett at every batell to come ferre oute there countreis at ther awne coste; and these and suche othere brought Englonde ryght lowe, and many menne seyd that Kynge Edwarde hade myche blame for hurtynge marchandyse, for in his dayes thei were not in other londes, nore withein Englonde, take in suche reputacyone and credence as thei were afore, etc.

285. ACCORDING TO THE GREAT CHRONICLE OF LONDON

[*The Great Chronicle of London*, ed. A. H. Thomas and I. D. Thornley (1938), 213.]

The *Great Chronicle* is attributed by its editors to the well-known chronicler Robert Fabyan (correcting Kingsford, *E.H.L.*, 101). Fabyan was a freeman of the Drapers' Company from 1476, Master in 1495–1496 and 1501–1502, and sheriff of the City of London in 1493. His work is a valuable source for the later Yorkist period.

. . . and upon þ[e] xxvj daye of the said monyth [November] began a parlyament at westmynstyr, and ffrom thens prorogid unto Pawlys and there contynuyd tyll Crystemesse, In seson of which parlyament, kyng Edward was dysherytyd and alle his chyldyr, and thereuppon proclamyd thorw the Cyte usurpur of the Crown, and the duke of Glowcetyr his yongar brothyr Traytour and bothe atteyntid by auctoryte of the said parlyament . . .

286. ACCORDING TO EDWARD HALL

[Hall's *Chronicle* (ed. H. Ellis, 1809), 286.]

See also no. 270 above.

King Henry the. vi. readepted (by the meanes, onely of y[e] erle of Warwycke) his croune & dignitie Royall, in the yere of oure Lorde 1471. newly, after so many ouerthrowes beginnynge to reygne, lykely within short space to fall agayn, & to taste more of his accustomid captiuitie & vsuall misery. This yll chaunce & misfortune, by many mens opinions happened to him, because he was a man of no great wit, such as men comonly call an Innocent man, neither a foole, neither very wyse, whose study always was more to excell, other in Godly liuvnge & vertuous example, then in worldly regiment, or temporall dominion, in so much, that in comparison to the study and delectacion that he had to vertue and godlines, he littel regarded, but in manner despised al wordly power & temporal authoritie, which syldome folow or seke after such persons, as from them flye or disdayne to take them. But his enemies ascribed all this to hys coward stommack, afferming that he was a man apt to no purpose, nor mete for any enterprise, were it neuer so small: But who so euer despiseth or dispraiseth, that which the common people allow and marueyll at, is often taken of them for a mad & vndiscrete person, but notwithstandyng the vulgare opinion he that foloweth, loueth and embraseth the contrary, doth proue bothe sad and wyse (verifieng Salomons prouerbe) the wisedom of this world, is folishenes before God. Other there be that ascribe his infortunitie, onely to the stroke & punishment of God, afferming that the kyngdome, whiche Henry the. iiii. hys grandfather wrongfully gat, and vniustly possessed agaynst Kyng Rychard the. ii. & his heyres could not be very diuyne iustice, longe contynew in that iniurious stocke: And that therfore God by his diuine prouidence, punished the offence of the grandfather, in the sonnes sonne.

When Kyng Henry had thus obteined agayn, the possession and dominion of the Realme, he called his high court of Parliament to begin ye xxvi. day of Nouember at Westminster, in the which Kyng Edwarde was declared a traytor to his countrey, & vsurper of ye Realme, because he had vniustly taken on him, the Croune and Scepter, and all his goodes were confiscate & adiudged, forfayted: and lyke sentence was geuen agaynst all his partakers and frendes. And beside this, it was there enacted that extreme punishment should be done without delay ouer suche persons, as for his cause were taken or apprehended, and were either in captiuitie, or went at large vpon trust of their suerties, emongest whom lord Ihon Typtoft, erle of Worcester licuetenant, for King Edward in Ireland exercising there more extreme crueltie (as the fame went) then princely pity, or charitable compassion and in especial on. ii. enfantes, being sonnes to the erle of Desmond, was either for treason to him layed or malice agaynst hym conceyved, atteynted & behedded. Beside this, all estatutes made by King Edward, were clerely reuoked, abrogated, and made frustrate. The Crounes of the realmes of England and Fraunce, was by ye authoritie of thesame Parliament entayled to Kyng Henry the. vi. and the heyres of hys body lawfully begotten, and for default of such heyre male of his body begotten, then ye sayd Crounes & dygnities were entayled to George duke of Clarence, and to theyres males of hys bodye lawfully engendred, and farther the sayd Duke was by authoritie aforesayd enabled to be next heyre to hys father, Richard duke of Yorke, and to take by discent from him all hys landes dignities & preheminences, as though he had ben his eldest sonne & heyre, at the tyme of his death. Iasper erle of Penbroke, and Ihon erle of Oxenford, and diuers other by Kyng Edward attaynted, were restored to theyr olde names, possessions, and auncient dignities (kepe them euen as longe as they myght). Beside this, the erle of Warwycke as one to whome the common welthe was much beholden, was made Ruler, and Gouernor of the Realme, with whom as felow and compaignion was associated, George duke of Clarence his sonne in law. So that by these meanes the whole estate, both of the realme, and the publique wealth of the same, wer newly altered and chaunged, yea, and in maner clerely transfigured and transmuted.

287. RESTORATION OF EDWARD IV, ACCORDING TO THE ARRIVALL, 1471

[*Historie of the Arrivall of Edward IV in England*, ed. J. Bruce (Camden Soc., 1, 1838), 9, 17.]

This *Historie* is an 'authorized' record made at the time by order of Edward IV by one of his followers, an eye-witness of many of the events described. Edward IV sent a copy of it in French to the burgomaster of Bruges on 29 May, 1471.

[Edward landed at Ravenspur on 14 March, and at first announced that he came only to claim to be duke of York.]

And so, bettar accompanyed than he had bene at any tyme aforne, he departyd from Leycestar, and cam before the towne of Coventrie, the xxix. day of Marche. And when he undarstode the sayde Earle [i.e. of Warwick, King Henry's lieutenant] within the towne [was] closyd, and with hym great people, to the nombar of vj or vij^{M} men, the Kynge desyred hym to come owte, with all his people, into the filde, to determyne his qwarell in playne fielde, which the same Earle refused to do at that tyme, and so he dyd iij dayes aftar-ensuinge continually. The Kynge, seinge this, drwe hym and all his hooste streght to Warwike, viij small myles from thens, where he was receyvyed as Kynge, and so made his proclamations from that tyme forthe wards; . . .

The same nyght followynge the towre of London was taken for the Kyngs beholfe; whereby he had a playne entrie into the citie thowghe all they had not bene determyned to have receyvyd hym in, as they were. And on the morow, the Thursday, the xj. day of Aprell, the Kynge came, and had playne overture of the sayd citie, and rode streight to Powles churche, and from thens went into the Byshops paleis, where th'Archbyshope of Yorke presentyd hym selfe to the Kyngs good grace, and, in his hand, the usurpowr, Kynge Henry; and there was the Kynge seasyd of hym and dyvars rebels.

---

288. CASE OF WILLIAM HYDE, 1472

[*Rot. Parl.*, VI, 160-161.]*

Writs were issued on 19 August, 1472, for a parliament to meet at Westminster on 6 October; its first session lasted until 30 November; it was prorogued six times until its dissolution on 14 March, 1475.

55. Prayen the Commens in this present parlement assembled, that for asmoche as William Hyde, squyer, burgeys of the toune and

burgh of Chippenham in Wilteshire electe, came by your high commaundement to this your present parlement, and attendyng to the same in the Hous for the Commens accustumed, after his said comyng, and duryng this your said parlement, was arested at Lambhith in the counte of Surrey by colour of a capias ad satisfaciendum that was directed to the shireff of Middlesex, and so there by myschevous men, murtherers, unknowen for any officers, taken, and withoute the shewyng of any warrant caried hym to London, at the sute of John Marshall, citezein and mercer of the same, for lxix li. supposed tobe due to hym by the said William, and for the same enprisoned in the Counter there, and from thens had to Newegate, as and he had bee a traitour, and then brought to your Bench tofore your justices, and by theym remytted to Newegate, and there in execucion for the said lxix li, and for afyne or fynes that belongeth to your highnes, by meane and cause of the said suyte and condempnacion, or for other sutes; and also for iiii li. vi s. viii d., in which he was condempned to Thomas Gay the yonger, citezein and taillour of London, in an accion of dette. And so for the premissez in the said prisone of Newgate is reteyned, to grete delay and retardacion of procedyng, and goode expedicion of such matiers and bosoignes as for your highnes and the commen wele of this your reame in this present parlement were to be doon and spedde.

It pleas your highnes, by the advis and assent of the lordes spirituelx and temporelx in this present parlement assembled, and by auctorite of the same, to ordeyne and stablissh that your chaunceller of Englond have power to direct your writte or writtes to the shirefs of London, commaundyng theym and everych of theym by the same to have the said William Hyde afore hym withoute delay, and then to dismysse hym at large, and to discharge the said shirefs, and everych of theym, of hym, of and for every of the premysses, so that the said William Hyde may attende to this your parlement as his duetie is to doo. And that by the said auctorite neither your said chaunceller, shirefs, neither any of theym, or any other persone neither persones, in any wyse be hurt, endamaged, charged, neither greved by cause of the said dismyssyng at large of the said William Hyde. And also to ordeyne by the said auctorite that your right and enteresse be saved in this behalf; and that the said John Marshall and Thomas Gay, and either of theym, have writte or writtes of execucion, in, of, and for the premysses, after the dissolvyng of this present parlement, as plenerly and effectuelly as if the said William Hyde at any tyme for any of the premisses never had been arested; the said arrestyng of the same William and comittyng of hym to warde notwithstondyng. Savyng alwey to your Commens called nowe to this your parlement, and their successours, their hoole liberties, fraunchises, and priveleges in as ample fourme and maner as your said Comens atte any tyme afore this day have had, used, and enyoied, and owe to have, use, and enyoie; this present act and peticion in any wise notwithstondyng.

Responsio. Le roy le voet.

289. REQUEST FOR A BENEVOLENCE, 21 DECEMBER, 1474

[*The Coventry Leet Book*, ed. M. D. Harris (Early English Text Society, 1907–1913), 409-411.]

[Edward IV to the mayor of Coventry and eight others. Parliament has decided that the best method to restore the fame, prosperity, etc. of the realm is to begin a war to recover the French possessions; some foreign princes are friendly; and we have therefore decided to lead the expedition in person. The Lords and Commons have granted great sums of money, but these will suffice only for men's wages, and further sums will be necessary for other war purposes] . . . Therfore it is that at this tyme we directe thees oure present lettres vnto you with certein articules of Instructions, praying & neuerthelesse charging you by the same that ye these oure consider[a]cions, will, & entent, shewe & opene vnto all such personez of oure Cite of Couentre, s[i]ngularly & seuerally, as to your discressions shal-be thought best willing to the prosperouse estate of oure persone, to the good & assured conduct of this werke, to the redy & sounest restitucion of this land to his old fame & prosperite, except only such persones as haue, in oure presence, to oure right singuler plesur, shewed largely vnto vs þair beniuolence in this behalf, whose names with their grauntes ben comprised in a cedule her-in-closed, and that by all liefull & conuenient meanes ye sturre & move þe same persones, oure feithfull subgettes & well-willers, & eueriche of them, except afore except, to shewe by wey of their good wille & beniuolence with what somes of money or oþerwise it schall please tham to help & assiste vs, takyng of euerich of tham a bille sealed after the theffecte and forme expressed in a cedule her-in-closed, sealed with þair Seales, of such grauntes as theim schall like seuerally to make in this behalf, & at whatt daye, or terme it shal-be paied. The wich billes from tyme to tyme [we] will that [they] be send vp vnto vs with your writyng, to þentent þat euery such persone may, accordyng to his good wille and merites, haue of vs his speciall thanke, and stande in the more ample fauour of oure good grace. And we desire [and] praye you þat ye fayle not in due & diligent execucion of thies oure lettres & desire, as our perfitte trust is on you, and as ye desire the good spede and accomplisshement of our said Journey to the publique & vniversall well of all this our Reame & subgettes of the same. Yeven vndur oure priue Seel at oure Citie of Couentre the xxi daye of Decembre the xiiij yere of oure Reigne.

290. THE MAJORITY RULE AMONG THE COMMONS IN PARLIAMENT, 1475

[*Y.B. 15 Edward IV, Mich. pl. 2*, printed in part in S. B. Chrimes, *English Constitutional Ideas in the Fifteenth Century* (1936), 373.]

Littleton J: . . . Et sir, si en le parliament si le greindre party des chivallers des counties assentent al feasans d'un act du parliament, et le meindre party ne voille my agreer a cel act, uncore ce serra bon statute a durer en perpetuity . . .

PROCEEDINGS IN THE PARLIAMENT OF 1478

Writs were issued on 20 November, 1477, for a parliament to meet at Westminster on 16 January, 1478 ; its session lasted until 26 February.

291. ANNULMENT OF A PEERAGE

[*Rot. Parl.*, VI, 173.]*

George Neville, son of John Neville, marquis of Montagu, was created duke of Bedford on 5 January, 1470, at a time when Edward IV contemplated marrying him to his eldest daughter Elizabeth. George Neville died *s.p.* 4 May, 1483.

16. Wher afore this tyme the kyng oure soverayne lord, for the gret zeell and love he bare to John Nevell, late named Marquies Mounttague, and oder consideracions hym moved, erecte and made George Nevell, the eldest son of the seid marques, to be duke of Bedford ; and at that tyme, for the grete love his seid highnesse bare to the seid John Nevell, purposed and intended to have guyffen to the seid George, for sustentacion of the same dignite, sufficiaunt liffelode ; and for the grett offences, unkyndnese, and mysbehavynges that the seid John Nevell hath doon and commytted to his seid highnes, as is openly knowen, he hath no cause to departe any liffelode to the seid George. And for so moch as it is openly knowen that the same George hath not, nor by enheritaunce may have, eny lyffelode to support the seid name, estate, and dignite, or eny name of estate ; and ofte tymes it is sen that when eny lord is called to high estate and have not liffelode conveniently to support the same dignite, it induces gret poverte, indigens, and causes oftymes grete extorcion, embracere, and mayntenaunce to be had, to the grete trouble of all such contres where such estate shall hape to be inhabitet. Wherfore the kyng, by the advyse and assent of his lordes spirituell and temporell, and the Comons in this present parliament assembled, and by the auctorite of the same, ordened, establisith, and enactith that fro hens forth the same ereccion and makyng of duke, and all the names of dignite guyffen to the seid George, or to the seid John Nevell, his fader, be from hens forth voyd and of no effecte. And that the same George and his heires from hens forth be no dukes, nor marques, erle, nor baron, nor be reputet nor taken for no dukes, nor marques, erle, nor baron, for no ereccion or creacion afor made ; bot of that name of duke and marques, erle and baron, in hym and his heirez cesse and be voide, and of non effecte, the seid ereccion or creacion notwithstondyng.

292. CASE OF JOHN ATWYLL

[*Rot. Parl.*, VI, 191-192.]*

35. To the kyng oure sovereigne lord, prayen the Comons in this present parlement assembled, that where of tyme that mannys mynde

is not the contrarie it hath been used that the knyghtes of the shires, citezeins of citees, burgies of burghes, and barons of v Portes of this your reame, called to any of the parlementes of your noble progenitours or yours, amonges other libertiees and fraunchises have had and used pryvylege that eny of theym shuld not be empleded in any accion personell, nor be attached by their persone or goodes in their comyng to any such parlement, there abidyng, nor fro thens to their propre home resortyng; which liberties and fraunchises your hignes to your lieges called by your auctorite roiall to this your high court of parlement for the shires, citees, burghs, and v Portes of this reame, by your auctorite roiall, atte comensement of this parlement, graciously have ratified and confermed to us your said Comens nowe assembled by your said roiall commaundement in this your said present parlement. And it is so, sovereigne lord, that where oon John Atwyll, one of the citezeins of the cite of Exeter, comen to this present parlement, and here contynielly attendyng uppon the same sithen the commensement therof, oon John Tayllour, callyng hym merchaunt of the said cite of Exetur, by vertue of viii dyvers feyned enformacions made in your Escheker, hath condempned the said John Atwyll, duryng this present parlement, by the defaute of aunswere of the said John, in viii^{xx} li., the same John dayly attendyng uppon the same parlement, and not havyng knowelege of the said condempnacions; uppon which condempnacions, dyvers and severall writtes been directed to dyvers shirefs of this your reame, some of fieri facias, and some capias ad satisfaciendum, so that the said John Atwyll may not have his free departyng from this present parlement to his home for doute that booth his body, his horses, and his other goodes and catalles necessarie to be had with hym, shuld be put in execucion in that behalfe, contrarie to the pryvilege due and accustumed to all the membres usuelly called to the forseid parlementes.

Be it therfore ordeigned, by the advis and assent of the lordes spirituelx and temporell in this present parlement assembled, and by the auctorite of the same, that the said writtes of execucions, and every of theym, to be had uppon the same, in no wyse to be executour nor hurtfull to the said John Atwyll, his heires nor executours, nor any of theym; and that the chief baron of the said Escheker for the tyme beyng have poair by this ordenaunce to graunte withoute denyer to the said John Atwyll, his heires and executours, and every of theym, such and als many writtes of supersedias uppon this ordenaunce, to every such shiref or shirefs of this reame to be directe, to surcesse of eny maner of execucion in that behalfe to be made or had, as to the said John Atwyll, his heires and executours, and every of theym, shalbe requisite; savyng alwey to the forseid John Tayllour his forseid jugementes and execucions, and every of theym, to be had and sued atte his pleasure ayenst the said John Atwyll at eny tyme after the ende of this present parlement, this ordenaunce notwithstondyng.

Responsio. Le roy le voet.

293. ATTAINDER OF GEORGE, DUKE OF CLARENCE

[*Rot. Parl.*, VI, 193-195.]*

George, Edward IV's elder surviving brother, born 1449, was created duke of Clarence in 1461. He was involved in the conspiracies of Richard, earl of Warwick (whose elder daughter he had married contrary to Edward IV's wishes), in 1469 and 1470. In consequence of the present attainder he was secretly executed in the Tower of London, probably on 17 or 18 February, 1478, by a method not certainly known.

E.R.

The kyng oure sovereigne lorde hath called to his Rememberaunce the manyfold grete conspiracies, malicious and heynous tresons that hertofore hath be compassed by dyverse persones his unnaturall subgettes . . . it is commen nowe of late to his knowlage howe that agaynst his mooste royall persone, and agaynst the persones of the blessid princesse oure alther soveraigne and liege lady the quene, of my lorde the prince theire son and heire, and of all the other of theire moost noble issue and also against the grete parte of the noble of this lande, the goode rule, politike and wele publique of the same, hath been conspired, compassed and purposed, a moch higher, moch more malicious, more unnaturall and lothely treason . . . He sheweth you therfore, that all this hath been entended by his brother George the duke of Clarence . . . [The king calls to remembrance the tender love which he has ever borne towards Clarence and the large grants which he has given him. Nonetheless Clarence several times had greatly offended him, jeopardising his royal estate, person, and life, forcing him to quit the realm, assisting his mortal enemies, and seeking to exclude him from his regality. The king had forgiven him all these offences. Clarence, notwithstanding, had again sought to subvert the king's subjects, resorted to necromancy, and had asserted that the king was a bastard. . . .] And overe this, the said duke continuyng in his false purpose, optenyed and gate an exemplificacion undre the grete seall of Herry the Sexte, late in dede and not in right kyng of this Lande, wherin were conteyned all suche appoyntementes as late was made betwene the said duke and Margaret, callyng herself Quene of this Lande, and other; amonges whiche it was conteyned that if the said Herry, and Edward his furst begoton son died withoute issue male of theire Body, that the said duke and his heires shulde be kyng of this Lande; whiche exemplificacion the said duke hath kepyd with hym self secrete, not doyng the kyng to have eny knowlegge therof, therby to have abused the kyngez true subggettes for the rather execucion of his said false purpose. . . . For whiche premissez and causez the Kyng, by the avyse assent of his lordes speretuell and temporell, and the Comons, in this present Parliament assembled, and by the auctorite of the same, ordenyth enacteth and establith that the said George duke of Clarence be convicte and atteyntit of heigh treason

. . . [and shall forfeit for himself and his heirs for ever the dignity and name of duke and all his properties and possessions].

A cest bille les Communez sont assentuz.

Le roy le voet.

[Henry, duke of Buckingham, is given a commission to be Steward of England to execute the sentence upon George, duke of Clarence. Given in parliament at Westminster, 7 February.]

---

294. WHELE *v.* FORTESCUE: A DECREE OF THE COUNCIL IN STAR CHAMBER, 26 JUNE, 1482

[Printed in *Select Cases before the King's Council, 1243–1482*, ed. I. S. Leadam and J. F. Baldwin (Selden Society, XXXV, 1918), 117-118.]

The Council commonly met in the room called *camera stellata*, built for the purpose about 1343, and there transacted all kinds of conciliar business.

Richard Langport was at this time clerk of the Council.

In the sterre chambre at Westminster the secunde daye of Maye the xxij yere of the reigne of our soueraigne lord the king Edwarde the iiijth present my lordes Tharchebisshop of York Chaunceller of England the Bisshoppes of Lincoln priue Seal Worcestre Norwich Durham and Landaff Therle Ryvers the lordes Dudley Ferres Beauchamp Sirs Thomas Borough William Parre Thomas Vaghan and Thomas Greye knightis in full and plenary counsaill was openly radde the Jugement and decree made by my lordis of our said soueraignes lordes counsaill afore that tyme for the partie of Richard Whele otherwise called Richard Pierson decreed made yeven and declared contrarie and ayenst John Fortescue squier in maner and fourme and under the thenure that foloweth. In the matier of question and contrauersie betwix John Fortescue squier and Richard Whele otherwise called Pierson of that the said John Fortescue alleggith and seith that the said Richard is a Scotte borne and of thalligiance of the King of Scottis and for such oon hath take hym and is in possession as his prisoner the said Richard evidently proving the contrarie and that he is an Englisshеman boren and noo Scotte as in the writinges of the said Fortescue for his partie and also of the Richard for his defence it is conteigned all at large whiche matier longe hath hanged in the kinges counsaill undecided. Therfore the xxi^{ti} daye of Nouembre the xxi^{ti} yere of the reigne of our soueraigne lord the King Edwarde the iiijth in the sterre Chambre at Westminster afore the lordes of the Kinges Counsaill the said writinges for either partie with all such evidences and proves by auctorite examined and by grete deliberacion seen and understanded. And after either of the said parties bothe in thaire owne persone as by thair counsaill at diuers tymes diligently herde in all that they coude or wolde allege and saie in that behalf it appered to the lordes of the said counsaill that the said Richard Whele otherwise called Pierson is and was an Englissheman borne and noo Scotte and that he was borne in the towne of Newcastell upon Tyne and therefore it is considered adiuged and decreed by the same lordes the same Richard so to be holden taken and reputed amongest all the kinges lige people and subiectes and as the kinges ligeman to be demeaned and entreated in all places and noon otherwise and to be at his large and freedome to do that hym semeth good as the kinges subiecte oweth to doo withoute trouble lette or empechement and the said John Fortescue to be putte and so was putte to perpetuell silence of further besynes sute or vexacion of the said Richard for the cause aboue pretended in tyme to come in any mancrwise ; than present my lordes tharchebisshop of Yorke Chaunceller of England and Bisshoppis of Lincoln priue seall, Bathe, Worcestre and Durham, Maisters Gunthorp, Cook, the popis collectour, the lordis Haward, Sir Thomas Vaghan and Sir Richard Harecourt Knightes and Thomas Thwaytes etc.

[*Signed* :] Langport

Datum etc. apud Westmonasterium xxvi[to] die Junii anno etc. xxij.

REIGN OF RICHARD III
1483–1485

ACCESSION OF RICHARD III

295. ACCORDING TO THE GREAT CHRONICLE OF LONDON

[*Op. cit.*, 230-233.]

See no. 285 above.

Edward IV died on 9 April, 1483. His elder surviving son Edward, born in November, 1470, was proclaimed king on 11 April.

Richard, duke of Gloucester, gained possession of the king on 30 April, 1483, entered London on 4 May, assumed the crown on 26 June, and was himself crowned on 6 July. The battle of Bosworth was fought on 22 August, 1485.

. . . And thus was the kyng conveyed thorw the Cyte unto the Bysshoppys palais In paulys Chyrch yerd and there lodgid, And the duke of Glowcestyr was lodgid at Crosbyis place In bysshoppysgate strete, And shortly afftyr was the said duke of Glowcestyr proclamyd protectour of the Realm of Engeland, and many counsaylis were kepid & holdyn at the said Crosbyis place, whereof alle were not godly nor good as afftyr shall appere, Then was the kyng Removid ffrom the Bysshoppis paleys unto the Towyr, and much purveyaunce was made as the ffame went ffor hys Coronacion In which passe tyme, The protectour beyng accompanyed wyth tharchbysshopp of Cauntyrbury than namyd doctor Bowser went unto westmynstyr and there behavid (hym) soo gloriously unto the Quene with his manyffold dyssymylid ffayer promysys, That nowthir she nor yit the Archbysshopp hadd In hym any maner of Suspicion of Gyle, But In good and lovyng maner trystyng ffully It shuld be ffor the weale of the child, delyverd unto theym the duke of york than beyng a child abowth þ^e^ age of Seyvn yeris, Whom the said protectour conveyed streygth unto the kyng, where bothe were well entreatid wythyn the kyngys lodgyng beyng w^t^yn the Towyr, a certayn of tyme afftyr, And all this seson was the lord hastyngys hadd In grete ffavour wyth the said protectour and Ressayvid of hym many Grete beneffyts and gyfftys as many othyr noble men didd, and all to bryng his evyll purpoos abowth And thus dryvyng & delayyng the tyme (till) he hadd compassyd hys myend, Upon the xiij^th^ day of Junii he appoyntid a Counsayll to be holdyn wythyn the Towyr, To (the) which was desyrid therle of derby þ^e^ Lord hastyngys wyth many othir, But moost of such as he knewe wold ffavour his Cawse, and upon the same (day) dynyd the said lord hastyngys wyth hym and afftyr dyner Rode behynd hym or behynd the duke of Bukkyngham unto the Towyr, where when they wyth the othir lordis were entrid the Counsail Chambyr, and a seson had comonyd of such a matyer as he beffore hadd purposid, Sodeynly oon made an owth Cry at the said counsayll chambyr dore Treason Treason, and fforthwyth the ussher openyd the dore, and then presyd In, such as beffore were appoyntid, and streygth layd hand upon þe Erle of derby and the lord hastyngys, and Incontynently wtowth processe of any lawe or lawfull examynacion, ladd the said lord hastyngys owth unto the Grene beside the Chapell, and there upon an ende of a squarid pese of tymbir wythowth any long conffession or othir space of Remembraunce strak of hys hede, And thus was this noble man murderid ffor his trowth & ffidelyte which he ffermly bare unto hys mastyr, upon whoos sawle and all Crystyn Jhesus have mercy Amen, And in lyke wyse shuld Therle of derby have been dalt wyth as the ffame afftyr went, Savyng he fferid the lord strange, The said Erlys sone which than was In lankasshyre, wherffor he was Inmedyatly set at his lyberte wythowth hurt, Except that lytyll his fface was Rasid wyth some wepyn when the Tyrauntys ffirst entryd the chambyr, Then was tharchbysshop of york doctor Rotherham and þe Bysshopp of Ely doctor morton sett In a suyrte for a tyme, and fforthwyth were a Crewe of men arerid In the North, and Commaundid to spede theym toward london, And afftyr this were the prince and the duke of york holdyn more streygth and than was pryvy talkyng In london that The lord Protectour shuld be kyng, accordyng wherunto upon the Soneday next ffolowyng the daye of execucion of the lord hastyngys, at paulys Crosse beyng present the said lord protectour and the duke of Bukkyngham wyth an huge audience of spirituell and Temporall, was there Declarid by doctor Rauff Shaa brothyr unto this mayer, and provid by such Reasons as he there & then made that the Childyr of kyng Edward were not Rigthffull enherytours unto the Crowne, and that kyng Edward was not the legytmat sone of the duke of york as the lord protectour was By the which declaracion & othir many allegacions & obprobrious Reportys he then alledgyd That the lord protectour was moost worthy to be kyng and noon othir, The which sermon soo dyscontentid the more party of that audience, that, where the said doctor Shaa before dayes was accomptid moost ffamous & moost allowyed In the comon peplys meyndys, he afftyr this daye was lytill Reputid or Regardyd accordyng to the honour that he In dayes passid was, and ovyr that he dayly hard of the obprobrious Reportys which of hym Ran thorw the land of that sermon makyng, that he took such a Remors & conceyt Inwardly, that he nevyr prosperid afftyr, Byt ffyll Into a consumpcion & lastly soo dyed, Than upon the Tuysday next ensuyng the fforesaid Soneday, The duke of Bukkynham cam unto the Guyldhalle, where agayn his cummyng The mayer wt his brethir, and a ffayer multitude of Cytyzyns In theyr lyvereys were assemblyd, To the which assemble the said duke than made an Oracaion In Rehercyng the grete excellency of the lord protectour and the manyfold vertuys which God hadd endowid hym wt, and of the

Rigthffull Tytle which he hadd unto the Croune, That it lastid a good half howyr, and that was soo well & eloquently uttyrd and w^t soo angelyk a contenaunce, and every pauze & tyme soo well ordorid, That such as hard hym mervaylid & sayd that nevyr to ffore that daye hadd they hard any man lernyd or unlernyd make such a Rehersayll or oracion as that was, The which when he had ffynysshid, and goodly exortid the sayd assemble to admyte the said lord protectour ffor theyr lyege lord and kyng, and they to Satysfye his myend more ffor ffere than ffor love, Cryed In small numbir ye ye, He soo departid, Wheruppon, The thurs(day) next ensuyng (beyng ye xix day off June),[1] the sayd lord protectour took possescyon at westmynstyr In the grete halle, where he beyng sett In the kyngys Cheyer or place where all kyngys take ffyrst possescion, The duke of Norffolk syttyng upon his Rigth hand that beffore dayes was callid lord Howard, and upon his lyffth hand the duke of Suffolk he callid beffore hym the Jugys Commaundyng theym in Rigth streygth maner that they Justly and duly shuld mynystir his lawe w^towth delay or ffavour, Afftyr which commandement soo to theym govyn and othyr Ceremonyes there ffynysshid, he þ^an yood In to the abbay, where at the chirch dore he was mett wyth procescion, and by the abbot or hys depute there delyverd to hym the Ceptre of Seynt Edward, he then yood unto the Shryne and there offyrd, and then was conveyed Into the Quere and there was sett while Te Deum was ffeynydly sungyn by the munkys, afftyr which Ceremonyes thus ffynyd, he Retournyd Into the kyngys palays and there was lodgid, Than in this whyle was the lord Anthonie w^t the lord Richard Thomas vawgtham and Rychard hawte before namyd byhedid at pounffret and In this passe tyme alsoo avoydyd Secretly the marquys of dorset, The which afftyr escapid many wondyrfull daungyers, whereof If I shuld telle all the Cyrcumstaunce, It wold make a long book, how well he escapid alle & lyvid many yeris afftyr, & Then was hasty provicion made ffor his Coronacion Soo that upon the vj^th daye of Julii he and Quene Anne his wyfe were at oon messe Solempnely Crownyd, and afftyr was the ffeest accustumyd wyth alle Cyrcumstauncys therunto belongyng kept In westmynstir halle. The which ffeest soo beyng ffynysshid, The kyng sent hoom the lordys Into theyr Cuntrees, holdyng wyth hym styll therle of derby ffor a seson, and alsoo unto such as went hoom he gave streygth Commandementys that they shuld see the Cuntrees where they dwellid well guydid & that noon extorcions were doon to hys Subgectys, And thus he tawgth othyr to excercyse Just and good which he wold not do hym sylf.

296. ACCORDING TO DOMINIC MANCINI

[Dominic Mancini, *The Usurpation of Richard III*, ed. C. A. J. Armstrong (1936), 86-90, 98-100, 102, 112, 114-120.]

Dominic Mancini (?1434–1514?) was a member of a prominent Roman

[1] *recte* 26 June.

family, and probably a regular clerk. He paid a visit to England for unknown reasons, arriving before the death of Edward IV on 9 April, 1483, perhaps in the late summer of 1482. He was recalled to France shortly after 6 July, 1483. His chronicle, which was written for the information of his patron, Angelo Cato, archbishop of Vienne, shows some close acquaintance with the court of Edward IV, but not of Richard III's.

Peracto funere regio, et convenientibus in urbem nonnullis regni primoribus, qui viciniora sortiti erant, ante adventum Eduardi reguli et Riccardi ducis Closestrii consilium cogitur: in quo ad proceres refertur de regni administratione, quoad rex pervenerit in legitimam etatem. Duc dicebantur sententie: altera quod dux Closestrius administraret, quia Eduardus ita testamento cavisset, et quia per leges ei administratio obveniret. Sed hec infirmior, altera validior erat: quod administratio per plures ageretur, a quorum numero dux non excluderetur, quinimmo princeps ascriberetur: ita ut duci honor haberetur, et regia res magis in tuto locaretur; propterea quod compertum fuerat, nunquam unum administratorem deposuisse administrationis officium nisi invitum armisque cohactum, unde bella intestina sepe essent exorta. Propterea si ad unum tota administratio deferretur, facile eum posse sibi imperium usurpare. Sentiebant pro hac parte omnes qui favebant generi regine, timentes ne Riccardo regnum assumente vel solo administrante, ipsi qui sustinebant calumniam de morte ducis Clarentie aut penam capitis luerent, aut saltem a tanta fortuna deiicerentur.

Fama fuit, Astinconem cubicularium per litteras et nuncios hec omnia ad ducem Closestrium detulisse; propterea quod ei vetus amicitia cum duce fuerat, et quod toti generi regine propter marchionem infensus erat. Admonuisse insuper ducem ut cum forti manu ad urbem properaret, ut iniuriam sibi ab inimicis factam vindicaret. Vindicare autem facile posse, si antequam ad urbem veniret, Eduardum regulum in suam curam manumque reciperet; suos vero non sic opinantes inter oscitantes opprimeret. Se solum in urbe esse, nec sine magno periculo, vixque posse eorum insidias effugere, cum ad vetus odium accesserit amicitia que sibi est cum ipso duce. Quibus rebus ille admonitus, ut commodius ea exequeretur, ad concilium litteras scripsit in hanc sententiam. Se domi forisque, pace et bello, fidelem fuisse fratri suo Eduardo, eundem se fore fratris filio, si permittatur, et si quo casu, quod absit, is vita decedat pro omnibus qui sunt ex fratre orti, eciam mulieribus: se omnibus obiecturum caput periculis, ut illi in patrio regno consistant. Eos rogare, ut in hac administratione ex lege sibi debita et a fratre decreta sue dignitatis rationem haberent, idque statuerent, quod sua in fratrem merita et in totum regnum postularent: non posse quicquam contra leges et fratris voluntatem decerni, quod sit sine iniuria. Multum he littere moverunt popularium animos, qui cum antea ex qua(dam) integritatis opinione duci corde faverent, iam in aperto sermonibus favere ceperunt; ut vulgo omnes dicerent, duci administrationem deberi. Proceres tamen, qui consilium habebant, frequentiores in secundam sententiam iverunt, diemque imponende corone statuerunt, scribentes ad Eduardum regulum ut triduo ante diem corone statutum ad urbem veniat. Fuere tamen in concilio qui dicerent, non esse ita omnia precipitanda, sed patruum reguli expectandum, ad quem res maxime pertineret; ut ipse tantis rebus tam decernendis quam perficiendis intersit; quia si secus fiat, egre esset accepturus, et forte omnia interturbaturus. Ad hec marchio respondisse fertur: 'Nos tanti sumus momenti, ut etiam sine patruo possimus hec statuere, et statuta perficere.' . . .

[p. 98]. . . . Inter hec dux Closestrie, quia sinistra fama de eo in urbe vagabatur, quod fratris filium non in curam sed in potestatem redegisset, ut ipse regno potiretur, ad concilium et prefectum urbis, quem illi maiorem appellant, epistolas scribit, quarum sententie inter se nec fuerunt nec huic exemplo discrepantes. Se scilicet fratris filium et Britannie regem non detinuisse, sed potius ipsum cum regno a pernicie liberasse; cum in eorum iuvenis manum iturus esset, qui cum patris honori et vite non pepercissent, non poterant estimari adolescentie filii melius esse consulturi. Fuisse ita opus facto, ut sue consuleret saluti, et regi ac regno provideret. Nulli hominum tante cure esse salutem Eduardi regis, et incolumitatem regni quante sibi uni. Se prope diem cum adolescente ad urbem affuturum, ut de eius corona et iis, que ad celebritatem pertinent, honorificentius agatur. Denique in omnibus gratiam populi conciliare studet, sperans si eorum favore solus administrator declararetur facile postea etiam eis invitis imperium se adepturum.

His litteris in consilio et ad populum recitatis, omnes ducem Closestrium laudare, quod in fratris filios pius esset et ad inimicos ulciscendos consilio non careret. Nonnulli tamen qui eius ambicionem et artem non ignorarent, semper dubitarunt quorsum eius conatus evaderent. Paucis post diebus cum omnium animos explorasset, et in urbe per amicos omnia providisset, cum regulo in urbem venit, comitatus non pluribus quingentis militibus partim ex suis partim ex ducis Buckingamie pagis evocatis. Is omni consilio et opibus semper presto aderat. Regulum invicem asservabant: timebant enim ne ab eorum manibus aufugeret, aut vi eriperetur; cum populi Walici iniquo ferrent animo ita per secordiam fuisse eis principem abductum. . . . [p. 102] . . . In urbem ingressus, id primo curavit, ut auctoritate concilii et omnium procerum protector sive administrator regis et regni declararetur. Deinde ad omnia, que sibi imperium capessenti obstare possent, amovenda aut debilitanda animum intendit. Et cum iam Thomam Rhoderam, quem Eduardi heredibus fidelem fore in omni fortuna putabat, et quem eorum propugnatorem olim in concilio intellexerat, ab officio cancellarii, antequam in urbem ingrederetur, amovisset, suffecto in eius locum Johanne Grosello episcopo Lincolniensium, viro multe tum doctrine tum religionis, ad alia impedimenta tollenda properavit. Tentavit ergo, ut decreto concilii in eos quos custodie commendaverat tanquam insidiatores immo maiestatis reos animadverteretur. Sed id minime impetravit: quia nec causa cognita de insidiis constaret, nec si constitisset crimen erat maiestatis; cum tempore delatarum insidiarum ipse nec administratorem nec alium gereret magistratum.

[Gloucester regained control of most of the fleet; persuaded the queen-mother to surrender the duke of York; and had Hastings executed] . . . [p. 112] . . . Hucusque quamvis affectari regnum omnia argumenta conspicerentur, attamen aliquid spei relinquebatur, quod sibi regnum non astrueret, cum tanquam iniuriarum et proditionis vindicem hec omnia se facere iactaret: cumque omnia privata monumenta et rescripta publica titulis et nomine Eduardi quinti notarentur . . . [But after Hastings's death the king and his brother were seen less and less, and then ceased to appear at all] . . . [p. 114] . . . Secvrvs igitur Riccardus omnium que ab inicio timida putavit, iam pullas vestes ponit, quas post mortem fratris semper induerat. Purpureas sumens sepe per urbem mille stipatus comitibus equo vehitur. Visendum ac salutandum populo adhuc protectoris nomine se exhibet. In dies maiorem numerum hominum in suis privatis edibus pascit. Dum se per urbem ostentat a nullo fere spectatur: quin dignum (ei exitum imprecantur) cum nullus iam dubitet quorsum tendat. (Precipuam occasionem) sui animi omnibus declarandi inde cepit. Nam predicatores divini verbi ita corrupit, ut in sacris ad populum concionibus dicere non erubescerent contra fas (et) omnem religionem Eduardi prolem protinus esse extirpandam; quia nec ille fuisset legitimus rex nec eius proles esset futura. Per adulterium enim conceptus Eduardus omnibus absimilis erat duci Eboracensium defuncto, cuius falso dicebatur filius: Riccardus vero dux Closestriorum patri quam simillimus legitimus successor ad regnum vocatur. Interea dux omnes regni principes Londonias convocat. Putabant ii vocari tum ut necis Astinconis (Hastings) causas intelligerent, tum ut de coronando Eduardo iterum ageretur; quia tanta novitate sequta, coronatio in alium diem differenda videretur. Quisque venit cum eo comitatu quem sua dignitas et ordo postulabat. Sed dux eos admonet, ut paucis comitibus retentis, qui ad corporis curam magis necessarii erant, reliquos ad proprias domos remittant. Formidare enim cives Londonienses causatur, ne tantus hominum conventus in urbe opulenta ipsis dominis invitis ad predas se convertant: memorat id alias accidisse. Parent illi monitis. Ubi omnia dux constare vidit, ducem Buckingamie ad principes submittit, tanquam ipse nihil intelligeret, ad quos referri facit, quid de regno faciendum sit. Videri enim iniquum quod is puer corone munus suscipiat, qui spurius sit: spurius autem ideo, quia Eduardus pater cum Helizabettam duceret, aliam uxorem omni iure pactam haberet quam dux Berbiciensium [Warwick] ei copulasset: dux enim, Eduardi mandato, ultra mare per verba, ut dicunt, deputati antea aliam pepigerat. Preterea Helisabettam ipsam alii viro coniugatam fuisse, et ab Eduardo potius ereptam quam ductam esse. Quo fit ut omnis eorum proles regno sit indigna. Filium vero ducis Clarentie propter crimen patris expertem diadematis factum; damnatus enim pater maiestatis non solum sibi ipsi, sed et filiis omnem honoris successionem ademerat. Nullum superesse e regio genere preter Riccardum ducem Closestrie, qui per leges mereatur, et per virtutem possit corone onera sustinere. Anteactam eius vitam moresque integros certissimum esse pignus rei bene administrande: eum vero, etsi huiusmodi onus recuset, posse tamen animum flectere, si a principibus rogetur. His auditis, principes, exemplo Astinconis admoniti, et videntes duos duces convenire, quorum vicibus propter militum multitudinem resistere difficile et periculosum esset, se vero quasi circumventos eorum manibus teneri, proprie saluti consuluerunt; et Riccardum regem declarandum rogandumque ut onus suscipiat, censuerunt. Postridie in domum matris ad quam consulto se contulerat Riccardus, ne in turri ubi regulus detinebatur ea fierent, omnes principes convenerunt, ubi omnia transacta sunt; iuramenta enim fidelitatis prestita et cetera, que exiguntur, ordine perfecta: idem fecerunt duobus proximis diebus populus Londoniensis et sacrorum antistites. Ab iis tribus ordinibus hominum, quos tres status appellant, omnia ardua consultantur et decreta rata habentur. Iis ita perfectis, dies coronationis indicitur. Gesta vero nomine Eduardi quinti post mortem patris rescinduntur aut suspenduntur. Signa et tituli mutantur. Omnia nomine Riccardi tercii confirmantur et geruntur.

297. ACCORDING TO THE ROLLS OF PARLIAMENT

[*Rot. Parl.*, VI, 240-242.]*

Writs were issued in the name of Edward V on 13 May, 1483, for a parliament to meet at Westminster on 25 June, but were revoked by writs of *supersedeas* dated mid-June. Writs were issued in the name of Richard III in October, 1483, for a parliament to meet at Westminster on 6 November, but were revoked by writs of *supersedeas*. Fresh writs were issued on 9 December for a parliament to meet at Westminster on 23 January, 1484; its session lasted until 20 February.

(1) Memorandum, quod quedam billa exhibita fuit coram domino rege in parliamento predicto in hec verba.

Where late heretofor, that is to say, before the consecracion, coronacion, and intronizacion of our souverain lord the king, Richard the thirde, a rolle of perchement conteignyng in writyng certain articles of the tenour undrewriten, on the behalve and in the name of the thre estates of this reame of Englond, that is to wite, of the lordes spirituelz and temporelx and of the comons, by many and diverse lordes spirituelx and temporelx, and other nobles and notable personnes of the comons in grete mutitude, was presented and actualy delivered unto our said souverain lord the king, to thentente and effect expressed at large in the same rolle; to the which rolle and to the consideracions and instant peticion comprised in the same, our said souverain lord, for the public wele and tranquillite of this land, benignely assented.

Nowe forasmoch as neither the said thre estates, neither the said personnes which in thair name presented and delivered, as is abovesaid, the said rolle unto oure said souverain lord the king were assembled in fourme of parliament; by occasion wherof diverse doubtes, questions, and ambiguitees been moeved and engendred in the myndes of diverse personnes, as it is said. Therfor, to the perpetuell memorie of the trouth, and declaracion of the same, bee it ordeigned, provided, and stablisshed in this present parliament, that the tenour of the said rolle, with all the continue of the same, presented as is abovesaid, and delivered to our beforesaid souverain lord the king in the name and on the behalve of the said thre estates out of parliament, nowe by the same thre estates assembled in this present parliament, and by auctorite of the same, bee ratified, enrolled, recorded, approved, and auctorized into removyng the occasion of doubtes and ambiguitees, and to all other laufull effect that shall mowe therof ensue, soo that all thinges said, affirmed, specified, desired, and remembred in the said rolle, and in the tenour of the same underwriten, in the name of the said thre estates, to the effect expressed in the same rolle, bee of like effect, vertue, and force as if all the same thinges had been soo said, affirmed, specified, desired, and remembred in a full parliament, and by auctorite of the same accepted and approved. The tenour of the said rolle of parchement, wherof above is made mencion, foloweth and is such.

To the high and myghty prince Richard, duc of Gloucestre.

Please it youre noble grace to understande the consideracions, eleccion, and peticion underwriten of us, the lordes spirituelx and temporelx and comons of this reame of Englond, and therunto agreably to yeve your assent, to the comon and public wele of this lande, to the comforte and gladnesse of all the people of the same.

Furst, we considre how that heretofore in tyme passed this lande many yeres stode in grete prosperite, honour, and tranquillite, which was caused forsomoch as the kinges than reignyng used and folowed the advise and counsaill of certain lordes spirituelx and temporelx and othre personnes of approved sadnesse, prudence, polecie, and experience, dreding God, and havyng tendre zele and affeccion to indifferent ministracion of justice and to the comon and politique wele of the land; than oure Lord God was dred, luffed, and honoured; than within the land was peas and tranquillite, and among neghbours concorde and charite; . . . [victories were won; trade flourished; and people were prosperous]. But afterward, whan that such as had the rule and gouvernaunce of this land, delityng in adulacion and flatery, and lede by sensualite and concupiscence, folowed the counsaill of personnes insolent, vicious, and of inordinat avarice, despisyng the counsaill of good vertuouse and prudent personnes such as above be remembred, the prosperite of this land daily decreased, soo that felicite was turned into miserie, and prosperite into adversite, and the ordre of polecye and of the lawe of God and man confounded; wherby it is likely this reame to falle into extreme miserie and desolacion, which

God defende, without due provision of covenable remedie bee had in this behalf in all goodly hast.

Over this, amonges other thinges more specially we consider howe that the tyme of the reigne of Kyng Edward the iiii[th], late decessed, after the ungraciouse pretended mariage, as all Englond hath cause soo to say, made betwixt the said King Edward and Elizabeth, somtyme wife to Sir John Grey, knyght, late namyng hir self, and many yeres heretofore, quene of Englond, the ordre of all poletique rule was perverted, the lawes of God and of Goddes church, and also the lawes of nature and of Englond, and also the laudable customes and liberties of the same, wherin every Englisshman is inherite, broken, subverted, and contempned ayenst all reason and justice, soo that this land was ruled by silf will and pleasur, fere and drede, almaner of equite and lawes leide apart and dispised, wherof ensued many inconvenientes and myschefes as murdres, extorsions, and oppressions, namely of poore and impotent people, soo that no man was sure of his lif, land, ne lyvelode, ne of his wif, doughter, ne servant, every good maiden and woman standing in drede to bee ravysshed and defouled. And besides this, what discordes, inwarde batailles, effusion of Christen mens blode, and namely by the destruccion of the noble blode of this londe, was had and committed within the same, it is evident and notarie thorough all this reame, unto the grete sorowe and hevynesse of all true Englisshmen. And here also we considre howe that the seid pretensed mariage bitwixt the abovenamed King Edward and Elizabeth Grey was made of grete presumpcion, without the knowyng and assent of the lordes of this lond . . . [by sorcery; in secret; and that when it was made Edward was bound by precontract of matrimony to Lady Eleanor Butler. Therefore, Edward and Elizabeth were living in adultery]. Also it appereth evidently and foloweth that all thissue and children of the seid King Edward been bastardes, and unable to enherite or to clayme any thing by enheritance by the lawe and custome of Englond.

[Moreover, the children of George, duke of Clarence, are barred by his attainder for treason from any claim to the crown.]

Over this, we considre howe that ye be the undoubted son and heire of Richard, late duke of York, verray enheritour to the seid crowne and dignite roiall, and as in right kyng of Englond by wey of enheritaunce; and that at this tyme, the premisses duely considered, there is noon other personne lyvyng but ye only that by right may clayme the said coroune and dignite royall by way of enheritaunce, and howe that ye be born withyn this lande, by reason wherof, as we deme in oure myndes, ye be more naturall enclyned to the prosperite and comen wele of the same; and all the thre estatis of the lande have, and may have, more certayn knowlage of youre byrth and filiacion aboveseid. We considre also the greate wytte, prudence, justice, princely courage, and the memorable and laudable actes in diverse batalles, whiche as we by experience knowe ye heretofore have don for the salvacion and defence of this same reame, and also the greate noblesse and excellence of your byrth and blode, as of hym that is descended of the thre moost royall houses in Cristendom, that is to say, Englond, Fraunce, and Hispanie.

Wherfore . . . [considering the aforesaid] we . . . have chosen in all that that in us is, and by this oure wrytyng, choise you, high and myghty prynce, into oure kyng and soveraign lorde etc., to whom we knowe for certayn it apperteygneth of enheritaunce soo to be chosen. And heruppon we humbly desire, pray and require youre seid noble grace that accordyng to this eleccion of us, the thre estates of this lande, as by youre true enheritance, ye woll, accepte, and take upon you the said crown and royall dignite, with all thynges therunto annexed and apperteynyng, as to you of right bilongyng, aswele by enheritaunce as by lawfull eleccion; and, in caas ye so do, we promitte to serve and to assiste youre highnesse as true and feithfull subgiettes and liegemen, and to lyve and dye with you in this mater and every other juste quarell . . .

[Richard III's title is justly grounded on the laws of God, of nature, and of the realm, but the people may not understand these] And over this, howe that the courte of parliament is of suche auctorite, and the people of this lande of suche nature and disposicion, as experience techeth, that manifestacion and declaracion of any trueth or right made by the thre estates of this reame assembled in parliament, and by auctorite of the same, maketh before all other thynges moost feith and certaynte, and, quietyng mens myndes, remoeveth the occasion of all doubtes and sedicious langage . . . [therefore, the three estates in this present parliament asked that the king's title be declared, and that it be enacted that his son, prince Edward, is heir apparent. This bill was approved and conceded.]

298. INVALIDITY OF OATHS OF ALLEGIANCE TAKEN TO EDWARD V, 28 JUNE, 1483

[*Letters and Papers . . . of Richard III and Henry VII*, ed. J. Gairdner (R.S., 1861), I, 11-12.]*

John Dynham, at this time Governor of Calais, received a personal writ of summons to parliaments from 1466 to 1497, was subsequently Treasurer of England, and d. 1509. John Blount, 3rd baron Montjoy, was subsequently Governor of Guines, d. 1485. Sir Thomas Thwaytes was now appointed Treasurer of Calais.

Thies be the articles of instruccions geven to the lord Montjoie, maister John Cooke, archidekyn of Lincoln, and sir Thomas Thwaytes, knightes, answering to the lettre of the lord Dynham, late direct unto the kinges grace as then protectour of England, which lettre resteth in iiii principall poyntes.

The first article remembred the othe which they of Calais perteynyng to any of the thre jurisdiccions ther incontynent upon knawlage of the deth of king Edward the iiith, whome God assoill, commen unto them, made holy togedyr upon a booke to be true unto King Edward the Vth, his son, as their liege lord . . . [and to keep Calais safely, etc.].

As to that article. It shall move besid that how be it suche othe of ligeance was made sone upon the deth of the said king Edward the iiiith to his sone, not onely at Calais but also in diverse places in England by many gret astates and personages, being than ignorant of the verraye sure and true title which oure soverayn lord that now is, King Richard the iii^{de}, hath and had the same tyme to the coroune of England; that othe not withstanding now every good true Englissheman is bounde upon knowlage had of the said verray true title to depart from the first othe so ignorantly gyven to him to whom it apperteyned not, and therupon to make his outhe of newe and owe his service and fidelite to him that good lawe, reason, and the concorde assent of the lordes and comons of the royaume have ordeigned to reigne upon the people, which is oure said soverayn lord King Richard the iii^{de}, brother to the said King Edward the iiiith, late decessed, whome God pardone; whose sure and true title is evidently shewed and declared in a bill of peticion which the lordes spirituelx and temporelx and the commons of this land solemplye porrected unto the kinges highnes at London, the xxvi^{te} day of Juyn. Whereupon the kinges said highnes, notably assisted by well nere all the lordes spirituell and temporell of this royaume, went the same day unto his palais of Westmynster, and ther in suche roiall honorable appareilled within the gret hall ther, toke possession and declared his mynde that the same day he wold begyn to reigne upon his people; and from thens rode solemply to the cathedrall cherche of London, and was resseyved ther with procession with grete congratulacion and acclamacion of all the people in every place and by the weye that the king was in that day. . . .

299. RICHARD III'S CORONATION OATH, 6 JULY, 1483

[*Registrum Thome Bourgchier Cantuariensis Archiepiscopi*, ed. F. R. H. Du Boulay, Canterbury and York Society, vol. LIV (1957), part I, 60-61.]

WILL ye graunt and kepe to the people of Englond the lawes and custumes to theym of old rightfulle and devoute kingis graunted and the same ratefie and conferme by your oth, and specialli the lawes custumes and libertees graunted to the clergie and people by your noble predecessor and glorious kinge saint Edward.

R. Regis I graunt and promitte

YE SHALL kepe aftre your strenght and power to the Chirch of God to the clergie and the people hoole peas and godly concord.

R. Regis I shall kepe

YE SHALL make to be doon aftre your strenght and power egall and rightfull justice in alle your domes and jugements and discrecion with mercy and trought.

R. Regis I shall do

DO YE graunt the rightfull lawes and custumes to be holden and promitte ye aftre your strenght and power suche lawes as to the worship of God shalbe chosyn by your people by you to be strengthted and defended.

R. Regis I graunt and promitte

DOMINE REX [1]

Syr Kinge we aske of you to be perfitly gevin and graunted unto us that ye shall keepe to us and to eche of us and to alle the chirches that be yevin and committed unto us and to eche of us the privilegis of lawe canon and of holye chirch and due lawe and rightfulnesse and us and theim defende as a devoute Chresten kinge ought to do and in like wise to graunt and do thorough alle your realme to every bysshop abbot and to all the chirches to theim committed.

R. Regis

ANIMO LIBENTI [1]

Wyth glad will and devoute soule I promitte and perfittely graunt that to you and to every of you and to alle the chirches to you committed I shall kepe the privilegis of lawe canon and of holy chirch and due lawe and rightfulnesse, AND I shall in asmoche as I may be reson and right with goddes grace defende you and every of you every bisshop and abbot thorough my realme and alle the chirches to you and theym committed. ALLE thise thingis and every of theim I Richard kinge of Engelond promitte and conferme to kepe and observe, so helpe me god and by thise holy Evangelistis by me bodely touched uppon this holy aulter.

---

300. STATUTE OF BENEVOLENCES (1 Richard III, c. 2), 1484

[*Stat. R.*, II, 478.]*

Item, nostre seignur le roy remembrant coment lez commens de cest son roialme par novelx et desloialx invencions et enordinate covetise, encountre la ley de cest roialme, ount este misez a graunde servitute et enportablez charges et exaccions, et en especiall par une novell imposicion appelle benevolence, paront diversez ans lez subgiettes et commens de cest terre encountre leur volentees et libertie ount paiez graundz sommes de moneie a lour bien pres finalle destruccioun, qar diversez et plusours hommez honorables de cest roialme par enchesoun dicelle furent compellez del necessite a dessolver lour hostielx et vivre en graunde penurie et miserie, lour dettes nonpaiez, et leur enfantz nient preferrez, et tielx memorialx quelx ils avoient ordeinez pur la salue de leur aulmes furent anientisez, a graund despleasure Dieu et la destruccioun de cest roialme; pur qoi nostre dit seignur le roi de ladvis et assent des ditz seignurs et Commens en le dit parlement assemblez, et par auctoritie dicell, voet et ordeigne qe ses subgiettes et

[1] In right-hand margin.

cominaltee de cest soun roialme decy enavaunt en nulle manere soient chargez par null tiel charge ou imposicioun appelle benevolence, ne par tiel semblable chargee, et qe tielx exaccions appellez benevolence devaunt cest temps prisez soient pris pur null example de faire tiel ou ascune semblable charge dascuns sez ditz subgiettes de cest roialme enapres, mes soit il dampne et adnulle pur toutz jours.

301. STATUTE FOR JUSTICES OF THE PEACE (1 Richard III, c. 3), 1484

[*Stat. R.*, II, 478-479.]*

For references see no. 28 above.

Item, pur ceo qe diversez persones de jour en autre sont arestuz et emprisonez pur suspecioun de felonie, ascunes foitz de malice et ascunes foitz de legier suspecioun, et ensi gardez en prisoun saunz baille ou mainprice a leur graund vexacioun et trouble, il est ordeigne et establie par auctorite de cest present parlement qe chescune justice del peas en chescune countee, citee, ou ville aiet auctorite et poair par sa ou leur discrecioun de lesser tielx prisoners et persones ensi arestuz en baille ou mainprice en semblable fourme si come mesmes lez prisoners et persones ent furent enditez de recorde devaunt mesmes les justices en lour sessioun. Et qe justices de peas aient auctorite denquerrer en leur sessions de toutz maners eschapez de chescune persone arestuz et emprisonez pur felonie . . . [No one shall seize the goods of any such person before he is convicted or lawfully forfeits them, under pain of forfeiting double the value of the goods].

302. STATUTE CONCERNING JURORS (1 Richard III, c. 4), 1484

[*Stat. R.*, II, 479.]*

Item, pur ceo qe divers graundez enconviencez et perjuries de jour en autre aveignent es diverses countees Dengleterre par faulx verdites donez es enquisicions et enquerrez devaunt viscountes en lour tournes par persones de nulle substance ne de avoir, nient creignianz Dieu ne reproeve du mound, par enchesoun de qoi diverses et plusours lieges du roy des diverses parties Dengleterre, par excitement et procurement de leur malvaiz aymers, sont enjuriousment enditez, et autres qi de droit dusent estre enditez, par tielx excitement et procurement moltfoitz sont esparez, contrarie al commen droit et boon conscience. En eschuer de qoi il est ordeignez par nostre dit seignur le roy, de ladvys des ditz seignurs et Commens en le dit parlement assemblez, et par auctorite del mesme, qe null baillif ne autre officer decy enavaunt retourne ou enpanelle ascune tiel persone en ascune countie Dengleterre destre prise ou mys en ou sur ascune tiel enquerre en ascun de les ditz tournes, mes tielx quelx sount de bon noune et fame et aiantz terres et tenementes de frank tenure deinz mesmes lez countees al annuelle value de xx s. au meyns, ou autrement terres et tenementes tenuz par custume de maner, vulgarment appellez copihold, deinz les ditz countees al annuelle value de xxvi s. viii d. oultre toutz charges au meyns. [Penalties are set out for offences against the statute. Indictments taken before sheriffs on their tourns in any other manner are void.]

303. REGULATIONS FOR THE COUNCIL OF THE NORTH, JULY, 1484

[*Letters and Papers . . . of Richard III and Henry VII*, ed. J. Gairdner (R.S., 1861), I, 56-59.]*

For discussion see R. R. Reid, *The King's Council in the North* (1923).

Thise articles folowing be ordeyned and stablisshed by the kinges grace, to be used and executed by my lord of Lincolne, and the lordes and other of his Counsell in the north parties for his sueretie and welth of thenhabitantes of the same.

Furst, the king woll that none lord ne other persone appoynted to be of his Counsell, for favour, affeccion, hate, malace, or mede, do ne speke in the Counsell otherwise then the kinges lawes and good conscience shall require, but be indifferent and no wise parcell, as ferr as his wit and reason woll geve him, in all maner maters that shalbe mynestred afore theym.

Item, that if there be any mater in the said Counsell moved which toucheth any lord or other persone of the said Counsell, than the same lord or persone in no wise to syt or remayn in the said Counsell during the tyme of thexamynacion and ordering of the said mater enlesse he be called, and that he obeie and be ordured therin by the remenaunt of the said Counsell.

Item that no maner mater of gret weght or substaunce be ordered or determyned within the said Counsell enlesse that two of thise, that is to say . . . [there is a blank in the manuscript at this point] with our said nepveu be at the same, and they to be comissioners of our peax thoroughout these parties.

Item, that the said Counsell be, hooly if it may be, onys in the quarter of the yere at the leste, at York, to here, examyne, and ordre all billes of compleyntes and other there before theym to be shewed, and oftyner if the case require.

Item, that the said Counsell have auctorite and power to ordre and direct all riottes, forcible entres, distresse takinges, variaunces, debates, and other mysbehavours ayenst our lawes and peas comitted and done in the said parties. And if any suche be that they in no wise can thoroughly ordre, than to referre it unto us, and therof certifie us in all goodly hast therafter.

Item, the said Counsell in no wise determyn mater of land without thassent of the parties.

Item, that our said Counsell for gret riottes done and committed in the gret lordships or otherwise by any persone, committee the said persone to warde to oon of our castelles nere where the said riott is committed. For we woll that all our castelles be our gaole; and if noo suche castell be nere, than the next common gaole.

Item, we woll that our said Counsell incontynent after that they have knowlage of any assembles or gaderinges made contrarie oure lawes and peas, provide to resiste, withstande, and ponysshe the same in the begynnyng according to their demerites, without ferther deferring or putting it in respecte.

Item, that all lettres and writinges by our said Counsell to be made for the due executing of the premisses be made in our name, and the same to be endoced with the hande of our nepveu of Lincolne undre neth by thise wordes *Per Consilium regis*.

Item, that oon suffisaunt persone be appoynted to make out the said lettres and writinges and the same put in regestre from tyme to tyme, and in the same our said nepveu and suche with him of our said Counsell then being present, setto their handes and a seale to be provided fre for the sealing of the said lettres and writinges.

Item, we woll and streitly charge all and singuler our officers, true liegemen, and subgiettes in thise north parties to be at all tymes obeieng to the commaundementes of our said Counsell in our name and duely to execute the same as they and every of theym woll eschue our gret displeasur and indignacion.

Memorandum, that the kinges grace afore his departing do name the lordes and other that shalbe of his Counsell in these parties to assiste and attende in that behalve upon his nepveu of Lincolne.

Item, memorandum that the king name certen lierned men to be attending here, so that oon alweys at the lest be present, and at the meting at York to be all there.

Item, that the king graunt a comission to my lord of Lincolne and other of the Counsell according to theffect of the premisses.

304. MEMORANDUM ON FINANCE, 1484

[*Letters and Papers . . . of Richard III and Henry VII*, ed. J. Gairdner (R.S., 1861), I, 81-85.]*

For discussion see B. P. Wolffe, 'The Management of English Royal Estates under the Yorkist Kings', in *E.H.R.*, LXXI (1956), 1-27, and references contained therein.

A remembraunce made, aswele for hasty levy of the kynges revenues growing of all his possessions and hereditamentes, as for the profitable astate and governaunce of the same possessions.

Furst, that all the kynges officers of his court of Eschequier use and execute hasty processe ayenst almaner persones accomptable, and other being the kinges dettours, as the caas shall require; and also to here and determyne accomptes of the same, and thissues, proffuytes, and revenues commyng therof to be levied and paied into the kinges receipt without delay.

Also that no persone accomptable, ne other persone being in dette to the king, have any respet, stalment, or favour in the said court, whereby the kinges dueties may be delayed over the space of iiii monethes next after the tyme that any suche persone owith to yelde his accompt, or owith to pay his debt, whatsoever it be. For it hath ben said that many diverse officers accomptable have ben respected of their accomptes from yere to yere, and also of their paymentes by space of many yeres, to the kinges gret hurt, in tymes passed.

Also that no officers havyng office in the said court of Theschequier have or occupie any office in the receipt.

Also it is thought that the auditours of the said Eschequier shuld yerely make a boke of all the revenues, issues, and proffuytes growing of all shireffes, eschetours, collectours of custumes and subsides, tresourer of Calais and Guysnes, collectours of dismes, baillieffes of cities, burghes, and portes, and of all other maner officers accomptable of the said Eschequier, with the reprises and deduccions therof, and the same boke to declare afore suche persones as the kinges good grace shall like to assigne to here and to see it; whereupon his grace may yerely se the prouffites of the said court.

Also that the tresourer of England for the tyme being yerely shuld make a declaracion of all suche money as is received or assigned within his office, be it in the receipt or be it otherwise, for that yere afore the said yeres.

Also that the said court of Eschequier be clerely dismyssed and discharged with any medling with any forayn lyvelode in taking of accomptes, as Wales, duches of Cornewaill, York, Norffolk, erldoms of Chestre, Marche, Warrewick, Sarum, and of all othre landes being in the kinges handes be reason of forfaictour; which is thought most behovefull and profitable to be assigned to othre foreyn auditours for diverse causes ensueing, etc.; that is to sey:—

First, for more hasty levie of money. Also for more ease and lesse coste of the officers of suche lyvelode.

Also for cause that the lordshippes may be yerely surveied by the stiwardes, auditours, and receivours in the tyme of accomptes of officers of the same for reparacions, wodesales, and for othre direccions to be had amonge the tenauntes, with many mo causes necessarye, etc.

And where that many lordshippes, manours, londes, and tenementes perteynyng to the crown ben committed to diverse persones for fermes in certeyn, by the which the kinges woddes and his courtes, with othre casuelties, ben wasted and lost to his gret hurt, and gret allouances had for raparacions of his castelles and manours, and they not forthy repaired, as it is said; and also the said lordshippes ofte tyme set within the value; it is thought that a foreyn auditour shuld be assigned for all lordshippes, manours, landes, and tenementes belonging to the crown, and a receivour for the same yerely to ride, surveie, receyve, and remembre in every behalf that myght be most for the kinges profite, and therof yerely to make report of the astate and condicion of the same; by the which the kinges grace shuld knowe all the lordshippes that perteyneth to his crowne, whiche as nowe be unknowyn, as it is said, etc.

Also, it is thought that suche certayn auditours as ben of gode, true, and sadde disposicion and discrecion shuld be assigned to here and determyne thaccomptes of all the kinges foreyn livelode as is above discharged fro Theschequier, and to have so many auditours and no mo but as may conveniently and diligently determyn the said livelode betwixt Michelmas and Candelmes, with sadde and discrete examinacion of all defaultes and hurtes of all officers accomptable severaly in their offices executing, wherein thawditours of Theschequier can never have so evydent knowlege for reformacion of the same.

Also, that the receivours of gode and true disposicion and also of havour of richesse be assigned to the said lyvelode ; and they to se for reparacions of castelles, manors, milnes, parkes, and othre, and in the cirquyte of their receipt they to se the wele of every lordshipp.

Also, it is thought that all auditours afore said, aswele of Theschequier as of foreyn livelode, shuld yerely make declaracion of all suche livelod as they have in charge, afore suche persones as the kinges grace wol therto assigne at London, alway betwixt Candelmes and Palmesonday, so that his grace may be asserteyned yerely of the hole revenues of all his livelod, and what therof is paid and what is owing, and in whos defaute.

Also, where that lordes, knightes, and esquiers, many of them not lettered, ben made stewardes of the kinges livelod in diverse countres, thay taking gret fynes and rewardes of the kinges tenauntes to ther propre use, to the kinges hurt and poveresshinge of his said tenauntes, and also wanting cunnyng and discrecion to ordre and directe the said lyvelode lawfully, with many moo inconvenientes. Therfor it is thought that lerned men in the lawe where most profitable to be stiwardes of the said livelod for many causes concernyng the kinges profite and the wele of his tenauntes.

Also, it is thought that all londes being in the kinges handes by reason of wardeshipp of lordes sonez or othre noble men shuld not be let to ferme hold for a certeyn, but that the same landes shuld remayn in the kinges handes during the nonnage and that auditours of the same londes shuld yerely determyne thaccomptes therof and to make declaracion as is above said, for the more profite to the king, etc.

Also, for temporalties of bisshopriches, abbayes, and priories in likewise, etc.

Also, it is thought that all the forsaid auditours, every yere at the fest of Michelmes next after the declaracion made of all foreyn lyvelod by for the said persones by the king so assigned, shuld delivere or doo to be delivered the bookes of accomptes of the same into the kinges Eschequier afore the barons ther after the first yere of the premisses, ther to remayn of recorde, so that the bookes of accomptes of the later yere be alway in the handes of the said auditours for their presidence, the duchie of Lancastre, the lordshippes of Glamorgan and Bergevenny alwey except, etc.

FORMULARY

I. PARLIAMENTARY DOCUMENTS

I. WRITS OF PERSONAL SUMMONS, 1472

[*Report on the Dignity of a Peer*, IV, 980-982, printed from the Close Roll.]*

(*a*) To an archbishop.

Rex venerabili in Christo patri, Thome eadem gracia archiepiscopo Cantuariensi, tocius Anglie primati, salutem. Quia, de avisamento et assensu Consilii nostri, pro quibusdam arduis et urgentibus negociis, nos, statum, et defensionem regni nostri Anglie ac ecclesie Anglicane concernentibus, quoddam parliamentum nostrum apud Westmonasterium sexto die Octobris proximo futuro teneri ordinavimus, et ibidem vobiscum ac cum ceteris prelatis, magnatibus, et proceribus dicti regni nostri colloquium habere et tractatum; vobis, in fide et dileccione quibus nobis tenemini firmiter injungendo, mandamus, quod, consideratis dictorum negociorum arduitate et periculis imminentibus, cessante excusacione quacumque, dictis die et loco personaliter intersitis, nobiscum ac cum prelatis, magnatibus, et proceribus predictis super dictis negociis tractaturi vestrumque consilium impensuri; et hoc sicut nos et honorem nostrum ac salvacionem et defensionem regni et ecclesie predictorum expedicionemque dictorum negociorum diligitis nullatenus omittatis; premunientes priorem et capitulum ecclesie vestre Cantuariensis, ac archidiaconos, totumque clerum vestre diocesis quod iidem prior et archidiaconi in propriis personis suis, ac dictum capitulum per unum, idemque clerus per duos procuratores idoneos, plenam et sufficientem potestatem ab ipsis capitulo et clero divisim habentes, predictis die et loco personaliter intersint, ad consenciendum hiis que tunc ibidem de communi consilio dicti regni nostri, divina favente clemencia, contigerint ordinari. Teste rege apud Westmonasterium xix die Augusti.

Per breve de privato sigillo.

(*b*) To an abbot.

Rex dilecto sibi in Christo, abbati de Burgo Sancti Petri, salutem. Quia etc. ut supra, usque ibi nullatenus omittatis, et tunc sic. Teste ut supra.

(*c*) To a duke.

Rex carissimo fratri suo, Georgio, duci Clarencie, salutem. Quia etc. ut supra, usque ibi tractatum, et tunc sic; vobis, in fide et ligeancia quibus nobis tenemini etc. ut supra. Teste ut supra.

(*d*) To a justice and others.

Rex dilecto et fideli suo Thome Byllyng, salutem. Cum etc., ut supra, usque ibi tractatum, et tunc sic ; vobis mandamus, firmiter injungentes, quod, omnibus aliis pretermissis, dictis die et loco personaliter intersitis, nobiscum ac cum ceteris de consilio nostro super dictis negociis tractaturi vestrumque consilium impensuri. Et hoc nullatenus omittatis. Teste ut supra.

Consimilia brevia directa personis subscriptis sub eadem data, videlicet,

Thome Bryan	Ricardo Chok, militi
Willelmo Laken	Guidoni Fairfax
Johanni Nedeham, militi	Ricardo Pygot
Ricardo Neel	Johanni Catesby
Thome Litelton	Willelmo Husee.

2. WRIT OF SUMMONS OF REPRESENTATIVES AND THE SHERIFF'S RETURN, 1399

[*P.R.O., Chancery, Parliamentary Writs and Returns*, box 10, file 1, nos. 22 and 23.]*

The wording of writs of summons to parliament varied little during the 14th century, but in the 15th century they became much longer as clauses were added mentioning the statutes regulating elections and the franchise. See L. Riess, *The History of the English Electoral Law in the Middle Ages* (1885), trans. K. L. Wood-Legh (1940), and the references contained therein.

The sheriff's return was often merely written on the back of the writ of summons, but sometimes, as in this case, the information was contained or continued on a schedule returned with the writ.

Henricus dei gracia rex Anglie et Francie et dominus Hibernie vicecomiti Northumbrie, salutem. Quia de avisamento Consilii nostri pro quibusdam arduis et urgentibus negociis nos, statum, et defensionem regni nostri Anglie ac ecclesie Anglicane contingentibus, quoddam parliamentum nostrum apud Westmonasterium in festo Sancte Fidis Virginis proximo futuro teneri ordinavimus, et ibidem cum prelatis, magnatibus, et proceribus dicti regni colloquium habere et tractatum ; tibi precipimus, firmiter injungentes, quod de comitatu tuo duos milites gladiis cinctos, magis idoneos et discretos comitatus predicti, et de qualibet civitate comitatus illius duos cives, et de quolibet burgo duos burgenses, de discrecioribus et magis sufficientibus eligi, et eos ad dictos diem et locum venire facias. Ita quod iidem milites plenam et sufficientem potestatem pro se et communitate comitatus predicti, et dicti cives et burgenses pro se et communitatibus ab ipsis habeant, ad faciendum et consenciendum hiis que tunc ibidem de communi consilio regni nostri predicti, favente Domino, ordinari contigerit super negociis antedictis. Ita quod pro defectu potestatis hujusmodi, seu propter improvidam eleccionem militum, civium, aut burgensium predictorum, dicta negocia nostra infecta non remaneant quovis modo. Nolumus autem quod tu seu aliquis alius vicecomes regni predicti aliqualiter sit electus. Et habeas ibi nomina predictorum militum, civium, et burgensium, et hoc breve. Teste me ipso apud Westmonasterium xxx die Septembris anno regni nostri primo.

Bubbewyth

Per ipsum regem.

[*On the dorse.*]

Responsio Henrici de Percy, vicecomitis Northumbrie, in execucione hujus brevis.

Manucaptores Thome Gray, chivaler, unius militum electi ad parliamentum pro comitatu Northumbrie, prout hoc breve requirit

—Robertus de Wytton
—Willelmus Douken

Manucaptores Sampsoni Hardyng, alterius militum electi ad parliamentum pro comitatu predicto

—Ricardus Williamson
—Johannes de Moreton

Et ulterius respondit quod mandavit plenum returnum hujus brevis Willelmo Redmerhill, Roberto Hibburn, et Roberto de Chirden, ballivis libertatis Novi Castri super Tynam, quibus execucione inde restat faciendum, qui michi responderunt prout patet in cedula huic brevi consuta. Et non sunt plures civitates aut burgos in comitatu predicto.

[*On the attached schedule.*]

Nos Willelmus Redmerhill, Robertus Hibburn, et Robertus de Chirden, ballivi libertatis ville de Novo Castro super Tynam, in execucione mandati brevis domini regis de parliamento nobis directi, respondemus prout patet in subscripto.

Manucaptores Laurencii de Atton, unius burgencium electi ad parliamentum pro predicta villa de Novo Castro

—Johannes de Marton
—Ricardus Hynde

Manucaptores Rogeris de Thorneton, alterius burgencium electi ad parliamentum pro eadem villa de Novo Castro.

—Adam Gray
—Willelmus Paule

3. ELECTORAL RETURN BY INDENTURE, 1407

[*Ibid.*, box 10, file 4.]*

This form of return was ordered by statute 7 Henry IV, c. 15 (see no. 200 above).

Hec indentura facta inter Thomam Wydevill, vicecomitem Northamptonscire, ex parte una, et Radulphum Parles, Johannem Cope, Johannem Warrewyk, Johannem Stotusbury, Robertum Joham, Laurencium Dyne, Thomam Beston, Willelmum Pole, Johannem

Mauntell, Willelmum Grendon, Robertum Aleyn, Thomam Cotyngham, Willelmum Armeston, Ricardum Clevdon, Willelmum Aldewyncle, Ricardum Pyell, Johannem Clevdon, Johannem Fortho, Johannem Maryns, Johannem Dytton de Bradden, et Willelmum Wheteley, ex parte altera, testatur, quod facta proclamacione brevis domini regis dicto vicecomiti directo et huic indenture consuti apud castrum domini regis Northamptonie die Jovis proximo post festum Sancti Mathei Apostoli ultimo preterito post datam presencium, videlicet in proximo comitatu tento ibidem post recepcionem dicti brevis, secundum formam ejusdem brevis; prefatus Radulphus Parles et omnes alii subsequentes supranominatos qui proclamacioni predicte interfuerunt, libere et indifferenter nominaverunt et elegerunt Johannem Tyndale unum militem pro communitate comitatus Northamptonie, et Thomam Wake alterum militem pro communitate ejusdem comitatus. Qui quidem milites sufficientem potestatem pro seipsis et communitate comitatus predicti divisim habent ad faciendum et consenciendum hiis que in parliamento domini regis apud Gloucestriam tenendo secundum formam dicti brevis ordinari contigerit. Quos quidem milites coram domino rege in parliamento suo ad diem et locum in dicto brevi contentis venire facias secundum tenorem cujusdam brevis et prout patet in dorsamento ejusdem brevis. In cujus rei testimonium partes predicte hiis indenturis sigilla sua alternatim apposuerunt. Datum apud castrum predictum die Jovis proximo post festum Sancti Mathei Apostoli, anno regni regis Henrici quarti post conquestum octavo.

4. WRITS DE EXPENSIS, (*a*) 1309 (*b*) 1327

[*Parl. Writs*, II, ii, 35 and 364, printed from the Close Rolls.]*

(*a*) Rex vicecomiti Kancie, salutem. Precipimus tibi quod de communitate comitatus tui, tam infra libertates quam extra, in presencia duorum militum ejusdem comitatus juratorum, habere facias dilectis et fidelibus nostris Waresio de Valoynes et Willelmo de Creye, militibus dicti comitatus, nuper ad nos de mandato nostro pro communitate predicta usque [ad] Westmonasterium venientibus, ibidem nobiscum super diversis negociis nostris nos et statum regni nostri specialiter tangentibus tractaturis, racionabiles expensas suas in veniendo ad nos, ibidem morando, et ex inde ad propria redeundo, prout alias in casu consimili fieri consuevit. Et de summa pecunie quam de communitate predicta levaveris, et prefatis Waresio et Willelmo pro expensis hujusmodi liberaveris, nobis sub sigillo tuo et sigillis dictorum militum sic juratorum constare facias, hoc breve nobis remittens. Teste rege apud Westmonasterium xiii die Maii [1309].

(*b*) Rex vicecomiti Norffolcie, salutem. Precipimus tibi quod de communitate comitatus tui, tam infra libertates quam extra, habere facias dilectis et fidelibus nostris Roberto Banyard et Constantino de Mortuo Mari, militibus comitatus illius, nuper ad parliamentum nostrum apud Westmonasterium in crastino Epiphanie Domini proximo preterito summonitum pro communitate comitatus predicti venientibus ad tractandum ibidem super diversis et arduis negociis nos et statum regni nostri tangentibus; viginti et octo libras et octo solidos pro expensis suis veniendo ad parliamentum predictum, ibidem morando, et exinde ad propria redeundo, videlicet pro sexaginta et undecim diebus, utroque predictorum Roberti et Constantini capiente per diem quatuor solidos. Teste rege apud Westmonasterium ix die Marcii [1327].

Per ipsum regem et Consilium.

5. PROCEEDINGS AT THE OPENING OF A PARLIAMENT, 1413

[*Rot. Parl.*, IV, 3-4.]*

1. Fait aremembrer qe Lundy le quinszisme jour de May, qe feust le Lundy a trois semaignes de Pasqe, et le primer jour du parlement, nostre soveraign seignur le roy seant en soun see roial en la Chambre DePeynte, et les seignurs espirituelx et temporelx, et auxint les chivalers des countes, citeyns, et burgeoises, venuz au dit parlement pur tout la commune du roialme, illeoqes adonqes esteantz, monseignur levesqe de Wyncestre, uncle au roy, et chaunceller Dengleterre, par comandement de mesme nostre seignur le roy, pronuncea et declara la cause de sommons du dit parlement en la fourme qenseute.

En primes, coment, al reverence de Dieux et de Seinte Esglise, le roy avoit grauntez et confermez, et graunta et conferma, qe Seinte Esglise ait et rejoise ses libertees et fraunchises par ses nobles progenitours bien grauntez, et par les ercevesqes, evesqes, abbes, priours, et autres gentz de Seinte Esglise, et leur predecessours, [2.] duement eues et uses. Et auxint qe nostre dit seignur le roy graunta et conferma as toutz autres seignurs temporelx, citees, et burghs, qils aient lour libertees et fraunchises, a eux en mesme le manere par ses ditz nobles progenitours bien grauntez, et par eux duement usez. Item, secundement, mesme nostre seignur le roy, pur le bien de luy et de tout soun roialme, et par tant qil vorroit estre conseillez par les pluis sages et discretes de soun roialme, il avoit envoiez pur les ditz seignurs, chivalers, citeins, et burgeoises destre a soun dit parlement pur avoir lour advis de ce qe leur semble mieulx solonc lour discrecioun. Endisant qa chescune chose a comencer il bosoigne bonn conseil, et sur ce prist a soun theame les paroles qenseuent. Ante omnem actum consilium stabile. Et sur ce aleggea molt sagement et discretement pleuseures bones et nobles auctoritees et notabilitees; et en especial rehercea qe nostre dit seignur le roy vorroit avoir lour bonn advis et conseil coment bonn et sufficeant ordinance purroit estre fait pur trois choses en especial; cestassavoir, pur due et competent sustenance de soun haut et roial estat. Secundement, pur bonn governance et maintenance de ses loies deins le roialme. Tiercement, pur cherier les estrangiers ses amys, et outre ce defaire resistence encontre ses enemys dehors le roialme. Pur quelx choses y covient davoir bonn et sufficeant conseil en especial. Et partant qe mesme nostre seignur le roy ne vorroit faire sanz advis et bonn conseil des ditz seignurs espirituelx et temporelx, et auxi de les Communes suisditz, il ad envoiez pur eux a present davoir lour bonn conseil et advys en cestes matires ; et sur ce faire ce qe serra plaisant a luy toutpuissant, et pluis expedient et profitable pur le bien de luy et de tout soun roialme. Et pur ce qe nostre dit seignur le roy voet qe droit et owel justice soit fait a toutz ses lieges, sibien povres come riches, si ascuny soit ou se voet compleindre de ascun mal ou tort a luy fait, qil mette avaunt sa peticioun parentrecy et Vendredy proschein (19 May) as receivours des peticions assignez, les nouns des queux, et auxint les triours dicelles, en la fourme qapres enseute. Et a cestes choses par laide de Dieux bien parfaire, et a bonn fin perfournir celle partie, moun dit seignur le chanceller, par comaundement du roy, chargea les ditz chivalers, citeins, et burgeoises, destre ensemble en lour lieu accustume deins labbeie de Westmouster lendemayn enseuant, al sept del clokke a matyn, pur eslier lour commune parlour, et de luy presenter au roy a oept del clokke mesme le jour. Et comanda outre as toutz les seignurs espirituelx et temporelx destre illeoqes a mesme la heure de oept.

3. Receivours des peticions Dengleterre, Irland, Gales, et Escoce,

Sire Johan Wakeryng
Sir Johan Chitterne
Sire Johan Rome.

4. Receivours des peticions de Gascoigne, et des autres terres et paiis pardelea la mer, et des isles,

Sire Johan Roderham
Sire Johan Hertilpole
Sir Henry Maupas.

Et ceux qi veullent liverer lour peticions les baillent parentrecy et Vendredy proschein.

5. Et sont assignez triours des peticions Dengleterre, Irland, Gales, et Escoce,

lercevesqe de Canterbirs,
levesqe de Londres,
levesqe de Duresme ;
labbe de Seint Alban,
labbe de Westmouster ;
le cont de Warrewyk,
le cont de Westmerland ;
le seignur de Burnell,
le seignur de Ferrerys ;
monsire William Hankeford,
monsire William Thirnyng,
Robert Tirwhit.

Toutz ensemble, ou vi des prelatz et seignurs avauntditz au meins ; appellez a eux les chanceller, tresorer, seneschall, et chamberleyn, et auxint les sergeantz du roy quaunt y bosoignera. Et tiendront lour place en la Chambre de Chamberleyn, presde la Chambre DePeynte.

6. Et sont assignez triours des peticions de Gascoigne, et des autres terres et paiis depardelea la mer, et des isles,

lercevesqe Deverwyk,
levesqe Dely,
levesqe de Bathe;
labbe de Waltham,
labbe de Ramesey;
le cont de Sarum,
le cont de Suffolk;
le seignur de Roos,
le seignur de Berkeley;
monsire Hugh Huls,
Robert Hulle,
Johan Cokayn.

Toutz ensemble, ou vi des prelatz et seignurs avauntditz au meins; appellez a eux les chanceller, tresorer, seneschall, et chamberleyn, et auxint les sergeantz du roy quant y bosoignera. Et tiendront lour place en la Chambre Marcolf.

II. CONCILIAR DOCUMENTS

1. WRIT OF SUMMONS TO ATTEND A GREAT COUNCIL, 1402

[*P.R.O., Exchequer, Treasury of Receipt, Council and Privy Seal*, file 11.]*

Until the middle years of Edward III's reign writs of summons to Great Councils were issued under the great seal and were similar to summonses to parliaments (see 1 above). Thereafter they were issued under the privy seal. See J. F. Baldwin, *The King's Council in England during the Middle Ages* (1913), 257 *et seq.*

This is a draft letter, and the names of the two archbishops, twelve bishops, the Prince of Wales, six earls, and twenty-four lay lords to whom it was issued are written below the text.

Depar le roy

Le teneur des lettres as seignurs
et de semblable effect as prelatz

Trescher et foial. Combien que nadgaires pur certaines necessaires et chargeantes busoignes nous, lestat de nostre roiaume, et de Seinte Eglise touchantz, eussiens ordenez un nostre parlement a estre tenuz a Westmouster Lundy prochein avant la Purificacioun de nostre Dame prochein venant. Nientmains pur certaines causes especifiees en nostre brief quel vous vient desouz nostre graund seal, ne volons pas que le dit parlement se tiegne a ceste foiz, mais pur tost remedier as susdites busoignes au meindre vexacioun de nostre poeple, avons ordenez un nostre Graund Conseil a tenir et commencer as jour et lieu susditz. Si vous prions, trescherement enchargeantz, que cessante toute excusacion soiez a nostre citee de Loundres le Dymenge prochein avant le dit Lundy pur y lors conseiller ovec nous et les autres seignurs et grandz de nostre roiaume qui y serront lors assemblez a cause des ditz busoignes, les queles serront moustrez et declarez a vostre et a leur venue. Et ce en nulle manere ne lessez sicome nous nous fions de vous. Donne souz nostre prive seal a Westmouster le xiiii jour de Janver.

Par le roy de son comandement.

2. WRITS OF SUMMONS TO APPEAR BEFORE THE COUNCIL, 1389

[*P.R.O. Chancery*, *Parliament and Council Proceedings*, file 47, no. 24.]*

These two writs were probably complementary and addressed to the same person. The first (*a*) is a writ *quibusdam certis de causis* under the great seal, and it contains a *sub poena* clause. The second (*b*) is a summons under the privy seal which likewise does not specify the cause of summons.

See J. F. Baldwin, *op. cit.*, 282-292, and plate VI which reproduces two similar writs of the same date.

(*a*) Ricardus dei gracia Rex Anglie et Francie et dominus Hibernie Johanni Polmorna, salutem. Quibusdam certis de causis coram nobis et Consilio nostro propositis, tibi sub gravi forisfactura nostra precipimus districtius quo poterimus, firmiter injungentes, quod omnibus aliis pretermissis et excusacione quacumque cessante, in propria persona tua sis coram nobis et Consilo nostro in quindena Pasche proximo futura sine ulteriori dilacione, ad respondendum super hiis que tibi obicientur ex parte nostra tunc ibidem, et ad faciendum ulterius et recipiendum quod per nos et dictum Consilium nostrum tunc ibidem contigerit ordinari. Et hoc sub pena quadraginta librarum nullatenus omittas. Et habeas ibi hoc breve. Teste me ipso apud Westmonasterium secundo die Marcii, anno regni nostri duodecimo. Far'

Per Consilium.

(*b*) Chier et bien ame. Nous vous mandoms et chargeons fermement qe toutes autres choses lessees et excusacions cessantes, soiez en vostre persone devant nostre Conseil a Westmouster le jour de la quinzeine de Pasqe prochein venant pur certeines causes qi nous touchent, les queles vous serront moustrees depar nous par mesme nostre Conseil a vostre venue. Et ce en nulle manere ne lessez sur la foy qe vous nous devez. Donne souz nostre prive seal a Westmouster le primer jour de Marz.

III. FINANCIAL DOCUMENTS

1. ISSUE AND RECEIPT ROLLS, 5 MARCH, 1371

[*P.R.O. Exchequer*, *Exchequer of Receipt*, *Issue Rolls*, nos. 441 and 446, and *ibid.*, *Receipt Roll*, no. 504.]*

The portion of the Issue Roll for 23 April, 1372, is included in order to complete the record of the transaction to which it refers.

[Issue Roll]

Medium Tempus

Die Mercurii quinto die Marcii

Johannes, dominus de Nevyll—Johanni, domino de Nevyll de Raby. In denariis sibi liberatis per duas tallias levatas isto die nominibus collectorum custumarum et subsidiorum regis in portu de Sancto Botulpho et Kyngeston super Hull in persolucionem CCCxxxiiii li. vi s. viii d. quas domino regi ad Receptam Scaccarii xxix die Januarii proximo preterito mutuo liberavit, ut patet in rotulo Recepte de eodem die CCCxxxiii li. vi s. viii d.

Rogerus Ferrour—Rogero Ferrour cui dominus rex C. s. annuatim ad Scaccarium ad totam vitam suam percipiendos pro bono servicio per ipsum eidem domino regi impenso per litteras suas patentes nuper concessit. In denariis sibi liberatis in persolucionem l s. de hujusmodi certo suo, videlicet de termino Michelis proximo preterito, per breve suum de liberate inter mandata de hoc termino l s.

Ricardus Naylynghurst—Ricardo Naylynghurst . . . [exactly as the last entry]. In denariis sibi liberatis in persolucionem C s. sibi liberandorum de hujusmodi certo suo, videlicet de termino Pasche proximo preterito, per breve suum de liberate inter mandata de hoc termino C s.

Johannes de Knottyngley—Johanni de Knottyngley, vallette . . . [who has an annuity of 60s. in the Exchequer]. In denariis sibi liberatis per manus Willelmi Byde, clerici, in persolucionem xxx s. de hujusmodi certo suo, videlicet de termino Michelis proximo preterito, per breve suum hoc termino xxx s.

Petrus de Mauley—Petro de Mauley, custode ville Berewicy super Twedam, per unam talliam levatam isto die nominibus collectorum custumarum regis in portu de Kyngeston super Hull continentem CC marcas eidem Petro liberandas super eadem custodia, per breve suum currens de privato sigillo inter mandata de termino Pasche, anno xli

Cxxxiii li. vi s. viii d. unde respondebit

Henricus de Wakefeld—Henrico de Wakefeld, custodi Garderobe domini regis. In denariis sibi liberatis per manus Thome Grace isto die super expensas Hospicii regis, per breve suum de liberate inter mandata termino Pasche, anno xliii

CC li. respondebit

Summa: DClxxv li. xiii s. iiii d.

Die Jovis xxii^do die Aprilis (1372)

Johannes de Nevyll—Johanni de Nevyll, domino de Raby.

In denariis sibi liberatis per unam talliam levatam isto die nomine suo proprio in persolucionem DCxlii li. xi s. i d. ob. quas domino regi ad Receptam Scacarii, videlicet per restitucionem cujusdam tallie continentis CC li. eidem Johanni assignate super custumas de Sancto Botulpho pro denariis ab eo ad opus regis mutuatis quinto die Marcii, anno xlv^to, et duarum aliarum talliarum eidem Johanni assignatarum super custumas de Hull continentium iiii^c xlii li. xi s. i d. ob. pro vadiis suis guerre xxviii^o die Junii, eodem anno xlv^to, mutuo liberavit, ut patet in rotulo Recepte eisdem diebus DCxlii li. xi s. i d. ob.

[Receipt Roll]

Medium Tempus

Die Mercurii quinto die Marcii

London'	De Johanne Bernes et Roberto de la More, collectoribus custumarum et subsidiorum regis in portu Londonie, CC li. de eisdem custumis et subsidiis	sol.
Ebor' Not'	De Ricardo Pouterell, receptore denariorum Phillipe nuper regine Anglie ultra Trentam, Cxxxiii li. vi s. viii d. de exitibus officii sui	pro domino de Nevyll
Lincoln'	De Thoma Aubrey et Willelmo de Spaygne, collectoribus custumarum et subsidiorum regis in portu de Sancto Botulpho, CC li. de eisdem custumis et subsidiis	
Mutuum[1]	De Johanne de Nevyll de Raby, CC li. de mutuo per talliam superius cancellatam: Satisfactum est ei inde, ut patet in pelle xxii^do die Aprilis, anno xlvi^to	
Ebor'	De Thoma de Wapplyngton et Roberto atte Crosse, collectoribus custumarum et subsidiorum in portu de Kyngeston super Hull, Cxxxiii li. vi s. viii d. de eisdem custumis et subsidiis	pro Petro Mauley
Midd'	De Johanne de Ipres, firmario manerii de Thistleworth, l s. de firma sua	pro Rogero Ferrour
Lincoln'	De priore de Longebenyngton alienigena, C s. de fine	pro Ricardo Nailynghurst
Not'	De Waltero de Conton, xxx s. de fine	sol.

Summa: DClxxv li. xiii s. iiii d.

[1] The entry beginning 'Lincoln' is cancelled by a line scored through it and the entry beginning 'Mutuum' is inserted beneath it; in the latter, the sentence beginning 'satisfactum' is added to the first part of the entry.

2. WARRANTS FOR ISSUES FROM THE EXCHEQUER

The majority of warrants ordering payments from the Exchequer were issued under the great seal, but most of these were routine or semi-routine orders to pay fees or annuities, e.g. (*a*) and (*b*) below. Privy-seal writs and writs-current were less numerous but they dealt with less routine matters and often with larger sums of money, e.g. (*c*) and (*d*) below.

(*a*) Under the great seal, 1334.

[*P.R.O. Exchequer, Exchequer of Receipts, Writ and Warrants for Issues*, box 3, file 18.]*

Edwardus dei gracia rex Anglie, dominus Hibernie, et dux Aquitanie thesaurario et camerariis suis, salutem. Liberate de thesauro nostro dilecto et fideli nostro Roberto de Ufford, custodi foreste nostre citra Trentam, quinquaginta libras de termino Pasche proximo preterito de annuo feodo suo centum librarum quod ei concessimus percipiendum in officio supradicto. Teste me ipso apud Rameseie xx die Aprilis, anno regni nostri octavo.

(*b*) Under the great seal, 1406.

[*Ibid.*, box 22, no. 69.]*

Henricus dei gracia rex Anglie et Francie et dominus Hibernie thesaurario et camerariis suis, salutem. Cum duodecimo die Novembris, anno regni nostri primo, de gracia nostra speciali et pro bono et laudabili servicio quod dilectus serviens noster Thomas Hoccleve, unus clericorum nostrorum de officio privati sigilli nostri, a longe tempore in officio predicto impenderat et extunc impenderet, concesserimus eidem Thome in incrementum status sui decem libras percipiendas annuatim ad Scaccarium nostrum ad terminos Pasche et Sancti Michelis per equales porciones pro termino vite ipsius Thome vel quousque ipse ad beneficium ecclesiasticum sine cura valoris viginti librarum per annum per nos fuerit promotus, prout in litteris nostris patentibus inde confectis plenius continetur; vobis mandamus quod eidem Thome id quod ei aretro est de predictis decem libris annuis a crastino festi Pasche, anno regni nostri sexto, de thesauro nostro solvatis juxta tenorem litterarum nostrarum predictarum. Teste me ipso apud Westmonasterium xii die Octobris, anno regni nostri octavo.

Clerk

Per ipsum regem.

(*c*) Under the privy seal, 1332.

[*Ibid.*, box 3, file 15.]*

Edward par la grace de Dieu roi Dengleterre, seignur Dirlande, et ducs Daquitaine as tresorer et chamberleins de nostre Escheker, saluz. Come nous soioms tenuz a nostre cher chapellein Johan de Crokford en sys livres, douze soldz, trois deniers, et une maille, sicome piert par une bille qil en ad seale du seal nostre cher clerc maistre Thomas de Garton, nadgaires gardein de nostre Garderobe, vous mandoms qe receve devers vous la dite bille, facez paier au dit Johan sanz delai la dite somme; en chargeantz outre par y cele le dit Thomas en due manere. Donne souz nostre prive seal a Wodestok le xi jour de Juyn, lan de nostre regne sisme.

(*d*) Under the privy seal, 1399.

[*Ibid.*, box, 15, no. 116.]*

Henri par la grace de Dieu roy Dengleterre et de France et seignur Dirlande as tresorer et chamberleins de nostre Eschequer, saluz. Nous vous mandons que a nostre ame clerc Thomas Tuttebury, gardein de nostre Garderobe deinz nostre Houstel, facez paier sys mille marcs de nostre tresor pur les despenses de nostre Houstel; et facez auxi paier de temps en temps ce que busoigne pur les despenses de nostre dit Houstel, chargeant ent le dit gardein des sommes par lui a recevire par celle cause en maniere come appartient. Donne souz nostre prive seal a Westmouster le quart jour de Decembre, lan de nostre regne primer.

3. WRIT OF ALLOCATE, 1409

[*P.R.O., Exchequer, King's Remembrancer, Memoranda Roll,* 11 Henry IV, Brevia directa baronibus, Hilary, rot. 8d.]*

This writ would normally be the companion to a writ of *liberate* (similar to 2 (*b*) above) directed to the sheriff of Wiltshire.

Rex thesaurario et baronibus suis de Scaccario, salutem. Cum dominus Ricardus, nuper rex Anglie, secundus post conquestum, per litteras suas patentes quas vicesimo tercio die Octobris, anno regni nostri primo, confirmaverimus, de gracia sua speciali et pro bono et gratuito servicio quod dilectus clericus Robertus Frye, nuper unus clericorum officii de privato sigillo suo, tam in officio illo quam in officio de signeto suo per duodecim annos sibi impenderat, concesserit eidem Roberto decem libras percipiendas singulis annis de exitibus comitatus Wiltes' per manus vicecomitis sui ibidem pro tempore existentis ad terminos Pasche et Sancti Michelis per equales porciones durante vita ipsius Roberti vel quousque ipse ad beneficium ecclesiasticum sine cura valoris viginti librarum per annum per ipsum nuper regem fuerit promotus, prout in litteris et confirmacione predictis plenius continetur. Et per breve nostrum precepimus vicecomiti nostro comitatus predicti quod eidem Roberti id quod ei aretro fuit de predictis decem libris annuis pro termino Pasche ultimo preterito de exitibus comitatus predicti solveret juxta tenorem litterarum et confirmacionis predictarum; vobis mandamus quod, visis mandato nostro predicto ac litteris acquietancie ipsius Roberti que pro nobis sufficientes fuerunt in hac parte, id quod vobis constare poterit prefatum vicecomitum eidem Roberto virtute mandati nostri predicti racionabiliter solvisse eidem vicecomiti in compoto suo ad Scaccarium predictum debite allocetis, recipientes a prefato vicecomiti mandatum ac litteras acquietancie supradicta. Teste me ipso apud Westmonasterium xvi die Aprilis, anno regni nostri decimo.

4. WRIT UNDER THE PRIVY SEAL TO THE TREASURER AND BARONS OF THE EXCHEQUER ORDERING AN ACCOUNT, 1409

[*Ibid.*, Hilary, rot. 20.]*

Henri par la grace de Dieu roy etc. as tresorer et barons de nostre Eschequer, saluz. Nous vous mandons qe vous acontez duement ovesqe nostre ame clerc Richard Clyfford, gardein de nostre Grande Garderobe, par son serement, sibien de touz les denires par lui receuz a cause de son dit office et de touz maneres acatez, purveancez, liverees, mises, costages, et despenses, et de touz autres necessaires par lui faitz en cell office, come sur la reparacioun et amendement de diverses mesons, chambres, jardyn, et autres necessaries, sibien deinz loustell de la dit Garderobe come dehors en les mesons, chambres, shopes, appartenantz a ycelle, ensemblement ovec tielx fees, robes, gages, et regard par lui et son clerc desouz lui en le dit office come il ou les autres garderobers devant lui soilient prendre en mesme loffice devant ces heures, du vynt et septisme jour de Janver, lan de nostre regne disme, jusqes a la fest de Seint Michel adonqes prochin ensuant, la darrein jour acontez ; fesant a lui due allouance par son dit serement, sibien de touz les ditz deniers et de touz les ditz acates, purveances, mises, costagez, et dispenses, et autres necessares avantditz, come dauticux fees, robes, gages, et regard pur lui et son clerc desouz lui, come il ou autres garderobers devant lui solient prendre en mesmes loffice avant ces heures. Et facez auxi allouer en soun dit aconte touz maneres foreins costages et despenses par lui faitz et paiez a cause de son dit office par nostre comandement entour portage, cariage, batillage de diverses harnoys, robes, garnementz, et autres diverses necessaries par nous et autres de nostre comandement faitz envoies a nous par diverses foiz a diverses lieux ; et auxi allouange de diverses homes et chivaux par lui lowes a diverses lieux pur diverses busoignes faire et exploiter touchant son dit office ; fesant auxi due allouance a mesmes nostre clerk en son dit aconte de touz maneres costages, paiementz, et despenses par lui faitz et paiez, sibien a Thomas Wryth, peintour de Londres, pur le batur, faiseure, et de peinture de diverses baners, penons, gytons de noz armes, et dautres standardes, pensell, crestes, fanes, et autres diverses choses de soun myster par lui faitz a nostre oeps demesne par nostre comandement par diverses foiz, come a Cristofre Tildesley, orfeour de Londres, entour lamendement et reparaillement sibien de diversez ornementz dor et dargent touchantz nostre armure ; fesant ensi due allouance alavant dit Richard en son dit aconte de touz maneres costages, paiementz, et despenses par lui paiez et faitz au dit Cristofre sur la faseure et susorer de noz ditz ornamentz, harnoys, et autres choses destre de novell faitz et ennorrez ovesqe son propre or et argent, et sur la faseure dautres diverses ornamentz, harnoys, et autres choses de novel faitz de son propre or et argent a diverses foiz deinz le temps susdit. Donne souz nostre prive seal a Westmouster le xii jour de Novembre, lan de nostre regne unzisme.

5. REQUEST FOR LOANS, 1485

[*B.M.*, *MS. Harl.* 433, ff. 275v, 276r.]*

This manuscript letter-book, besides giving these forms of the documents, lists bundles of them sent to collectors in the counties, and the names of individuals who were to be asked for loans. Several hundred of these documents were issued over a period of three months, asking in all for nearly £20,000. See J. Gairdner, *History of the Life and Reign of Richard III* (1898), 195-199. Requests similar to these were not uncommon in the 14th and 15th centuries. For examples in 1397 and 1421 see Rymer, *Foedera* (O.E.), VIII, 9-12, and X, 96-97.

(i) Letter to the collectors.

Lettres directed to them that went with theym.

By the king

Trusty etc. And for the singuler affiaunce and trust that we have in you we at this tyme have ordeigned and appoynted you to deliver certain our lettres unto diverse our subgiettes within our countie of Oxon', Berk', and Buk', and of theym to receive suche sommes of money as we have written unto theym for; which lettres we send unto you by this berer. And within the corner and ende of every of the same ye shall understande suche severell sommes as ben conteigned therin; part of the same ben superscribed and part ar blank, which we woll ye dericte unto suche persones within our said counties as by your discrecions shalbe thought convenyent. The copy whereof with a remembraunce of suche wordes as ye shal use unto the persones to whom our said lettres shalbe delyvered we sende unto you herein closed. Wherefore we wol and desire you that with al diligence to you possible ye put you in your effectuell devoirs to thaccomplisshing of our message and entent in that behalve, soo that the same by youre pollitique and wise meanes may take good effect and expedicon as our special trust is in you. Yeven etc. at Westmynster the xxi[th] day of Fevrier.

(ii) Letter to lenders.

For money.

By the king

Trusty and welbelovid, we grete you wele. And for suche great and excessive costes and charges as we haistly must bere and susteigne, aswele for the keping of the see as othrewise for the defense of this our reame, we desire and in our hertiest wise pray you to send unto us by way of loon by our trusti servaunt, this berer, [blank]. And we promitte you by these our lettres, signed with our own [hand], truely to recontent you therof at Martilmas next commyng, and [blank] residue at the feest of Seint John Baptist than next folowing without further delay; assuring you that, accomplisshing this our instant desire and herty prayer, ye shal finde us your good and gracious souverain lord in any your reasonable desires herafter; yevyng ferther credence to our said servaunt in suche thinges as he shal moeve unto you on our behalve touching this matier. Yeven etc.

(iii) Words to be used by collectors.

Instruccionz, credences.

Sir, the kinges grace greteth you well, and desireth and heretly prayeth you that by wey of loon ye will let him have suche summe as his grace hath written to you fore; and ye shall truely have it ayen at suche dayes as he hath shewed and promysed to you in his lettres. And this he desireth to be emploied for the defence and suertie of his roiall persone and the weele of this his royaume. And for that entent his grace and all his lordes, thinking that every true Englissheman woll help him in this behalve, of which numbre his grace reputeth and taketh you for oon, and that is the cause he this writeth to you before other, for the gret love, confidence, and substaunce that his grace hath and knoweth in you, which trusteth undoubtedly that ye like a lovyng subgiet woll at this tyme accomplisshe this his desire.

IV. A COMMISSION FOR JUSTICES OF THE PEACE, 1413

[Printed by B. H. Putnam in *Proceedings before the Justices of the Peace in the Fourteenth and Fifteenth Centuries* (1938), 87-91.]

Henricus Dei gracia Rex Anglie et Francie et Dominus Hibernie dilectis et fidelibus suis Willelmo Roos de Hamelak' Henrico de Bello Monte Ricardo Grey de Codnore Willelmo Ferrers de Groby Iohanni Cokayn Thome Maureward' Henrico Neuill' Willelmo Cheyne Willelmo Palmere Willelmo Brokesby Bartholomeo Brokesby et Iacobo Bellers, salutem.

Sciatis quod assignauimus vos coniunctim et diuisim ad pacem nostram necnon ad statuta apud Wynton' Norhampton' et Westm' pro conseruacione pacis eiusdem; ac statuta et ordinaciones ibidem et apud Cantebr' de venatoribus operarijs artificibus seruitoribus hostellarijs mendicantibus et vagabundis ac alijs hominibus mendicantibus qui se nominant trauelyngmen; et similiter ad statuta et ordinaciones apud Westm' annis regni nostri primo et secundo de liberatis signorum societatis militibus armigeris seu valettis ac alijs liberatis pannorum minime dandis nec eisdem liberatis aliqualiter vtendis ; necnon omnia alia ordinaciones et statuta pro bono pacis nostre ac quite regimine et gubernacione populi nostri edita in omnibus et singulis suis articulis in comitatu Leyc' tam infra libertates quam extra iuxta vim formam et effectum eorundem custodienda et custodiri facienda ; et ad omnes illos quos contra formam ordinacionum et statutorum predictorum delinquentes inueneritis castigandos et puniendos, prout secundum formam ordinacionum et statutorum eorundem fuerit faciendum ; et ad omnes alios qui aliquibus de populo nostro de corporibus suis vel de incendio domorum suarum minas fecerint, et [*sic*] ad sufficientem securitatem de pace et bono gestu suo erga nos et populum nostrum inueniendam coram vobis venire, et si huiusmodi securitatem inuenire recusauerint tunc eos in prisonis nostris quousque huiusmodi securitatem inuenerint saluo custodiri faciendos.

Assignauimus eciam vos vndecim decem nouem octo septem sex quinque quatuor tres et duos vestrum iusticiarios nostros ad inquirendum per sacramentum proborum et legalium hominum de comitatu predicto tam infra libertates quam extra per quos rei veritas melius sciri poterit de omnimodis felonijs transgressionibus forstallarijs regratarijs et extorsionibus in comitatu predicto infra libertates et extra per quoscumque et qualitercumque factis siue perpetratis, et que ex nunc ibidem fieri continget ; et eciam de omnibus illis qui in conuenticulis contra pacem nostram et in perturbacionem populi nostri seu vi armata ierint vel equitauerint seu ex nunc ire vel equitare presumpserint ; et eciam de hijs qui in insidijs ad gentem nostram mahemiandam vel interficiendam iacuerint vel exnunc iacere presumpserint ; et eciam de hiis qui capiciis et alia liberata de [vnica ?] secta per confederacionem et pro manutenencia contra defensionem ac formam ordinacionum et statutorum inde ante hec tempora factorum vsi fuerint et alijs huiusmodi liberata imposterum vtentibus ; et eciam de hostellariis et aliis qui in abusu mensurarum et ponderum ac in vendicione victualium, et eciam de quibuscumque operariis artificibus seruitoribus hostellariis mendicantibus et vagabundis predictis et alijs qui contra formam ordinacionum et statutorum pro communi vtilitate regni nostri Anglie et populi nostri eiusdem de huiusmodi venatoribus operariis artificibus seruitoribus hostellariis mendicantibus vagabundis et aliis inde factorum delinquerint vel attemptauerint in comitatu predicto seu exnuc delinquere vel attemptare presumpserint ; aceciam de quibuscumque vicecomitibus maioribus balliuis senescallis constabulariis et custodibus gaolarum qui in execucione (qui in execucione) officiorum suorum erga huiusmodi artifices seruitores laboratores vitellarios hostellarios mendicantes et vagabundos ac alios predictos iuxta formam ordinacionum et statutorum predictorum facienda indebite se habuerint et exnunc indebite se habere presumpserint, aut tepidi remissi vel negligentes fuerint et exnunc tepidos remissos vel negligentes fore contigerit ; et de omnibus et singulis articulis et circumstanciis premissa omnia et singula ac (aliis) contra formam ordinacionum et statutorum predictorum per quoscumque et qualitercumque factis siue attemptatis et que exnuc fieri vel attemptari contigerit qualitercumque concernentibus plenius veritatem ;

et ad (omnia) indictamenta quecumque coram vobis seu duobus vestrum ac aliis nuper custodibus pacis nostre et iusticiariis nostris ad huiusmodi felonias transgressiones et malefacta in comitatu predicto audienda et terminanda assignatis virtute diuersarum litterarum nostrarum vobis et eisdem alijs nuper custodibus pacis nostre et iusticiariis nostris in hac parte factarum facta et non dum terminata inspicienda, et ad omnia breuia et precepta per vos et ipsos alios nuper custodes pacis nostre et iusticiarios nostros virtute litterarum nostrarum predictarum facta coram vobis et ipsis aliis nuper custodibus pacis nostre ad certos terminos futuros retornabilia ad terminos illos recipienda, et processus inde inchoatos ac processus versus omnes alios coram vobis et eisdem alijs nuper custodibus pacis nostre et iusticiariis nostris indictatos et quos coram vobis indictari contigerit quousque capiantur reddantur vel vtlagentur faciendos et continuandos.

Assignauimus eciam vos vndecim decem . . . et duos vestrum quorum aliquem vestrum vos prefati Iohannes Willelme Cheyne Willelme Palmere et Iacobe vnum esse voluimus iusticiarios nostros ad ea omnia et singula que per huiusmodi hostellarios et alios in abusu mensurarum et ponderum ac in vendicione victualium et omnia alia que per huiusmodi operarios artifices seruitores mendicantes et vagabundos contra formam ordinacionum et statutorum predictorum seu in eneruacionem eorundem in aliquo presumpta vel attemptata fuerint vel attemptari contigerit ; ac extorsiones et regratarias predictas tam ad sectam nostram quam aliorum quorumcumque coram vobis pro nobis vel pro se ipsis conqueri vel prosequi volencium audienda et terminanda ; ac felonias transgressiones et forstallarias predictas ac omnia alia superius ad determinandum non declarata, ad sectam nostram tantum, et ad omnia alia que virtute ordinacionum et statutorum predictorum ac aliorum ordinacionum et statutorum regni nostri Anglie per custodes pacis nostre et iusticiarios nostros huiusmodi discuti et terminari debent audienda et terminanda ;

et ad eosdem operarios artifices et seruitores per fines redempciones et amerciamenta et alio modo pro delictis suis prout ante ordinacionem de punicione corporali huiusmodi operariis artificibus et seruitoribus pro delictis suis exhibendis factam fieri consueuit ; necnon eosdem vicecomites maiores balliuos senescallos constabularios custodes gaolarum venatores vitellarios hostellarios mendicantes et vagabundos super hiis que contra formam ordinacionum et statutorum predictorum attemptata fuerint vel attemptari contigerit, castigandos et puniendos secundum legem et consuetudinem regni nostri Anglie ac formam ordinacionum et statutorum eorundem.

Prouiso semper quod si casus difficultatis super determinacione extorsionum huiusmodi coram vobis euenire contigerit, quod [*sic*] ad iudicium inde reddendum nisi in presencia vnius iusticiariorum nostrorum de vno vel altero banco aut iusticiariorum nostrorum ad assisas in comitatu predicto capiendas assignatorum coram vobis minime procedatur.

Et ideo vobis et cuilibet vestrum mandamus quod circa custodiam pacis ordinacionum et statutorum predictorum diligenter intendatis, et ad certos dies et loca quos vos vndecim decem . . . vel duo vestrum ad hoc prouideritis inquisiciones super premissis faciatis et premissa omnia et singula audiatis et terminetis ac modo debito et effectualiter expleatis in forma predicta, facturi inde quod ad iusticiam pertinet secundum legem et consuetudinem regni nostri Anglie, saluis nobis amerciamentis et aliis ad nos inde spectantibus.

Mandauimus enim vicecomiti nostro comitatus predicti quod ad certos dies et loca quos vos vndecim decem . . . vel duo vestrum ei scire faciatis, venire faciat coram vobis vndecim decem . . . vel duobus vestrum tot et tales probos et legales homines de balliua sua tam infra libertates quam extra, per quos rei veritas in premissis melius (sciri) poterit et inquiri.

Et vos prefate Willelme Palmere ad certos dies et loca per vos et dictos socios vestros super hoc profigendos breuia precepta processus et indictamenta vt predictum est coram vobis et sociis vestris nuper custodibus pacis et iusticiariis huiusmodi facta et nondum terminata coram vobis et nunc sociis vestris predictis venire faciatis et ea inspiciatis et debito fine terminetis, sicut predictum est.

In cuius rei testimonium has litteras nostras fieri fecimus patentes.

Teste me ipso apud Westm' tercio die Februarij anno regni nostri quarto decimo. Clerk

Per consilium

V. WARRANTS FOR THE GREAT SEAL, 1405

Many letters which issued under the great seal from Chancery required the authorization of the king himself. A common procedure was for a warrant under the signet to be sent to privy-seal office (*a*) authorizing the issue of a warrant under the privy seal to the chancellor (*b*) which led to the issue of a letter under the great seal (*c*). Another common type of warrant for the privy seal was a chamberlain's bill (*d*), which by-passed the signet. The great seal was also often moved by a direct warrant from the king to the chancellor (*e*).

Types of authorization other than these were used, but less commonly.

(*a*) Warrant under the signet to the keeper of the privy seal.

[*P.R.O., Privy Seal Office, Warrants for the Privy Seal*, file 2, no. 5.]*

Depar le roy.

Trescher et bien ame. Come de nostre grace especiale eons pardonnez a nostre ame lige Johan de Balue de Pountfreit la suite de nostre pees qe avons envers lui appartient pour la mort de Adam Wodeward de Pountfreyt, felonousement occys a Pountfreyt ove un bastoun appelle pollax del price dun denier, la Mescredy prouchein apres la feste de Conversioun de Seint Paul, lan de nostre regne quint, a ce qe nous sumes enformez, dont il est enditez, rettez, ou appellez, et auxint utlagaries si aucunes soient en lui pronunciees par celles encheson, et lui ent eons grantez nostre ferme pees ; issint quil estoise a droit en nostre court si aucuny vouldra parler devers luy de la felonie susdite ; vous mandons que sur ce facez faire noz lettres de garant a nostre chanceller pour ent faire avoir au dit Johan noz lettres dessoubz nostre grant seal en due forme. Donne soubz nostre signet a nostre Tour de Londres le xxx[me] jour de Janvier.

[dorse] A nostre treschier clerc Thomas Longley, gardein de nostre prive seal.

(*b*) Warrant under the privy seal to the chancellor.

[*P.R.O.*, *Chancery*, *Warrants for the Great Seal*, file 624, no. 4179.]*

This warrant, in accordance with the practice of the office, ignored the date and place of the signet warrant (*a*) above which authorized it.

Henri par la grace de Dieu roy Dengleterre et de France et seignur Dirlande a lonurable pere en Dieu nostre trescher frere levesqe de Nicole, nostre chanceller, saluz. Come de nostre grace especiale eons pardonnez a Johan de Balue de Pountfreyt la suite de nostre pees que a nous envers lui appartient pur la mort de Adam Wodeward de Pountfreyt, feloneusement occys a Pountfreyt ove un baston appelle pollax pris dun denier, le Mescredy prochein apres la feste de la Conversion de Seint Paul, lan de nostre regne quint, a ce qest dit, dount il est enditez, rettez, ou appellez, et auxint utlagaries si aucunes soient en lui pronunciees par celle encheson, et lui ent eons grantez nostre ferme pees ; issint quil estoise a droit de nostre court si aucuny vouldra parler devers lui de la felonie susdite ; vous mandons qe sur ce facez faire lettres desouz nostre grand seal en duc forme. Donne souz nostre prive seal a Westmouster le xxxi jour de Janver, lan de nostre regne sisme.

(*c*) Letter patent under the great seal.

[*P.R.O.*, *Chancery*, *Patent Roll*, 6 Henry IV, part 1, m. 14.]*

De perdonacione

Rex omnibus ballivis et fidelibus suis ad quos etc., salutem. Sciatis quod de gracia nostra speciali perdonavimus Johanni de Balue de Pontefracto sectam pacis nostre que ad nos versus ipsum pertinet pro morte Ade Wodeward de Pontefracto, die Mercurii proxima post festum Conversionis Sancti Pauli, anno regni nostri quinto, apud Pontemfractum cum quodam baculo vocato pollax precii unius denarii felonice, ut dicitur, interfeci, unde indictatus, rettatus, vel appellatus existit, aceciam utlagariam si que in ipsum ea occasione fuerint promulgate, et firmam pacem nostram ei inde concedimus. Ita tamen quod stet recto in curia nostra si quis versus eum loqui voluerit de felonia supradicta. In cujus etc. Teste rege apud Westmonasterium xxxi die Januarii.

per breve de privato sigillo.

(*d*) A chamberlain's bill.

[*P.R.O.*, *Exchequer*, *Treasury of Receipt*, *Council and Privy Seal*, file 18.]*

The endorsement that the king had granted the petition and the signature were written by John Beaufort, earl of Somerset, chamberlain of England. The other endorsement is a note made in the privy-seal office that a privy-seal warrant to the chancellor had been issued on 8 February. This led to an entry on the Patent Roll (*Cal. Pat. R.*, 1401–1405, 491) with a note of warranty '*per breve de privato sigillo*', dated Westminster, 8 February.

Le roy ad grante par un resonable fyn

Plaise au roy nostre souverain et tresredoubte seignur graunter et donner congie a voz povres et continueles oratoirs les abbe et covent de Wynchecombe, qest de la fundacion de voz nobles progenitours jadys roys Dengleterre et de vostre patronage, quils pourront unier et approprier leglise de Bladynton en la diocise de Wircestre, la quelle esglise est de leure propre advoeson, et ycelle esglise ausi uniee et appropriee tenir a eux et a lour successours en propres us a tousjours, lestatut des terres et tenementz nient mettre a mort main et autres estatutz et ordennances queconques faites au contraire nient contresteantz, pour Dieu et en euvre de charite.

Le conte de Somerset.

Lettre ent feust faite a Westmouster
le viii jour de Feverer, lan etc. sisme.

(*e*) A direct warrant.

[*P.R.O.*, *Chancery*, *Warrants for the Great Seal*, file 1405, no. 10.]*

This warrant led to the issue of a letter patent dated at Coventry, 24 October, 1405, with the note of warranty '*per ipsum regem*' (*Cal. Pat. R.*, 1401–1405, 459).

The endorsement was written in Chancery.

Ista billa concessa fuit per regem apud
Coventre xxiiii die Octobris et liberata
cancellario exequenda.

Plese a nostre tresredoute et tressoveraigne seignur le roy grantir a vostre humble oratour Johan Freman, chappelleyn, voz graciouses lettres du presentement a leglise de Stoke Neweton en la diocese del Londres qest ore voide et appartient a vostre donisoun a cause des temporaltees de leveschee de Londres esteantz es voz mayns, pur Dieu et en oevere de charitee.

VI. INDENTURES FOR WAR AND RETAINER

(*a*) For the custody of a castle, 1377.

[*P.R.O.*, *Exchequer*, *K.R.*, *Accounts Various*, bundle 68, no. 156.]*

Ceste endenture faite parentre nostre seignur le roy dune part, et William de Risceby, esquier, dautre part, tesmoigne qe le dit William est demorez devers nostre dit seignur le roy gardein de son chastel de Oye du jour present tanqe a la feste de Touz Seintz prochein venant. Et avera meisme celui William de sa retenue demorantz ovesqe lui pur mesme le temps sur la sauve garde du dit chastel trente hommes darmes ovesqe lui mesmes acontez, des queux dys serront a chival, bien et couvenablement montez, et les autres a pee ; et dys archers a chival, bien montez selonc leur estatz ; et dys balisters ou hobelours ; et dys archers a pee. Et prendra le dit William sibien pur lui mesmes come pur chescun des autres vynt et noef hommes darmes susditz, dousze deniers le jour ; pur checun des ditz archers a chival, noef deniers le jour ; pur checun de ditz balisters ou hobelours, oyt deniers le jour ; et pur checun des ditz archers a pee, sys deniers le jour pur leur gages ; et pur les avantditz dys hommes darmes a chival, regard acustumez ; et demy des queux gages et regard le dit William serra prestement paiez pur le dit temps par les mains du tresorer de nostre dit seignur le roy de Caleys pur le temps esteant, par manere come serront les autres soudeours de nostre seignur le roy celles parties. Et ad empris le dit William ovesqe la dite retenue de sauvement garder a tout son poair ove leyde de Dieu, en noun et a loeps de nostre dit seignur le roy et de ses heirs, le dit chastel par le temps desusdit, et a demorer continuelement par meisme le temps sur la sauve garde du dit chastel, et de noun rendre mesme le chastel a persone du monde forsqe a nostre dit seignur le roy et a ses heirs, ou a celui qi nostre dit seignur le roy ou ses heirs lui comanderont par leur lettres. Et avera le dit William eskippeson couvenable pur le passage de la mier de lui et sa dite retenue, leur chivaux et hernoys, vers le dit chastel as custages de nostre seignur le roy susdit. En tesmoignance de quele chose a la partie de ceste endenture demorante devers nostre dit seignur le roy le dit William ad mys son seal. Donne a Westmouster le quart jour de Novembre, lan du regne de nostre dit seignur le roy primer.

(*b*) For war service abroad, 1415.

[*Ibid.*, bundle 69, no. 360.]*

Ceste endenture faite parentre le roy nostre souverain seignur dune part, et monsire Thomas Erpyngham dautre part, tesmoigne qe lavantdit Thomas est demorez devers nostre dit seignur le roy pur lui servir par un an entier en un voiage que mesme nostre seignur le roy en sa propre personne fera, si Dieux plest, en sa duchie de Guyenne ou en son roiaume de France, comenceant le dit an le jour de la moustre afaire des gens de sa retenue au lieu que depar nostre dit seignur le roy lui sera assignez dedeinz le moys de May prochein venant sil sera lors prest de y faire icel moustre. Et aura le dit Thomas ovec lui en dit voiage pur le dit an entier vynt hommes darmes, lui mesmes acontez, desqueux seront deux chivalers, dys et sept esquiers, et sessante archers a chival; preignant le dit Thomas pur les gages de lui mesmes, quatre souldz le jour; et pur les gages de chescun des ditz chivalers, deux souldz le jour. Et en cas qen la compaignie de nostre dit seignur le roy le dit Thomas passera vers la dite duchie de Guyene, adonqes il prendra pur les gages de chescun des ditz esquiers, quarante marcs, et pur les gages de chescun des ditz archers, vynt marcs pur le susdit an entier. Et en cas qen la compaignie de nostre dit seignur le roy le dit Thomas passera vers le dit roiaume de France, il prendra pur les gages de chescun des ditz esquiers, dousze deniers le jour, et pur chescun des ditz archers, sys deniers le jour durant lan susdit. Et en cas du dit voiage de France, sibien pur lui mesmes, come pur tous les ditz hommes darmes, le dit Thomas prendra regard acustumez, cestassavoir, selonc lafferant de cent marcs pur trente hommes darmes le quarter . . . [Half of the first quarter of a year's Guyenne wages will be paid when the indenture is made, the other half after his muster. If the king then goes to France, Thomas will be paid his arrears of French wages. As surety for the second quarter's wages, on 1 June the king will give Thomas jewels which they agree cover the sum of the wages and reward; these can be redeemed within a year and a half and a month after receipt, but after that time Thomas can dispose of them without danger. The third quarter's wages will be paid within six weeks of its beginning; and if at the mid-term of this third quarter the king has not given surety for payment for the fourth quarter, then Thomas will be freed from his agreement at the end of the third quarter.] Et sera tenuz le dit Thomas destre prest a la meer ovec ses ditz gens bien montez, armez, et arraiez come a leur estatz il appartient, pur y faire sa moustre le primer jour de Juyll prochein venant; et delors apres leur arrivaill as parties pardela, sera le dit Thomas tenuz de faire moustres des gens de sa retenue devant tiel ou tielx come il plaira a mesme nostre seignur le roy limiter et assigner a tous les foys quil en sera raisounablement garniz. Et aura le dit Thomas as coustages de nostre dit seignur le roy eskippesoun pur lui et sa dite retenue, leur chivalx, hernoys, et vittailles, et aussi reskippeson come auront autres de son estat passantz en dit voyage. Et sil aviegne qe depar nostre dit seignur le roy le dit Thomas avant son passage de la meer soit contremandez, il sera tenuz pur la susdite somme faire service a mesme nostre seignur le roy en tielles parties que lui plairra ovec les susditz gens darmes et archers selonc lafferant des gages acustumez es parties ou ils seront depar nostre dit seignur le roy assignez, exceptz ycelx qui seront mortz, si aucuns moreront en le moien temps. Et sil aviegne qe ladversaire de France ou aucun de ses filz, neveuz, uncles, ou de ses cousins germains, ou aucun roy de quel roiaume quil sera, ou de lieutenantz, ou dautres chieftains aiantz poair du dit adversaire de France, sera prins en dit voiage par le dit Thomas ou aucun de sa dite retenue, nostre dit seignur le roy aura le dit adversaire ou autre des estatz susditz qui sera ainsi prins, et en fera raisounable agreement au dit Thomas ou a celui qui les aura prins. Et touchant autres proufitz des gaignes de guerre, aura nostre dit seignur le roy sibien la tierce partie des gaignes du dit Thomas, come la tierce de la tierce partie des gaignes des gens de sa retenue en le dit voiage prinses, come les gaignes des prisoners, preyes, monoye, tout or, argent, et joyalx excedentz la value de dys marcs. En tesmoignance de quelle chose a la partie de ceste endenture demorante devers nostre dit seignur le roy lavantdit Thomas as mys son seal. Donne a Westmouster le xxix jour Daverill, lan du regne de nostre dit soverain seignur le roy tierz.

(*c*) For retainer by John, duke of Lancaster, 1382.

[*P.R.O.*, *Duchy of Lancaster*, *Miscellaneous Books* 14, f. 11v. See also *John of Gaunt's Register*, *1379–1383*, ed. E. C. Lodge and R. Somerville (Camden Soc., 3rd ser., LVI, 1937).]

Ceste endenture faite parentre Johan, roy de Castille et de Leon, [duc de Lancastre], dune part, et monsire Baudewyne Bereford le filz, dautre part, tesmoigne qe le dit monsire Baudewyn est retenuz et demorez devers le dit Johan, roy et duc, ove un son esquier a terme de sa vie, tant en temps de pees come de guerre, en manere qe sensuit; cestassavoir, qe le dit monsire Baudewyn serra tenuz a servir le dit Johan, roy et duc, ove un son esquier, tant en temps de pees come de guerre, a terme de sa vie, et de travailler ovesqe lui as queles parties qe plerra au dit roy et duc, bien et covenablement arraiez pur la guerre. Et serra le dit monsire Baudewyn en temps de pees a bouche et gages de courte a ses diverses venues illeoqes en manere come autres bachelers sont de son estat et condicioun. Et prendra le dit monsire Baudewyn del dit roy et duc vynt livres par an a terme de sa vie pur son fee pur lui et son dit esquier, sibien pur pees come pur guerre, des issues des seignuries le dit roy et duc deinz les contees de Wiltes' et Hamps' par les mains del receivour del dit roy et duc del south qi est ou qi pur le temps serra, as termes de Pasqe et de Seint Michel par oveles porcions. Et en temps de guerre le dit monsire Baudewyn ove son esquier serront a bouche de courte ou gages en manere come serront autres bachelers de son estat et condicioun, et outre ce le dit monsire Baudewyn prendra du dit roy et duc en temps de guerre pur atantz des gentz darmes come il amesnera au dit roy et duc pur lui servir en temps de guerre par lettres de son mandement, au tielx gages et regarde pur la guerre come le dit roy et duc prendra de nostre tresredoute seignur le roy pur semblables gentz darmes de leur estat et condicioun, par les mains du tresorer du dit roy et duc pur la guerre qi pur le temps serra. Et endroit de ses chivaux de guerre preisez et perduz en le service du dit roy et duc, et de comencement de son an de guerre, et auxint des prisoners et autres profites de guerre par lui ou nulle de ses gentz prises ou gaignez, ensemblement de leskippesoun pur lui, ses gentz, chivaux, et autres leurs hernoys, le dit roy et duc ferra a lui come il ferra as autres bachelers de son etstat et condicioun. En tesmoignance (de queles choses les parties avantdites entrechangeablement ont mys leurs sealx). Donne a Londres le quint jour de Feverer, lan etc. quint.

(*d*) For retainer by Henry, prince of Wales, 1410.

[As (*a*) above, bundle 69, no. 338.]*

Ceste endenture faite parentre le hault et puissant prince Henry, aisne filz au noble roy Dengleterre et de France, prince de Gales, duc de Guyene, de Lancastre, et de Cornewaille, et conte de Cestre dune part, et son treschier et tresame cousin Richard, counte de Warrewyk, dautre part, tesmoigne que mesme le count est retenuz et demourrez devers mon dit seignur le prince pur luy servir sibien en temps de pees come de guerre, a pees et a guerre, sibien depardecea come dela, ou sur la meer, pur terme de sa vie, et pour estre ovec moun dit seignur le prince a pees et a guerre encontre tous gens du mounde excepte nostre tresredoubte seignur le roy, Henry, pere a mesme monseignur le prince, pur le quel service prendra le dit count de mon sit seignur le prince, deux centz et cynquant marcz par an a soun Eschequer de Kermerdyn as termes de Pasque et de Saint Michell par ovelles porciouns. Et avera le dit cont quant il serra deinz lostiel de mon dit seignur le prince ovec lui quatre de ses escuiers et sys vadletz a bouche de courte a mon seignur le prince avantdit. Et avera moun dit seignur le prince de lavantdit conte pur tout la vie de dit cont quant il serra as gages de mon dit seignur le prince la tierce partie de lui et la tierce partie de les tierces de toutz ses gens de leur gaignes de guerre. Et si le suisdit conte ou auscun de ses gens prendra ou prendront ascun chieftain, chastell, ou forteresse en auscun voiage quant il serra as gages de mon dit seignur le prince, il sera tenuz pur les dites chieftain, chastell, ou forteresse liverer a moun avantdit seignur le prince, faisant a luy resonable gree pur le chieftain, chastell, ou forteresse avauntditz. Et outre ce, si moun dit seignur le prince envoie au dit cont pur venir a luy, soit il deinz le royaulme ou dehors, ou sur la meer, ovec auscun nombre de gens outre les ditz quatre escuiers et sis valletz pur luy servir en sa presence, ou aillours a soun commandement, le dit conte serra tenuz pur venir a moun dit seignur le prince. Et pur les gens queux il ainsi amesnera outre le dit nombre de quatre escuiers et sis valletz il avera gages tieulx come autres gens prendront de leurs estatz, et come le bosoigne de lour venue requiert. Et si mon dit seignur le prince ferra ascun armee ou voiage en ascun partie dedeinz Engleterre ou dehors ou sur la meer, sibien en la droit le roy nostre seignur avauntdit, come en la droit le suisdit seignur le prince, pur le quel service il ferra auscun retenue de gens, le dit conte serra tenuz pur servir moun dit seignur le prince ovec un tiel nombre come autres averont de son estat selon lafferant de le nombre de gens queux moun dit seignur le prince avera. Et sil plest a mon dit seignur le prince pur envoier lavantdit conte outre la meer en soun message, le suisdit conte serra tenuz pur aler et luy servir a soun commandement, et pur le nombre de gens quelle serra appointez pur le dit conte davoir ovec luy il prendra de moun dit seignur le prince gages ou regarde selon les estatz de les gens queux il avera en sa compaignie. En tesmoignance de quelle chose a la partie de ceste endenture demourant devers moun dit seignur le prince lavauntdit conte ad mis soun seal. Donne en le Manoir de Lambehithe le seconde jour Doctobre, lan de regne de nostre soverein seignur le roy Henry le quart pus le conquest douszisme.

(*e*) For retainer by William, Lord Hastings, 1475.

[Printed by W. H. Dunham, Jr., in *Lord Hastings' Indentured Retainers, 1461–1483*, 127-128. The spelling in this text is modernized.]

This indenture made the xii day of April the xv year of the reign of King Edward the IV between William, Lord Hastings, on the one part and John Knyveton of Underwood in the country of Derby, gentleman, on the other part, witnesseth that the said John of his own desire and motion is belaft and retained for term of his life with the said lord, and him to aid, assist, and his part take against all manner of persons, his ligeance only except. To ride and go with the said lord within the realm of England at all times when he shall be required, accompanied with as many persons defensibly arrayed as he may goodly make and assemble, at the costs and expenses of the said lord. For which the same lord promiseth to be good and tender lord unto the said John in such things as he hath and shall have to do as far as right, law, and conscience requireth. In witness whereof the foresaid parties to these indentures interchangeably have put their seals and signs manual. Given the day and year abovesaid.

John Knyveton.

INDEX OF SUBJECTS